# Interaction

Langue et Culture

Huitième édition

Susan St. Onge | Ronald St. Onge

CENGAGE
Learning™

Australia • Brazil • Japan • Korea • Mexico • Singapore • Spain • United Kingdom • United States

**Interaction: Langue et Culture,
Huitième édition**

Interaction: Langue et culture, 8th Edition
Susan St. Onge I Ronald St. Onge

Executive Editors:
 Maureen Staudt
 Michael Stranz

Senior Project Development Manager:
 Linda deStefano

Marketing Specialist:
 Courtney Sheldon

Senior Production/Manufacturing
Manager:
 Donna M. Brown

PreMedia Manager:
 Joel Brennecke

Sr. Rights Acquisition Account Manager:

 Todd Osborne

Cover Image:
Getty Images*

*Unless otherwise noted, all cover images used by Custom Solutions, a part of Cengage Learning, have been supplied courtesy of Getty Images with the exception of the Earthview cover image, which has been supplied by the National Aeronautics and Space Administration (NASA).

For product information and technology assistance, contact us at
**Cengage Learning Customer & Sales Support, 1-800-354-9706**
For permission to use material from this text or product,
submit all requests online at cengage.com/permissions
Further permissions questions can be emailed to
**permissionrequest@cengage.com**

This book contains select works from existing Cengage Learning resources and was produced by Cengage Learning Custom Solutions for collegiate use. As such, those adopting and/or contributing to this work are responsible for editorial content accuracy, continuity and completeness.

**Compilation © 2010 Cengage Learning**

ISBN-13:  978-1-111-52021-2

ISBN-10:  1-111-52021-6

**Cengage Learning**
5191 Natorp Boulevard
Mason, Ohio 45040
USA

Cengage Learning is a leading provider of customized learning solutions with office locations around the globe, including Singapore, the United Kingdom, Australia, Mexico, Brazil, and Japan. Locate your local office at:
**international.cengage.com/region.**

Cengage Learning products are represented in Canada by Nelson Education, Ltd.
For your lifelong learning solutions, visit **www.cengage.com /custom.**
Visit our corporate website at **www.cengage.com.**

Printed in the United States of America

# Table des matières

# To the Student

Dear Student,

By learning a new language, you have taken a giant step toward increasing your awareness of the world, one that will alter your way of viewing other cultures and will allow you to experience many aspects of your own life differently.

You have begun an exciting and valuable experience. Perhaps you are already aware of the importance of the French language throughout the world. Did you know, for example, that in recent international job listings distributed by the United States State Department, more employers preferred that job candidates possess a knowledge of French than of any other language? The French, for example, are among the world leaders in aerospace, telecommunications, satellite, electronic, and defense technology. France has a rich history in international politics, art, and literature. Culturally, it continues to garner attention, often in the world of fashion, film, and food.

Many of you may one day have the opportunity to visit a French-speaking country. Your experiences will be more enriching and rewarding if you can interact with others and better understand their culture. In helping you with this endeavor, *Interaction,* **Eighth Edition,** offers unparalleled support for the study of language, culture, and literature at the intermediate level. This edition offers a broad range of cultural and literary content, as well as concise, yet thorough, grammar explanations. Numerous language learning technologies—including a new online environment with audio and video-enhanced activities, a lively new video, guided Internet activities, and your essential partner to learning, the workbook/lab manual, now with more practice than ever!

Bonne chance!

# Acknowledgments

We would like to thank those users and reviewers of *Interaction* who read the manuscript in its various stages, and who offered invaluable comments, suggestions and advice:

## Reviewers

Eileen Angelini, *Canisius College*
Lynne Barnes, *Colorado State University*
Debbie Bell, *University of Georgia*
Edith Benkov, *San Diego State University*
Carole Bergin, *Harvard University*
Paul Brown, *Clark Atlanta University*
Rosalie Cheatham, *University of Arkansas—Little Rock*
Eddy Cuisinier, *Western Kentucky University*
Amy de Graff, *Randolph-Macon College*
Eric du Plessis, *Radford University*
Catherine Dunand, *Northeastern University*
Dominique Duvert, *Ohio University—Athens*
Florence Echtman, *Bryn Mawr College*
Zoe Erotopoulos, *Fairfield University*
Mary Ellen Faughnan-Kenien, *Onondaga Community College*
Julia Flanagan-Schmidt, *Diablo Valley College*
Catherine Fraley, *University of Evansville*
Carolyn Gascoigne, *University Nebraska Omaha*
Christine Gaudry-Hudson, *Millersville University*
Gérard Gouvernet, *Late of the State University of New York—Geneseo*
Luc Guglielmi, *Kennesaw State University*

Mary Hall, *McLennan Community College*
Carol Hofmann, *University of Southern California*
Eilene Hoft-March , *Lawrence University*
Amy Hubbell, *Kansas State University*
Andrea Javel, *Boston College*
Christa Jones, *University of Nebraska—Kearney*
Elizabeth Lang, *American University*
Ruth Larson, *Texas A&M University*
Kathryn Lauten, *Butler University*
Marie Level, *Baylor University*
Chantel Maher, *Palomar College*
Sharla Martin, *University of Texas—Arlington*
Laurent P. Monye, *Clark Atlanta University*
Christine Moritz, *University of Northern Colorado*
Keith Moser, *Mississippi State University*
Laurelin Muir, *North Salem High School*
Dewey S. Pascale, *Kutztown University*
Scooter Pegram, *Indiana University—Northwest*
Helene Perriguey-Keene, *La Causerie Francaise*
Simone Pilon, *Franklin College*
Scott Powers, *University of Mary Washington*
Joseph Price, *Texas Tech University*
Leslie A. Sconduto, *Bradley University*

Lisa Signori, *College of Charleston*
Robert Skinner, *Oral Roberts University*
Lori Slaber, *Henry Ford Community College*
David Uber, *Baylor University*
E. Richard Van Vliet, *State University of New York—Geneseo*
Lifongo Vetinde, *Lawrence University*
Françoise Vionnet-Bracher, *Texas A&M University*
Dr. Anna Weaver, *Mercer University—Macon*
Alissa Webel, *Georgetown University*
Rita Winandy, *Southern Methodist University*
Deidre Wolownick, *American River College*
Keri Yousif, *Indiana State University*

## Supplements Authors

Scott M. Powers, *The University of Mary Washington*—Companion Website Cultural Activities

Rosalie Cheatham, *University of Arkansas at Little Rock*—Testing Program

Trina Whitaker, *University of Minnesota*—Companion Website Self-correcting Quizzes

Lara Mangiafico—Sample Syllabi and Lesson Plans

Cécile Hoene—Native Reader

A very special thanks goes to Jocelyne Brant and Mayanne Wright without whose diligence and innovation the accompanying Student Activities Manual would not have been realized.

We would also like to extend a very special thanks to Julie Huntington for her dedicated work on the cultural content updates in the core textbook.

Much appreciation for their enthusiasm, dedication and support goes to the editorial and production staff at Heinle, Cengage, without whose vision, support, commitment and skills this project would not have been possible and, in particular; Nicole Morinon, Esther Marshall, Mary Jo Prinaris, Kimberly Meurillon, Cat Mooney, Peter Schott, Linda Jurras, Dan Saabye, Morgen Murphy, and David Naden.

Thanks also to the freelancers who worked on the book: Sev Champeny, native reader and proofreader; Nicole Zuckerman, project manager on behalf of Pre-Press PMG; Sylvie Pittet, text permissions editor, and Megan Lessard, image permissions coordinator.

# Chapitre 1

# Le commerce et la consommation

## Cultural Focus
* French Consumer Habits
* Eating Habits

## Readings

**Contemporary Cultural** *Frères humains, devenez végétariens!*

**Literary** Philippe Delerm: *Le croissant du trottoir* (extrait)

## Structures

**I** The Present Tense of Regular **-er** Verbs

Stem-Changing **-er** Verbs

The Imperative

The Irregular Verbs **être, avoir, faire, aller**

**II** Nouns

Articles

**III** **Voilà** and **il y a**

## Functions

Stating Preferences

Giving Orders and Directions

Expressing Intentions

**iLrn**

Une rue d'Antibes, un jour de marché

# Un peu de culture contemporaine

## La zone euro

En 2002, douze pays de l'Union européenne mettent en circulation les billets et pièces en euros (€). C'est une innovation importante qui donne, pour la première fois, une unité monétaire et symbolique à plus de 300 millions de citoyens européens.

- La zone euro comprend, en 2009, l'Allemagne, l'Autriche, la Belgique, Chypre, l'Espagne, la Finlande, la France, la Grèce, l'Irlande, l'Italie, le Luxembourg, Malte, les Pays-Bas, la Slovaquie, la Slovénie et le Portugal. Les autres pays fondateurs de l'U.E., c'est-à-dire la Grande-Bretagne, le Danemark et la Suède, n'ont pas adopté l'euro. D'autres pays d'Europe centrale et orientale ne répondent pas encore aux critères d'adhésion mais ont l'intention de participer le plus tôt possible à la zone. La Bulgarie, la Hongrie, la Lituanie, la Pologne, la République tchèque et la Roumanie sont donc, pour l'instant, membres du marché unique européen sans être membres de la zone euro.

- Les billets de banque en euros sont absolument identiques dans tous les pays de la zone. Les pièces en euros et centimes d'euro ont un côté commun, partout le même, et un côté spécifique qui utilise des symboles nationaux (en France, par exemple, on retrouve les fameuses effigies de Marianne et de la Semeuse). Mais on peut utiliser ces pièces dans tous les pays participant à la monnaie unique.

## Compréhension

1. Est-ce que tous les pays de l'Union européenne utilisent l'euro?
2. Où se trouvent les nouveaux pays membres de l'Union européenne sur le continent européen?

## Réflexion

A. A votre avis, s'il y a une circulation plus libre des personnes et des biens à l'intérieur du marché unique européen, comment cette liberté se manifeste-t-elle dans la vie quotidienne des résidents de ces pays? Quelles sont les répercussions sur les prix et sur la variété des marchandises, par exemple?

B. Comment s'appelle le traité semblable qui existe entre les pays du continent nord-américain? Que pensez-vous de ce traité?

C. Sur les billets en euros, on trouve les thèmes suivants: le porche (la protection au-dessus de la porte d'entrée d'un édifice), la fenêtre et le pont. Quelles notions symboliques sont représentées par ces images?

# Petites et grandes surfaces

Le monde du commerce en France est en constante mutation depuis quelques années. Le prix est une préoccupation majeure pour la plupart des clients, et les changements d'attitudes des consommateurs ont un effet considérable sur la manière de vendre et d'acheter en France.

- En 1963, le premier hypermarché, un *Carrefour*, ouvre ses portes près de Paris. Depuis ce temps, le nombre de *grandes surfaces* (supermarchés, hypermarchés et maxidiscomptes) ne cesse d'augmenter.

- Pour maintenir leur clientèle, les *petites surfaces* (petits commerces de quartier, boutiques et magasins spécialisés) offrent des services qu'on ne trouve pas chez les géants. Par exemple, l'épicerie reste ouverte jusqu'à 22 heures ainsi que le dimanche; de même, on propose des stands sur les divers marchés, en plein air ou couverts, où il est possible de discuter les prix. Les magasins de centre-ville semblent même bénéficier actuellement d'un renouveau d'intérêt chez les consommateurs qui attachent de plus en plus d'importance aux relations vendeur-client, surtout dans le secteur des magasins spécialisés.

- Plusieurs secteurs bénéficient aussi d'une protection gouvernementale: les médicaments sont vendus uniquement dans les pharmacies; le prix des livres neufs est strictement réglementé, même dans les grandes librairies comme la FNAC.

- La législation actuelle en France semble indiquer une volonté du gouvernement d'éviter une situation où les petits commerces vont un jour disparaître. Certaines lois (lois Raffarin, par exemple) limitent la création de grandes surfaces et sont destinées à la protection des relations commerciales et à la promotion du commerce et de l'artisanat.

## Compréhension

1. Donnez quelques exemples de *grandes surfaces* et de *petites surfaces*. Quels sont certains équivalents de ces magasins dans votre région?

2. Quelle est l'importance historique de *Carrefour*?

3. Les grandes surfaces changent le monde du commerce en France. Donnez au moins deux exemples de ce phénomène.

4. Quels sont certains avantages des petits commerces de proximité?

5. Que fait le gouvernement pour assurer la protection des petits commerces?

## Réflexion

A. Dans la vie quotidienne, quels sont les petits commerces que vous avez l'habitude de fréquenter? Expliquez pourquoi vous y allez. Est-ce toujours le prix qui guide votre choix entre les petites et les grandes surfaces?

B. A votre avis, le gouvernement doit-il intervenir dans la vie commerciale d'un pays? Que pensez-vous des lois qui protègent les petits commerces en France?

  *Pour des activités culturelles supplémentaires, rendez-vous sur le site Web d'**Interaction** www.cengage.com/french/interaction*

# Vocabulaire actif

 CD1, Track 2

To access the audio recordings, visit
www.cengage.com/french/interaction

## LES ACTIVITÉS

**acheter** to buy
**acheter quelque chose sur
un coup de tête** to buy
something on impulse
**aimer bien** to like
**apporter** to bring
**avoir besoin de** to need
**coûter** to cost
**emporter** to take away
**à _____** take out
**éprouver** to feel
**faire des courses** to run
errands
**faire des économies** to save
money
**faire son marché** to go
grocery shopping
**oublier** to forget
**payer** to pay
**_____ en espèces (en
liquide)** to pay cash
**porter** to carry, to wear

## LES PRODUITS

### Les fruits et légumes
**un abricot** apricot
**des cerises** *(f pl)* cherries
**des champignons** *(m pl)*
mushrooms
**un chou-fleur** cauliflower
**une courgette** zucchini
**des fraises** *(f pl)* strawberries
**des \*haricots**[1] *(m pl)* beans
**un légume** vegetable
**un oignon** onion
**une pêche** peach
**des petits pois** *(m pl)* peas
**une poire** pear
**un poivron** pepper
**une pomme** apple
**une pomme de terre** potato
**de la salade** lettuce

## La boulangerie / La pâtisserie
**un gâteau** cake
**du pain** bread
**une pâtisserie** pastry

### Les produits de base
**du café** coffee
**de l'eau** *(f)* water
**de la farine** flour
**de l'huile** *(f)* oil
**la nourriture** food
**des pâtes** *(f pl)* pasta
**du thon** tuna
**du vin** wine

### Les produits laitiers
**du beurre** butter
**du fromage** cheese
**du bleu** blue cheese
**du chèvre** goat cheese
**du gruyère** Swiss cheese
**du lait** milk
**un yaourt** yogurt

## Les viandes / Les volailles
**du bœuf** beef
**une côte de porc** pork chop
**du jambon** ham
**du poulet** chicken
**de la viande** meat

## LES CARACTÉRISTIQUES
**alimentaire** nutritive, related
to food
**épais(se)** thick
**exploité(e)** managed
**frais, fraîche** fresh
**instantané(e)** instant
**mal entretenu(e)** messy
**nature** plain
**parfumé(e)** flavored
**rôti(e)** roasted
**surgelé(e)** frozen
**vestimentaire** clothes related

---

[1]*The asterisk preceding the **h** indicates that it is aspirated. There is no elision or liaison with an aspirated **h**.*

## Exercices de vocabulaire

**A.** Complétez les phrases suivantes sur la consommation en France par une expression appropriée de la liste suivante.

**Expressions:** faire des courses, épicerie, mondialisation, marchés, à emporter, rayon, cabas, charcuterie

1. En France, on peut acheter un plat chinois _____ pour le manger chez soi.
2. Le week-end, on va souvent dans plusieurs magasins pour _____.
3. En France, certains jours de la semaine, il y a des _____ en plein air où on peut acheter des fruits et des légumes frais.
4. On achète du jambon, des salades composées, du pâté dans une _____.
5. La présence en Europe des filiales de McDonald est un exemple de la _____ du commerce.
6. On achète des produits en boîte, des pâtes, de la farine, de l'huile dans une _____.
7. Quand on achète ses produits alimentaires dans plusieurs petits commerces, on a souvent besoin d'un gros _____ pour porter ses achats.
8. Pour faire du shopping dans un grand magasin, il faut chercher le _____ des vêtements pour hommes ou pour femmes.

## LES MAGASINS

**un achat** purchase
**des aliments** *(m pl)* food
**une allée** aisle
**l'artisanat** *(m)* crafts
**une boucherie** butcher shop
**une boulangerie** bakery
**un cabas** tote bag, handbasket
**la caisse** cash register
**une carte bancaire** cash card
**un centre commercial** shopping center, mall
**une chaîne** chain (store)
**une charcuterie** delicatessen
**un chariot** shopping cart
**un choix** choice
**le commerce** business
**_____ de détail** retail business
**_____ de proximité** neighborhood store
**le consommateur / la consommatrice** consumer

**la consommation** buying, consumption
**une crémerie** dairy store
**la devanture** storefront
**en ligne** online
**l'entrée** *(f)* **libre** free access
**une épicerie** grocery store
**un filet** mesh bag
**une filiale** branch store
**une grande surface** very large suburban store
**l'habillement** *(m)* clothing
**l'hyperchoix** *(m)* huge selection
**un hypermarché** supermarket, large discount store
**la livraison** delivery
**_____ à domicile** home delivery
**un magasin d'habillement** clothes store
**le marchandage** bargaining
**un marché** open-air market
**un maxidiscompte** superdiscount
**la mode** fashion

**la mondialisation** globalization
**un panier** basket
**un parking** parking lot
**une pièce** coin
**un prix** price
**un produit** product
**une promotion** special offer
**des provisions** *(f pl)* groceries
**la publicité** advertising, advertisement
**un rayon** department in a store
**un repas** meal
**un sac** sack
**un supermarché** supermarket
**un traiteur** caterer, delicatessen

## LES COMMERÇANTS

**un boucher / une bouchère** butcher
**un boulanger / une boulangère** baker
**un caissier / une caissière** cashier
**un charcutier / une charcutière** delicatessen owner
**un épicier / une épicière** grocer
**un marchand / une marchande** merchant
**un pâtissier / une pâtissière** pastry chef; pastry shopkeeper
**un petit commerçant** small shopkeeper

**B.** Vous allez à l'hypermarché avec votre colocataire. En utilisant les expressions indiquées, posez les questions suivantes à votre colocataire joué(e) par un(e) camarade de classe.

**Expressions:** sacs, caisse, nature, parking, chariot, promotion

1. —Où est-ce que nous mettons la voiture?
   —Il y a un petit _____ devant le Carrefour.

2. —Comment est-ce qu'on va porter les achats?
   —On paie un euro pour avoir un _____.

3. —Tu préfères quel parfum de yaourt?
   —Je préfère le yaourt _____.

4. —Pourquoi est-ce que ces fraises coûtent si peu cher?
   —Parce qu'il y a une très bonne _____.

5. —Où est-ce que nous payons nos achats?
   —A la _____.

6. —Et pour porter nos achats jusqu'à la voiture?
   —La caissière va nous donner des petits _____ en plastique.

# Lexique personnel

## LES PRÉFÉRENCES ET LES ACHATS

**A** Pour chacun des sujets suivants, dressez une liste personnelle de mots.

1. des plats que vous adorez
2. des plats que vous détestez
3. des plats que vous mangez au restaurant de l'université
4. des achats que vous faites souvent au centre commercial
5. des achats que vous faites souvent dans les petits commerces de proximité

 **B** En utilisant le vocabulaire du chapitre et votre lexique personnel, complétez les phrases suivantes. Ensuite, posez une question appropriée à un(e) camarade de classe pour déterminer ses préférences.

MODELE  J'aime la *pizza*.
             *Tu aimes la pizza?*

1. J'aime bien le (la, l', les)...
2. Je déteste le (la, l', les)...
3. Je mange souvent du (de la, de l', des)...
4. Je ne mange jamais de (d')...
5. Au centre commercial, j'achète souvent un (une, du, de la, de l', des)...
6. Dans les petits commerces près de chez moi, j'achète souvent un (une, du, de la, de l', des)...

# Structures I

## The Present Tense of Regular *-er* Verbs

To form the present tense of regular **-er** verbs, drop the **-er** ending of the infinitive and add the appropriate endings to the remaining stem: **-e, -es, -e, -ons, -ez, -ent.**

| infinitive: **chercher** to look for | stem: **cherch-** |
|---|---|
| je cherch**e** | *I look for* |
| tu cherch**es** | *you look for* |
| il / elle / on cherch**e** | *he / she / one looks for* |
| nous cherch**ons** | *we look for* |
| vous cherch**ez** | *you look for* |
| ils / elles cherch**ent** | *they look for* |

The present-tense form in French has three English equivalents, including two that contain more than one verb form; for example, **j'oublie** means *I forget, I am forgetting, I do forget.*

To make a present-tense form negative, place **ne** before the verb and **pas** after it.

Tu oublies ton argent?          Non, je **n'**oublie **pas** mon argent.

- Note that the pronoun **on** is used quite frequently in French. **On** is the equivalent of the English indefinite subject *one*, and in informal conversation it can be the equivalent of *we*, *they*, or *people*. **On** always takes a third-person singular verb form.

En France, **on** achète souvent le      *In France, **one** often buys (**people** often buy)*
pain à la boulangerie.                  *bread at the bakery.*

**On** va au supermarché ce soir?     *Shall **we** go to the supermarket tonight?*

# RAPPEL!

Remember that **tu** and **vous** both mean *you*. The **tu** form is considered to be familiar and is used to address one person—a family member, a close friend, a small child—or an animal. When addressing only one person, the **vous** form is formal and is used with strangers, acquaintances, or other adults that one does not know well. The **vous** form is also used to address two or more people, formal or not.

The distinction between **tu** and **vous** is often puzzling to the English speaker. It may help to keep in mind that the rules governing the use of **vous** and **tu** are usually unwritten social codes. For example, French students almost universally use **tu** with each other, and they might be permitted to **tutoyer** a young instructor, but they would certainly say **vous** to most professors. Colleagues in an office or members of any kind of group (professional, social, or other) often democratically use **tu** with each other, but will **vouvoyer** the boss or other individuals perceived to be in authority. The safest policy is to use **vous** with all adults until they suggest: **On se tutoie?**

**1** Un groupe d'étudiants français va préparer un repas pour quelques amis. Complétez les phrases suivantes en employant la forme convenable du verbe entre parenthèses.

1. Nous _____ un repas qui ne coûte pas trop cher, n'est-ce pas? (préparer)
2. Christophe, tu _____ des jus de fruits et du vin? (apporter)
3. Vous _____ manger du bœuf ou du poulet? (désirer)
4. Attention, il y a peut-être des personnes qui sont végétariennes et qui ne _____ pas de viande. (manger)
5. Et plusieurs membres du groupe n' _____ pas manger de fromage. (aimer)
6. Moi, j' _____ la quiche et les végétariens _____ de la quiche, non? (aimer, manger)
7. Et toi? Qu'est-ce que tu _____ pour le repas? (préparer)

**2** Vous parlez à Lucienne Kasongo, une étudiante du Congo qui passe l'année dans votre université. Utilisez le pronom **on** et les verbes de la liste suivante pour expliquer à Lucienne quelques habitudes des gens de votre pays.

**Verbes:** aimer, commander... au restaurant, détester, dîner, bien manger, parler au téléphone, passer du temps à, voyager, ???

# INTERACTIONS

**Mes préférences.** La nourriture est souvent liée à nos activités et à notre personnalité. En petits groupes, chaque étudiant(e) doit indiquer ce qu'il / elle aime manger dans les circonstances suivantes. Comparez vos réponses.

Quand je suis pressé(e)...  Quand j'ai besoin d'énergie...

Quand je suis fatigué(e)...  Pour fêter mon anniversaire...

Quand je prépare un examen...  Quand... ???

## Stem-Changing *-er* Verbs

Some **-er** verbs require spelling changes in the stem of certain persons for pronunciation purposes. The principal types of stem-changing **-er** verbs are summarized as follows.[2]

| é → è | l → ll | y → i | g → ge |
|---|---|---|---|
| **préférer** *to prefer* | **appeler** *to call* | **payer** *to pay* | **manger** *to eat* |
| je préf**è**re | j'appelle | je paie | je mange |
| tu préf**è**res | tu appelles | tu paies | tu manges |
| il / elle / on préf**è**re | il / elle / on appelle | il / elle / on paie | il / elle / on mange |
| nous préférons | nous appelons | nous payons | nous man**ge**ons |
| vous préférez | vous appelez | vous payez | vous mangez |
| ils / elles préf**è**rent | ils / elles appellent | ils / elles paient | ils / elles mangent |

| e → è | t → tt | c → ç | |
|---|---|---|---|
| **acheter** *to buy* | **jeter** *to throw* | **commencer** *to start* | |
| j'ach**è**te | je jette | je commence | |
| tu ach**è**tes | tu jettes | tu commences | |
| il / elle / on ach**è**te | il / elle / on jette | il / elle / on commence | |
| nous achetons | nous jetons | nous commen**ç**ons | |
| vous achetez | vous jetez | vous commencez | |
| ils / elles ach**è**tent | ils / elles jettent | ils / elles commencent | |

[2]See *Appendix B* for further details on stem-changing verbs.

**3** Employez les éléments suivants pour poser des questions à vos camarades de classe.

1. tu / manger / souvent au restaurant?
2. tu / aimer / dîner au restaurant universitaire?
3. tu / acheter / beaucoup de DVD ou de CD?
4. tu / préférer / faire tes devoirs chez toi ou sur le campus?
5. tu / espérer / voyager cet été? Si oui, où?
6. tu / payer / tes études toi-même?

**4** Employez les éléments suivants pour décrire votre situation personnelle.

1. mes copains et moi / nous / préférer...
2. mes parents / (ne pas) payer / mes études à l'université
3. je / ne pas manger / souvent...
4. l'année prochaine / ma famille et moi / nous / commencer...
5. mon (ma) meilleur(e) ami(e) / s'appeler...
6. il (elle) / acheter / souvent...
7. chez moi / nous / manger / souvent...
8. je / payer / cher...

# Note culturelle

## Le marché Kermel

Le marché Kermel de Dakar, c'est un labyrinthe impressionnant de stands en plein air où l'on vend une grande variété de produits, y compris des fleurs, des fruits, des vêtements, des tissus, des tableaux et des sculptures. On y trouve des Sénégalais qui font leurs achats quotidiens et des touristes qui cherchent des souvenirs du Sénégal.

Pour faire des achats au marché Kermel, il faut savoir marchander, car il n'y a pas de prix fixes. Il n'y a pas d'étiquettes non plus. Comment, alors, déterminer le prix?

Si vous vous intéressez à un certain objet, il faut demander le prix au commerçant. Mais, avant de demander le prix, c'est une bonne idée de lui dire un simple «Bonjour», «Ça va?» ou «Nan ga def?» pour établir un rapport agréable. Typiquement, le premier prix que le commerçant vous offre n'est pas le bon prix. C'est, plutôt, un prix élevé, parfois deux, trois ou même quatre fois la valeur de l'objet. Alors, il faut demander au commerçant de baisser le prix. Normalement, à ce moment-là, le commerçant vous demande de lui suggérer un meilleur prix. Mais attention! Ce n'est pas le moment de lui révéler le prix que vous êtes prêts à payer. Il faut lui offrir un petit prix, typiquement un quart ou un tiers de son premier montant. Ensuite, le commerçant baisse le prix, mais juste un peu. C'est toujours plus cher que votre prix idéal? Si vous n'êtes pas satisfait du prix proposé, c'est à vous d'augmenter un peu votre offre. Le marchandage, ce processus de baisser et d'augmenter le prix, continue jusqu'au moment où vous déterminez un prix qui vous plaît et qui convient au commerçant.

**Astuces**

- Pour obtenir un bon prix, il faut être prêt à abandonner l'objet que vous désirez. Si le vendeur sait que vous voulez vraiment acheter un objet, il a moins tendance à vous faire un prix intéressant.

- Parfois vous pouvez échanger d'autres produits (comme les jeans, les baskets, les lunettes de soleil, les parfums et l'électronique grand public) contre les objets que vous désirez obtenir.

- En marchandant, restez décontractés et amusez-vous. Parfois, un sourire, de la patience et de la persistance sont les meilleurs outils pour obtenir un bon prix.

- Ne soyez pas découragés si vous ne réussissez pas à obtenir «le prix local». Après tout, le bon prix, c'est le prix que vous voulez bien payer.

## Compréhension

1. Que peut-on acheter au marché Kermel?
2. Donnez une définition du terme *marchander* tout en expliquant le processus.
3. Quelles stratégies psychologiques peut-on utiliser pour négocier un bon prix?

## Réflexion

Imaginez que vous êtes au marché Kermel et que vous voyez un beau tableau que vous désirez acheter. Vous êtes prêts à marchander! Avec un(e) partenaire, jouez les rôles du vendeur et du client, tout en respectant les règles et les astuces du marchandage.

### The Imperative

The imperative forms of a verb are used to give commands, directions, or instructions. There are three imperative forms in French: the familiar (**tu** form), a collective imperative (**nous** form), and the formal or plural (**vous** form). To create the imperative of a regular **-er** verb, simply remove the subject pronoun from the present-tense form. The remaining verb form is the imperative.

| | |
|---|---|
| **parle** | ...................................................*speak (familiar)* |
| **parlons** | .............................*let's speak (collective)* |
| **parlez** | ........................*speak (formal or plural)* |

- Note that the **s** ending is dropped in the second-person singular form of regular **-er** verbs, but the **s** is retained when the affirmative command is followed by **y** or **en: achètes-en; penses-y.**

To make a command negative, place **ne** before the imperative form of the verb and **pas** after it.

> Yves, **ne mange pas** trop de chocolat!
> **N'oublions pas** le vin pour notre soirée!
> Roger et Marie, **n'achetez pas** de pâtisseries!

**5** Vous accompagnez les membres du Cercle français au supermarché où vous achetez des provisions pour un repas de fête. Complétez les phrases suivantes par la forme impérative convenable des verbes entre parenthèses.

1. Peter et Jan, _____ du fromage. (acheter)
2. Mark, _____ un bon vin, s'il te plaît. (chercher)
3. Michelle et Nicole, _____ ces paquets au chariot. (apporter)
4. Sylvia, _____ des champignons. (trouver)
5. Shawn, _____ assez de poulet pour vingt personnes. (acheter)
6. Ensuite, _____ tous ensemble pour faire la cuisine. (rentrer)

# INTERACTIONS

**Les petits problèmes de la vie quotidienne.** Mettez-vous en petits groupes. A tour de rôle, chacun des membres expose un problème ou un dilemme qu'il / elle a. Les autres membres du groupe suggèrent des solutions en utilisant l'impératif.

MODELE *Je n'ai pas assez de provisions dans mon appartement.*
*Alors, achète des provisions à l'épicerie à côté du campus.*

## The Irregular Verbs *être, avoir, faire, aller*

Review the present-tense conjugations and the imperative forms of the following commonly used irregular verbs.

| **être** *to be* | **faire** *to do, to make* |
|---|---|
| je **suis** | je **fais** |
| tu **es** | tu **fais** |
| il / elle / on **est** | il / elle / on **fait** |
| nous **sommes** | nous **faisons** |
| vous **êtes** | vous **faites** |
| ils / elles **sont** | ils / elles **font** |
| Imperative: **sois, soyons, soyez** | Imperative: **fais, faisons, faites** |

| **avoir** *to have* | **aller** *to go* |
|---|---|
| j'**ai** | je **vais** |
| tu **as** | tu **vas** |
| il / elle / on **a** | il / elle / on **va** |
| nous **avons** | nous **allons** |
| vous **avez** | vous **allez** |
| ils / elles **ont** | ils / elles **vont** |
| Imperative: **aie, ayons, ayez** | Imperative: **va³, allons, allez** |

³ The imperative form **va** takes an **s** when followed by **y: vas-y.**

**6** Posez les questions suivantes à des camarades de classe en ajoutant la forme appropriée des verbes entre parenthèses.

1. Tu _____ en première année à l'université? (être)
2. Tu _____ du sport? (faire)
3. Tes profs _____ plutôt sévères ou sympas? (être)
4. Tu _____ souvent à la bibliothèque municipale? (aller)
5. Tu _____ des camarades de chambre? (avoir)
6. Tes amis _____ étudiants dans cette université? (être)
7. Ton (Ta) meilleur(e) ami(e) _____ plutôt bavard(e) ou réservé(e)? (être)
8. Tes amis et toi, vous _____ souvent à des soirées? (aller)

**7** Tout le monde a des problèmes à l'occasion. Formulez une réaction à chacune des phrases suivantes en employant l'impératif (à la forme affirmative ou négative) des verbes indiqués ou d'un verbe de votre choix.

**Verbes:** acheter, aller, chercher, faire, manger, travailler, ???

1. Je n'ai rien à faire le week-end prochain.
2. Je déteste la cuisine du restaurant universitaire.
3. J'ai besoin de gagner un peu d'argent.
4. Il n'y a rien à manger dans mon appartement.
5. Je désire acheter des nouveaux CD.
6. Je n'ai rien à porter à la soirée du week-end prochain.
7. Je désire quelque chose d'intéressant à faire ce soir.
8. ???

## Aller and faire with Infinitives

### Aller + Infinitive

A form of **aller** followed by the infinitive of another verb is one way to speak about the future in French. This construction refers to the near future and corresponds to the English *to be going to* + infinitive.[4]

[4]For more information on **aller** + infinitive, see *Chapitre 10*.

| | |
|---|---|
| **Je vais acheter** du lait. | *I am going to buy* some milk. |
| **Il** ne **va** pas **déjeuner** à la maison demain. | *He isn't going to eat lunch* at home tomorrow. |
| **Ils vont aimer** le vin. | *They are going to like* the wine. |
| **Vous allez rester** ici. | *You are going to stay* here. |

### Faire + Infinitive

A form of **faire** followed by an infinitive expresses the concept *to have something done*.

| | |
|---|---|
| **Nous faisons préparer** un repas spécial. | *We are having* a special meal prepared. |
| **Je fais essuyer** la table. | *I'm having* the table *wiped*. |

- Note the differences in word order between French and English. In French, the infinitive immediately follows the form of **faire**.

**8** Employez **aller** + l'infinitif pour indiquer ce que les personnes suivantes vont faire demain.

1. Je...
2. Mes amis...
3. Mon professeur...
4. Les étudiants de français...
5. Mes copains et moi, nous...
6. Et toi (nom d'un[e] camarade de classe), tu... ?

**9** Jim, Sébastien et leurs amis préparent une soirée élégante. Ils font faire certaines choses par d'autres personnes. Complétez chaque phrase par la forme appropriée du verbe **faire**.

1. On _____ préparer des hors-d'œuvre.
2. Ils _____ imprimer les invitations.
3. Nous _____ décorer la salle.
4. Tu _____ apporter plusieurs plats différents.
5. Je vais _____ préparer un gâteau pour l'occasion.

# INTERACTIONS

**La semaine prochaine.** Mettez-vous en petits groupes. A tour de rôle, décrivez trois activités que vous pensez faire pendant la semaine et trois projets que vous avez pour le week-end. Indiquez si vous allez faire ces activités avec quelqu'un ou seul(e). Ensuite, les autres membres du groupe posent des questions pour avoir des renseignements supplémentaires.

MODELE —*Le week-end prochain, mon camarade de chambre et moi, nous*
*allons dîner ensemble pour fêter son anniversaire.*
—*Où est-ce que vous allez dîner?*

# SYNTHESE

**A.** Marie, Sophie et Béatrice partagent *(share)* un appartement. Marie raconte à Louise les activités et les habitudes des trois copines. Complétez chaque phrase de Marie par la forme convenable du verbe indiqué.

1. Nous _____ toutes les trois nos études dans la même université. (faire)
2. On _____ très souvent des CD. (écouter)
3. Nous _____ la télé pendant le week-end. (regarder)
4. On _____ quelquefois au cinéma. (aller)
5. Moi, j' _____ habiter longtemps avec elles. (espérer)
6. On _____ les courses au supermarché. (faire)
7. Nous _____ presque toujours à l'appartement. (manger)
8. Demain, elles _____ au marché pour acheter des fruits. (aller)
9. Béatrice _____ le café instantané, mais Sophie _____ toujours du café moulu *(ground)*. (préférer, acheter)
10. Elles _____ toujours des courses à faire. (avoir)

**B.** Répondez aux questions en donnant quelques informations supplémentaires.

1. Est-ce que vous aimez la cuisine au restaurant universitaire?
2. Est-ce que vous étudiez souvent à la bibliothèque?
3. Est-ce que vous dînez souvent au restaurant? Si oui, qu'est-ce que vous aimez manger? Sinon, pourquoi?
4. Est-ce que vous allez souvent au cinéma?
5. D'habitude, qu'est-ce que vous faites le samedi soir?
6. Est-ce que vous regardez beaucoup la télé?
7. Est-ce que vous écoutez souvent des CD?
8. Est-ce que vous jouez à des jeux vidéo?
9. Est-ce que vous faites de petites excursions pendant le week-end?
10. Est-ce que vous rentrez chez vous souvent pendant le semestre?

# INTERACTIONS

**Les habitudes alimentaires.** Selon les statistiques ci-dessous publiées récemment, décrivez en quoi les habitudes alimentaires des Français ont changé durant les trente dernières années. Leur consommation de certains aliments a-t-elle augmenté ou diminué? Donnez des exemples de ces aliments. Ensuite, comparez les préférences des Français avec celles des Américains. Est-ce que les habitudes des deux groupes sont semblables ou différentes? De quels aliments est-ce que vous mangez beaucoup ou très peu?

| Un an de nourriture | | |
|---|---|---|
| *Évolution des quantités consommées de certains aliments (en kg ou litres par an)* | | |
| | **1970** | **2003** |
| Pain | 80,6 | 54,1 |
| Pommes de terre | 95,6 | 69,0 |
| Légumes frais | 70,4 | 86,3 |
| Bœuf | 15,6 | 14,7 |
| Volailles | 14,2 | 21,4 |
| Œufs | 11,5 | 14,3 |
| Poissons, coquillages, crustacés | 9,9 | 13,0 |
| Lait frais | 95,2 | 60,2 |
| Fromage | 13,8 | 17,8 |
| Yaourts | 8,6 | 21,4 |
| Huile alimentaire | 8,1 | 9,7 |
| Sucre | 20,4 | 6,9 |
| Vins courants | 95,6 | 32,2 |
| Vins AOC | 8,0 | 24,2 |
| Bière | 41,4 | 31,0 |
| Eaux minérales et de source | 39,9 | 160,0 |

INSEE

# L'héritage culturel

La Galerie Vivienne, à Paris

## Boutiques de commerçants et galeries marchandes

En France, la période de la Régence (1715–1723) marque une étape importante dans l'évolution du commerce.

Avant le dix-huitième siècle, le modèle médiéval du commerce existe toujours:

- les boutiques des commerçants sont souvent petites, sombres, sales et en mauvais état;
- il y a seulement quelques articles près de la façade du magasin;
- certaines rues regroupent plusieurs boutiques du même type comme les drapiers qui vendent le tissu, les orfèvres qui fabriquent des objets en métaux précieux et les cordonniers qui réparent les chaussures.

Au dix-huitième siècle, les pratiques commerciales se transforment:

- les divers commerces sont disséminés un peu partout dans les villes;
- les premières boutiques de luxe ouvrent leurs portes à Paris où elles sont situées rue Saint-Honoré dans des passages couverts consacrés au commerce de détail;
- la *Galerie Vivienne*, établie en 1823, attire une clientèle riche (ou qui désire l'être).

Cette pratique consiste à rassembler plusieurs petits commerces sous un même toit. Elle annonce déjà les centres commerciaux modernes.

## Les grands magasins

Pendant la deuxième moitié du dix-neuvième siècle, la grande innovation dans le commerce parisien est la création des *grands magasins*.

- *Le Bon Marché* ouvre ses portes en 1852 et offre à ses clients une entrée libre, une marchandise accessible, des prix fixes, la possibilité de ramener des articles, la livraison à domicile et une bibliothèque libre-service.
- Les *Galeries Lafayette* sont fondées en 1894. A partir de 1916, des filiales sont établies dans d'autres grandes villes de France. Elles créent ainsi la première chaîne destinée à répondre aux besoins d'une classe moyenne devenue de plus en plus importante.

Les Galeries Lafayette, à Paris

## Compréhension

1. Avant le dix-huitième siècle, l'ambiance des boutiques est-elle plutôt plaisante ou désagréable? Pourquoi?

2. Vrai ou faux? Après le dix-huitième siècle, les vitrines des magasins vont avoir une plus grande importance. Expliquez.

3. Faites une description de la *Galerie Vivienne* à Paris (photo précédente). En quoi est-ce que la *Galerie* constitue, effectivement, le premier centre commercial?

4. A quelle époque est né le concept du «grand magasin»?

5. Quels aspects des grands magasins sont innovateurs à l'époque de leur création?

6. Corrigez cette phrase: Les *Galeries Lafayette* sont le plus ancien des grands magasins à Paris.

7. L'arrivée des *Galeries Lafayette* dans d'autres villes marque le début de quel phénomène?

8. Donnez des exemples de grands magasins dans votre pays.

## Réflexion

A. Selon vous, quelle motivation est à l'origine de la création des galeries marchandes comme la *Galerie Vivienne*? A votre avis, qu'est-ce que l'apparition des galeries marchandes révèle au sujet de la société parisienne de cette époque (ses goûts, l'économie, etc.)?

B. Qui sont les nouveaux clients? Quelle évolution sociale explique le succès de ce nouveau type de magasin?

C. Faites une description des *Galeries Lafayette* (à l'aide de la photo). Faites une recherche sur le site Internet des *Galeries Lafayette*. Qu'est-ce que ce site nous apprend au sujet de l'histoire du magasin?

# Structures II

## Nouns

All French nouns are either masculine or feminine, and there is no fixed rule for determining the gender. You should develop the habit of consulting a dictionary when you are not sure of the gender of a noun.

The plural of most nouns is formed by adding **s** to the singular.

| | |
|---|---|
| le marché | les marchés |
| la pêche | les pêches |
| l'abricot *(m)* | les abricots |

Nouns ending in **s, x,** or **z** in the singular do not change in the plural.

| | |
|---|---|
| le repas | les repas |
| le prix | les prix |
| le nez | les nez |

[5]One common exception is **l'eau** *(water)*, which is feminine.

Some nouns have irregular plural forms. Some common irregular plurals are listed below. Note that most of these nouns are masculine.[5]

| Singular Ending | Plural Ending | Examples | |
|---|---|---|---|
| -eau | -eaux | le cout**eau** | les cout**eaux** |
| -eu | -eux | le f**eu** | les f**eux** |
| -al | -aux | l'anim**al** *(m)* | les anim**aux** |
| -ou | -oux | le bij**ou** | les bij**oux** |

A few nouns have very different forms in the plural.

| l'œil *(m)* | les yeux | madame | mesdames |
|---|---|---|---|
| monsieur | messieurs | mademoiselle | mesdemoiselles |

The plural of a family name is indicated in French by the use of the plural definite article, but no **s** is added to the proper name itself.

les Dupont     les Martin

**1** Vous rentrez d'un voyage en France et vous essayez d'expliquer à votre classe de français certaines habitudes des Français. Complétez chaque phrase par le pluriel d'un des noms suivants. Faites les accords nécessaires.

**Noms:** achat, cabas, charcuterie, fruit, gâteau, légume, magasin, morceau, prix, produit, repas, supermarché

1. Dans la cuisine française, il y a beaucoup de plats où on trouve de petits _____ de viande et des légumes avec une sauce.
2. On prend trois _____ par jour: le petit déjeuner, le déjeuner et le dîner.
3. Pour faire le marché une fois par semaine, les _____ sont très pratiques—et les _____ y sont avantageux.
4. Mais la qualité des _____ est souvent meilleure dans les petits _____ de proximité.
5. Dans un marché en plein air, on peut acheter des _____ et des _____.
6. Dans une pâtisserie, on peut acheter des _____ extraordinaires, pour un anniversaire, par exemple.
7. Dans les _____ en France, il y a toutes sortes de salades composées.
8. Quand elles fréquentent les petits commerces, les vieilles dames ont souvent des _____ pour emporter leurs _____ à la maison.

**2** Avec un(e) partenaire, complétez chaque phrase par un nom au pluriel. Qu'avez-vous découvert sur votre partenaire selon ses réponses?

1. J'adore les...
2. Je déteste les...
3. Chez moi, il y a des...
4. Dans ma chambre, j'ai des...
5. Dans ma famille, on préfère les...
6. Mes légumes préférés sont les...
7. Mes fruits préférés sont les...
8. ???

# Articles

## The Indefinite Article

The indefinite articles **un, une,** and **des** accompany nouns used in a nonspecific sense and correspond to the English *a*, *an*, and *some*.

|  | Singular | Plural |
|---|---|---|
| Masculine | **un** rayon | **des** rayons |
| Feminine | **une** pomme | **des** pommes |

After most negative constructions, the indefinite articles **un, une,** and **des** become **de.**

—As-tu **un** billet de vingt euros?
—Non, je n'ai pas **de** billet de vingt euros.

—Mais tu vas acheter **une** bouteille de vin ou non?
—Non, pas aujourd'hui, je n'achète pas **de** bouteille de vin.

However, the article does not change after the verb **être** when used negatively.

—Ce magasin-là, c'est **une** boucherie?
—Non, ce n'est pas **une** boucherie; c'est une charcuterie.

—Et voilà **des** artichauts!
—Non, ce ne sont pas **des** artichauts; ce sont des poivrons.

 **3** Voici une conversation entre un groupe de copains français qui vont au café avec leur ami américain. Complétez leur conversation par la forme convenable de l'article indéfini (**un, une, des**) ou **de.**

JACK: Salut les amis! Choisissons _____ table à côté de la fenêtre.

CHARLES: D'accord. Maryse, tu veux _____ bière ou _____ jus de fruit?

MARYSE: Je vais prendre _____ jus de fruit et _____ frites.

CHARLES: Jack, je suppose que tu vas prendre _____ coca *(m)* light.

JACK: Non, je vais prendre _____ Orangina *(m)*.

CHARLES: Garçon, _____ express *(m)*, s'il vous plaît.

LE GARÇON: On a envie de manger _____ sandwichs?

SYLVIE: Pas _____ sandwich pour moi. Tout simplement _____ tasse de thé. Et bien sûr _____ dessert!

## The Definite Article

The forms of the definite article **le, la, l',** and **les** correspond to the English word *the*.

|  | Singular | Plural |
|---|---|---|
| Masculine | **le** marché | **les** marchés |
| Feminine | **la** pâtisserie | **les** pâtisseries |
| Masculine or Feminine | **l'**hélicoptère | **les** hélicoptères |
|  | **l'**épicerie | **les** épiceries |

The form **l'** is used before both masculine and feminine nouns that begin with a vowel or a mute **h**.[6]

[6] A few French words contain an aspirated **h** and take the definite article **le** or **la: le \*héros, le \*haricot, le \*hors-d'œuvre, le \*homard, la \*honte, le \*huit.** Other exception: **le onze.**

When the definite articles **le** or **les** are preceded by **à** or **de**, the following contractions are made.

| | |
|---|---|
| à + le → au | Je vais aller **au** marché. |
| à + les → aux | Il donne le panier **aux** enfants. |
| de + le → du | Je parle **du** marché. |
| de + les → des | Elles sont contentes **des** fruits du marché. |

There is no contraction with **la** or **l'**.

Elle va **à l'**épicerie.                    Elle parle **de la** charcuterie d'à côté.

The definite article is normally used to refer to specific persons or things.

—Où vas-tu?                              —*Where are you going?*
—Je vais à **la** boulangerie.           —*I'm going to **the** bakery.*
—N'oublie pas **le** filet et n'oublie    —*Don't forget **the** grocery bag and*
pas non plus **les** croissants pour       *don't forget **the** croissants for breakfast*
le petit déjeuner.                         *either.*

7 For other uses of the definite article, see *Appendix A*.

The definite article in French has some uses that do not parallel English usage.[7] For example, the definite article is used when speaking of a thing or things in general, in an abstract sense, or as a whole.

La viande coûte cher.                    *Meat is expensive.*

Les Français apprécient le progrès.      *French people appreciate progress.*

Les traditions sont importantes          *Tradition is important in France.*
en France.

The definite article accompanies nouns that follow the verbs from the following list, in both affirmative and negative forms, because such nouns are being used in a general sense.

| | |
|---|---|
| adorer | J'**adore la** salade. |
| aimer (mieux) | Ils **n'aiment pas le** vin. |
| apprécier | Il **apprécie les** marchés français. |
| détester | Elle **déteste les** champignons. |
| préférer | Nous **préférons les** supermarchés. |

**4** Voici une conversation entre Christine et Jacques. Complétez le dialogue en utilisant la forme correcte de l'article défini (**le, la, l', les**) et faites les contractions avec **à** ou **de** si nécessaire.

JACQUES: Christine, tu vas (à) _____ marché?

CHRISTINE: Salut, Jacques. Oui, je fais _____ marché de la semaine.

JACQUES: Ah, et _____ provisions coûtent cher, non?

CHRISTINE: En effet. C'est pourquoi je préfère _____ supermarché. Mais j'aime certains aspects (de) _____ magasins du quartier aussi. J'aime _____ légumes frais et j'adore parler (à) _____ charcutier.

JACQUES: Tu parles (de) _____ charcutier là-bas, au coin de la rue? Il est gentil, mais je n'aime pas _____ salades composées qu'il y a dans son magasin. Je vais souvent (à) _____ rayon charcuterie (de) _____ supermarché. _____ viande est très bonne à Carrefour.

CHRISTINE: Ah! Les goûts et les couleurs... C'est _____ vie, non?

# Note culturelle

## Les petits commerces de quartier

Un petit commerce de quartier

Un grand nombre de petits commerçants se défendent actuellement pour assurer leur survie. On peut souvent lire sur les sacs plastiques qui proviennent de leurs boutiques un cri de guerre: «Les commerces de proximité—c'est la vie du quartier». En 1996, le gouvernement vient au secours des petits commerçants et interdit, dans certaines circonstances, la création de grandes surfaces et les ventes à perte. C'est un premier pas important pour empêcher la désertification des centres-villes. Mais peut-on compter sur la politique pour modifier les rapports entre les entreprises et les consommateurs?

Il est vrai que les produits coûtent souvent moins cher au supermarché que chez les petits commerçants, et actuellement 40% des dépenses sont effectuées dans les grandes surfaces, mais on n'aime pas toujours faire la queue aux caisses des hypermarchés et on apprécie les avantages des petits commerces tels que la proximité, les services, la qualité des produits et surtout les petites attentions des marchands, leurs «Bonjour, monsieur», «Merci, mademoiselle. Bonne journée!», ainsi que les recommandations professionnelles de l'épicier, du boulanger ou du libraire. Si la plupart des Français approuvent les progrès de la technologie et si les achats sur Internet ont augmenté récemment de plus de 50% (surtout achats de DVD, vêtements, billets de train et d'avion, appareils électroniques), ils désirent conserver certains modes de vie traditionnels. Devant la grande mutation technologique et la mondialisation de la société, on cherche un équilibre de vie. La consommation est une dimension de l'existence quotidienne où il est encore possible de dire non à l'indifférence et à l'aspect impersonnel d'un magasin gigantesque, à l'«hyperchoix» ou à la publicité qui incite à consommer toujours plus. Mais ce n'est pas toujours facile. Et les réponses à la question du rapport qualité-prix restent toujours très personnelles. Le client est encore roi!

### Compréhension

1. Expliquez comment l'intervention gouvernementale aide les petits commerces de proximité.

2. Quels sont certains avantages et désavantages des petits commerces?

### Réflexion

A. Quelle sorte de consommateur / consommatrice êtes-vous? Avez-vous l'impression que les Français ont des habitudes de consommation très différentes de celles que vous observez dans votre propre société? Justifiez votre réponse par des références au texte ou par vos propres observations.

B. Faites deux listes pour présenter les avantages et les inconvénients des grandes surfaces et des petits et moyens commerces du point de vue du consommateur. Ensuite, discutez de vos idées en groupe.

C. A votre avis, les commerces de proximité sont-ils condamnés à disparaître un jour? Imaginez que vous êtes un(e) petit(e) commerçant(e). Que faites-vous pour éviter la catastrophe? L'Etat doit-il intervenir pour sauver ce secteur? Comment peut-on assurer un meilleur équilibre entre le commerçant et le client?

## The Partitive

The partitive is formed with **de** + the definite article. It corresponds to the English words *some* or *any*.

| | |
|---|---|
| Masculine Noun | J'achète **du** lait. |
| Feminine Noun | Il commande **de la** viande. |
| Vowel Sound or Mute **h** | Demandez **de l'**eau. |

This construction is called the partitive because it refers to *part* of a whole. In English, we often omit the words *some* or *any*, even when they are implied. In French, you must use the partitive whenever the sense of the sentence limits the quantity to which you are referring. To see if you need to use the partitive, ask yourself: Do I mean all of the concept referred to or only part of it?

| | |
|---|---|
| J'achète **du** lait. | *I'm buying (**some**) milk.* (Not all the milk in the store.) |
| Il commande **de la** viande. | *He orders (**some**) meat.* (Not all of it.) |
| Demande **de l'**eau, s'il te plaît. | *Ask for (**some**) water, please.* (Only part of all the water available.) |

# RAPPEL!

Note that **des** is considered to be an indefinite article when it is the plural of **un / une** and denotes things that can be singled out and counted: Il a une pomme. / Il a **des** pommes. The same form **des** is a true partitive article when it denotes things that cannot be counted: Il mange *des* épinards *(spinach)*. This distinction is purely grammatical, however, and does not change the basic rules governing the use of the plural article **des**.

In the negative, **de** (**d'**) is used.

| | |
|---|---|
| Il achète **du** vin. | Il n'achète pas **de** vin. |
| Je mange **de la** viande. | Je ne mange pas **de** viande. |
| Jetez **de l'**eau sur le feu. | Ne jetez pas **d'**eau sur le feu. |

**De** (**d'**) is also used with a plural adjective that precedes a noun, especially in written French.

| | |
|---|---|
| Ils ont **des** amis. | Ils ont **de** bons amis. |
| Elle choisit **des** hôtels chers. | Elle choisit **de** grands hôtels. |
| Elle achète **des** fruits. | Elle achète **d'**excellents fruits. |

Most expressions of quantity use only **de** (**d'**) before a noun. Here are some widely used expressions of quantity.

| | |
|---|---|
| **assez de** *enough* | Tu as **assez de** café? |
| **pas mal de** *quite a few* | Il y a **pas mal de** clients dans le magasin. |
| **beaucoup de** *a lot, many, much* | Elle fait **beaucoup d'**achats. |
| **peu de** *few* | Il y a **peu de** magasins ouverts le dimanche en France. |
| **un peu de** *a little* | Achetez **un peu de** fromage. |
| **trop de** *too much* | J'ai **trop de** courses à faire. |
| **tant de** *so much* | N'achète pas **tant de** vin. |
| **moins de** *fewer, less* | Achetons **moins de** fruits. |
| **une bouteille de** *a bottle of* | Il apporte **une bouteille de** vin. |
| **un verre de** *a glass of* | Il désire **un verre d'**eau. |
| **une tasse de** *a cup of* | Je commande **une tasse de** café. |
| **un kilo de** *a kilo of* | Je vais acheter **un kilo de** viande. |
| **un morceau de** *a piece of* | Tu manges **un morceau de** gâteau? |
| **une tranche de** *a slice of* | Je vais manger **une tranche de** jambon. |
| **une boîte de** *a can of* | Va chercher **une boîte de** petits pois. |

# RAPPEL!

|  | | |  |
|---|---|---|---|
| | Negative | → | Il n'a **pas de (d')** { pommes. / épinards. |
| **des → de (d')** | Quantity | → | Il a **beaucoup de (d')** { pommes. / épinards. |
| | Preceding Adjective | → | Il a **de** { **bonnes** pommes. / **bons** épinards. |

The expressions **la plupart** *(most)* and **bien** *(many)* are exceptions and always take **des** before a plural noun.

> **La plupart des** gens aiment le vin.
> **Bien des** étudiants étudient à la bibliothèque.

Some verbal expressions use only **de** before a noun, such as **manquer de** *(to lack)* and **changer de** *(to change)*.

> Nous **manquons de** fruits à la maison.    *We are out of fruit at home.*
> On n'aime pas **changer de** boulangerie.    *People don't like to change bakeries.*

Expressions such as **avoir besoin de** *(to need)* and **se passer de** *(to do without)* use **de** alone when they are followed by a noun used in the partitive sense.

> Tu as **de l'**argent pour faire les courses?
> Non, **j'ai besoin d'**argent.

When these expressions are followed by a singular noun used in a particular, non-partitive sense, the indefinite article is retained because of its numerical value.

> Tu as deux cabas. Tu peux m'en prêter un?
> Oui, je peux **me passer d'un** cabas aujourd'hui. *(numerical value)*

> BUT:

> Je vais **me passer du** filet rouge. *(definite article: specific item)*
> Généralement, **je me passe de** filet. *(general sense: any item of a kind)*

**5** Virginie et Laura déjeunent dans un petit restaurant près du boulevard St-Michel. Complétez leurs remarques par la forme appropriée des éléments entre parenthèses.

1. Il y a beaucoup _____ clients dans le restaurant. (de / des)
2. Demande s'il y a _____ place pour deux. (de / de la)
3. Moi, je vais commander _____ poulet. (du / de)
4. Mais moi, je ne mange pas _____ viande. (de la / de)
5. Tu prends _____ vin, toi? (du / de)
6. Commandons une demi-bouteille _____ rouge, d'accord? (du / de)
7. Très bien et je vais prendre _____ eau aussi. (de l' / d')
8. A la fin du repas, je vais demander _____ fromage. (du / de)
9. Moi, non, je vais commander _____ fraises. (des / de)
10. Très bien. Ils ont _____ excellentes fraises ici. (des / d')
11. Une tasse _____ café pour moi aussi. (du / de)
12. On mange bien ici, et on dépense peu _____ argent! (d' / de l')

**6** Employez les éléments indiqués pour poser des questions à vos camarades de classe. Faites attention à l'emploi des articles.

1. tu / acheter / beaucoup / vêtements?
2. tu / aimer / films d'aventure / ou / films d'amour?
3. tu / avoir / voiture?
4. tu / manger / souvent / hamburgers?
5. tu / apprécier / cuisine française?
6. tu / avoir / frères / ou / sœurs?
7. tu / préférer / bière / ou / coca / avec / pizza?
8. tu / avoir besoin / argent?
9. tu / changer souvent / vêtements pendant la journée?
10. tu / faire / sport?

# RAPPEL!

Certain uses of articles in French parallel English usage. When you use *a* or *an* in English, the indefinite article **un** or **une** is usually appropriate in French. If English usage specifies *the*, the definite article **le, la, l'**, or **les** is used in French.

| | |
|---|---|
| J'apporte **un** cabas. | *I am bringing **a** tote bag.* |
| Nous allons à **la** boulangerie. | *We are going to **the** bakery.* |

Particular attention should be paid to cases where French and English uses of articles may not be parallel:

- English often omits the article altogether. In French, however, nouns are usually not used without articles.
- In French, the definite article may accompany both a noun used in a general sense and a noun used in a specific sense.
- If the concepts of *some* or *any* are either stated or implied in English, the partitive must be used in French.

Compare the following examples:

| | | |
|---|---|---|
| GENERAL SENSE | **La** viande coûte cher. | *Meat is expensive.* |
| SPECIFIC SENSE | **La** viande que vous achetez coûte cher. | ***The** meat that you're buying is expensive.* |
| PARTITIVE SENSE | J'achète **de la** viande. | *I'm buying **(some)** meat.* |

Be careful not to use the definite article when the context of the sentence limits the quantity being referred to and calls for the partitive. To say something like **As-tu *le* coca?** would be very confusing to a French speaker. Either you would be referring to the entire concept of Coca-Cola, which is impossible in the context of *Do you have . . . ?* or you would be referring to some specific Coca-Cola that had been previously discussed, as in **As-tu le coca (que nous allons servir à la soirée)?** The notion of *Do you have (any) Coke?* requires the partitive in French: **As-tu *du* coca?**

# Note culturelle

## *Le bouillon d'awara*

Le bouillon d'awara est un plat important en Guyane française. Préparé surtout pendant la saison des fêtes catholiques du printemps (entre Pâques et la Pentecôte), le bouillon d'awara porte des significations culturelles riches et variées. L'ingrédient principal, la pâte d'awara, consiste en la pulpe huileuse de couleur orangée des graines d'awara. Cultivée exclusivement en Guyane française, l'awara est aussi un grand symbole alimentaire, fortement lié aux conceptions de l'identité culturelle guyanaise. La grande variété d'ingrédients reflète la diversité linguistique et culturelle de cette région.

Pour préparer le bouillon d'awara, il faut du temps, du savoir-faire, de la patience et beaucoup d'ingrédients. Véritable méli-mélo de viandes, de poissons, de légumes et d'herbes, on y ajoute une longue liste d'aliments pendant un ou deux jours. Normalement, la veille, on commence par tremper des portions égales de viandes y compris le jambon cru salé, le lard fumé, le bœuf salé, la gueule et la queue de cochon. C'est aussi le moment de penser à faire rôtir ou à fricasser un poulet entier selon son goût. Très tôt le lendemain, on fait bouillir et mijoter *(simmer)* la pâte d'awara, typiquement pendant une heure. Ensuite, on met les viandes marinées et des piments frais dans la marmite. Pendant que ce mélange mijote, on peut commencer à couper les légumes (y compris le chou vert, le concombre long, le concombre piquant et les haricots verts) et à hacher les herbes. Quand les légumes sont prêts, on peut les jeter dans la marmite. Là, il faut aussi décider si on veut y ajouter de l'aubergine.

Êtes-vous prêts à déguster? Dommage, parce que la préparation n'est pas encore terminée! Les légumes dans la marmite, il faut laisser mijoter le bouillon encore une ou deux heures. Ensuite, il faut ajouter au mélange le poulet et des portions de morue salée *(salt cod)*, de poisson et de crevettes et laisser le tout mijoter une ou deux heures de plus. Au moment où la sauce devient onctueuse et veloutée, on sait que le bouillon d'awara est enfin prêt, et on peut le servir avec du riz. Pour bien déguster le bouillon d'awara, il faut inviter au repas beaucoup de membres de sa famille, des amis et des voisins. Si c'est possible, on met la table en plein air, à la campagne ou même sur la plage.

Pour les Guyanais, le bouillon d'awara est un plat populaire qui signale la fin de la période du Carême *(Lent)*. On se régale en le mangeant. Néanmoins, selon les contes populaires, la recette n'existe pas pour plaire à la personne qui mange ce plat. Les Guyanais racontent l'histoire d'un étranger qui tombe amoureux d'une Guyanaise. Or, les parents de la fille s'opposent à leur union. Pour essayer de faire chasser l'homme de la Guyane, la mère ordonne à sa fille de rassembler tous les ingrédients disponibles et de les mélanger dans une marmite. Elle lui explique qu'il faut surtout ajouter de la pâte d'awara au mélange. La fille obéissante prépare le bouillon d'awara et le sert à son bien aimé. A la grande déception des parents, le jeune homme aime beaucoup le repas et il demande même les restes! Grâce à son appréciation du bouillon d'awara, l'homme reste en Guyane pour toujours. C'est pourquoi, de nos jours, on dit que la personne qui mange de ce plat et qui l'aime va toujours rester en Guyane ou bien revenir en Guyane un jour.

## Compréhension

1. Pourquoi le bouillon d'awara est-il considéré comme un grand plat régional guyanais?
2. Quels ingrédients met-on typiquement dans le bouillon d'awara?
3. Racontez brièvement le conte qui explique les origines de la recette.
4. Si vous ne connaissez pas l'awara, utilisez un moteur de recherche francophone (www.google.fr) pour savoir ce que c'est.

## Réflexion

A. Pouvez-vous identifier un plat national ou régional qui représente votre propre culture? Lequel? Expliquez comment ce plat reflète vos valeurs culturelles.

B. Imaginez que vous allez préparer votre propre version du bouillon d'awara. Choisissez les ingrédients que vous désirez ajouter à votre soupe. Indiquez tous les ingrédients que vous utilisez ainsi que leurs quantités (par exemple, 500 g de crevettes, un poulet entier, deux piments, une cuillère à café de sel, etc.). Ensuite, préparez une brève description de la préparation de votre propre bouillon d'awara.

# SYNTHESE

A. Michael rentre aux Etats-Unis après une année à Paris. Il raconte à ses camarades de classe comment on fait les courses en France. Complétez les phrases de Michael en ajoutant la forme convenable des articles (définis, indéfinis ou partitifs).

1. Certains Français n'aiment pas _____ hypermarchés; ils préfèrent _____ commerces de proximité.
2. Ils préfèrent acheter _____ provisions tous les jours.
3. Dans _____ épicerie, ils achètent _____ boîtes de conserve, _____ farine, _____ vin et _____ produits alimentaires, mais pas _____ viande.
4. Ils vont dans _____ boulangerie pour acheter _____ pain et _____ pâtisseries.
5. Les Français utilisent de plus en plus _____ aliments surgelés.
6. Dans _____ charcuterie, on trouve _____ porc, _____ plats préparés et _____ salades composées.
7. Moi, personnellement, j'aime bien _____ supermarché; _____ supermarchés français ressemblent beaucoup aux supermarchés américains.
8. Mais même au supermarché, on a besoin d' _____ chariot ou d' _____ panier.
9. On n'a pas _____ sacs en papier; il y a _____ petits sacs en plastique.
10. _____ viande et _____ produits surgelés coûtent cher en France, mais les Français achètent peu _____ produits de luxe surgelés.
11. Au marché, on trouve _____ bons légumes frais et _____ fruits superbes. J'adore _____ marchés en plein air, peut-être parce que nous, aux Etats-Unis, on n'a pas beaucoup _____ marchés.
12. Surtout, les Français n'aiment pas se passer _____ pain, et ils hésitent souvent à changer _____ boulangerie, parce qu'ils préfèrent _____ croissants et _____ baguettes d'un certain boulanger.

Un marché en plein air

**B.** Vous essayez de donner à Mme Lenoir une idée de certaines préférences alimentaires de votre pays. Complétez les déclarations suivantes pour donner une image de vos habitudes alimentaires.

1. Le week-end, d'habitude, je mange…
2. En général, j'aime la viande, mais je ne mange pas…
3. Quand je fais les courses, j'achète normalement…
4. Franchement, je déteste…
5. Mais, j'adore…
6. Au déjeuner, je mange souvent…
7. Chez nous, on prépare très souvent…
8. Pour un repas de fête, j'aime bien préparer…

**C.** Un(e) amie(e) du Sénégal vous pose des questions sur votre vie de tous les jours. Répondez à ses questions.

1. Achetez-vous les provisions de la semaine le samedi?
2. Préparez-vous du café tous les matins?
3. Aimez-vous le café ou le thé?
4. Faites-vous beaucoup de courses pendant la semaine?
5. Achetez-vous souvent des pâtisseries françaises?
6. Y a-t-il un marché en plein air près de chez vous?
7. Préférez-vous payer en espèces ou par carte bancaire?
8. Faites-vous certains achats tous les jours?

# POUR S'EXPRIMER

CD1, Track 3

## A l'écoute

### Mise en scène

Ecoutez d'abord les conversations «Au café» et «A l'hypermarché» qui se trouvent sur le CD sous le titre «Faire les courses». Ensuite, complétez les activités qui suivent.

**Contexte:** Nous sommes à Rennes, une ville universitaire de Bretagne. Véronique, Sébastien et Isabelle prennent un pot au café avec un copain américain, Jim. Ecoutons leur conversation.

### Avant d'écouter

1. Où allez-vous normalement pour retrouver vos copains?
2. Est-ce que vous faites quelquefois un pique-nique? Où allez-vous? Qu'est-ce que vous apportez au pique-nique?
3. Qu'est-ce que vous achetez d'habitude à l'hypermarché, au centre commercial, dans les petits magasins du quartier?

### Compréhension

1. A votre avis, quelles sont les trois questions essentielles du dialogue? Expliquez pourquoi.
2. Quels articles y a-t-il dans le chariot de Jim et d'Isabelle quand ils arrivent à la caisse? Faites la liste des provisions qu'ils achètent.

3. Ecoutez attentivement les propos échangés entre Isabelle et Sébastien. Jouez le rôle de Sébastien en imitant son intonation. Quelle sorte de personnalité a-t-il, à votre avis? Isabelle est-elle d'accord avec vous? Dites pourquoi.

4. Identifiez dans le dialogue cinq mots ou expressions qui ne font pas encore partie de votre vocabulaire français (par exemple: un diabolo-menthe). Expliquez quels aspects du dialogue facilitent leur compréhension.

## A vous la parole

Voici quelques expressions utiles pour réagir à une déclaration ou à une suggestion. Imaginez que vous préparez un pique-nique avec un groupe d'amis français. Lisez les remarques de vos ami(e)s et répondez à chacune avec une des expressions suivantes en justifiant votre réaction.

| Réactions positives | Réactions marquant l'indifférence | Réactions négatives |
|---|---|---|
| Formidable! | Ça m'est égal. | Zut! |
| Sensationnel! | C'est sans importance. | C'est dommage! |
| Fantastique! | Tant pis! | C'est affreux! |
| Chouette! | Pas question! | Oh non! C'est pas possible! |
| Mais si... ! | Je m'en fiche. | |
| Pas de problème! | | |
| Super! | | |

MODELE  —On va jouer au football après le pique-nique.
—Super! J'adore jouer au football.

ou  —Oh non! C'est pas possible! Tout le monde n'aime pas jouer au football.

1. Allons faire un pique-nique demain.
2. Nous allons apporter du vin, du pain et du fromage.
3. Magali va apporter un lecteur de CD.
4. Tu vas acheter des fruits et des pâtisseries.
5. Marc va amener son gros chien.
6. Je vais inviter plus de vingt personnes.
7. On va aussi inviter notre prof de français.
8. Tout le monde va aller au parc à bicyclette.
9. Il ne va pas y avoir de bière.
10. Il va peut-être pleuvoir demain.

## Situations orales

A. Vous allez inviter des étudiants étrangers qui passent l'année dans votre université à un repas typiquement américain. En groupes, parlez des plats que vous allez préparer et des provisions nécessaires à la préparation des plats. Ensuite, comparez les réponses des différents groupes pour composer un seul menu.

B. Vous êtes en France et vous allez au café. Un(e) étudiant(e) va jouer le rôle du serveur / de la serveuse et il / elle va prendre les commandes des différents groupes.

# Note culturelle

## *Le cabas*

Le cabas est l'avenir de l'homme. Ou plutôt de la planète, salie par des montagnes de sacs plastiques (17 milliards chaque année rien qu'en France). Or ces sacs mettent entre cent et quatre cents ans pour se dégrader. Pour les remplacer, il y a bien les sacs en papier. Fausse bonne idée: leur production consomme trois fois plus d'eau et génère l'émission de gaz toxiques... Reste le bon vieux cabas, candidat le plus écologique et proposé par la plupart des grands distributeurs à un prix n'excédant pas 2 euros.

Source: Adapté de «Cabas», *Nouvel Observateur*, No 2077, 26 août–1er septembre 2004

### Compréhension

1. Pourquoi est-ce une mauvaise idée d'utiliser des sacs plastiques?
2. Avez-vous l'impression que ce sont les sacs plastiques ou les sacs en papier qu'on utilise le plus souvent en France?

### Réflexion

A. Le cabas n'est pas une idée nouvelle. Mais relativement peu de gens l'utilisent actuellement. Comment peut-on encourager les gens à revenir au cabas? Inventez une campagne de publicité pour le cabas!
B. Est-ce qu'il y a des chances de retrouver le cabas en usage général dans quelques années? Pourquoi?

# Structures III

## *Voilà* and *il y a*

Both **voilà** and **il y a** mean *there is, there are*, but the two constructions are used in different senses.

**Voilà** is used to point out or indicate something. It is the verbal equivalent of gesturing with your hand to show something to someone.

> Regardez, **voilà** les Dupont. Les **voilà** déjà?
> **Voilà** les fruits que vous cherchez.

**Il y a** simply states the existence or presence of something.

> **Il y a** un marchand de fruits par ici. **Il y a** des marchés couverts en France.

Note that both constructions are invariable, even when they are the equivalents of *there are*.

**1** Vous allez au restaurant universitaire avec votre amie canadienne, Martine Paradis. Utilisez **voilà** ou **il y a** pour compléter la conversation suivante.

Vous: Ah, regarde Martine, _____ mes copains qui déjeunent ensemble.

Martine: Est-ce que / qu' _____ de la place près d'eux?

Vous: Oui, regarde, _____ justement deux places. Qu'est-ce que / qu'_____ au menu aujourd'hui?

Martine: _____ du poulet et de la pizza. Ah, mais, _____ deux plats que je n'aime vraiment pas.

Vous: C'est dommage, mais _____ aussi des sandwichs. Achetons des sandwichs et sortons.

**2** Complétez par **voilà** ou **il y a** les phrases suivantes qui racontent une scène typique en cours de français.

1. Dans mon cours de français, _____ (nombre) étudiants.
2. Attention! _____ le prof. Il arrive.
3. _____ une petite interrogation aujourd'hui?
4. _____ beaucoup de questions dans l'interro?
5. Oh là là, _____ une interro vraiment difficile.
6. Eh bien, _____: l'interrogation est terminée.

# INTERACTIONS

**Activité 1: Une consommation qui respecte l'environnement.** L'hyper-marché Monoprix offre à ses clients des conseils «pour consommer durable». Lisez l'extrait de la brochure publiée par Monoprix, puis répondez aux questions.

1. Qu'est-ce que la loi interdit en 2010?
2. Qu'est-ce qu'on doit utiliser pour porter ses achats?
3. Qui peut utiliser la «Caisse Nature»?
4. Quel service Monoprix offre-t-il aux clients pour diminuer la pollution?
5. Qu'est-ce qu'on peut apporter à Monoprix pour être recylé ou retraité? Quel est le sens du mot «retraité»?

6. En petits groupes, discutez de ces mesures proposées par Monoprix. Lesquelles vous semblent pratiques? Réalistes? Etes-vous en faveur de toutes ces mesures? Y en a-t-il quelques-unes qui existent déjà dans des magasins près de chez vous?

**Activité 2.** Lisez le petit article qui suit sur la restauration rapide, puis répondez aux questions.

## La restauration rapide est en progression

Le fast-food anglo-saxon a connu en 2005 une forte croissance (9% en valeur) et représentait 47% des dépenses de restauration rapide effectuées dans des chaînes. L'accroissement du nombre de ces restaurants se poursuit: On en comptait 1 412 au début 2006, dont 1 060 McDonald et 315 Quick. La part des hamburgers reste cependant limitée; les Français consomment environ huit fois plus de sandwichs.

La restauration rapide à la «française» connaît aussi une croissance soutenue: 7% en valeur en 2005. Les chaînes comptent au total 1 508 unités (dont 281 Paul et 256 Brioche dorée) et représentent 14% des dépenses. Les cafétérias des grandes surfaces sont en revanche moins fréquentées (214 Casinos, 191 Flunch…); elles ne représentent plus que 12% des dépenses…

La restauration rapide a globalement perdu le caractère innovant et «branché» qu'elle a eu pendant des années. Elle est de plus en plus concurrencée par le développement du grignotage… 2 milliards de repas «sur le pouce» sont ainsi pris chaque année, avec une tendance à un grignotage plus sain.

Source: Gérard Mermet, *Francoscopie 2007*, ©Larousse, 2007, pp. 176–177

1. Décrivez la situation du fast-food anglo-saxon en France actuellement.
2. Les Français mangent-ils plus souvent ou moins souvent dans cette sorte de restaurant?
3. Quelle est la chaîne la plus importante en France?
4. Qu'est-ce les Français mangent beaucoup, au lieu des hamburgers?
5. A votre avis, qu'est-ce qu'on sert dans la chaîne française La Brioche dorée? Qu'est-ce qui explique la croissance de ces chaînes?
7. Quels restaurants sont moins fréquentés actuellement en France?
8. En quoi les attitudes des Français changent-elles envers la restauration rapide? Si les Français font un grignotage «plus sain», qu'est-ce qu'ils mangent peut-être sur le pouce? Que mangent les Américains quand ils grignotent?

## Situations écrites

**A.** Votre classe fait un échange de lettres avec des jeunes en Guadeloupe. Vos correspondants guadeloupéens vous écrivent que les jeunes Nord-Américains ont beaucoup d'argent à dépenser et qu'ils consomment beaucoup. Pour répondre à vos correspondants, décrivez vos habitudes de consommation. Qu'est-ce que vous achetez régulièrement? Combien est-ce que vous dépensez, en moyenne, pour les vêtements, les CD, les jeux vidéo, les autres articles de luxe, y compris votre téléphone portable?

**B.** Vous passez l'été prochain en France chez les Perz. Madame Perz vous écrit pour savoir ce que vous mangez ou ne mangez pas. Répondez-lui par une courte lettre pour lui expliquer vos préférences. Vous pouvez aussi lui dire que vous voulez préparer un repas typiquement nord-américain pour sa famille. Indiquez dans votre lettre quelle sorte de repas vous désirez préparer et faites une liste des ingrédients dont vous pensez avoir besoin.

# A lire

## Texte de culture contemporaine

### Sujets de réflexion

1. Avez-vous l'impression que les sociétés occidentales consomment plus ou moins de viande que d'autres sociétés? Justifiez votre réponse avec des exemples.
2. Connaissez-vous des végétariens? Pour quelles raisons une personne est-elle végétarienne?

### Guide de lecture

Il y a un manque global de céréales. Dans certains pays, les gens ne peuvent pas s'acheter de quoi manger et ils souffrent de faim. Le prix de la nourriture ne cesse d'augmenter partout dans le monde. En Italie, il y a des manifestations contre l'augmentation du prix des pâtes. Aux Etats-Unis, certains des hypermarchés limitent la quantité de riz qu'on peut acheter. D'où viennent ces problèmes? De la modernisation en Chine et en Inde? Pas totalement. De la croissance de la population mondiale? Pas encore. Non, une partie signifiante de ces crises vient… des vaches! Et des personnes qui mangent de la viande.

1. De quoi a-t-on besoin pour élever des vaches?
2. Dans la lecture «Frères humains, devenez végétariens!», vous allez souligner les éléments de vocabulaire qui, pour vous, semblent avoir un rapport avec le bétail *(livestock)*.

## Frères humains, devenez végétariens!

*is sinking*
*livestock*

Avec 1,4 milliard de vaches, notre planète croule° en effet littéralement sous le bétail°: le poids cumulé de tous ces ruminants est supérieur à celui de toute la population humaine avec ses 6 milliards d'habitants! Et c'est de pire en pire. La production de viande a été multipliée par cinq depuis les années 1950… Et devrait encore
5 doubler sur les vingt années à venir.

*panic*

De quoi affoler° les experts en alimentation, qui se demandent bien comment la terre pourra nourrir les 3 milliards d'humains supplémentaires de ces prochaines décennies. A l'ère de l'élevage industriel, nos bêtes accaparent à elles toutes seules 60% de la production mondiale de céréales… Un volume qui suffirait amplement à
10 nourrir les 850 millions d'êtres humains souffrant de malnutrition…

*squat on, take up*

Au total, l'élevage et la production des aliments pour le bétail squattent° 78% des terres agricoles mondiales, soit 30% de toute la surface du globe, trois fois plus qu'en 1960…

*meat*

Le plus insensé? C'est que toute cette bidoche° est en priorité destiné à 0,1% de
15 la population de la planète, l'infime petite minorité des riches de ce monde. Notre
consommation de viande est passée de 30 kilos par personne et par an en 1919 à
*recommended* plus de 100 kilos aujourd'hui. C'est trois fois plus que la quantité préconisée° par
les organismes de santé. Non seulement notre régime carnivore affame la planète,
*upsurge* mais il nous tue aussi par la recrudescence° des maladies de «biens nourris»: acci-
20 dents cardio-vasculaires, diabète, obésité…

Et pour ne rien arranger, il contribue au réchauffement climatique… L'élevage est
*greenhouse gases* responsable de 18% des émissions des gaz à effet de serre°. Soit plus que le secteur
*manure* des transports! Avec leurs flatulences chargées de méthane, leurs tonnes de fumier°
*laughing gas (nitrous* gorgé de gaz hilarant°, le fameux $NO_2$, également des plus nocifs, sans compter les
*oxide)* 25 émissions d'ammoniac synonymes de pluies acides et leurs déjections qui polluent
*ground water /* les nappes phréatiques°, nos charmants bovins° sont des périls verts à quatre pattes.
*bovines (cows)* L'extension de leurs pâturages fait des ravages. En Amérique centrale,
*pinched (stolen)* 20% des zones sylvestres ont déjà été ratiboisées°. Et c'est encore pire au Brésil,
où 38% de l'Amazonie ont été sacrifiés pour les bovins.

*soy* 30 Une déforestation qui s'accélère avec les immenses plantations de soja° destinées
à nourrir nos vaches, toujours elles.

Source: Doun Bui, «Frères humains, devenez végétariens!», *Le Nouvel Observateur*,
No. 2270, 8–14 mai, 2008, p. 11

## Après la lecture

1. Résumez en quoi l'élevage des vaches contribue au manque de céréales.
   Dégagez du texte des statistiques qui vous surprennent peut-être.

2. A qui est destinée toute cette viande? Quels problèmes de santé sont provoqués
   par la consommation de trop de viande?

3. En quoi l'élevage des vaches contribue-t-il au réchauffement climatique?

4. Combien de fois par semaine vous et vos amis, mangez-vous de la viande,
   surtout du bœuf? Est-ce qu'il vous serait facile de vous passer de bœuf?
   Expliquez votre réponse.

# Texte littéraire

## Sujets de réflexion

1. La vie est composée de quelques instants rares qui donnent des plaisirs minuscules mais profonds. Trouvez, dans votre vie, des exemples d'odeurs, de goûts, de sensations que vous conservez affectueusement.

2. Y a-t-il certains moments de la journée que vous préférez à d'autres? Pourquoi?

3. Y a-t-il un petit magasin, une boutique que vous aimez fréquenter, où vous allez souvent avec plaisir? Qu'est-ce qui lui donne son charme?

## A propos de l'auteur...

**Philippe Delerm** *est né en 1950 et, après ses études, il devient professeur de lettres. Il a déjà publié dix livres lorsque* La Première Gorgée de bière et autres plaisirs minuscules *paraît en 1997. Ce petit ouvrage de moins de cent pages connaît tout de suite un succès phénoménal. L'auteur fixe sur le papier une série de trente-quatre courts tableaux où l'on retrouve les plaisirs des moments fugitifs de la vie quotidienne qu'on ne prend jamais le temps de savourer. Dans cet extrait, intitulé* Le croissant du trottoir, *Philippe Delerm porte son attention sur un aliment sans grande signification apparente, l'humble croissant que l'on consomme sur un trottoir en sortant d'une boulangerie un matin d'hiver.*

## Guide de lecture

1. Vous observez une personne qui savoure une bière (ou une autre boisson délicieuse!). Quel rituel semble diriger ses gestes? Quelle nourriture ou boisson prenez-vous personnellement pour vous procurer un instant de plaisir?

2. Dans le premier paragraphe du texte, certains détails permettent de préciser le moment et le lieu de l'action. Où et à quel instant se passe cette scène? Faites une liste de cinq expressions qui indiquent l'heure et le temps.

# *La Première Gorgée de bière*
# Le croissant du trottoir

*scout*
*crept*
*watchmaker / edged*

On s'est réveillé le premier. Avec une prudence de guetteur° indien on s'est habillé, faufilé° de pièce en pièce. On a ouvert et refermé la porte de l'entrée avec une méticulosité d'horloger°. Voilà. On est dehors, dans le bleu du matin ourlé° de rose: un mariage de mauvais goût s'il n'y avait le froid pour tout purifier. On souffle un

5 nuage de fumée à chaque expiration: on existe, libre et léger sur le trottoir du petit matin. Tant mieux si la boulangerie est un peu loin. Kerouac mains dans les poches,

*left behind / edge*
*margin*
*pilfering / pinch (fam)*

on a tout devancé°: chaque pas est une fête. On se surprend à marcher sur le bord° du trottoir comme on faisait enfant, comme si c'était la marge° qui comptait, le bord des choses. C'est du temps pur, cette maraude° que l'on chipe° au jour quand

10 tous…. quand tous les autres dorment.

Presque tous. Là-bas, il faut bien sûr la lumière chaude de la boulangerie—c'est du néon, en fait, mais l'idée de chaleur lui donne un reflet d'ambre. Il faut ce qu'il

*vapor* faut de buée° sur la vitre quand on
*enjoyment* s'approche, et l'enjouement° de ce
15 bonjour que la boulangère réserve
aux seuls premiers clients—compli-
*dawn* cité de l'aube°.

—Cinq croissants, une baguette
*shaped* moulée° pas trop cuite!
*undershirt* 20 Le boulanger en maillot de corps°
fariné se montre au fond de la bou-
tique, et vous salue comme on salue
les braves à l'heure du combat.

On se retrouve dans la rue. On le
25 sent bien: la marche du retour ne sera
pas la même. Le trottoir est moins
libre, un peu embourgeoisé par cette
*stuck* baguette coincée° sous un coude, par ce paquet de croissants tenu de l'autre main.
*soft* Mais on prend un croissant dans le sac. La pâte est tiède, presque molle°. Cette petite
30 gourmandise dans le froid, tout en marchant: c'est comme si le matin d'hiver se faisait
*oven* croissant de l'intérieur, comme si l'on devenait soi-même four°, maison, refuge. On
avance plus doucement, tout imprégné de blond pour traverser le bleu, le gris, le rose
*is fading* qui s'éteint°. Le jour commence, et le meilleur est déjà pris.

Source: Philippe Delerm, "Le croissant du trottoir" in *La Première gorgée de bière et autres plaisirs
minuscules* © Editions Gallimard, www.gallimard.fr

## Après la lecture

1. Le croissant se mange d'habitude le matin. Selon vous, pour le narrateur,
acheter ses croissants au supermarché, emballés dans un sac plastique,
donne-t-il la même satisfaction que de les acheter à la boulangerie? Suggérez
pourquoi.

2. Résumez les activités et l'état d'esprit du narrateur dans le premier paragraphe. Pourquoi dit-il qu'il se sent «libre et léger sur le trottoir du petit
matin»?

3. Quelle image de la boulangerie Delerm donne-t-il? Le mot «chaleur» est utilisé
au deuxième paragraphe. Donnez au moins deux ou trois exemples qui illustrent l'effet ou la cause de cette chaleur.

4. Que fait le personnel de la boulangerie pour établir le contact humain avec
les clients? En quoi ce moment de la journée est-il différent du reste de la
journée?

5. Dans quelle mesure la rue est-elle différente au moment où le narrateur sort
de la boulangerie? Le croissant qu'on mange devient symbolique de quelque
chose. Expliquez.

### Pour mieux lire

1. L'ambiance de la ville ou du village est suggérée dans ce tableau. Quels sont les éléments du texte qui caractérisent la situation urbaine?

2. On peut même parler d'un style «impressionniste» chez Philippe Delerm. Relevez dans le texte les allusions à la couleur et à la lumière. Quels rapports existent entre les sensations et les sentiments?

3. A votre avis, quelles phrases du dernier paragraphe résument le plus parfaitement l'importance et le symbolisme du petit croissant?

## LIENS CULTURELS

1. Dans la vie quotidienne, nous adoptons certains rythmes personnels qui gouvernent nos activités au cours de la journée. Est-il vrai que nous perdons la possibilité de créer ces rythmes pour nous-mêmes? Quels moments vous permettent de conserver un rythme personnel? Trouvez un instant de petit bonheur dans votre vie qui offre des plaisirs comme celui du croissant de Philippe Delerm.

2. Comment imaginez-vous l'avenir du commerce? Va-t-on éliminer les petits commerces, comme la boulangerie décrite par Philippe Delerm? Quel rôle va jouer la technologie dans le commerce? Va-t-on diminuer le nombre de grandes surfaces? Quelle va être l'attitude des gens vis-à-vis de la consommation? Y a-t-il déjà dans la société des signes qui indiquent une nouvelle orientation?

## EXPANSION

A. Dans le domaine de l'habillement aujourd'hui, vos achats sont-ils surtout influencés par la mode ou par vos habitudes? Quelles différences vous distinguent des consommateurs des siècles passés? Est-ce que c'est la catégorie sociale des consommateurs ou un système de valeurs qui détermine les magasins où ils font leurs achats? Qui achète où?

B. Quels sont les petits commerces traditionnels dans le domaine de l'alimentation? Parmi ces petites surfaces, quels magasins mènent une existence précaire aujourd'hui, à votre avis? Y a-t-il certains commerces alimentaires de proximité qui vont se maintenir encore longtemps en France? Expliquez pourquoi.

C. De nos jours, les promotions et la publicité sont indispensables au commerce. A quelles réactions, à quels sentiments des consommateurs est-ce que la publicité s'adresse surtout? Sommes-nous influencés par le rêve ou le réalisme? Par le bon sens ou par le désir d'impressionner notre entourage? Est-ce qu'on peut dire la même chose au sujet des clients de la *Galerie Vivienne* et des *Galeries Lafayette*?

# Chapitre 2

# Modes de vie

## Cultural Focus

❖ Living Situations in France and the Francophone World, Past and Present
❖ Lifestyles of Young People in France Today

## Readings

**Contemporary Cultural** *Techno-Logis, Eco-Logis, Ego-Logis*

**Literary** Annie Ernaux: *Les Armoires vides* (extrait)

## Structures

I  Regular **-ir** Verbs
   Regular **-re** Verbs
   Negation
   Basic Question Patterns

II  Reflexive and Reciprocal Verbs
    Irregular **-oir** Verbs

III  Idioms with **être** and **avoir**
     **Depuis** + Present Tense

## Functions

Describing Daily Routines

Describing States and Conditions

Asking and Answering Questions

**iLrn**

Le moderne s'harmonise souvent avec l'ancien dans le paysage urbain et rural en France.

# Un peu de culture contemporaine

## Qui habite où?

- Environ 45% de la population française vit en appartement. Comparé à d'autres pays de l'Union européenne, moins de personnes habitent un appartement en Irlande (6%), au Royaume-Uni et en Belgique (20%); mais le nombre augmente en Italie, en Espagne et en Allemagne (40%).

- Les ménages français, dans leur majorité, se déclarent satisfaits de leurs conditions de logement. Mais on déplore le plus souvent le manque d'espace (la surface moyenne des appartements est de 66 mètres carrés [approx. 710 pieds carrés] et des maisons individuelles, 103 mètres carrés [approx. 1 108 pieds carrés]), le bruit et l'insécurité. On habite plus souvent une maison individuelle si on a plus de 40 ans, des enfants et des revenus plus élevés que les personnes qui vivent en appartement.

### Compréhension

1. Un logement typique en France (maison ou appartement) est-il plus grand ou moins grand que le logement que vous habitez maintenant? Expliquez.

2. Chez les voisins européens des Français, qui habite le plus souvent une maison individuelle? Et un appartement?

3. Les conditions de logement sont plutôt satisfaisantes en France, mais certains problèmes existent. De quoi est-ce qu'on se plaint d'habitude?

### Réflexion

A. Dans le contexte de la vie quotidienne en Amérique du Nord, quelles sortes de personnes habitent une maison individuelle? Qui vit généralement en appartement? Quelles raisons pouvez-vous donner pour expliquer vos constatations?

B. La surface moyenne d'un appartement et d'une maison en France vous semble-t-elle relativement petite, grande ou normale? Sur quels critères fondez-vous votre jugement? A votre avis, combien de personnes peuvent vivre confortablement dans un appartement correspondant à la surface moyenne des appartements français?

## Sarcelles: une cité de banlieue (Boileau et Labourdette, architectes)

Sarcelles: logements sociaux des années 50 près de Paris

A l'origine, on appelle *banlieue* l'ensemble des petites municipalités, villages ou communes, qui entourent une grande ville. Aujourd'hui, le mot désigne souvent des cités ou des ensembles isolés d'immeubles construits dans la périphérie des villes après 1950. Les résidents de ces cités ont souvent des revenus modestes. On y trouve aussi beaucoup de familles d'immigrés. En général, le chômage y est élevé, et les résidents—surtout les jeunes—se sentent marginalisés et coupés de la population active. Sarcelles, dans la banlieue située juste au nord de Paris, est un exemple de ces grands ensembles typiques de l'urbanisme des cités des années 1950 et 1960.

## Compréhension

1. Quelle sorte de logements se trouve souvent dans les cités de banlieue en France? Qui habite ce type de logement?
2. Quels problèmes sociaux sont souvent liés aux cités de banlieue?

## Réflexion

A. Que signifie actuellement le mot *banlieue* en France? Expliquez l'évolution du mot.
B. Quelle est votre réaction à la photo de Sarcelles?
C. Que désigne le mot *banlieue* dans le contexte de votre propre culture? Qui habite les banlieues chez vous? Le mot *banlieue* correspond-il aux mêmes réalités en France et dans votre culture?

## *Place de Catalogne: logements sociaux (Ricardo Bofill, architecte)*

La place de Catalogne représente un bon exemple du style néo-classique de Ricardo Bofill à l'époque actuelle.

Les municipalités sont propriétaires d'un nombre important de logements collectifs, le contraire de maisons individuelles. En France, environ 3,5 millions de ces appartements sont des habitations à loyer modéré (HLM), c'est-à-dire réservés aux gens qui ont de petits revenus, et près de 20% des ménages français habitent un de ces logements sociaux. L'architecte catalan Ricardo Bofill considère que les Français ont une certaine nostalgie pour les formes et les matériaux classiques (colonnes, pierre, etc.). Il les emploie donc dans la construction de ses HLM, même si les colonnes sont aujourd'hui en verre et le béton est utilisé pour imiter la pierre.

## Compréhension

1. A quoi correspond le sigle *(acronym)* HLM? A quel secteur de la population ces résidences sont-elles destinées?
2. Quelle sorte de logements est-ce que l'architecte Ricardo Bofill crée place de Catalogne à Paris? Donnez certains éléments du style souvent utilisé par Bofill.

## Réflexion

A. Comparé à Sarcelles, est-ce que le logement social de la place de Catalogne représente une progression, une régression ou peut-être ni l'une ni l'autre? Expliquez votre point de vue.
B. En quoi le concept du logement social en France diffère-t-il du logement social aux Etats-Unis?

 *Pour des activités culturelles supplémentaires, rendez-vous sur le site Web d'**Interaction*** www.cengage.com/french/interaction

# Vocabulaire actif

CD1, Track 4

## MODES DE VIE

### Le logement
la **banlieue** suburbs
un **campagnard** country dweller
la **campagne** countryside
à la \_\_\_\_\_ in the country
un **citadin** / une **citadine** city dweller
une **cité-dortoir** bedroom community
un(e) **colocataire** roommate
le **foyer** home, hearth
un **grand ensemble** apartment complex

une **HLM (habitation à loyer modéré)** subsidized housing
un **immeuble collectif** multi-family dwelling
un(e) **locataire** renter
un **logement social** public housing
**louer** to rent
une **maison individuelle** single family house
un **ménage** household
un(e) **propriétaire** owner
le **rez-de-chaussée** ground floor

*le sous-sol - basement*

## Les problèmes sociaux
le **cambriolage** breaking and entering
le **chômage** unemployment
la **délinquance** delinquency
l'**insécurité** (f) lack of safety
le **vol** robbery

## La technologie
un **clip** music video
le **courrier électronique** / e-mail *le courriel*
le **fax (le télécopieur)** fax machine
le **fax (la télécopie)** fax
les **informations** (f pl) news
le **Web** World Wide Web

## LES ACTIVITÉS QUOTIDIENNES

### Les activités personnelles
se **coiffer** to fix one's hair
se **coucher** to go to bed
se **dépêcher** to hurry
se **détendre** to relax
s'**en aller** to leave
**être de retour** to be back
**être en retard** to be late
s'**habiller** to get dressed
se **laver** to wash oneself
se **lever** to get up
se **peigner** to comb one's hair
se **raser** to shave

## Exercices de vocabulaire

**A.** Choisissez une expression de la liste suivante pour compléter les phrases qui définissent les activités décrites. Utilisez la forme convenable du verbe.

**Expressions:** avoir faim, avoir le trac, avoir raison, avoir sommeil, se coiffer, se coucher, se détendre, être en retard, s'habiller, se laver, se lever, rentrer

1. Votre colocataire met des jeans et un pullover pour aller au match de football. Il \_\_\_\_\_ pour aller au match.

2. Vous avez pris le petit déjeuner à huit heures et il est maintenant deux heures de l'après-midi. Vous \_\_\_\_\_.

3. Votre copain, pour ne pas être stressé à cause des examens, joue au basket. Il veut \_\_\_\_\_.

4. Après votre dernier cours, vous retournez à votre résidence. Vous \_\_\_\_\_.

5. Un étudiant arrive à neuf heures vingt à son cours de neuf heures. Il \_\_\_\_\_.

6. Vous êtes fatigué(e) et vous assistez à une conférence *(lecture)* très ennuyeuse. Vous \_\_\_\_\_.

7. Le réveil *(alarm)* sonne à sept heures du matin. On va \_\_\_\_\_.

8. On aime prendre sa douche le matin. On aime \_\_\_\_\_ le matin.

9. Vous êtes très agité(e) avant de faire une présentation. Vous \_\_\_\_\_.

10. Vos colocataires ont fini tous leurs devoirs et il est une heure du matin. Ils vont \_\_\_\_\_.

11. Une étudiante fait sa toilette avant de sortir le samedi soir. Elle va \_\_\_\_\_.

12. Votre prof de maths pose une question très difficile et vous donnez la bonne réponse. Vous \_\_\_\_\_.

rentrer to come home
se réveiller to wake up

**Les conditions**
avoir besoin de to need
avoir envie de to feel like
avoir faim to be hungry
avoir l'air to seem
avoir le trac to be afraid; to be nervous
avoir mal à... to have an ache
avoir peur to be afraid
avoir raison to be right
avoir sommeil to be sleepy

**Les activités scolaires**
bachoter to prepare for an exam
bouquiner to read *(coll.)*[1]
se débrouiller to manage
être reçu(e) to pass
passer un examen to take an exam
présenter sa candidature to be a candidate
rater (un examen) to fail (an exam)
recevoir to receive
_____ un diplôme to graduate

redoubler to repeat (a year)
réussir à to succeed; to pass (an exam)

**Les expressions scolaires**
le baccalauréat (le bac) diploma based on a series of exams taken at the end of secondary education
le bachotage studying for an exam *(coll.)*
un boulot job
du boulot work *(coll.)*
un bouquin book *(coll.)*
une carrière career

un cours course, class
un devoir written assignment
un diplôme diploma
une dissertation an essay
un exposé classroom presentation
la fac the university *(coll.)*
la faculté university division
le lycée last three years of secondary school
la première second year of lycée
la seconde first year of lycée
la terminale last year of lycée

[1]*coll.* = colloquial

**B.** Emma et Christophe discutent des possibilités de logement pour l'année scolaire. Recréez leur conversation en complétant chaque phrase par une expression de la liste suivante.

**Expressions:** maison individuelle, insécurité, grands ensembles, propriétaire, banlieue, rez-de-chaussée, locataires

CHRISTOPHE: Tu sais, Emma, je ne veux pas tellement habiter dans un de ces _____ où il y a beaucoup d'appartements.

EMMA: Et moi, je refuse d'habiter dans un appartement au _____ où il y a plus de danger de cambriolage. Je ne peux pas vivre dans l'_____.

CHRISTOPHE: Je voudrais trouver un petit appartement où le _____ habite dans le même bâtiment.

EMMA: Est-ce que nous ne pouvons pas chercher une jolie petite _____ loin du centre?

CHRISTOPHE: Pas vraiment. Et puis, comme _____, nous ne sommes pas obligés d'entretenir *(keep up)* la maison ou le jardin. En plus, je ne veux pas habiter dans la _____ loin du centre-ville.

**C.** Votre copine Camille vous envoie des IM qui parlent de sa vie d'étudiante en France. Reformulez ses idées en employant des synonymes pour remplacer les expressions soulignées.

—Je suis très heureuse d'<u>être reçue à l'examen de fin d'études secondaires</u>.

—Maintenant, je suis à <u>l'université</u>.

—Je dois <u>lire</u> beaucoup.

—En plus, j'ai un <u>petit emploi</u> à mi-temps.

—J'étudie beaucoup parce que je ne veux pas <u>ne pas être reçue à</u> mes examens.

—Surtout, je ne veux pas être obligée de <u>refaire une année universitaire</u>.

—Je pense <u>terminer mes études</u> dans deux ans.

# Lexique personnel

## LA VIE DE FAMILLE

**A** Pour chacun des sujets suivants, dressez une liste personnelle de mots.

1. les membres de votre famille
2. les types d'habitation de votre quartier
3. vos activités en famille

**B** Employez les éléments suivants pour poser des questions à un(e) camarade de classe. Ensuite, répondez vous-même à chaque question en utilisant le vocabulaire du chapitre et votre lexique personnel.

1. ta famille / habiter / un appartement ou une maison individuelle?
2. combien de chambres à coucher / il y a / dans cette maison ou cet appartement? / combien de salles de bain?
3. tu / avoir / une famille nombreuse *(large)*?
4. tu / avoir / des frères et sœurs?
   ils (elles) / être / étudiant(e)s?
   ils (elles) / travailler?
5. à quelle heure / ta famille / dîner / d'habitude? / vous / dîner toujours / tous ensemble?
6. ta famille / regarder / souvent la télévision? / à quelle heure?

# Structures I

## Regular *-ir* Verbs

To form the present tense of regular **-ir** verbs, drop the **-ir** ending of the infinitive and add the appropriate endings to the remaining stem: **-is, -is, -it, -issons, -issez, -issent.**

| **finir** *to finish* | |
|---|---|
| je fin**is** | nous fin**issons** |
| tu fin**is** | vous fin**issez** |
| il / elle / on fin**it** | ils / elles fin**issent** |

## The Imperative

To form the imperative of a regular **-ir** verb, simply use the present tense **tu, nous,** or **vous** form and omit the subject pronoun.

**Finis** ton travail, Bruno. *(familiar)*

**Finissons** notre boulot. *(collective)*

**Finissez** le devoir pour demain. *(formal or plural)*

- Note the **-iss-** infix that appears in the plural forms of all regular **-ir** verbs. Following is a list of some regular **-ir** verbs.

| | |
|---|---|
| bâtir | to build |
| choisir | to choose |
| finir | to finish |
| grandir | to grow up |
| nourrir | to nourish, to feed |
| obéir | to obey |
| punir | to punish |
| réfléchir | to think |
| remplir | to fill |
| réussir (à) | to succeed (in), to pass |

**1** Pour pouvoir faire des projets avec des amis, vous devez trouver le moment où tout le monde est libre. Utilisez la forme correcte du verbe **finir** pour compléter les phrases suivantes.

1. Mon amie _____ son travail vers cinq heures.
2. Mes colocataires _____ les cours à quatre heures.
3. Tu _____ tes devoirs à sept heures?
4. Nous _____ de dîner vers six heures.
5. Vous _____ de travailler à six heures?
6. Moi, je _____ de travailler à six heures.

**2** Répondez aux questions suivantes ou posez-les à un(e) camarade de classe.

1. Choisissez-vous vos cours chaque semestre?
2. Remplissez-vous beaucoup de fiches *(forms)* au début du semestre?
3. Réussissez-vous à tous vos examens?
4. Finissez-vous toujours tous vos devoirs?
5. Obéissez-vous à vos professeurs?
6. Réfléchissez-vous déjà à votre avenir?

## Regular *-re* Verbs

To form the present tense of regular **-re** verbs, drop the **-re** ending of the infinitive and add the appropriate endings to the remaining stem: **-s, -s, –, -ons, -ez, -ent.**

| **répondre** to answer | |
|---|---|
| je répond**s** | nous répond**ons** |
| tu répond**s** | vous répond**ez** |
| il / elle / on répond | ils / elles répond**ent** |

- Note that the **il / elle / on** form adds no ending to the basic stem.

## The Imperative

**Réponds** à ton père, Bruno. *(familiar)*
**Répondons** au professeur. *(collective)*
**Répondez** aux questions. *(formal or plural)*

Following is a list of some regular **-re** verbs.

| | | | |
|---|---|---|---|
| **attendre** | ...to wait for | **perdre** | ...to lose |
| **dépendre** | ...to depend | **rendre** | ...to give back |
| **descendre** | ...to go down | **répondre** | ...to answer |
| **entendre** | ...to hear | **vendre** | ...to sell |

**3** Utilisez la forme appropriée des verbes indiqués pour décrire quelques aspects de la vie des jeunes.

1. Nous _____ toujours aux questions de nos parents. (répondre)
2. Mon copain _____ sa voiture. (vendre)
3. Il y a des étudiants qui ne _____ jamais leurs devoirs. (rendre)
4. Tu _____ le réveil? Lève-toi! (entendre)
5. Vous _____ votre temps à bavarder au téléphone. (perdre)
6. J'_____ mes amis devant le cinéma. (attendre)
7. On _____ la rue à pied pour aller en ville. (descendre)
8. Est-ce que je suis content(e) de ma vie? Ça _____ des jours. (dépendre)

**4** Répondez aux questions suivantes ou posez-les à un(e) voisin(e).

1. Attendez-vous avec impatience la fin du semestre?
2. Rendez-vous souvent des livres à la bibliothèque?
3. Est-ce que votre professeur répond toujours aux questions des étudiants?
4. Est-ce que vos amis descendent souvent en ville?
5. Est-ce que les étudiants vendent leurs bouquins à la fin du semestre?

**5** Vous êtes président(e) du Cercle français de l'université et vous organisez la première réunion de l'année. Vous dressez une liste de sujets à présenter lors de la réunion. Utilisez **l'impératif** des verbes indiqués pour vous adresser au groupe.

MODELE dire aux autres étudiants de réfléchir à l'avenir du club
*Réfléchissez à l'avenir du club.*

1. proposer au groupe de choisir un projet intéressant
2. proposer au groupe de vendre des pâtisseries françaises
3. dire à tous les membres de remplir les fiches
4. dire à une des personnes de répondre aux lettres
5. dire à une des personnes de ne pas perdre l'argent du club
6. dire à une des personnes d'attendre la prochaine réunion
7. proposer au groupe de finir la réunion
8. proposer au groupe de descendre au café

Travaillons un peu plus sur le nouveau projet et retrouvons-nous au club demain soir.

# INTERACTIONS

Lisez l'extrait d'une brochure créée par le ministère délégué à la recherche et aux nouvelles technologies qui essaie d'inciter les Français à se servir de l'ordinateur et d'Internet à la maison. Ensuite, répondez aux questions.

1. Quelles sortes de document peut-on créer en utilisant l'ordinateur à la maison? Qu'est-ce qu'on peut faire de ces documents?

2. Comment est-ce que l'ordinateur peut aider dans le domaine des finances personnelles?

3. Pourquoi l'ordinateur est-il surtout avantageux pour les jeunes?

4. En petits groupes, discutez de l'emploi que vous faites de l'ordinateur à la maison. Comparez les réponses des différents groupes. Combien de vos camarades de classe utilisent souvent l'ordinateur et Internet à la maison? Pour quoi faire? Y a-t-il des camarades de classe qui n'emploient pas souvent ou pas du tout l'ordinateur et Internet chez eux? Pour quelles raisons?

---

**L'ordinateur à la maison,**
**Indispensable pour toute la famille!**

*Travailler, étudier ou s'amuser, l'ordinateur propose une multitude d'activités pour tous. Avec un ordinateur à la maison, chacun avance à son rythme et l'utilise selon ses envies ou ses besoins.*

**Créer et imprimer des documents ou du courrier, rien de plus facile avec un ordinateur!**
• taper une lettre
• mettre en forme son CV
• créer ses propres documents, les illustrer par des couleurs, des graphiques ou des images
• envoyer directement un document par courrier électronique

**Gérer ses comptes**
La plupart des ordinateurs sont livrés avec des programmes permettant de tenir les dépenses de la famille en toute simplicité. Pratique pour suivre son budget!

**Voir et classer ses photos de famille ou de vacances**
• transférer directement sur l'écran de l'ordinateur les clichés pris à partir d'un appareil photo numérique
• créer un album ou encore envoyer les meilleures photos à ses amis via Internet

**Apprendre ou se cultiver avec des CD Roms éducatifs**
Les enfants, comme les plus grands, apprennent en s'amusant ou suivent des programmes d'accompagnement scolaire adaptés à leur niveau.

**Jouer**
• piloter un bolide sur un circuit
• jouer aux cartes ou aux échecs
• incarner un personnage dans un monde imaginaire... Il existe un large choix de jeux, adaptés à chaque profil ou chaque niveau de joueur.

---

## Negation

### Basic Negative Constructions

To form a basic negative construction, place **ne** before the conjugated verb and **pas** (or another negative expression) after the conjugated verb.

The most common negative expressions are summarized below.

| Negative | | Positive |
|---|---|---|
| ne... pas (du tout) | *not (at all)* | ≠ *a positive sentence* |
| Il **ne** fume **pas** (du tout). | | Il fume. |
| ne... plus | *no longer* | ≠ encore, toujours *(still)* |
| Elle **ne** travaille **plus** ici. | | Elle travaille encore (toujours) ici. |
| ne... jamais | *never* | ≠ quelquefois, souvent, toujours *(always)* |
| Ils **ne** s'ennuient **jamais**. | | Ils s'ennuient toujours. |
| ne... rien | *nothing* | ≠ quelque chose, tout |
| Nous n'achetons **rien**. | | Nous achetons quelque chose. |
| ne... personne | *no one* | ≠ quelqu'un, tout le monde |
| Il n'aime **personne**. | | Il aime tout le monde. |
| ne... pas encore | *not yet* | ≠ *a positive sentence*, déjà |
| Je n'ai pas **encore** de congé. | | J'ai (déjà) un congé. |
| ne... ni... ni... | *neither . . . nor . . .* | ≠ ... et... ... ou... |
| Elle n'a **ni** sœurs **ni** frères. | | Elle a des sœurs et des frères. |
| ne... que | *only* | ≠ *a positive sentence* |
| Il n'a **que** quelques euros sur lui. | | Il a beaucoup d'euros sur lui. |
| ne... nulle part | *nowhere* | ≠ partout *(everywhere)*, quelque part *(somewhere)* |
| On **ne** va **nulle part** ensemble. | | On va partout ensemble. |

Most negative expressions are adverbs, which explains why they are placed directly after the conjugated verb. However, **rien** and **personne** are pronouns that may be used as the subject or object in a sentence. In such cases, these negatives are placed in the normal subject or object position. **Ne** is still placed before the verb.

Je **ne** vois **rien.**           **Rien** n'arrive ici.

Il **n'**aime **personne.**      **Personne ne** va à ce concert.

- Note that **ne... ni... ni...** and **ne... que** do not follow the pattern of other negative expressions. Instead of always following the conjugated verb, **ni** and **que** are placed before the word they modify.

Le vendredi soir, je **ne** regarde **que** le journal d'habitude.

Elle **n'**achète **ni** CD **ni** cassettes.

# RAPPEL!

1. English usage prohibits a double negative. Although there may be several negative concepts in a thought group in English, only one of them is expressed negatively.

   ***No one** ever buys **anything** at that store **anymore.***

   In French, each negative concept is expressed by the appropriate negative expression placed in its normal location. When there is more than one negative following a verb, the negative adverbs will precede the negative pronouns. Remember to place **ne** before the verb.

   **Personne n'**achète **plus jamais rien** dans ce magasin.

2. Remember also to omit **pas** when using any other negative expression.

## Uses of Articles in Negative Constructions

- After most negative expressions, the indefinite and partitive articles become **de,** but the definite article is retained.

  Il boit **de la** bière.         Il **ne** boit **pas de** bière.

  Elle achète **des** meubles.    Elle **n'**achète **pas de** meubles.

  Elle adore **les** chats.       Elle **n'**adore **pas les** chats.

- With **ne... ni... ni...,** a partitive or indefinite article will be dropped completely, but a definite article will be retained.

  Il boit **de la** bière et du vin.   Il **ne** boit **ni** bière **ni** vin.

  J'ai **une** moto et **un** vélo.    Je **n'**ai **ni** moto **ni** vélo.

                                    BUT:

                                    Il **n'**aime **ni** la bière **ni** le vin.

- After **ne... que,** a definite article and a partitive will be retained. The partitive is retained because this construction does not negate the noun; it simply qualifies the noun.

  Nous **ne** fréquentons **que** les    *We go only to the local cafés.*
  cafés du quartier.

  Il **ne** boit **que** de la bière.     *He drinks only beer.*

  Je **n'**apporte **que** des fruits.    *I'm bringing only fruit.*

- Remember also that after **être** used negatively, all articles, including the partitive, will be retained, because the concept is not being negated, only qualified.

Ce **n'est pas de la** bière;   *That's **not** beer, that's apple juice.*
 c'est du jus de pomme.

## Other Uses of the Negative

- In negative questions, both **ne** and the appropriate negative expression assume their normal positions. In response to a negative question, **si** is used instead of **oui** if the answer is affirmative.

**N'**allez-vous **pas** à la soirée?  Non, je ne vais pas à la soirée.

Vous **n'**allez **pas** à la soirée?  **Si,** je vais à la soirée.

- With reflexive verbs (see page 54), **ne** is placed before the reflexive pronoun.

—Tu t'amuses à la soirée?

—Non, je **ne** m'amuse **pas** tellement. Je **ne** m'entends **pas** avec ce groupe.

- An infinitive may be made negative by placing both elements of the negative expression before the infinitive.

Il préfère **ne pas** partir.

Nous désirons **ne plus** faire de soirées chez nous.

Essayez de **ne jamais** aller là-bas.

**6** Vous êtes de très mauvaise humeur. Réagissez aux commentaires de votre colocataire en disant le contraire de ce qu'il / elle dit.

1. Nous faisons **quelque chose** d'intéressant aujourd'hui. (ne... rien)
2. **Tout le monde** va s'amuser à la soirée chez nos copains. (personne... ne)
3. On s'amuse **toujours** chez Jean-Claude. (ne... jamais)
4. Pour le déjeuner, je voudrais **de la** pizza et **du** coca. (ne... ni... ni)
5. Tu as besoin de **quelque chose** pour te détendre. (ne... rien)
6. On va **quelque part** ce soir? (ne... nulle part)
7. Mais alors! Aujourd'hui, tu critiques **tout.** (ne... rien)
8. Tu es **toujours** de mauvaise humeur. (ne... jamais)

**7** Répondez aux questions suivantes ou posez-les à un(e) camarade de classe.

1. Est-ce que vous êtes toujours élève dans le secondaire? *(no longer)*
2. Qui parle japonais dans cette classe? *(nobody)*
3. Mangez-vous souvent du pâté de foie gras de canard? *(never)*
4. Est-ce que vous fumez? *(not at all)*
5. Avez-vous quelque chose d'intéressant à faire ce soir? *(nothing)*
6. Avez-vous le temps et l'argent de voyager cet été? *(neither . . . nor)*
7. Est-ce que vos amis fréquentent toujours ce club? *(never / any more)*
8. Avez-vous un boulot à mi-temps? *(not yet)*
9. Est-ce que votre ami(e) végétarien(ne) mange du bœuf et du porc? *(neither . . . nor)*
10. Est-ce que vous allez retrouver quelqu'un à la bibliothèque ce soir? *(nobody)*

On va à des soirées pour se détendre et s'amuser.

**8** Déborah et Richard parlent d'une fête imminente. Déborah n'est pas d'accord avec les commentaires critiques de Richard. Complétez ses réponses en utilisant les expressions négatives appropriées.

1. RICHARD: Margot invite **encore** des personnes ennuyeuses.

   DEBORAH: Mais non, _____.

2. RICHARD: Margot sert **toujours** de la pizza et du coca à ses invités.

   DEBORAH: Mais non, _____.

3. RICHARD: **Tout le monde** s'ennuie chez elle.

   DEBORAH: Au contraire, _____.

4. RICHARD: **Quelque chose** de désagréable arrive **toujours** pendant ses fêtes.

   DEBORAH: Mais non, _____.

5. RICHARD: Et on est **toujours** obligé d'apporter quelque chose à la soirée.

   DEBORAH: Au contraire, _____.

6. RICHARD: Il y a **toujours quelqu'un** d'ennuyeux chez Margot.

   DEBORAH: Ce n'est pas vrai, _____.

7. RICHARD: On passe **encore** des CD démodés.

   DEBORAH: Mais écoute, _____.

8. RICHARD: **Tout le monde** part **toujours** trop tôt.

   DEBORAH: Mais qu'est-ce que tu racontes? _____.

**9** Vous êtes parfois mélancolique. Complétez les phrases suivantes avec vos idées personnelles.

1. Je ne suis plus...          5. Rien ne...

2. Personne ne...             6. Je n'ai plus...

3. Je ne suis jamais...       7. Je n'aime ni... ni...

4. Je ne vais jamais...       8. Je ne suis ni... ni...

# INTERACTIONS

**Sondage sur les loisirs.** En petits groupes, préparez un sondage. A tour de rôle, utilisez les éléments indiqués pour poser une ou deux questions aux membres du groupe, puis notez les réponses. Ensuite, faites une description générale des loisirs des membres de votre groupe en spécifiant la fréquence des activités (**régulièrement, tous les jours, pas souvent, rarement, plus, pas du tout, jamais**).

lire un quotidien

lire un hebdomadaire d'information

lire une revue scientifique

écouter les informations à la radio

regarder la télévision

lire des livres (romans, biographies...)

sortir (aller au restaurant, au cinéma, au musée, assister à des matchs...)

# Note culturelle

## *Citadins ou campagnards*

En 1850, 75% de la population française est rurale. Au début du vingt et unième siècle, la France est à 77% urbaine. Pourtant, depuis quelques années, on assiste aussi à un nouveau phénomène: l'exode urbain.

A partir des années 90, il y a une érosion de la population urbaine, notamment dans la région parisienne, mais aussi dans les villes de plus de 200 000 habitants vers les régions rurales. On appelle ce phénomène la «rurbanisation» et ceux qui composent cette nouvelle population les «néo-ruraux». Cependant, beaucoup de ces personnes qui quittent la ville pour s'installer à la campagne veulent connaître les plaisirs d'un milieu rural à condition de pouvoir rester en liaison avec le reste du monde par la communication électronique (ordinateur personnel, courrier électronique, Internet, messageries, fax, etc.), d'avoir des grandes surfaces à proximité et d'avoir accès aux services administratifs décentralisés.

La grande majorité des Français habitent, donc, en zone urbaine, c'est-à-dire dans des communes de plus de 2 000 habitants. Il y a toujours moins de maisons individuelles dans les moyennes et les grandes villes que d'appartements. Les Français sont-ils, dans l'ensemble, plutôt propriétaires ou locataires? Depuis plus de 20 ans, 55% sont propriétaires de leur habitation principale.

## Compréhension

1. Qu'est-ce que le phénomène de «rurbanisation»?
2. La majorité de la population actuelle en France est-elle rurale ou urbaine?
3. De plus en plus de Français quittent les villes pour aller habiter où?
4. Dans la grande majorité, les Français habitent-ils en appartement? Expliquez votre réponse.

## Réflexion

A. On parle de deux types d'exode: l'exode rural et l'exode urbain. Quelles raisons pouvez-vous trouver pour expliquer ces deux phénomènes? Comparez votre liste à celles de vos camarades de classe.

B. Vivez-vous en ville, en banlieue ou à la campagne? Appartenez-vous au groupe des néo-ruraux? Habitez-vous en appartement ou dans une maison individuelle? En quoi la vie d'un citadin est-elle différente de celle d'un habitant de la campagne?

## Basic Question Patterns

To transform a declarative statement into a question for which a *yes* or *no* answer is expected, the following techniques are used. These transformations apply to all simple tenses.

### Est-ce que

The simplest and most common way to ask a question is to place **est-ce que** at the beginning of the sentence. Using **est-ce que** requires no change in word order.

| DECLARATIVE SENTENCE | QUESTION |
|---|---|
| Vous restez à la maison. | **Est-ce que** vous restez à la maison? |
| Les enfants font un pique-nique. | **Est-ce que** les enfants font un pique-nique? |
| Jean va finir ses devoirs. | **Est-ce que** Jean va finir ses devoirs? |

# RAPPEL!

**Est-ce que** cannot be directly translated into English. Think of it as a single unit that transforms statements into questions, much like a question mark.

 **10** Pour apprendre quelque chose de nouveau sur vos camarades de classe, employez les éléments suivants et la forme **est-ce que** pour composer des questions.

1. tu / habiter / dans une résidence universitaire?
2. tu / déjeuner / toujours à la cafétéria?
3. tu / avoir / beaucoup de cours chaque semestre?
4. en général, tu / aimer bien / tes cours?
5. tu / aller / souvent à des soirées?

### Inversion

When the subject of a sentence is a pronoun, a question may also be formed by inverting the subject and verb.

| DECLARATIVE SENTENCE | QUESTION |
|---|---|
| **Vous restez** à la maison. | **Restez-vous** à la maison? |
| **Il va** au marché. | **Va-t-il** au marché?[1] |
| **Nous allons** réussir à l'examen. | **Allons-nous** réussir à l'examen? |

When the subject of the sentence is a noun, the noun subject itself cannot be inverted. However, a pronoun that agrees in gender and number with the preceding noun subject can be inserted directly after the verb to form the question.

| DECLARATIVE SENTENCE | QUESTION |
|---|---|
| **Les enfants restent** à la maison. | **Les enfants restent-ils** à la maison? |
| **Jean va** au marché. | **Jean va-t-il** au marché? |

### N'est-ce pas? or non?

Placed directly after a declarative sentence, **n'est-ce pas** or **non** may be used to form a question when confirmation of the statement is anticipated. **N'est-ce pas?** and **non?** are the equivalents of the English expressions *isn't that right?*, *aren't they?*, *doesn't he?*, etc.

| DECLARATIVE SENTENCE | QUESTION | |
|---|---|---|
| Vous restez ici. | Vous restez ici, **n'est-ce pas / non?** | *You're staying here, **aren't you?*** |
| Les enfants font un pique-nique. | Les enfants font un pique-nique, **n'est-ce pas / non?** | *The children are having a picnic, **aren't they?*** |

[1]Note that, for pronunciation purposes, a **-t-** is inserted between third-person singular verbs that end in a vowel and their subject pronoun, as in **Va-t-il...?** and **Ecoute-t-elle?**

# RAPPEL!

In everyday conversation, questions are often formed by using intonation—that is, a rising tone of voice. Because this is the simplest way of asking a question, it is the pattern that is most often heard in popular speech. Although a very useful form in informal conversation, it is rarely encountered in written language or in formal situations.

Vous restez ici.                Vous restez ici?

Les enfants font un pique-nique.     Les enfants font un pique-nique?

Jean finit ses devoirs.           Jean finit ses devoirs?

**11** Pour chacune des phrases suivantes, posez la question supplémentaire indiquée en utilisant l'inversion.

MODELE  Mes parents habitent près d'ici.
              (avoir / une maison individuelle ou un appartement)
              *—Ont-ils une maison individuelle ou un appartement?*

1. Mon frère gagne un bon salaire. (travailler / beaucoup)
2. Mes colocataires sont ennuyeux. (parler / beaucoup)
3. J'aime mes sœurs. (être / gentils)
4. Mon prof de français est super. (rendre vite / les devoirs)
5. En cours de français mes camarades de classe et moi, nous nous amusons. (parler souvent / français)
6. Demain, j'ai un examen en cours d'histoire. (étudier / beaucoup)
7. Mon meilleur ami est étudiant. (aller / à cette université)
8. J'ai une amie dans une autre université. (aller recevoir son diplôme / bientôt)
9. Mes colocataires et moi, nous dînons souvent ensemble. (dîner / au restaurant universitaire)
10. J'ai un semestre très difficile. (avoir / beaucoup de cours)

**12** Qui sont vos camarades de classe? Interviewez vos voisins en associant de façon logique les verbes et les éléments indiqués. Employez toutes les formes interrogatives. Ecoutez la réponse de la personne, puis posez une autre question ou faites une remarque.

MODELE  *—Tu as des frères et des sœurs?*      *—Est-elle étudiante?*
              *—Oui, j'ai une sœur.*        *—Non, elle est médecin.*

| | | | |
|---|---|---|---|
| acheter | être | un appartement | étudiant(e) |
| aimer | finir | du boulot | des frères et des sœurs |
| avoir | habiter | des CD | raisonnable |
| choisir | parler | une chaîne stéréo | en ville |
| dîner | ??? | des copains | ??? |
| | | tes devoirs | |

# INTERACTIONS

**Vous cherchez un(e) colocataire.** En petits groupes, employez les expressions suivantes et posez des questions à des «candidats». Choisissez une personne avec qui vous pouvez habiter et expliquez votre choix.

**Expressions utiles:** aimer les animaux de compagnie, aimer faire la cuisine, aimer faire le marché, aller à l'université, avoir un animal domestique, fumer, travailler beaucoup, parler souvent au téléphone, ???

# L'héritage culturel

## Le vieux Paris

A Paris, beaucoup d'immeubles datent d'avant 1900. Depuis la révolution industrielle au dix-neuvième siècle, bon nombre de familles rurales quittent leur province natale pour s'installer dans la capitale. La population de Paris augmente rapidement, et les ruraux deviennent souvent des commerçants. Dans la plupart des quartiers où vivent ces gens, les rez-de-chaussée sont occupés par des commerces. Le propriétaire du magasin et sa famille habitent généralement au premier étage, au-dessus du magasin. Les autres étages sont occupés par des locataires. Le tableau de Michel Delacroix montre bien ce Paris de la Belle Epoque (1900–1914).

*Vieux Paris*, de Michel Delacroix (né en 1933) *(Michel Delacroix, "Vieux Paris", © 2005 Axelle Fine Arts, Ltd. All Rights Reserved.)*

### Compréhension

1. Durant quelles années se déroule la Belle Epoque?
2. A quel moment est-ce que beaucoup de Français quittent la campagne pour s'installer à Paris?
3. Le tableau de Delacroix s'appelle *Vieux Paris*. A votre avis, y a-t-il une uniformité architecturale dans les bâtiments? Et dans leur dimension? Et dans les matériaux de construction?
4. Dans beaucoup de ces bâtiments, que retrouve-t-on au rez-de-chaussée, au premier étage et aux étages supérieurs?

### Réflexion

Imaginez la vie quotidienne des résidents du quartier représenté sur le tableau de Delacroix vers l'année 1900. Qui habite dans les appartements? Que font les résidents pendant la journée?

# Le Paris du baron Haussmann

Entre 1853 et 1870, pendant le Second Empire, un administrateur français, le baron Eugène Haussmann, entreprend un immense projet de démolition et de construction qui transforme la ville de Paris. Ses Grands Boulevards deviennent les artères de grande circulation qu'ils sont encore aujourd'hui. Les règlements imposés à la construction des nouveaux immeubles (nombre limité d'étages, façades en pierre, balcons en fer forgé...) sont rigoureux. Les bâtiments sont d'une architecture remarquablement symétrique et donnent à la ville son caractère unique. D'autres villes françaises, comme Lyon et Marseille, imitent bientôt les travaux d'urbanisation et les méthodes du baron Haussmann.

De nos jours, dans ce pays où on aime *les vieilles pierres*, on préfère souvent réhabiliter au lieu de démolir, pour conserver un lien matériel avec le passé.

Immeuble d'habitation de l'époque du baron Haussmann

## Compréhension

1. Quels nouveaux éléments architecturaux remarque-t-on dans les bâtiments de Paris construits pendant les travaux du baron Haussmann?
2. Quelle impression visuelle la rénovation haussmannienne de Paris laisse-t-elle sur nous, même aujourd'hui?

## Réflexion

A. Faites une recherche sur le baron Haussmann en bibliothèque ou sur Internet. Sur les ordres de quel personnage historique Haussmann a-t-il effectué ses travaux à Paris? Quelles sortes de justification donne-t-on pour expliquer le désir de moderniser la capitale?
B. Quelles sont vos préférences en matière d'architecture urbaine? Préférez-vous une certaine uniformité comme dans le Paris du baron Haussmann ou aimez-vous plutôt une architecture éclectique?

# Structures II

## Reflexive and Reciprocal Verbs

A reflexive verb is always accompanied by a reflexive pronoun that refers to the subject of the verb and indicates that the subject is performing an action on or for itself. The reflexive pronoun is placed after the subject and directly before the verb.

| **se réveiller** *to wake (oneself) up* | |
|---|---|
| je **me** réveille | nous **nous** réveillons |
| tu **te** réveilles | vous **vous** réveillez |
| il / elle / on **se** réveille | ils / elles **se** réveillent |

[2]Most of these verbs are regular **-er** verbs, although you may see verbs of other conjugations used reflexively. The fact that a verb is reflexive does not alter its normal conjugation: **se lever** is conjugated like **lever**.

Following is a list of some of the more common reflexive verbs.[2]

| | | |
|---|---|---|
| **s'arrêter** *to stop* | **se fâcher** *to become angry* | **se moquer de** *to make fun of* |
| **se brosser** *to brush* | **s'habiller** *to get dressed* | **se peigner** *to comb* |
| **se coucher** *to go to bed* | **se laver** *to wash* | **se raser** *to shave* |
| **se détendre** *to relax* | **se lever** *to get up* | **se reposer** *to rest* |

The pronouns **me, te,** and **se** drop the **e** before verb forms beginning with a vowel or a mute **h.**

Elles **s'**habillent élégamment.                 Je **m'**arrête à la charcuterie.

To form the negative of a reflexive verb, place **ne** before the reflexive pronoun and **pas** (or another appropriate negative expression) after the verb.

Je **ne** me réveille **pas** tôt.                 Vous **ne** vous réveillez **jamais** vite.

If a reflexive verb is used in the infinitive form following a conjugated verb, the reflexive pronoun is placed before the infinitive and must agree in person and number with the subject of the conjugated verb.

**Je** désire **me reposer.**                 **Nous** allons **nous dépêcher.**
**Tu** ne dois pas **te fâcher.**                 **Vous** savez **vous débrouiller.**
**Anne** adore **s'amuser.**                 **Mes frères** détestent **se réveiller** tôt.

To form an affirmative command, place the reflexive pronoun after the verb form and attach the pronoun to the verb by a hyphen.

**Dépêche-toi.** *(familiar)*                 **Réveillez-vous.** *(formal or plural)*
**Reposons-nous.** *(collective)*

- Note that the pronoun **te** changes to the stressed form **toi** when in this final position. Remember to drop the final **s** on the familiar imperative of reflexive verbs that end in **-er.**

In a negative command, the reflexive pronoun will precede the verb form. **Ne** is placed before the reflexive pronoun and **pas** after the verb form.

**Ne te moque pas** de ta sœur, Bruno!                 **Ne vous couchez pas** si tard, les
**Ne nous levons pas** si tôt demain!                         enfants!

For reflexive verbs, the simplest way to form a question is to use **est-ce que.** To use inversion with reflexive verbs, invert only the subject pronoun. The reflexive pronoun remains in its normal position before the verb.

| | |
|---|---|
| **Est-ce que tu t'amuses?** | **T'amuses-tu?** |
| **Est-ce qu'elle se repose?** | **Se repose-t-elle?** |

Inversion poses no special problem when the subject of a reflexive verb is a noun. Insert the appropriate extra subject pronoun after the verb form, as outlined above.

**Les enfants se couchent-ils?**　　**Jean se lave-t-il?**

Reciprocal verbs are identical in structure to reflexive verbs. When a verb is used reciprocally, the reflexive pronoun indicates that two or more persons are performing actions on or for each other rather than on or for themselves.

| | |
|---|---|
| **Nous nous voyons** souvent. | *We see each other often.* |
| **Vous vous regardez.** | *You look at each other.* |
| **Ils s'aiment** beaucoup. | *They like each other a lot.* |

Because two or more persons must be involved in reciprocal actions, only the plural forms (**nous, vous, ils, elles**) of verbs may be used reciprocally. For emphasis, or to avoid confusion, the construction **l'un(e) l'autre** or **les un(e)s les autres** may be added after the verb.

| **REFLEXIVE** | **RECIPROCAL** |
|---|---|
| **Ils se regardent.** | **Ils se regardent les uns les autres.** |
| *They look at themselves.* | *They all look at one another.* |
| **Elles se voient.** | **Elles se voient l'une l'autre.** |
| *They see themselves.* | *They both see each other.* |

Certain verbs change meaning when used reflexively. Following is a partial list of such reflexive verbs.

| | |
|---|---|
| **aller** *to go* | **s'en aller** *to go away* |
| **amuser** *to amuse* | **s'amuser** *to have a good time* |
| **débrouiller** *to straighten out* | **se débrouiller** *to get by, to manage* |
| **demander** *to ask* | **se demander** *to wonder* |
| **dépêcher** *to send quickly* | **se dépêcher** *to hurry* |
| **ennuyer** *to bother* | **s'ennuyer** *to get bored* |
| **entendre** *to hear* | **s'entendre** *to get along* |
| **habituer** *to familiarize* | **s'habituer à** *to get used to* |
| **inquiéter** *to disturb* | **s'inquiéter (de)** *to worry (about)* |
| **rendre compte** *to account for* | **se rendre compte de** *to realize* |
| **tromper** *to deceive* | **se tromper** *to be wrong* |

# RAPPEL!

Like the preceding idiomatic reflexive verbs, many verbs can be used reflexively or nonreflexively, depending on whether the action of the verb is reflected on the subject or on a different object. Remember, in the reflexive construction, the subject and the object are the same person(s).

| **REFLEXIVE** | **NONREFLEXIVE** |
|---|---|
| Il s'amuse. | Il **amuse** son frère. |
| *He has a good time.* | *He amuses his brother.* |
| Vous vous arrêtez. | Vous **arrêtez** la voiture. |
| *You stop.* | *You stop the car.* |
| Elles se couchent. | Elles **couchent** les enfants. |
| *They go to bed.* | *They put the children to bed.* |

1 Vous envoyez un message électronique à votre correspondant(e) au Maroc pour décrire votre vie de tous les jours. Complétez les phrases suivantes en utilisant la forme appropriée des verbes indiqués.

1. Je _____ normalement à _____ heures. (se lever)
2. Ensuite, je _____ et je _____. (se coiffer, s'habiller)
3. Mon (Ma) colocataire _____ avant moi. Alors je dois souvent _____ pour ne pas être en retard. (se laver, se dépêcher)
4. Normalement, on _____ vers onze heures. (se coucher)
5. Le week-end, je _____ plus tard, mais je _____ le dimanche. (se coucher, se reposer)
6. Mes amis et moi, nous _____ souvent au cinéma le samedi soir. (se retrouver)
7. Tous les étudiants _____ beaucoup aux soirées pendant le week-end. (s'amuser)
8. Et toi, est-ce que tu _____ avec tes copains? (s'amuser)

2 En employant des verbes de la liste suivante, décrivez ce que les personnes font dans les situations indiquées.

**Verbes:** se dépêcher, se fâcher, s'ennuyer, s'habiller bien, se tromper, se coucher, se reposer, se réveiller tôt

1. Votre camarade de chambre et vous rentrez à la résidence après avoir joué au foot pendant trois heures.
2. Vous vous levez tard et il vous faut aller en cours à neuf heures.
3. Votre copine a un rendez-vous pour aller à un concert.
4. Vos amis rentrent à la résidence à une heure du matin.
5. Vous êtes candidat(e) à un poste et l'entretien a lieu à huit heures du matin.
6. Vous n'avez rien à faire.
7. Votre camarade de classe vous donne la mauvaise date pour l'examen.
8. Vous rentrez et votre colocataire n'a rien fait pour nettoyer la chambre.

3 Composez une réaction à chacune des situations indiquées en employant un verbe logique à l'impératif.

**Verbes:** s'amuser, se coucher, se débrouiller, se dépêcher, se lever, se reposer

1. Il est trois heures du matin et vos colocataires jouent de la musique très fort.
2. Votre copain a un cours à neuf heures. Il est neuf heures moins le quart et il est toujours au lit.
3. Votre copine a passé trois examens en un seul jour et elle est très fatiguée.
4. Vos amis sortent pour aller à un concert.
5. Une camarade de classe est sur le point *(about)* d'arriver en retard pour le cours de français.
6. Vous offrez à votre ami de l'aider à faire ses devoirs de maths mais il refuse.

4 Décrivez les relations entre les personnes indiquées en employant les verbes entre parenthèses dans des phrases affirmatives ou négatives.

MODELE  Emma et Christophe qui sont fiancés (s'aimer / se disputer / s'entendre)
    *Ils s'aiment.*

1. vos amis qui sont étudiants dans d'autres universités et vous (s'écrire / se téléphoner / s'envoyer des IM)

2. votre sœur / frère qui habite toujours chez vos parents et vous (s'entendre bien / se disputer / s'envoyer des messages électroniques)
3. deux copains qui sont dans la même classe (se parler / s'aider / s'écrire)
4. deux personnes qui partagent une chambre et qui ne sont jamais d'accord (s'entendre bien / se disputer souvent / s'aider)
5. votre petit(e) ami(e) avec qui vous ne sortez plus et vous (se téléphoner / s'envoyer des messages électroniques / se disputer)

# INTERACTIONS

**Les week-ends des étudiants.** Décrivez votre emploi du temps pendant la semaine, puis expliquez en quoi vos activités changent pendant le week-end. Comparez vos habitudes avec celles de vos camarades de classe. Quelles sont les activités les plus populaires?

# SYNTHESE

**A.** Posez les questions suivantes à des camarades de classe.
1. A quelle heure est-ce que tu te couches normalement? Et ton / ta colocataire?
2. A quelle heure est-ce que tu te lèves pendant le week-end?
3. Qu'est-ce que tu fais pour te détendre?
4. Est-ce que tu te reposes le soir? Et tes amis?
5. Avec qui est-ce que tu te fâches quelquefois?
6. Dans quelles circonstances est-ce que tu t'ennuies?
7. Comment est-ce que tu t'habilles normalement?
8. Avec qui est-ce que tu t'amuses beaucoup?
9. Avec qui est-ce que tu te disputes quelquefois?
10. Est-ce que vous vous téléphonez souvent, tes parents et toi?

**B.** Une étudiante canadienne prépare un article sur les habitudes des étudiants américains. Vous acceptez de lui parler de vos habitudes. Complétez chaque phrase par un verbe pronominal réfléchi ou réciproque approprié.
1. Si je n'ai pas de devoirs à faire le soir, je...
2. Si je ne finis pas mes devoirs avant le cours, je...
3. Avant de préparer une dissertation difficile, je...
4. Après avoir passé un examen difficile, je...
5. Quand un cours n'est pas très intéressant, je...
6. Si je rate un examen, je...

Le week-end, on a besoin de se détendre.

# INTERACTIONS

**Votre mode de vie.** Khadija, votre correspondante au Cameroun, veut savoir comment vous vivez. En groupes de trois ou quatre personnes, composez des phrases qui décrivent le mode de vie d'une famille typique en Amérique du Nord. Comparez vos réponses avec celles des autres groupes pour en faire une seule réponse.

# Note culturelle

## Les HLM

Parmi les locataires en France, il faut aussi signaler le nombre de personnes habitant en HLM (habitations à loyer modéré). La France possède plus de 3,5 millions de ce type d'habitations dont la très grande majorité ont été construites depuis 1948. Il s'agit, pour la plupart, d'immeubles collectifs où le nombre de familles d'immigrés et de ménages avec des enfants est important, surtout en banlieue. Les cités, ces ensembles de résidences HLM situés le plus souvent à l'extérieur des villes, représentent aujourd'hui une source d'inquiétude pour leurs habitants. Les jeunes des cités se sentent fréquemment oubliés par la société. En effet, dans les familles d'origine étrangère, où les conditions de vie et les résultats scolaires sont nettement moins favorables que pour les autres enfants, le nombre de jeunes au chômage est deux fois plus élevé que dans la population générale.

Les statistiques montrent aussi que c'est dans les cités HLM de banlieue que la délinquance se manifeste le plus souvent et qu'on enregistre un nombre inquiétant d'infractions à la loi. Et, même si la France occupe une position moyenne par rapport à la délinquance chez ses voisins de l'Union européenne, la présence «des populations à risques», surtout dans les cités du territoire français, préoccupe bon nombre de Français. Pour envisager une solution, certains préfèrent avoir recours à l'ordre et à la répression, d'autres sont favorables à une politique de prévention et de dialogue. Ce qui est sûr, c'est que chacun se sent impliqué par la question de la sécurité.

### Compréhension

1. Les HLM sont-elles des résidences pour des familles aisées? Expliquez votre réponse.

2. En général, qui habite en HLM? Identifiez quelques problèmes qui existent dans l'ensemble des HLM.

3. Actuellement, quel problème domine le climat social pour beaucoup de Français?

### Réflexion

Expliquez la notion d'habitation à loyer modéré en France. Qui habite ces logements? Est-ce que les HLM sont toujours situées dans des cités de banlieue? Comment peut-on comprendre certains des problèmes sociaux actuels qui se manifestent dans les cités situées à l'extérieur des villes?

# Irregular -oir Verbs

| **vouloir** to want | **pouvoir** to be able |
|---|---|
| je **veux** | je **peux** |
| tu **veux** | tu **peux** |
| il / elle / on **veut** | il / elle / on **peut** |
| nous **voulons** | nous **pouvons** |
| vous **voulez** | vous **pouvez** |
| ils / elles **veulent** | ils / elles peuvent |

| **voir** to see | **recevoir** to receive |
|---|---|
| je **vois** | je **reçois** |
| tu **vois** | tu **reçois** |
| il / elle / on **voit** | il / elle / on **reçoit** |
| nous **voyons** | nous **recevons** |
| vous **voyez** | vous **recevez** |
| ils / elles **voient** | ils / elles **reçoivent** |

| **devoir** to have to; to owe | **savoir** to know |
|---|---|
| je **dois** | je **sais** |
| tu **dois** | tu **sais** |
| il / elle / on **doit** | il / elle / on **sait** |
| nous **devons** | nous **savons** |
| vous **devez** | vous **savez** |
| ils / elles **doivent** | ils / elles **savent** |

- Note that the verb **devoir** has two different meanings. When it means *to owe*, it is followed by a direct object, usually indicating a sum: **Je dois cinq dollars à mes parents.** When **devoir** means *to have to*, it is an auxiliary verb and is followed by the infinitive form of a main verb.

| | |
|---|---|
| Je **dois faire mes devoirs** maintenant. | *I **have to do my homework** now.* |
| Vous **devez vous reposer** un peu. | *You **have to rest** a little.* |
| Elles **doivent répondre** aux questions. | *They **must answer** the questions.* |

Je dois faire tous mes devoirs avant de sortir.

The verbs **falloir, valoir mieux,** and **pleuvoir** are all impersonal verbs that are conjugated only in the **il** form but may be used in any tense.

**falloir** *to have to; to be necessary*  **il faut**

**valoir mieux** *to be better*  **il vaut mieux**

**pleuvoir** *to rain*  **il pleut**

- Note that **falloir** and **valoir mieux** are followed by the infinitive of another verb.

  **Il faut répondre.**  *It is necessary to answer.*

  **Il vaut mieux rentrer.**  *It's better to go home.*

Used in this way, **falloir** has the same basic meaning as **devoir,** but **devoir** is conjugated in all persons. **Falloir** is considered to be more general and somewhat stronger in its statement of necessity.

  **Il faut** rentrer.  *It is necessary to go home.*

  **Je dois** rentrer.  *I have to go home.*

**Falloir** and **devoir** are interchangeable when **il faut** is used with the appropriate indirect object pronoun to make the statement of necessity more personal, although **il me faut** is considered to be more formal.

  **Il me faut** rentrer.  **Je dois** rentrer.

The expression **valoir la peine** means *to be worth the trouble.* Its subject will always be a thing, not a person, and it is used only in the third-person singular or plural.

  **Ce travail vaut la peine.**  **Les études valent la peine.**

 **5** Vous travaillez dans un hôtel qui accueille beaucoup de touristes francophones. Un client vous demande de l'aider. Complétez le dialogue en utilisant la forme appropriée des verbes indiqués.

CLIENT: Bonjour, monsieur / mademoiselle. Est-ce que vous _____ (pouvoir) me rendre un service?

VOUS: Oui, je _____ (vouloir) bien vous aider, monsieur. Qu'est-ce que vous _____ (vouloir)?

CLIENT: Eh bien, je _____ (devoir) réserver une chambre d'hôtel à Los Angeles. Mes enfants _____ (voir) toute la publicité pour le parc d'attractions là-bas, et ils _____ (vouloir) y aller. Est-ce que vous _____ (pouvoir) téléphoner à l'hôtel de ma part?

VOUS: Bien sûr, monsieur. Je _____ (pouvoir) très bien faire cette commission, mais je ne _____ (savoir) pas les détails de votre séjour à Los Angeles.

CLIENT: Je _____ (pouvoir) vous les donner tout de suite. Il s'agit de l'Hôtel Méridien qui _____ (recevoir) beaucoup de touristes francophones. Nous _____ (devoir) arriver à Los Angeles demain et nous _____ (vouloir) y passer trois nuits si l'hôtel _____ (pouvoir) nous proposer un tarif raisonnable.

**6** Les personnes suivantes peuvent faire exactement ce qu'elles veulent le week-end prochain. Employez le verbe **vouloir** plus un infinitif pour indiquer les préférences des personnes en question.

1. Nous...
2. Mes camarades de chambre...
3. Mon ami(e)...
4. Monsieur / Madame _____ (nom de votre prof de français), vous...
5. Moi, je...

**7** Nous sommes obligés de faire toutes sortes de choses dans la vie. Parlez de ces nécessités et complétez chaque début de phrase en utilisant une expression d'obligation (**devoir, il faut, il vaut mieux**).

1. En cours de français...
2. Pendant le week-end...
3. Pour être heureux dans la vie...
4. Pendant l'été...
5. Pour avoir de bons copains...
6. Pour bien s'entendre avec les membres de sa famille...
7. Pour réussir dans la vie...
8. Le soir...

# INTERACTIONS

**Pendant le week-end.** On est toujours tiraillé *(torn)* entre ce qu'on veut faire et ce qu'on doit faire. En petits groupes, posez deux questions à vos camarades de classe sur ce qu'ils veulent faire pendant le week-end et deux questions sur ce qu'ils doivent faire. Quels souhaits et quelles obligations sont semblables?

# POUR S'EXPRIMER

## A l'écoute

CD1, Track 5

### Mise en scène

Ecoutez d'abord la conversation entre les membres de la famille Dumont, puis parlez de votre propre vie quotidienne.

**Contexte:** Nous allons maintenant faire la connaissance de la famille Dumont. Pierre est architecte et sa femme, Sophie, est psychiatre. Ils ont trois enfants: Philippe, 18 ans, est en terminale au lycée; Béatrice, 16 ans, est élève de seconde; Bruno, 13 ans, est en quatrième. Ecoutons la conversation qui a lieu dans leur appartement à Paris.

### Avant d'écouter

1. A quelle heure votre famille prend-elle le grand repas de la journée?
2. Est-ce que tout le monde dans votre famille dîne ensemble en général? Sinon, pourquoi pas?
3. Décrivez un repas typique dans votre famille.
4. De quoi parlez-vous à table?

## Compréhension

**A.** Pour chacune des situations suivantes, choisissez la réponse appropriée. Puis, justifiez votre réponse en vous basant sur le dialogue.

1. Béatrice demande la permission...
   a. de faire une soirée chez elle.
   b. de dormir chez Caroline à Clichy.
   c. de rentrer à onze heures du soir en métro.

2. D'après la réponse que Béatrice obtient de ses parents, on peut conclure que...
   a. son père lui donne la permission de rentrer à 10 h.
   b. sa mère trouve que Béatrice n'est pas très sérieuse.
   c. Béatrice peut sortir, mais pas en métro.

3. Quand Bruno dit: «Marché conclu!» il accepte...
   a. de faire de son mieux pour avoir un dix-neuf en anglais la prochaine fois.
   b. que son père lave la voiture à sa place dimanche matin.
   c. de faire ses devoirs samedi, puis de laver la voiture et de jouer au foot le lendemain.

4. Philippe...
   a. prépare son départ pour les Etats-Unis.
   b. souffre d'un mal de tête provoqué par le bachotage.
   c. rate son bac.

**B.** La famille Dumont se met à table pour dîner. Relevez trois questions posées par M. Dumont, M^me Dumont et Philippe pour obtenir des renseignements sur la nourriture qui est servie. Qu'est-ce qu'on répond à ces questions? Répétez les questions en imitant le ton utilisé par les personnages du dialogue. Puis, inventez une autre réponse.

**C.** Dans le dialogue, relevez une situation culturelle que vous ne rencontrez pas normalement dans votre contexte culturel. Essayez d'expliquer pourquoi elle existe chez les Dumont mais pas chez vous.

## A vous la parole

Choisissez un des contextes indiqués et décrivez votre vie quotidienne en utilisant des expressions de la liste.

**Expressions:** alors, d'abord, d'habitude, enfin, ensuite, pendant, plus tard, puis

- avant de venir en cours de français
- le vendredi soir
- le samedi matin

 ## Situations orales

**A.** Vous parlez à un(e) étudiant(e) du Gabon et il / elle vous demande de décrire votre famille et vos activités quotidiennes. Que répondez-vous?

**B.** En groupes de trois ou quatre, composez huit à dix questions à poser aux membres de votre groupe au sujet de leurs familles. Ensuite, les groupes de la classe vont comparer leurs réponses. Qu'est-ce que vous pouvez dire à des jeunes Français au sujet de la vie de famille en Amérique du Nord?

# Structures III

## Idioms with *être* and *avoir*

### Idioms with *être*

Certain French idiomatic expressions that use the verb **être** closely parallel their English equivalents, which use the verb *to be*.

| | |
|---|---|
| **être à l'heure** | *to be on time* |
| **être de retour** | *to be back* |
| **être en retard** | *to be late* |
| **être en train de**[3] | *to be in the process of* |

—Allô, Bruno? Où es-tu? La famille **est en train de** préparer le dîner. Quand est-ce que tu vas **être de retour**? A huit heures? Bon, d'accord, mais **ne sois pas en retard**! Pour une fois, fais un effort pour **être à l'heure.**

### Idioms with *avoir*

Many French idioms that take the verb **avoir** have English equivalents using the verb *to be*.

| physical conditions | |
|---|---|
| **avoir ____ ans** *to be ___ years old* | Il **a vingt ans.** |
| **avoir chaud** *to be hot* | J'**ai chaud** en été. |
| **avoir froid** *to be cold* | Il **a froid** en hiver. |
| **avoir faim** *to be hungry* | A midi, les enfants **ont faim.** |
| **avoir l'air** *to seem* | Elle **a l'air** triste. |
| **avoir mal à** *to have an ache, pain* | J'**ai mal à** la tête. |
| **avoir soif** *to be thirsty* | Nous **avons soif** après le travail. |
| **avoir sommeil** *to be sleepy* | A minuit, j'**ai sommeil.** |

| psychological states | |
|---|---|
| **avoir besoin de** *to need* | Nous **avons besoin de** nous détendre. |
| **avoir envie de** *to feel like* | Elle **a envie de** pleurer. |
| **avoir honte de** *to be ashamed of* | Il **a honte de** ses notes. |
| **avoir peur de** *to be afraid of* | J'**ai peur des** serpents. |
| **avoir raison (de)** *to be right* | Vous **avez raison.** |
| **avoir tort (de)** *to be wrong* | Ils **ont tort de** ne pas venir. |

| circumstances | |
|---|---|
| **avoir lieu** *to take place* | La réunion **a lieu** à neuf heures. |
| **avoir de la chance** *to be lucky* | Vous **avez de la chance.** |
| **avoir l'occasion / la possibilité de** *to have the opportunity* | J'**ai l'occasion / la possibilité de** voyager. |

[3]This generally corresponds to the progressive aspect of a verb in English: *I am preparing diner.*

Quand les enfants Dumont rentrent l'après-midi, ils **ont** toujours **faim** et **soif.** En décembre, ils **ont** aussi **froid** et, puisqu'en France on va à l'école jusqu'à la fin du mois de juin ou même jusqu'au début du mois de juillet, ils **ont chaud** dans la salle de classe avant les vacances. A dix ou onze heures du soir, ils **ont sommeil** parce qu'ils se lèvent toujours à sept heures du matin. Et ce soir, Béatrice **a l'air** triste. **A-t-elle mal à** la tête? Non, son seul problème, c'est qu'**elle a seize ans.**

Il y a beaucoup d'étudiants qui **ont peur de** faire des exposés en classe. Ils veulent toujours **avoir raison** et ils **ont honte d'avoir tort** devant leur prof et surtout devant leurs camarades de classe. Le jour de l'exposé, ils **ont** toujours **envie de** rester au lit. Ils **ont besoin de** courage.

Le bac **a lieu** au mois de juin en France. Les élèves qui réussissent au bac **ont de la chance** parce qu'ils peuvent aller à l'université où ils **ont l'occasion de** vivre de nouvelles expériences.

**1** Complétez les phrases par une des expressions idiomatiques avec **avoir** ou **être.**

1. C'est aujourd'hui l'anniversaire de ma copine. Elle _____ 20 _____.
2. Je vais au restaurant pour prendre un coca, parce que j' _____.
3. Mon ami s'arrête au distributeur automatique parce qu'il _____ d'argent.
4. Les étudiants prennent leurs repas assez tôt parce qu'ils _____ vers six heures.
5. On n'a plus de chauffage *(heat)* dans notre chambre, et nous _____.
6. L'été, on _____ dans la résidence parce qu'il n'y a pas de climatisation *(air conditioning)*.
7. Je me dépêche pour arriver à mon cours de français, parce que je ne veux pas _____.
8. Un étudiant s'est moqué d'un camarade de classe et maintenant il _____ de le voir.

**2** Choisissez une expression de la liste suivante pour décrire votre situation. Votre partenaire va vous conseiller en employant l'impératif.

MODELE *J'ai mal partout.*
*Alors, couche-toi.*

| | | | |
|---|---|---|---|
| 1. faim | 3. chaud | 5. sommeil | 7. envie de _____ |
| 2. soif | 4. froid | 6. besoin de _____ | 8. peur de _____ |

## INTERACTIONS

**Les circonstances.** Avec un(e) partenaire, décrivez les circonstances qui expliquent souvent pourquoi...

1. vous avez sommeil.
2. vous êtes en retard.
3. vous avez peur.
4. vous avez besoin de vous détendre.
5. vous avez mal à la tête.
6. vous avez faim.

Ensuite, comparez vos réponses. Est-ce que vous avez les mêmes réactions que votre partenaire?

# Note culturelle

## L'architecture des Dogons

Tout au long de la falaise de Bandiagara (près de Tombouctou au Mali), on trouve des centaines de petits villages remarquables. Caractérisés par leur architecture écologique d'une rare beauté, ces villages existent tous en harmonie avec la nature. C'est ici qu'habitent les Dogons. Leurs logements familiaux et leurs bâtiments cérémoniaux sont construits en argile *(clay)*, en chaume *(thatch)* et en pierres. Reliant les éléments naturels qui les entourent dans un système architectural réglé, chaque bâtiment chez les Dogons reflète leurs traditions esthétiques et leurs croyances spirituelles.

Chez les Dogons, le domicile ne consiste pas en un seul bâtiment. Plutôt, il est question d'une série de huttes, construites en terre et en chaume, reliées par des murs de pierre. Dans une concession familiale typique, on trouve une grande cour en plein air bordée de deux types de bâtiments: les huttes et les greniers. La cour représente l'espace partagé et public du regroupement familial. Normalement, c'est là qu'on prend les repas, reçoit les invités et se décontracte ensemble. Par contraste, les huttes particulières délimitent les espaces privés des habitants adultes et de leurs enfants.

Chaque village a son propre Togu na, un espace public dans lequel les chefs du village se réunissent afin de discuter des affaires du village. Selon les Dogons, l'architecture du bâtiment favorise la diplomatie. Le Togu na est un espace ouvert entouré de piliers construits en pierres superposées et couvert d'un toit bas composé de trois couches de chaume qui symbolisent la plaine, le plateau et la falaise *(cliffs)*. Parce que le toit n'est pas très haut, on doit rester assis à l'intérieur du Togu na, ce qui favorise des discussions plus modérées et calmes—car personne ne peut se lever en colère! De nos jours, un sujet populaire dans les Togu na, c'est la technologie, et la grande question que l'on se pose est la suivante: Comment peut-on bénéficier des avances technologiques sans perdre son esthétique culturelle et ses valeurs traditionnelles?

## Compréhension

1. Faites une description de l'architecture d'une concession typique chez les Dogons.
2. Qu'est-ce que c'est que le Togu na? Comment la structure du Togu na reflète-t-elle la culture et la philosophie des Dogons?

## Réflexion

L'architecture des Dogons révèle les valeurs culturelles, esthétiques et philosophiques des habitants des falaises de Bandiagara. Prenez un moment pour considérer l'architecture chez vous. Comment sont organisés votre campus et votre communauté? Identifiez des bâtiments ou des structures qui reflètent vos propres valeurs ou celles de votre communauté. Ensuite, expliquez en quoi ces structures communiquent votre culture locale au reste du monde.

### *Depuis* + Present Tense

**Depuis** means *for* when followed by an expression of time. It is used with the present tense to denote an action that began in the past but is still going on in the present. This construction is equivalent to the English concept *has (have) been __ing*.

| | |
|---|---|
| **J'habite** ici **depuis** cinq ans. | *I have been living here for five years.* |
| **Il parle depuis** une heure. | *He has been speaking for an hour.* |
| **Nous nous reposons depuis** un quart d'heure. | *We have been resting for fifteen minutes.* |
| **Vous attendez ici depuis** une heure? | *You have been waiting here for an hour?* |

## RAPPEL!

Remember that **depuis** + present tense in French is used to express the English idea *has (have) been __ing*. Don't fall into the trap of trying to translate the structure word for word. This idiom is particularly important because it is commonly used. When conversing with speakers of French, you will surely be asked questions involving **depuis** + present tense.

**Vous étudiez** le français **depuis** longtemps?

**Vous êtes** en France **depuis** quand?

**Vous habitez** à Paris **depuis** combien de temps?

**3** Pour chacune des notions suivantes, composez une phrase qui contient **depuis** + le présent pour décrire votre propre situation.

MODELE habiter à (nom de ville)

*J'habite à (nom de ville) depuis _____ ans (mois).*

1. habiter à (nom de ville)
2. étudier le français
3. être à l'université
4. faire du / de la (nom d'un sport)
5. sortir avec (nom de votre petit[e] ami[e])
6. connaître mon / ma meilleur(e) ami(e)
7. écouter le prof de français
8. aimer (nom d'un groupe de rock)

## 👥 INTERACTIONS

**Depuis combien de temps...?** Posez au moins cinq questions à votre professeur sur son travail.

MODELE *Depuis combien de temps est-ce que vous enseignez?*

*Depuis combien de temps parlez-vous français?*

*Depuis combien de temps êtes-vous professeur dans cette université?*

# SYNTHESE

**A.** Imaginez une réaction appropriée pour chacune des situations suivantes en utilisant des expressions idiomatiques avec **être** ou **avoir.**

1. Votre cours de maths commence à neuf heures. Vous arrivez à neuf heures et quart.
2. Vous gagnez à la loterie.
3. Vous voulez acheter un coca et vous n'avez pas de petite monnaie *(change).*
4. Il fait chaud, il est deux heures de l'après-midi et vous écoutez une conférence très ennuyeuse.
5. Vous faites du jogging et vous tombez.
6. Vous êtes en train de préparer le dîner, le téléphone sonne et votre ami demande si vous pouvez sortir.
7. Vous devez aller chercher votre copain à huit heures, et vous arrivez à huit heures juste.
8. Votre professeur de maths vous pose une question et vous donnez la mauvaise réponse.

**B.** Un sociologue suisse fait des recherches sur la vie de famille des étudiants en Amérique du Nord. Avec un(e) camarade de classe, jouez le rôle du sociologue et de l'étudiant(e). Voici quelques questions possibles du sociologue.

1. Votre père, que fait-il? Depuis combien de temps?
2. Et votre mère, que fait-elle? Depuis combien de temps?
3. Est-ce que vous recevez souvent vos parents chez vous? Pourquoi?
4. Est-ce que vous vous entendez bien avec vos parents?
5. Est-ce que vous vous fâchez quelquefois avec vos parents?

## Situations écrites

**A.** Votre correspondant(e) en France vous demande ce que vous faites pendant une journée typique. Faites une description de votre vie de tous les jours.

**B.** Vous passez l'année en France où vous habitez avec une famille. Après quelques jours, vous décidez que votre emploi du temps personnel et vos habitudes ne correspondent pas aux coutumes de la famille chez qui vous êtes. Ecrivez une lettre à la personne responsable de votre logement et expliquez-lui le problème pour justifier un changement de logement.

Le café est un des endroits préférés des étudiants français.

# A lire

## Texte de culture contemporaine

### Sujets de réflexion

1. A votre avis, comment votre maison idéale va-t-elle faciliter votre vie?
2. Si, à l'avenir, les gens doivent passer plus de temps dans leur maison, quels changements va-t-il falloir effectuer dans leurs résidences?

### Guide de lecture

De nos jours, les modes de vie évoluent rapidement. La technologie joue un rôle de plus en plus important dans la vie. Les gens se préoccupent de plus en plus de l'environnement, et le logement devient non seulement un lieu où l'on habite, mais aussi un refuge contre le stress de la vie moderne. C'est un peu paradoxal que les innovations modernes augmentent les pressions de la vie actuelle, alors qu'on cherche la maison «anti-stress». Voici une description de ce que les Français attendent de plus en plus de leurs maisons. Cette maison idéale comprend des aspects qui existent déjà et d'autres qui vont peut-être constituer la maison de l'avenir.

Le mot «logis» veut dire «l'endroit où l'on habite». L'élément «-logie» (exemple: géologie) veut dire «science». Expliquez le jeu de mot dans le titre de l'article suivant: «éco-logis».

## Techno-Logis, Eco-Logis, Ego-Logis

Les outils° technologiques (ordinateur, connexion Internet, centres multimédias, lecteur de DVD) seront de plus en plus présents dans la maison. Ils seront installés dans toutes les pièces, disponibles à tout moment et pour chacun, intégrés dans des réseaux° interne et externe. Ils ne seront pas câblés, mais sans fil, grâce au développe-
5 ment des technologies de type WI-FI. Ils favoriseront l'information et la communication interactive, les loisirs individuels et familiaux. Ils satisferont aussi des besoins de développement personnel: apprentissage°; perfectionnement°; culture générale; expression artistique… Ils rendront possible le télétravail° des actifs° et faciliteront l'administration de plus en plus complexe du foyer: entretien, approvisionnement; …
10 gestion des comptes bancaires et du patrimoine°; organisation des activités personnelles et des rencontres; communication avec la famille, les amis et relations…

    … Les usages de la domotique° se précisent. Au-delà de certaines fonctions d'automatisation classiques (ouverture des volets…, allumage automatique des lumières ou alertes téléphoniques en cas de problème), de nouveaux services vont être
15 proposés par la «maison intelligente»: surveillance à distance de chaque pièce grâce à des webcams; accès aux contenus multimédias (musique, photo, vidéo, radio, télévision, Internet) dans toutes les pièces grâce à des écrans à plasma; modification des ambiances sensorielles (lumières, odeurs, sons, décors…). Ces systèmes permettront aussi aux personnes handicapées de mieux vivre en retrouvant une autonomie…
20    L'habitat de demain devrait être non seulement plus confortable, mais aussi plus économe en énergie, plus respectueux de l'environnement, plus écologique. Le chauffage pourra être automatiquement régulé en fonction de la température

*tools*

*networks*

*acquiring skills / self improvement / telecommuting / working people / investments home automation* extérieure et des prévisions météo des jours suivants; les fenêtres pourront être fermées en cas de pic de pollution ou de nuisances sonores.

25    Les Français ne rêvent pas d'un logement en forme de laboratoire… Leurs préoccupations… sont essentiellement pratiques; elles concernent en priorité la

*struggle*    lutte° contre le bruit et l'amélioration de la sécurité. Elles vont aussi dans le sens d'une amélioration du niveau de confort, dans ses dimensions psychologiques…

*quest*    La maison de demain devra apporter de nouvelles réponses à la quête° croissante

*well being* 30 de mieux-vivre, de bien-être° et d'harmonie. Il devra être sur mesure,…  et anti-stress… Il sera à la fois «techno-logis», «éco-logis» et «égo-logis».

Source: Gérard Mermet, Techno-Logis, Eco-Logis, Ego-Logis, *Francoscopie 2007*,
Larousse © 2007, p. 167

## Après la lecture

1.  Lesquels de ces éléments technologiques sont déjà assez répandus dans les maisons américaines?
2.  Qu'est-ce qu'une maison intelligente?
3.  En général, que favorisent les outils technologiques mentionnés dans l'article?
4.  Comment votre famille utilise-t-elle la technologie?
5.  Quels éléments de la domotique sont déjà assez communs dans les maisons américaines? Y en a-t-il chez vous?
6.  Quelles sont les qualités essentielles des maisons de l'avenir? Etes-vous d'accord avec le point de vue de l'article en ce qui concerne la description de l'habitat de demain qu'il présente?
7.  En utilisant le vocabulaire de l'extrait, composez une description de votre maison idéale.

❖  ❖  ❖  ❖  ❖  ❖  ❖  ❖  ❖  ❖  ❖  ❖  ❖  ❖  ❖

# Texte littéraire

## Sujets de réflexion

1.  Pour la plupart des gens, en Amérique du Nord comme dans le monde occidental en général, le travail et la vie familiale sont complètement séparés. Décrivez le rythme de vie typique des gens qui travaillent. Comment leur journée est-elle organisée?
2.  Connaissez-vous des personnes qui tiennent leur propre petit commerce ou entreprise? Comment vivent ces gens? Quelle est leur situation par rapport aux clients, au temps libre et aux vacances? Travailler à son compte, est-ce différent de travailler pour quelqu'un d'autre?

## A propos de l'auteur…

**Annie Ernaux** *est née à Lillebonne, dans le département de la Seine-Maritime. Son enfance dans une petite ville de province lui inspire plusieurs ouvrages littéraires. Dans son roman* Les Armoires vides, *publié en 1974, elle raconte la vie de Denise Lesur, fille unique de petits commerçants provinciaux. Nous sommes dans les années 50. Denise a environ dix ans lorsqu'elle fait le récit de la vie qu'elle mène avec ses parents dans le café-épicerie familial.*

1. Dans le premier paragraphe, on peut lire les phrases suivantes:

   *De la clientèle [en abondance], qui remplit la maison, qui paie à la fin du mois...*
   *Il n'y a pas un endroit pour s'isoler dans [le café-épicerie] à part une chambre à*
   *l'étage... Toute la journée on vit en bas, dans le bistrot et dans la boutique... On*
   *mange [dans la cuisine]. La maison regorge de clients, il y en a partout.*

   Mettez-vous à la place de Denise Lesur, cette petite fille de dix ans dont les
   parents sont des petits commerçants. Quelle impression avez-vous du petit
   monde où vous habitez? Où vivez-vous? Qui sont les personnes autour de
   vous? En quoi consiste votre journée?

2. Denise réfléchit à ses parents et déclare:

   *Mon père, il est jeune, il est grand, il domine l'ensemble... [Ma mère] dit qu'elle*
   *n'en peut plus, tous les soirs...*

   Quelle impression Denise donne-t-elle de son père? Est-elle positive ou négative? Si sa mère *n'en peut plus*, c'est-à-dire qu'elle est extrêmement fatiguée,
   l'image de cette femme ressemble-t-elle à celle du père? Qu'est-ce que cela
   nous indique au sujet des relations parents-enfant?

3. Vers la fin de l'extrait nous lisons:

   *[Les gens] remplissent la caisse de billets. La voici, la caisse, posée sur la*
   *table... «Combien qu'on a fait aujourd'hui?» Quinze mille, vingt mille, fabuleux*
   *pour moi.*

   Denise calcule en anciens francs. Mais la caisse contient une somme assez modeste
   (contrevaleur: 30 à 40 dollars). Pourquoi dit-elle *fabuleux pour moi?* Comment
   Annie Ernaux cherche-t-elle à présenter les revenus de la famille Lesur?

# Les Armoires vides (extrait)

(1) Le café-épicerie Lesur, ce n'est pas rien, le seul dans la rue Clopart, loin du centre, presque à la campagne. De la clientèle à gogo°, qui remplit la maison, qui paie à la fin du mois. Pas une communauté mais ça y ressemble. Il n'y a pas un en-droit pour s'isoler dans la maison à part une chambre à l'étage°, immense, glaciale.
5 L'hiver, c'est mon pôle Nord et mes expéditions antarctiques quand je me glisse au° lit en chemise de nuit, que j'ouvre mes draps humides et rampe° vers la brique chaude enveloppée d'un torchon de cuisine°. Toute la journée on vit en bas, dans le bistrot et dans la boutique. Entre les deux un boyau° où débouche° l'escalier, la cuisine, remplie d'une table, de trois chaises, d'une cuisinière à charbon° et d'un
10 évier° sans eau. L'eau, on la tire à la pompe de la cour. On se cogne° partout dans la cuisine, on y mange seulement quatre à quatre vers une heure de l'après-midi et le soir quand les clients sont partis. Ma mère y passe des centaines de fois, avec des casiers° sur le ventre°, des litres d'huile ou de rhum jusqu'au menton°, du chocolat, du sucre, qu'elle transporte de la cave à la boutique en poussant° la porte d'un coup
15 de pied. Elle vit dans la boutique et mon père dans le café. La maison regorge de clients, il y en a partout [...].

(2) Mon père, il est jeune, il est grand, il domine l'ensemble. C'est lui qui détient la bouteille, il mesure la quantité au millimètre près, il a l'œil [...]. Il modère les farouches, ceux qui n'en ont jamais assez... Le regard fier au-dessus des clients, tou-
20 jours en éveil, prêt à flanquer dehors° celui qui bronche°. Ça lui arrive [...].

(3) Ma mère n'a plus de clients dans l'épicerie, elle plaque les volets° de bois sur les vitres, les coince avec une barre de fer et elle vient s'affaler sur sa chaise dans la

*in abundance*

*upstairs*
*I slide into*
*crawl*
*dishtowel*
*narrow passageway /*
*opens on / coal stove*
*sink / You bang*
*your head*

*racks / tummy / chin*
*pushing*

*kick out (coll.) /*
*protests / shutters*

| | |
|---|---|
| *will knock loudly /* | cuisine. «Les retardataires, ils cogneront° bien, c'est souvent de la racaille°.» Elle |
| *scum / is worn out* | dit qu'elle n'en peut plus°, tous les soirs... |
| | 25  (4) Pendant qu'elle parle, mon père met la table, sans se presser. C'est lui qui |
| *peels vegetables* | fait les épluchages°, la vaisselle, c'est plus commode dans le commerce, entre deux |
| | verres à servir, entre deux parties de dominos. A table se succèdent les histoires |
| *complaints / threats* | du café entendues par mon père, les plaintes° et les menaces° de ma mère, même |
| | le soir, nous ne sommes pas seuls, les clients sont là, implorants, le porte-monnaie |
| *goodwill* | 30 vide, attendant le bon vouloir° de mes parents, la main qui ira chercher la boîte |
| | de pois pour le dîner, le petit verre de plus, craignant le refus catégorique. «Tu par- |
| *account book / est-ce* | les! J'ai pas voulu lui donner, le carnet° est déjà plein, quand c'est° qu'il me |
| | paiera.» Je les voyais puissants, libres, mes parents, plus intelligents que les clients. |
| | Ils disent d'ailleurs «le patron, la patronne» en les appelant. Mes parents, ils ont |
| *struck it rich* | 35 trouvé le filon°, tout à domicile, à portée de la main, les nouilles, le camembert, la |
| | confiture, dont je me tape de grosses cuillerées à la fin du souper avant d'aller em- |
| *to pocket / gumdrops* | pocher° une dizaine de gommes parfumées° dans la boutique sombre, au moment |
| *welcome* | de monter me coucher. Ils reçoivent° le monde chez eux, c'est la fête, la joie, mais |
| *till* | les gens paient l'entrée, ils remplissent la caisse° de billets. La voici, la caisse, posée |
| *remnants / paper* | 40 sur la table, au milieu des assiettes à soupe, des trognons° de pain. Les billets° |
| *money / handled /* | sont palpés°, mouillés° par mon père, et ma mère s'inquiète. «Combien qu'on a |
| *dampened* | fait aujourd'hui?» Quinze mille, vingt mille, fabuleux pour moi. «L'argent, on le |
| *earn / stuffs* | gagne°.» Mon père enfouit° les billets dans sa salopette, nous pouvons commencer à |
| *do without* | nous amuser tous les deux... Les clients, je les aimais bien, je ne pouvais me passer° |
| | 45 d'eux, mais c'était avec mon père, le chef du café, l'homme qui gagnait l'argent |
| *with little effort /* | d'un petit geste°, que je m'amusais sans retenue°. |
| *restraint* | |

Source: Annie Ernaux, Les Armoires vides, © Editions Gallimard www.gallimard.fr

## Après la lecture

1.  Relisez le premier pragraphe de l'extrait. Sur une feuille de papier ou au tableau, imaginez et dessinez un plan de la ville où habite Denise Lesur. Situez la rue Clopart sur le plan. Ensuite, faites un plan de la maison des Lesur en vous inspirant des renseignements trouvés dans le texte.

2.  La vie des petits commerçants, telle qu'elle est décrite par Annie Ernaux, présente des avantages et des inconvénients. Indiquez si les points suivants constituent un aspect positif ou négatif de ce style de vie. Trouvez des passages dans l'extrait pour justifier votre réponse.
    a.  l'endroit où se trouve le café-épicerie
    b.  la présence constante des clients dans l'établissement
    c.  la vie matérielle
    d.  l'espace disponible pour la famille
    e.  les rapports entre les clients et la famille
    f.  la quantité de travail nécessaire
    g.  le fait de travailler à son compte
    h.  l'argent que l'on gagne

3.  Plus loin dans *Les Armoires vides*, Denise est étudiante à l'université. Elle commence à avoir honte du milieu socio-économique de sa famille et fait de plus en plus d'efforts pour cacher ses origines. Expliquez en quoi les aspects suivants de sa vie vont lui poser un problème quand elle commencera à les voir d'un œil adulte.
    a.  sa maison et son mode de vie      c.  l'attitude de sa mère
    b.  les clients et leur mode de vie

## Pour mieux lire

Pour mieux lire, il faut développer sa capacité de deviner *(to guess)* la signification des mots selon le contexte, même si on ne peut pas en faire une traduction exacte. Pour chacun des mots soulignés, trouvez le synonyme dans la liste suivante.

**Synonymes:** arrive, bassine, excepté, fixe, se laisser tomber, peu sociables, est pleine de, prends, son vêtement de travail

1. «... pas un endroit pour s'isoler dans la maison, <u>à part</u> une chambre à l'étage... »
2. «... un boyau où <u>débouche</u> l'escalier... »
3. «... la cuisine, remplie d'une table, d'une cuisinière à charbon, d'un <u>évier</u> sans eau... »
4. «... La maison <u>regorge de</u> clients, il y en a partout... »
5. «... Il modère les <u>farouches</u>, ceux qui n'en ont jamais assez, qui cherchent des noises... »
6. «... elle plaque les volets de bois sur les vitres, les <u>coince</u> avec une barre de fer... »
7. «... elle vient <u>s'affaler</u> sur sa chaise... »
8. «... la confiture dont je <u>me tape</u> de grosses cuillerées... »
9. «... Mon père enfouit les billets dans <u>sa salopette</u>... »

# LIENS CULTURELS

1. Imaginez les conditions de vie de Denise Lesur. Est-ce une existence campagnarde ou citadine? Comment vous représentez-vous l'endroit où elle habite?

2. Quels rapports y a-t-il entre Monsieur et Madame Lesur et leurs clients? Est-ce que ce type de rapports humains est plus facile ou moins facile à maintenir aujourd'hui? Dans ce contexte, y a-t-il une différence entre la vie à la campagne et la vie urbaine?

3. Est-ce que vous pensez que le café-épicerie des Lesur existe toujours aujourd'hui? Quels sont les avantages et les inconvénients de ce mode de vie? Est-ce que c'est un genre de vie qui vous plaît?

# EXPANSION

**A.** Selon le dictionnaire Robert, le terme *urbanisme* signifie *l'étude systématique des méthodes permettant d'adapter l'habitat urbain aux besoins des hommes.* Si une ville, comme Paris, existe depuis des siècles, quelles sont les adaptations qu'elle doit effectuer pour répondre aux besoins de la vie moderne? Etudiez les rapports entre les commerces et les habitants, le problème des jeunes et des personnes âgées, la qualité des logements actuels et de ceux d'autrefois, etc.

**B.** Le phénomène de l'exode urbain concerne l'histoire de beaucoup de pays. A quel moment apparaît-il dans l'histoire de votre pays? Qu'est-ce qui se passe quand une partie importante de la population quitte la ville pour aller s'établir dans la périphérie? Quelles sont les motivations des gens? La tendance actuelle est-elle de vouloir habiter en appartement ou dans une maison individuelle? Habiter à la campagne est-il plus facile ou moins facile aujourd'hui? Pourquoi?

**C.** Comparez les notions de «ghetto» et de «cité de banlieue». Quelles sont les similarités et les différences que vous observez entre ces deux concepts? A quelles sortes de difficultés les résidents de ces types d'habitations sont-ils confrontés? Quelles sortes de solutions pouvez-vous proposer pour remédier à cette situation?

# Chapitre 3

# La vie des jeunes

**iLrn**

Que faire pour s'amuser pendant une balade en ville? Pourquoi pas le petit train autour d'une fontaine?

# Un peu de culture contemporaine

## Le sport collectif et individuel

En France, plus de la moitié de la population âgée de 15 à 75 ans déclare pratiquer un sport, sans nécessairement se considérer comme des sportifs réguliers. On veut tout simplement rester en bonne forme. Mais les Français consacrent aussi de plus en plus de leurs dépenses personnelles et familiales aux sports.

- Le nombre d'associations sportives (clubs, fédérations, etc.) augmente depuis vingt ans, mais les Français préfèrent toujours des activités sportives plus libres. Le plus souvent, ce sont le vélo (le sport le plus pratiqué, par 38% des Français), le patinage, le ski, le cyclisme, la marche, la natation, le jogging et les sports de raquette qu'on pratique de façon informelle.

- Le tiers des femmes de plus de 18 ans font du sport, surtout pour rester en bonne forme physique. Elles pratiquent moins les sports d'équipe que les sports individuels, comme la gymnastique, l'aérobic, la danse, la natation et la randonnée.

- Les hommes sont 47% à faire du sport. Plus d'un Français sur trois pratique un sport individuel contre un sur quinze pour un sport collectif. Pourtant, beaucoup d'activités individuelles, comme le roller ou le vélo, sont pratiquées en groupe.

- Plusieurs sports, comme la voile et le golf, coûtent cher et ne sont pas toujours accessibles à tous. Par contre, d'autres sports, comme le basket et le roller, sont devenus des sports de rue et se sont développés essentiellement dans les villes.

- A la télévision, les grandes compétitions sportives, comme la Coupe du Monde de football, le Tour de France de cyclisme, le tournoi de tennis de Roland-Garros ou les Jeux olympiques, donnent aux Français la possibilité de participer indirectement à la vie sportive à travers les champions nationaux.

### Compréhension

1. Quel pourcentage des Français pratique un sport? Pour quelles raisons?
2. Les Français préfèrent-ils, généralement, les sports individuels ou collectifs? Expliquez votre réponse.
3. Quels sports attirent les femmes en France? Est-ce vrai qu'il y a autant de femmes que d'hommes qui pratiquent un sport en France? Expliquez votre réponse.
4. Quels sports ne sont pas accessibles à tous? Pourquoi? Quels sports se pratiquent dans la rue en France? Est-ce la même chose en Amérique du Nord, en général?
5. Suggérez des exemples de l'influence des médias sur le sport.

### Réflexion

Si on compare le jogging et le tennis, les mêmes conditions matérielles et sociales sont-elles nécessaires pour pratiquer ces deux sports? Pour quelles raisons pratique-t-on un sport individuel? Où faites-vous du sport d'habitude?

# La Coupe du Monde

Véritable phénomène mondial, tous les quatre ans, la Coupe du Monde réunit les équipes de football de tous les coins du monde pour une série de matchs passionnants. Normalement, 32 équipes nationales représentant les zones régionales d'Afrique, d'Asie, d'Europe, d'Amérique du Nord, d'Amérique du Sud et d'Océanie sont invitées à y participer. Tout au long d'un mois, les terrains de jeu des hôtes accueillent ces drames sportifs internationaux. De cette manière, les triomphes et les échecs des équipes nationales sont suivis jour après jour par des milliers de fans rassemblés au stade et des millions de téléspectateurs regroupés dans les cafés, les bars et les domiciles partout dans le monde. Malgré les frontières géographiques et politiques, malgré les différences linguistiques et culturelles, pendant la Coupe du Monde, c'est la langue et la culture du football qui règnent.

### Présence francophone et multiculturelle

L'équipe française nationale représente la diversité culturelle de la France et de la Francophonie. Parmi les joueurs les plus célèbres des dernières années, on peut citer Zinédine Zidane (né à Marseille de parents immigrés d'Algérie), Patrick Vieira (né au Sénégal), Lillian Thuram (né à la Guadeloupe) et Florent Malouda (né en Guyane Française).

Même si la plupart des Français accueillent favorablement l'identité mosaïque de l'équipe nationale comme symbole visible du multiculturalisme de la France, il y a certains individus xénophobes qui la critiquent. En 1998, après la victoire de l'équipe nationale française à la Coupe du Monde, Jean-Marie Le Pen, représentant du Front National (parti politique d'extrême droite), a suggéré que l'équipe diverse n'était pas assez «française», c'est-à-dire pas assez blanche. La déclaration de Le Pen a provoqué un scandale et, finalement, des appels à boycotter sa candidature pour la présidence de la République en 2002.

A part l'équipe française, la Coupe du Monde présente au public mondial d'autres équipes de la Francophonie. En 2006, par exemple, les Eperviers du Togo, les Eléphants de Côte d'Ivoire, les Aigles de Carthage en Tunisie et la Nati de Suisse ont participé à la Coupe.

## Compréhension

1. D'où viennent les équipes qui participent à la Coupe du Monde?
2. Combien de personnes regardent les matchs de la Coupe du Monde?
3. Comment la présence francophone se manifeste-t-elle dans la Coupe du Monde?
4. Quelle est la réaction des Français face à cette présence dans l'équipe nationale?

## Réflexion

A. A votre avis, pourquoi le foot est-il un sport qui attire tant de joueurs et de spectateurs à travers le monde? Comment peut-on expliquer l'immensité de sa popularité internationale par rapport aux autres sports? Y a-t-il d'autres sports qui rivalisent avec la popularité du foot? Pourquoi ou pourquoi pas?

B. Certains sports sont associés avec des cultures ou des pays particuliers. Quels sports associez-vous avec votre propre pays ou culture? Comment ces sports reflètent-ils ou encouragent-ils des valeurs culturelles?

*Pour des activités culturelles supplémentaires, rendez-vous sur le site Web d'**Interaction** www.cengage.com/french/interaction*

# Vocabulaire actif  CD1, Track 6

## LES ACTIVITÉS

**se balader** to stroll
**se donner rendez-vous** to arrange to meet
**faire du jogging** to go jogging
**faire du lèche-vitrines** to go window-shopping
**faire du vélo** to go biking
**faire une promenade en bateau** to take a boat ride
**fréquenter** to see often
**passer** to spend (time)

**prendre un verre** to have something to drink
**rencontrer** to meet by chance
**(se) retrouver** to meet by design
**rigoler** to laugh *(coll.)*

## LES RAPPORTS

**une bande** gang *(coll.)*
**un copain** buddy, pal, significant other
**une copine** female friend, significant other
**un rapport** relationship

## LES CARACTÉRISTIQUES

**bavard(e)** outgoing, talkative
**génial(e), super** great, cool
**passionné(e) (de)** crazy about
**sportif(-ive)** athletic

## LES LOISIRS

**le basket** basketball
**une boîte** night club *(coll.)*

**le cinéma** movies
**un club (une boîte)** night club
**une distraction** amusement
**le football** soccer
**le loisir** leisure time
**les loisirs** leisure time activities
**la marche** walking
**un parc d'attractions** amusement park
**une randonnée** hike

## Exercices de vocabulaire

**A.** Complétez cette conversation entre deux jeunes Français qui essaient d'organiser une soirée en employant une expression de la liste suivante.

**Expressions:** retrouver, passer, boîte, prendre un verre, faire du lèche-vitrines, rigoler, se balader, cinéma

—Tu veux aller au centre commercial? On peut _____ et regarder un peu les nouveaux vêtements de la saison. J'adore _____ du temps au centre commercial.

—Moi, je préfère _____, peut-être au parc. Ça te tente?

—D'accord. Et cet après-midi, on peut _____ nos copains au café pour _____. On _____ toujours avec eux.

—Quelle bonne idée! Et peut-être plus tard, on peut aller voir un film au _____ ou aller danser dans une _____.

**B.** Remplacez les mots en italique par des expressions du **Vocabulaire actif.**

1. Beaucoup de jeunes en France ont *un Mac ou un IBM.*
2. Les jeunes aiment porter des *chaussures* Nike ou Adidas.
3. En France, *une Honda* est un symbole d'indépendance pour les jeunes.
4. Très souvent, pour les vêtements, *le nom du fabricant* est important.
5. Pour regarder une vidéo, *un appareil spécial* est nécessaire.
6. Les jeunes vont souvent au café pour *prendre quelque chose.*
7. Au café, ils *s'amusent* beaucoup.
8. Beaucoup de jeunes en France ont un *iPod.*
9. Beaucoup de jeunes sont influencés par le parti politique des Verts qui veut protéger *la nature.*
10. Il faut attendre jusqu'à l'âge de 18 ans pour avoir *le droit de conduire une voiture.*

une soirée party
la voile sailing

## LES BIENS PERSONNELS

les affaires *(f pl)* personal belongings ("stuff")
l'argent de poche *(m)* spending money
les baskets *(f pl)* tennis shoes
un blouson jacket
une chaîne stéréo stereo system

les dépenses *(f pl)* expenses
les fringues *(f pl)* clothes *(coll.)*
la griffe logo, designer's label
un lecteur de disques compacts CD player
un lecteur de DVD DVD player
un lecteur MP3 MP3 player
un magnétoscope VCR
la marque brand

un micro-ordinateur personal computer
une mobylette (mob) moped
une moto motorcycle
le permis de conduire driver's license
une planche à voile windsurfing board
un portable cellular phone
une raquette de tennis tennis racket
un vélo bicycle
les vêtements *(m pl)* clothes

## LA SOCIÉTÉ

la conscience politique political awareness
la drogue drugs
l'environnement *(m)* environment
la réussite (financial) success
les SDF (sans domicile fixe) *(m pl)* homeless
le sida AIDS
le travail bénévole volunteer work

# Lexique personnel

## LES RELATIONS PERSONNELLES

**A** Pour chacune des personnes suivantes, dressez une liste personnelle d'adjectifs.

1. votre meilleur(e) ami(e)
2. votre mère / votre père
3. votre copain / votre copine
4. un cousin / une cousine
5. votre frère / votre sœur
6. une tante / un oncle
7. ???

 **B** En petits groupes, posez les questions suivantes à vos camarades de classe.

1. As-tu beaucoup de copains? Combien?
2. Peux-tu décrire ton groupe d'amis principal?
3. Peux-tu décrire ton (ta) meilleur(e) ami(e)?
4. As-tu un copain / une copine? Comment est-il / elle?
5. Peux-tu décrire un ou deux membre(s) de ta famille?
6. Avec qui est-ce que tu t'entends bien? Avec qui est-ce que tu ne t'entends pas très bien? Pourquoi?

# Structures I

## Irregular -ir Verbs

The following irregular verbs have been grouped according to similarities of conjugation.[1]

[1]See also *Appendix B.*

| **partir** *to leave* | **dormir** *to sleep* | **sortir** *to go out* |
|---|---|---|
| je **pars** | je **dors** | je **sors** |
| tu **pars** | tu **dors** | tu **sors** |
| il / elle / on **part** | il / elle / on **dort** | il / elle / on **sort** |
| nous **partons** | nous **dormons** | nous **sortons** |
| vous **partez** | vous **dormez** | vous **sortez** |
| ils / elles **partent** | ils / elles **dorment** | ils / elles **sortent** |

| **servir** *to serve* | **ouvrir** *to open* | **offrir** *to offer* |
|---|---|---|
| je **sers** | j'**ouvre** | j'**offre** |
| tu **sers** | tu **ouvres** | tu **offres** |
| il / elle / on **sert** | il / elle / on **ouvre** | il / elle / on **offre** |
| nous **servons** | nous **ouvrons** | nous **offrons** |
| vous **servez** | vous **ouvrez** | vous **offrez** |
| ils / elles **servent** | ils / elles **ouvrent** | ils / elles **offrent** |

| **courir** *to run* | **venir** *to come* |
|---|---|
| je **cours** | je **viens** |
| tu **cours** | tu **viens** |
| il / elle / on **court** | il / elle / on **vient** |
| nous **courons** | nous **venons** |
| vous **courez** | vous **venez** |
| ils / elles **courent** | ils / elles **viennent** |

**Devenir** *(to become)*, **revenir** *(to come back)*, **se souvenir de** *(to remember)*, **tenir** *(to hold)*, and **obtenir** *(to obtain)* are conjugated like **venir.**

**Venir de** conjugated in the present tense and followed by the infinitive is the equivalent of *to have just* + past participle.

| **Il vient d'arriver.** | *He has just arrived.* |
|---|---|
| **Je viens de faire** mes devoirs. | *I have just done my homework.* |

1 On emploie souvent le verbe **sortir** dans le contexte des loisirs et des rendez-vous. Utilisez la forme nécessaire du verbe **sortir** pour compléter les phrases suivantes.

1. Je _____ souvent avec...

2. Mes amis et moi, nous _____ souvent au / à la...

3. Mon meilleur ami / Ma meilleure amie _____ avec...

4. [Nom d'un(e) camarade de classe], tu _____ souvent le vendredi soir?

5. Les jeunes Américains _____ en groupe ou en couples?

6. Monsieur / Madame [nom de votre prof de français], vous _____ souvent au restaurant?

2 Vous partagez un appartement avec deux personnes et vous cherchez un(e) quatrième colocataire. Vous interviewez les candidats intéressés. Jouez la conversation avec un(e) camarade de classe en complétant les phrases avec la forme appropriée des verbes indiqués.

1. COLOC POTENTIEL(LE): A quelle heure est-ce que vous _____ pour la fac d'habitude? (partir)

   VOUS: Nous _____ tous à la fac vers huit heures.

2. COLOC POTENTIEL(LE): Vous _____ souvent? (sortir)

   VOUS: En général, nous _____ le week-end. Fabrice _____ aussi pendant la semaine, mais moi, je ne _____ que le vendredi et le samedi soir.

3. COLOC POTENTIEL(LE): Vous _____ tard pendant le week-end? (dormir)

   VOUS: Nous _____ tard le samedi matin.

4. COLOC POTENTIEL(LE): Vous faites du sport? Vous _____, peut-être? (courir)

   VOUS: Nous sommes tous sportifs. Nous _____ trois fois par semaine.

5. VOUS: On _____ le dîner assez tôt, vers six heures. (servir)

   COLOC POTENTIEL(LE): Oh, ça me _____. (convenir)

6. VOUS: Vous _____ voir l'appart? (venir)

   COLOC POTENTIEL(LE): D'accord, je _____ vers 18 heures. (revenir)

3 Vous décrivez les habitudes des jeunes Nord-Américains à des amis français. Employez les éléments indiqués pour composer votre description.

**Expressions:** courir, dormir, offrir des cadeaux, partir en vacances, servir de la pizza, sortir au cinéma, sortir en groupes, sortir le week-end, venir en cours

4 Posez des questions à un(e) voisin(e) de classe en utilisant les éléments indiqués. Ensuite, posez une autre question selon la réponse de votre partenaire.

1. sortir souvent
2. dormir beaucoup le week-end
3. venir à la fac le dimanche
4. offrir des cadeaux aux copains
5. partir souvent en voyage le week-end
6. revenir à la fac en été
7. courir le matin
8. obtenir de bonnes notes ce semestre

# INTERACTIONS

**Les 10–16 ans: stages sportifs.** L'Ecole municipale des sports de la mairie de Paris met à la disposition des jeunes Parisiens plusieurs programmes sportifs. Consultez la brochure et répondez aux questions suivantes.

1. Combien de sports sont au programme? Faites-en une liste.
2. Quels moyens de transport prennent les jeunes pour se rendre aux lieux sportifs?
3. Mettez-vous à la place d'un jeune de cette tranche d'âge. Quel(s) sport(s) allez-vous pratiquer?
4. Quelles sortes de documents les jeunes doivent-ils presenter pour être admis aux programmes? Pourquoi cela est-il nécessaire à votre avis?

# Note culturelle

## La génération des quinze à vingt-quatre ans

Qui sont les jeunes Français, c'est-à-dire les 15 à 24 ans? D'abord, ils sont nombreux, plus de 7,8 millions, et ils représentent 13% de la population actuelle de la France. Pour la plupart, ils habitent le domicile de leurs parents. Selon les statistiques, 75% des garçons et des filles de cet âge continuent à vivre chez leurs parents ou grands-parents. A 24 ans, 51% des garçons et 30% des filles sont encore hébergés par les parents. En général, on quitte le domicile parental pour vivre en couple, pour poursuivre des études dans une ville éloignée ou pour un premier emploi.

### Compréhension

1. Où habitent la majorité des Français de votre âge, à l'extérieur ou à l'intérieur du domicile de leur famille?
2. En général, pour quelles raisons est-ce qu'on quitte le domicile de ses parents?

### Réflexion

A. Les jeunes de 20 à 24 ans n'ont pas tous les mêmes préoccupations. Certains sont étudiants, d'autres sont entrés dans la vie active. En quoi les modes de vie de ces deux groupes sont-ils différents? Est-ce que le fait d'habiter ou de ne pas habiter chez ses parents influence le mode de vie d'une personne de cet âge? Expliquez.

B. Environ quel pourcentage de la population de votre pays représentent les jeunes de votre âge? Considérez-vous que les adolescents deviennent adultes plus tard ou plus tôt par rapport aux générations précédentes?

Les jeunes aiment se retrouver au café.

## Descriptive Adjectives

### Agreement of Adjectives

**A.** A French adjective always agrees in gender and number with the noun it modifies.

|              | **Singular**                | **Plural**                      |
| ------------ | --------------------------- | ------------------------------- |
| **Masculine** | Le garçon est **grand**.    | Ses amis sont **bavards**.      |
| **Feminine**  | C'est une femme **amusante**. | Ses sœurs sont **intelligentes**. |

**B.** To form the feminine singular of most adjectives, simply add **e** to the masculine singular.[2]

français   française   amusant   amusante

**C.** If a masculine adjective ends in **e,** the feminine form is identical.

Paul est **sympathique** et Virginie est **sympathique** aussi.

**D.** Certain adjectives do not derive the feminine singular form in the regular manner. These irregular feminine formations are summarized as follows.

| Masculine Ending | Feminine Ending | Examples Masculine | Feminine |
| --- | --- | --- | --- |
| mute **e** | mute **e** | facile | facile |
|  |  | jeune | jeune |
| *Double consonant* + e |  |  |  |
| -el | -elle | cruel | cru**elle** |
| -eil | -eille | pareil | par**eille** |
| -il | -ille | gentil | gent**ille** |
| -en | -enne | anci**en** | anci**enne** |
| -on | -onne | bon | b**onne** |
| -s | -sse | gros | gro**sse** |
| -et | -ette | net | n**ette** |

| Masculine Ending | Feminine Ending *Other Patterns* | Examples Masculine | Feminine |
| --- | --- | --- | --- |
| -et | -ète | compl**et** | compl**ète** |
|  |  | secr**et** | secr**ète** |
| -er | -ère | cher | ch**ère** |
|  |  | dern**ier** | dern**ière** |
| -eux | -euse | nombr**eux** | nombr**euse** |
|  |  | ennuy**eux** | ennuy**euse** |
| -eur | -euse | ment**eur** | ment**euse** |
|  |  | tromp**eur** | tromp**euse** |
| -eur | -rice | conservat**eur** | conservat**rice** |
|  |  | protect**eur** | protect**rice** |
| -f | -ve | acti**f** | acti**ve** |
|  |  | neu**f** | neu**ve** |

**E.** A few adjectives are totally irregular in the feminine form. For example:

long **longue** fou **folle** frais **fraîche**

**F.** The following adjectives have an alternate form to be used before a masculine singular word beginning with a vowel or a mute **h.**

| Masculine | Feminine | Alternative Form | Example |
|---|---|---|---|
| beau | belle | bel | un **bel** homme |
| nouveau | nouvelle | nouvel | un **nouvel** emploi |
| vieux | vieille | vieil | un **vieil** ami |

**G.** To form the plural of most adjectives, add **s** to the singular.

| Masculine | | Feminine | |
|---|---|---|---|
| Singular | Plural | Singular | Plural |
| amusant | amusant**s** | amusante | amusante**s** |
| réel | réel**s** | réelle | réelle**s** |
| neuf | neuf**s** | neuve | neuve**s** |

- If a single adjective modifies two nouns, one masculine and one feminine, the adjective will be in the *masculine plural* form.

  Le frère et la sœur sont **intelligents.**
  Les disques compacts et les soirées sont **importants** pour les jeunes.

**H.** Certain adjectives have irregular forms in the plural.

| Singular Ending | Plural Ending | Examples | |
|---|---|---|---|
| | | Singular | Plural |
| -s | -s | frais | frais |
| | | gros | gros |
| -x | -x | heureux | heureux |
| | | dangereux | dangereux |
| -eau | -eaux | beau | be**aux** |
| -al | -aux | internation**al** | internation**aux** |
| | | loy**al** | loy**aux** |

- The feminine plural of these adjectives is regular.

  fraîche  fraîche**s**  loyale  loyale**s**  heureuse  heureuse**s**

**5** Refaites les phrases suivantes en ajoutant les adjectifs indiqués.

1. Sur notre campus, il y a une _____ bibliothèque. (grand)
2. J'ai des cours _____. (intéressant)
3. Nous avons beaucoup de programmes _____. (international)
4. Ma copine cherche une _____ colocataire. (nouveau)
5. Je n'ai pas de cours _____. (ennuyeux)
6. Ma meilleure amie est très _____. (sportif)
7. Mon cours de sociologie est assez _____. (facile)
8. Les jeunes filles de ce club sont toutes _____. (gentil)
9. Mes parents vont m'offrir une voiture _____. (neuf)
10. Je dois chercher un _____ emploi pour le semestre prochain. (nouveau)

**6** En utilisant les adjectifs de la liste suivante, complétez les phrases pour décrire les personnes indiquées.

| Adjectifs: | actif | amusant | beau | ennuyeux | gentil |
| | grand | indépendant | indulgent | intelligent | loyal |
| | nombreux | nouveau | petit | sévère | sportif |
| | sympathique | ??? | | | |

1. Mon patron est...
2. Ma famille est...
3. En général, je trouve mes professeurs...
4. Mon meilleur ami / Ma meilleure amie est plutôt...
5. J'ai des amis qui sont...
6. Mon professeur de [nom du cours] est...
7. Je déteste les personnes qui sont...
8. Mon professeur de français est...

# INTERACTIONS

**Une personne importante.** Faites le portrait d'une personne que vous admirez et qui continue à vous influencer. Les autres étudiants vont vous poser des questions pour avoir une idée plus précise de cette personne. Employez les adjectifs de votre lexique personnel.

## Position of Adjectives

**A.** Most French adjectives follow the nouns they modify.

un ami **content**

une soirée **amusante**

des emplois **intéressants**

des amies **loyales**

The following adjectives are exceptions because they normally precede the noun.[3]

| autre | un **autre** copain | jeune | un **jeune** ami |
| beau | un **beau** vélo | joli | un **joli** cadeau |
| bon | un **bon** repas | long | une **longue** soirée |
| court | une **courte** distraction | mauvais | un **mauvais** garçon |
| gentil | un **gentil** copain | meilleur | mon **meilleur** ami |
| grand | un **grand** terrain | nouveau | une **nouvelle** voiture |
| gros | un **gros** monsieur | petit | une **petite** fille |
| haut | une **haute** montagne | vieux | un **vieux** quartier |

[3]Remember, when one of these preceding adjectives is used in the plural, the partitive article **des** changes to **de**: *de* **petits animaux,** *de* **bonnes distractions.** This rule, however, is often not observed in everyday speech.

**B.** When there is more than one adjective modifying a noun, each adjective assumes its normal position.

une femme **intelligente** et **importante**

une **jeune** femme **intelligente**

une **gentille jeune** femme

- Note that when two adjectives follow the noun, they are generally linked by **et.** But when two adjectives precede the noun, **et** is normally not used.

**C.** Some adjectives change meaning according to whether they are placed before or after a noun. When they follow the noun, these adjectives are used in a literal sense, but when they are placed before the noun, they are used more figuratively and form a logical unit with the noun they modify.

| Adjective | After Noun | | Before Noun | |
|---|---|---|---|---|
| ancien(ne) | *ancient* | un bâtiment **ancien** *an **ancient** building* | *former* | un **ancien** professeur *a **former** teacher* |
| bon(ne) | *kind* | un homme **bon** *a **kind** man* | *enjoyable* | une **bonne** soirée *a **good** party* |
| cher(-ère) | *expensive* | une robe **chère** *an **expensive** dress* | *dear* | ma **chère** amie *my **dear** friend (to address someone)* |
| dernier(-ère) | *preceding* | la semaine **dernière** *last (preceding) week* | *final* | la **dernière** fois *the **last** time* |
| grand(e) | *tall* | un enfant **grand** *a **tall** child* | *great* | un **grand** acteur *a **great** actor* |
| pauvre | *penniless* | un lycéen **pauvre** *a **poor** (penniless) student* | *unfortunate* | un **pauvre** chat *a **poor** (to be pitied) cat* |
| prochain(e) | *next* | la semaine **prochaine** ***next** week* | *following* | la **prochaine** fois *the **next** (following) time* |
| propre | *clean* | sa chemise **propre** *his **clean** shirt* | *own* | son **propre** frère *his **own** brother* |

# RAPPEL!

1. Most French adjectives follow the nouns they modify.
2. There are several adjectives that precede the noun.
3. A few adjectives change meaning depending on whether they are placed before or after the noun.

**7** Un groupe de jeunes Français se retrouve au café où on parle de choses et d'autres *(this and that)*. Insérez les adjectifs entre parenthèses aux endroits appropriés.

MODELE  Mon copain a une voiture. (nouveau)
*Mon copain a une nouvelle voiture.*

1. Jean a raté son examen de philo? C'est un garçon qui n'a jamais de chance. (pauvre)
2. Roberta et Sylvia? Ce sont des amies de Nicole. (bon / américain)
3. Marc veut une moto. (gros / allemand)
4. M. Martin? C'est mon prof de lycée. (ancien)
5. Julien et Laura ont trouvé un appartement. (beau / moderne)
6. Des billets pour le concert d'Alicia Keyes. Pas question! Nous ne sommes que des étudiants. (pauvre)
7. Ah, regardez! Voilà la copine de Paul. (nouveau)
8. Pour la soirée chez Jacques, je vais mettre une robe. (joli / noir)
9. Laura a acheté un portable. (cher)
10. Quand est-ce qu'il va avoir lieu, notre examen? (prochain)

**8** Employez des adjectifs pour décrire les personnes indiquées dans les circonstances suivantes.

MODELE  votre colocataire / quand il (elle) fait quelque chose que vous n'aimez pas
*Elle est bête et méchante.*

1. vous / quand vous vous réveillez
2. vos amis / à une soirée
3. vous / avant un examen
4. votre famille / en vacances
5. vous / quand vous sortez avec quelqu'un pour la première fois
6. votre prof de français / quand on ne rend pas les devoirs
7. vous / quand vous rencontrez une personne inconnue à une soirée
8. vos parents / quand vous rentrez très tard

# INTERACTIONS

**Ma personnalité.** Choisissez quatre adjectifs qui décrivent votre personnalité. Comparez ces caractéristiques à celles de vos voisin(e)s de classe et essayez de trouver quelqu'un avec qui vous partagez au moins deux traits en commun. Parmi ces adjectifs, lesquels décrivent également un grand nombre de vos autres voisin(e)s de classe? A partir de ces comparaisons, pouvez-vous faire un portrait type des jeunes Américains?

# L'héritage culturel

Claude Monet, *Nymphéas, Giverny*

## *L'impressionnisme*

L'impressionnisme est le nom donné à un mouvement artistique qui se développe en France pendant la seconde moitié du dix-neuvième siècle. C'est une forme d'art qui consiste à rendre les impressions sans insister sur la description des détails. Les impressionnistes privilégient la suggestion et l'évocation dans leurs œuvres.

### En peinture

- Une nouvelle génération veut donner une image plus fidèle et vivante des personnes et des choses.
- Ces peintres représentent les objets selon leurs impressions personnelles, même s'il faut scandaliser la presse et le public en allant contre les règles de la peinture traditionnelle. Les tableaux de Claude MONET (1840–1926) symbolisent ce désir de rompre avec la rigide formalité de l'art officiel de son époque.
- La grande originalité des impressionnistes est de peindre et de finir leurs tableaux en plein air pour saisir une impression souvent fugitive de la nature qui change constamment sous les effets de la lumière naturelle.

### En musique et en poésie

- Les compositions pour piano et pour orchestre de Claude DEBUSSY (1862–1918) donnent à la musique française un nouveau langage. Le langage musical impressionniste est subtil et dominé par les nuances.
- Dans la musique impressionniste, les sensations sont plus importantes qu'une conception raisonnée ou mathématique de la musique.
- Pour le poète Paul VERLAINE (1844–1896), ce sont les impressions ou les sentiments qui comptent plus que la précision des images poétiques ou les règles traditionnelles de la versification.
- VERLAINE s'inspire de la musique pour donner à sa poésie un pouvoir de suggestion. Il réussit de véritables transpositions musicales des vers par des rythmes légers et doux et des sonorités souvent associées au mode mineur *(minor key)* qui suggère généralement la tristesse.
- DEBUSSY et VERLAINE expriment leur sensibilité par des images délicates et par des nuances, comme les peintres impressionnistes. Certains vers du poète ont même inspiré au compositeur un morceau de musique célèbre, *Clair de lune*.

# Il pleure dans mon cœur... (par Paul Verlaine)

*Il pleure dans mon cœur*
*Comme il pleut sur la ville,*
apathie, mélancolie     *Quelle est cette langueur°*
*Qui pénètre mon cœur?*
*O bruit doux de la pluie*

*Par terre et sur les toits!*
*Pour un cœur qui s'ennuie,*
*O le chant de la pluie!*
*Il pleure sans raison*
est sans courage     *Dans ce cœur qui s'écœure°,*
chagrin d'amour     *Quoi! nulle trahison°?*
affliction causée par la     *Ce deuil° est sans raison.*
mort de quelqu'un

*C'est bien la pire peine*
*De ne savoir pourquoi,*
*Sans amour et sans haine,*
*Mon cœur a tant de peine!*

Source: *Romances sans paroles*, 1874

## Compréhension

1. Quels sont certains domaines de l'art où se manifeste l'esprit impressionniste?
2. Vers quelle époque le mouvement impressionniste a-t-il évolué?
3. Pourquoi ce style d'art s'appelle-t-il l'impressionnisme?
4. Pourquoi les impressionnistes ont-ils tendance à peindre leurs tableaux en plein air?
5. Quels éléments de la musique de Debussy sont comparables au style des impressionnistes en peinture?
6. Pourquoi dit-on que la poésie de Verlaine ressemble à de la musique?

## Réflexion

A. Dans la première strophe (les 5 premiers vers) du poème, quel est le seul élément que Verlaine emprunte à la nature? Quelle correspondance y a-t-il entre le paysage suggéré et le sentiment qui domine l'esprit du poète?

B. Dans la deuxième strophe, Verlaine fait un rapprochement entre la poésie et la musique. Quelle sorte de musique est évoquée par le poème? Quelle sorte de chanteur ou de musicien pouvez-vous suggérer comme interprète idéal du poème de Verlaine?

# Renoir: *Le Déjeuner des canotiers*

Auguste RENOIR (1841–1919) est un peintre impressionniste français connu dans le monde entier. Les sujets préférés de Renoir sont le paysage, les portraits (personnages et nus) et les compositions avec des personnages représentés dans la vie de tous les jours.

Auguste Renoir, *Le Déjeuner des canotiers*

## Compréhension

1. Qui est Auguste Renoir? Les tableaux de Renoir représentent surtout quels sujets?

2. Il ne faut pas oublier que c'est d'abord par dérision que leurs contemporains appellent *impressionnistes* les artistes du goupe animé par Monet et Renoir. Suggérez au moins trois éléments du *Déjeuner des canotiers* qui annoncent la *modernité* de Renoir.

## Réflexion

A. Que font les personnages de Renoir au moment où il les peint dans *Le Déjeuner des canotiers* (étudiez le titre)? Quel âge ont-ils à peu près? Comment sont-ils habillés? Que font-ils dans la vie, à votre avis? Que peut-on apprendre sur cette époque (la fin du dix-neuvième siècle) en regardant la toile de Renoir?

B. On présente souvent l'impressionnisme comme un mouvement révolutionnaire en rupture avec les conventions de l'art officiel de cette époque souvent sombre, réaliste ou moraliste. Chez Renoir, Debussy et Verlaine, quels sont les sujets traités ou les techniques utilisées qui méritent d'être appelés *modernes*?

# Structures II

## Il / Elle est and c'est

The structures **il / elle est** and **c'est** can all mean *he / she / it is.* However, the two constructions are not interchangeable. Certain grammatical situations require choosing between **il / elle est** and **c'est.** These constructions are outlined as follows.

[footnote marker 4]

| | |
|---|---|
| **il / elle est** + adjective referring to a specific person or thing | J'aime ce vin. **Il est** bon.<br>Je préfère cette boulangerie. **Elle est** excellente. |
| **il / elle est** + unmodified noun referring to a profession | **Il est** marchand. |
| **il / elle est** + adjective referring to nationality, political affiliation, or religious persuasion | **Elle est** française.[4]<br>**Il est** protestant. |

[4]A noun indicating nationality is usually capitalized **une Française.** Adjectives of nationality are not: **une femme française.**

- Note that the article **un / une** is omitted before *unmodified* nouns of profession.

| | |
|---|---|
| **c'est** + proper noun | **C'est** Monsieur Dupont.<br>**C'est** Marie. |
| **c'est** + pronoun | **C'est** moi.<br>**C'est** elle. |
| **c'est** + masculine adjective referring to an idea or situation | Jacques mange trop, **c'est** vrai.<br>Ces légumes ne sont pas bons, **c'est** certain.<br>La salade n'est pas fraîche, **c'est** évident. |
| **c'est** + modified noun | **C'est** un bon vin.<br>**C'est** une boulangerie excellente.<br>**C'est** un professeur intéressant**.**<br>**C'est** une Française cosmopolite.<br>**C'est** le directeur du département. |

- Note that **c'est** is used with *any modified noun*, including nouns of profession, nationality, political party, or religious persuasion. The article immediately preceding the noun is considered a modifier.

## RAPPEL!

To state a person's profession, nationality, political affiliation, or religious persuasion, you may choose either **il / elle est** or **c'est un(e).** Remember to omit the indefinite article if you choose **il / elle est** and to retain it if you choose **c'est.** If the noun is modified by an adjective, you must use **c'est un(e).**

—Qui est cet homme là-bas?    BUT:    **C'est** un marchand.
—**Il est** marchand.         **C'est** un marchand de la rue Victor Hugo.

These distinctions also apply to the plural forms of both constructions: **ils / elles sont** and **ce sont.**

J'aime ces vins. **Ils sont** bons.
J'aime bien les Dupont. Ils sont professeurs. **Ce sont** de bons linguistes.

**1** Vous faites une promenade dans votre quartier avec un étudiant suisse qui passe le semestre dans votre université. Il pose beaucoup de questions. Complétez vos réponses en utilisant **c'est, ce sont, il / elle est** ou **ils / elles sont.**

—Ce magasin en face de nous, qu'est-ce que c'est?

—_____ une espèce d'hypermarché. _____ très grand.

—Et cette voiture? Qu'est-ce que c'est?

— _____ une Lexus. _____ belle, non? Et _____ rapide aussi.

—Le «Mountain Dew», c'est quoi?

—Oh, ça, _____ une boisson. _____ assez bonne.

—Qui est la personne à qui tu fais signe?

—M. (Mme / Mlle)..., _____ mon professeur de français. _____ très gentil(le).

—Dis, ce grand bâtiment devant nous, c'est quoi?

—_____ une des résidences universitaires. _____ grande, mais _____ assez vieille.

—Et toutes ces personnes là-bas?

—Ah, _____ mes copains. _____ sympas. _____ étudiants en deuxième année, comme moi. Ah, voilà aussi Lisa. _____ ma meilleure copine. Viens, on va déjeuner ensemble.

—D'accord. Mais le grand type mince, là. C'est le type avec qui tu partages ton appart?

—Oui, _____ lui. _____ un étudiant de troisième année.

## Possessive Adjectives

The possessive adjectives in French are equivalent to the English terms *my, your, his, her, its, our, their.*

| One Possessor | Single Possession | Plural Possessions |
|---|---|---|
| *my* | mon *(m)* ma *(f)* | mes |
| *your* (for **tu**) | ton *(m)* ta *(f)* | tes |
| *his / her / its* | son *(m)* sa *(f)* | ses |

| More Than One Possessor | Single Possession | Plural Possessions |
|---|---|---|
| *our* | notre *(m & f)* | nos |
| *your* (for **vous**) | votre *(m & f)* | vos |
| *their* | leur *(m & f)* | leurs |

**Mon** ami et **ma** cousine adorent **mes** parents.
**Ton** père et **ta** mère parlent à **tes** amies.
**Son** frère apporte **ses** affaires, mais **sa** sœur n'apporte rien.
**Notre** chien et **notre** enfant restent chez **nos** parents.
**Votre** vélo et **votre** cercle d'amis constituent **vos** distractions préférées.
**Leur** frère et **leur** sœur n'habitent plus chez **leurs** parents.

The forms **mon, ton, son** are also used before a feminine word beginning with a vowel or a mute **h** for the purpose of pronunciation.

**mon** amie      **ton** histoire      **son** école

# RAPPEL!

1. French possessive adjectives agree in gender and number with the thing or person possessed, *not* with the possessor.

   **sa sœur**   *his or **her sister***       **son** vélo   *his or **her bicycle***

2. You must repeat the appropriate possessive adjective before each noun in a series to avoid ambiguity.

   **son père** et **son frère**       *her father and brother*

3. The choice between **son, sa, ses**, and **leur, leurs** often poses a problem for English speakers. Remember: when **son, sa,** and **ses** are used, there is only one possessor who may possess one thing (**son vélo**) or more than one thing (**ses livres**). When **leur, leurs** are used, there is more than one possessor, but they may possess one thing among them (**leur maison**) or more than one thing (**leurs enfants**).

**2** Dans les résidences universitaires françaises, normalement les étudiants habitent seuls dans leur chambre. Ce n'est pas toujours le cas dans les universités nord-américaines. Vous parlez à une étudiante française de la personne avec qui vous partagez votre chambre. Utilisez les adjectifs possessifs appropriés pour compléter la description.

1. J'aime bien _____ copine.
2. Nous partageons _____ chambre, mais nous ne partageons pas _____ affaires.
3. Elle a _____ propre bureau où elle met _____ livres et _____ chaîne stéréo.
4. Les parents de _____ camarade habitent loin d'ici. Ils écrivent souvent et _____ lettres sont toujours amusantes. _____ fille aînée est médecin.
5. Quelquefois il y a un problème avec les amis de _____ copine. Ils viennent trop souvent passer du temps dans _____ chambre et ils laissent _____ affaires partout.
6. Elle a même un ami qui laisse _____ bicyclette dans la chambre et une copine qui met _____ bouteilles d'eau minérale dans _____ réfrigérateur. Mais, normalement, nous nous entendons bien.

## INTERACTIONS

En petits groupes, posez les questions suivantes à vos voisin(e)s de classe. Après chaque réponse, posez une autre question pour avoir des renseignements supplémentaires.

1. Comment est ta famille? Comment sont tes frères et tes sœurs?
2. Tu t'entends bien avec tes parents?
3. Tes copains sont gentils?
4. Ton / Ta meilleur(e) ami(e) habite près de chez toi?
5. Tu as ta propre voiture?
6. Tu sors souvent avec tes copains ou avec tes colocataires?
7. Tu sors le week-end avec ton / ta petit(e) ami(e)?
8. Tu réfléchis déjà à ta carrière?

La Smart: la voiture de rêve!

## Demonstrative Adjectives

The French demonstrative adjectives are equivalent to the English *this, that, these, those.* As with other adjectives in French, demonstrative adjectives must agree in gender and number with the nouns they modify.

|  | Singular |  | Plural |  |
| --- | --- | --- | --- | --- |
| Masculine | ce (cet) | *this, that* | ces | *these, those* |
| Feminine | cette |  | ces |  |

J'achète **ce** livre avec **cet** argent.
Elle aime **cette** chambre et **ces** affaires.

The alternate form **cet** is used before a masculine singular noun beginning with a vowel or a mute **h.**

**cet** emploi
**cet** homme

Cet homme est homme d'affaires.

# RAPPEL!

In English, the distinction between *this* and *that* or *these* and *those* is based on the context of the sentence. In French, you add **-ci** and **-là** after the nouns only when you wish to make a direct comparison between the two elements or stress the distance between yourself and a person or object.

| | |
| --- | --- |
| **Ce CD** est bien. | *This (That) CD is good.* |
| **Ce garçon** est mon frère. | *That (This) boy is my brother.* |
| BUT: | |
| **Ce garçon-ci** est mon ami, et ce garçon-là est mon frère. | *This boy is my friend, and **that boy** is my brother.* |
| Tu vois **ce livre-là?** Il coûte cher! | *Do you see **that book (there)**? It's expensive!* |

**3** Vous êtes dans un centre commercial avec une étudiante française. Utilisez la forme nécessaire de l'adjectif démonstratif pour compléter la conversation suivante.

—Il y a des vêtements formidables dans _____ magasins. Regarde _____ chemise. Tu préfères _____ chemise ou _____ blouson?

—Je n'aime pas tellement _____ blouson _____; je préfère _____ blouson _____.

—Remarque, il y a aussi _____ vestes en promotion. Je peux peut-être acheter _____ veste rouge, mais _____ veste bleue est encore trop chère, même en solde. Pourtant _____ prix sont en général plus intéressants que les prix des vêtements en France.

—Alors, est-ce que tu vas acheter tous _____ vêtements ou seulement _____ chemise?

—Je pense acheter seulement _____ blouson et _____ veste aujourd'hui. Je veux revenir dans _____ magasins avant mon départ.

# SYNTHESE

**A.** Utilisez une variété d'adjectifs pour faire la description des personnes et des choses indiquées.

1. Comment est votre frère ou votre sœur?

2. Avez-vous un(e) cousin(e) favori(te)? Comment est-il / elle?

3. Comment sont vos parents?

4. Avez-vous un animal familier (un chien, un chat, un perroquet, un poisson)? Comment est-il / elle?

5. Décrivez votre voiture.

6. Comment est votre prof de français? Votre prof de...?

7. Décrivez votre maison, votre appartement ou votre chambre.

8. Faites la description du / de la colocataire idéal(e), du / de la petit(e) ami(e) idéal(e) et du professeur idéal.

**B.** Roger écrit à son ancien colocataire. Complétez sa lettre en donnant la forme appropriée de l'adjectif possessif.

*Salut Jules,*

*Ça fait longtemps que je ne reçois plus de _____ nouvelles. Comment vas-tu? Et _____ études, _____ travail, _____ petite amie? Moi, je vais très bien. _____ nouvelle voiture est cool! _____ cours ne sont pas trop difficiles cette année. J'aime toujours bien _____ appartement.*

*Cette année, Paul a beaucoup de problèmes. Il n'aime pas _____ profs. _____ chambre à la résidence universitaire est trop petite. Il a aussi des problèmes avec _____ amie. Bref, il ne va pas très bien.*

*Tout va bien chez mes parents. _____ nouvelle maison est très belle et pas trop grande. _____ amis apprécient beaucoup la piscine.*

*Tu vas bientôt m'écrire à propos de _____ nouvelle vie là-bas, n'est-ce pas? _____ commentaires sur la vie me manquent et _____ sens de l'humour aussi.*

*Amicalement,*
*Roger*

**C.** Donnez le nom des personnes qui suivent en utilisant **c'est / ce sont** dans vos phrases. Ensuite, décrivez ces personnes en faisant deux phrases avec **il / elle est** ou **ils / elles sont**.

MODELE   votre frère
           *C'est Rémi.*
           *Il est étudiant. Il n'est pas marié.*

1. votre professeur de français
2. vos parents
3. votre petit(e) ami(e)
4. votre camarade de chambre
5. vos meilleurs copains
6. votre frère ou votre sœur
7. votre parent(e) *(relative)* favori(te)
8. votre acteur / actrice préféré(e)
9. votre groupe ou votre chanteur / chanteuse préféré(e)
10. votre professeur de...

# INTERACTIONS

**Un symbole important.** Une «mob», comme dans la photo ci-dessous, représente plus qu'un moyen de transport pour les adolescents français. C'est un signe extérieur de prestige et un symbole d'indépendance. Avec un(e) camarade de classe, choisissez deux symboles de prestige et d'indépendance pour les étudiants de votre âge. Préparez-vous à expliquer vos choix. Ensuite, comparez vos choix à ceux des autres étudiants. Sur quels symboles est-ce que la plupart des étudiants sont d'accord?

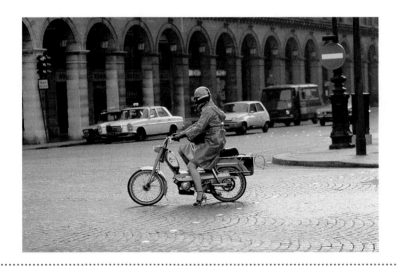

# Note culturelle

## La génération «zapping»

Les 15 à 24 ans d'aujourd'hui représentent une génération de transition. Ils ont grandi dans une période de transition marquée par l'essor de la technologie et le développement de la mondialisation. Ils sont nés Français mais ils vont mener leur vie d'adultes en tant qu'Européens. De plus en plus des membres de cette génération vivent dans des familles monoparentales ou recomposées. Ils sont parfois désorientés par les transitions qu'ils doivent aborder aussi bien que par un manque de stabilité dans le monde et dans leur vie. C'est peut-être pour cela que les centres d'intérêts de cette génération sont multiples, éclectiques et éphémères. Ils changent de passe-temps, de musique et de loisirs comme ils changent souvent de chaîne à la télévision. S'ils sont parfois pessimistes et blasés, ils sont aussi tolérants et pragmatiques. Ils forment des liens avec les autres et le cercle d'amis représente une valeur primordiale. Pour cette «génération zapping», la communication, la consommation, l'agitation et la fête sont des façons de vivre.

### Compréhension

1. Résumez les transitions importantes dans la vie des jeunes en France.
2. En quoi les jeunes Français d'aujourd'hui manifestent-ils des tendances contradictoires?
3. Expliquez le terme «génération zapping».
4. Quelles occupations constituent des façons de vivre pour les jeunes en France?

### Réflexion

A. Etes-vous d'accord avec l'idée que nous ne vivons plus dans une civilisation du travail mais dans une civilisation de la consommation et des loisirs? Quels arguments peut-on donner pour ou contre ce point de vue?

B. Dressez le portrait des jeunes Américains. Décrivez leurs attitudes, leurs préoccupations, leurs rapports avec les autres et leurs loisirs. Comparez ce portrait des jeunes aux Etats-Unis avec la description de la «génération zapping» en France.

### Adverbs

An adverb modifies a verb, an adjective, or another adverb. It tells *how* something is done.

| | |
|---|---|
| Il parle **facilement.** | *He speaks **easily.*** |
| Il est **finalement** convaincu. | *He is **finally** convinced.* |
| Elles parlent **terriblement** vite. | *They speak **terribly** (**very**) quickly.* |

In English, most adverbs are easily recognized by the *-ly* ending. In French, many adverbs end in **-ment.** Unlike adjectives, which must reflect the gender and number of the nouns they modify, adverbs show no agreement.

## Formation of Adverbs

To form most adverbs in French, add **-ment** to the feminine form of the adjective.

| Masculine Adjective | Feminine Adjective | Adverb |
|---|---|---|
| final | finale | finale**ment** |
| cruel | cruelle | cruelle**ment** |
| premier | première | première**ment** |
| curieux | curieuse | curieuse**ment** |
| actif | active | active**ment** |
| long | longue | longue**ment** |
| rapide | rapide | rapide**ment** |

Certain exceptions to the regular formation of adverbs are summarized as follows.

| Adjective Ending | Irregularity | Adjective | Adverb |
|---|---|---|---|
| -i | no **e** added | vrai | vrai**ment** |
| -u | no **e** added | absolu | absolu**ment** |
| -ant | -amment | brillant | brill**amment** |
| | | constant | const**amment** |
| -ent | -emment[5] | évident | évid**emment** |
| | | patient | pati**emment** |
| | | fréquent | fréqu**emment** |

[5]The **-emment** ending is pronounced the same way as the **-amment** ending.

A few adverbs have completely irregular stems.

| Masculine Adjective | Feminine Adjective | Adverb |
|---|---|---|
| bref | brève | **brièvement** |
| gentil | gentille | **gentiment** |

A few important adverbs are completely different from their corresponding adjectives.

| Adjective | Adverb | Adjective | Adverb |
|---|---|---|---|
| bon | **bien** | meilleur | **mieux** |
| mauvais | **mal** | petit | **peu** |

# RAPPEL!

You must be aware of the distinction between describing something and telling *how* something is done. Note that **être** is normally followed by an adjective.

| | |
|---|---|
| Ce repas est **bon**. | Elle fait **bien** la cuisine. |
| Ce concert est **mauvais**. | Le groupe chante **mal**. |
| Ce groupe est **actif**. | Ils jouent **activement**. |
| Son frère est **petit**. | Il parle **peu**. |

Here are some commonly used adverbs.

| Time | Place | Frequency | Quantity |
|------|-------|-----------|----------|
| aujourd'hui | ici | déjà | assez |
| demain | là | enfin | beaucoup |
| hier | là-bas | jamais | peu |
| maintenant | nulle part | quelquefois | trop |
| tard | partout | souvent | |
| tôt | quelque part | toujours | |
| vite | | | |

## Position of Adverbs

The usual position for adverbs used with simple tenses (present, imperfect, simple future, etc.) is directly following the conjugated verb.

Il finit **facilement** ses devoirs.
Elles répondent **bien** aux questions.
Nous terminons **toujours** à neuf heures.

Many adverbs of time, place, frequency, and manner may also be placed at the beginning or the end of a sentence.

**Demain,** nous allons partir.
Nous allons partir **demain.**

Any adverb that depends on the verb for its meaning, such as adverbs of quantity, must be placed directly after the verb.

Il parle **assez** en cours.
Vous allez **trop** au café.
Elles aimeraient **beaucoup** nous accompagner.
Je fais **mieux** la cuisine.

# RAPPEL!

In French an adverb can never be placed after the subject, as is often done in English.

| | |
|---|---|
| I **finally** speak French. | Je parle **enfin** le français. |
| The Martins **always** arrive on time. | Les Martin arrivent **toujours** à l'heure. |
| He **already** knows the truth. | Il sait **déjà** la vérité. |

4 Comment agissent-ils *(act)*? Chaque phrase complète contient un adjectif. Remplissez le blanc avec l'adverbe correspondant.

1. Paul a un petit appétit. Il mange _____.
2. Ma mère est très patiente. Elle écoute _____.
3. Mon prof de français est gentil. Il répond _____ à nos questions.
4. Ce groupe de rock est mauvais. Les musiciens jouent _____.
5. Mon copain est un étudiant brillant. Il réussit _____ aux examens.
6. Sting est un bon chanteur. Il chante _____.
7. Je vais avoir une conversation très brève avec mon prof. Je parle toujours _____ aux profs.
8. Mon / Ma colocataire a un problème sérieux. Nous parlons _____.

**5** Ajoutez un adverbe de la liste à chacune des affirmations suivantes pour décrire vos activités et celles de vos amis.

**Adverbes:** beaucoup, bien, déjà, fréquemment, lentement, mal, peu, rarement, souvent, toujours,???

1. Je danse.
2. Mes copains sortent pendant la semaine.
3. En cours de français, on parle français.
4. Les étudiants font des soirées.
5. Vous vous amusez en classe.
6. Les jeunes sortent en groupe.
7. Mes amis et moi, nous bavardons au téléphone.
8. Mon prof de… comprend les problèmes des étudiants.
9. Nous pensons aux vacances.
10. Mon meilleur ami / Ma meilleure amie m'écrit des lettres.

Nous pensons aux vacances!

# POUR S'EXPRIMER
## A l'écoute

CD1, Track 7

### Mise en scène

Ecoutez d'abord l'interview «Les jeunes s'amusent», puis faites les activités qui suivent.

**Contexte:** Un journaliste parisien doit faire une série de reportages sur les jeunes Français d'aujourd'hui. Il se rend donc dans la rue pour enregistrer des jeunes qui veulent bien répondre à ses questions. Il s'approche des enfants Dumont—Philippe, Béa et Bruno.

### Avant d'écouter

1. Que faites-vous pour vous amuser avec vos copains?
2. Combien dépensez-vous environ par semaine pour les loisirs?
3. Recevez-vous encore de l'argent de poche de vos parents?
4. Avez-vous votre propre voiture? Si oui, depuis quand?

### Compréhension

1. Faites une liste des activités que Béatrice, Bruno et Philippe font avec leurs amis. Comment s'amusent les jeunes du même âge (douze, seize et dix-huit ans) que vous connaissez?
2. Béatrice dit qu'elle attend désespérément le jour où Philippe va savoir conduire, car elle veut prendre sa «mob». Dans le contexte du dialogue, qu'est-ce qui vous aide à comprendre le mot «mob»?
3. Pour s'adresser individuellement aux trois jeunes Français, le journaliste choisit entre la forme «vous» et la forme «tu». Qui vouvoie-t-il? Qui tutoie-t-il? Est-ce qu'il change de pronom quelquefois? Essayez d'expliquer pourquoi.
4. On fait une enquête sur la vie sociale des étudiants. Créez un dialogue en jouant le rôle du journaliste et des jeunes Français et interviewez vos camarades.

## A vous la parole

Voici une liste d'expressions employées pour exprimer votre accord ou votre désaccord. Lisez les phrases suivantes et répondez en utilisant les expressions de la liste.

| D'accord | Pas d'accord |
|----------|--------------|
| En effet. | Alors, là... |
| Entendu. | C'est possible, mais... |
| Excellente idée. | Ecoute! |
| Oui, bien sûr! | Eh bien, moi... |
| Oui, oui, ça va. | Mais non! |
| Pas de problème! | Pas du tout! |
| Super! | Pas question! |

MODELE —Tu peux m'aider pour mes devoirs de français?
         *—Oui, bien sûr! Tu es libre jeudi après-midi?*
  ou: *—C'est possible, mais je ne suis libre que vers quatre heures.*

1. Tu veux faire des recherches avec moi à la bibliothèque lundi soir?
2. On va au match de football ensemble samedi après-midi?
3. Est-ce que je peux prendre ta voiture pour le week-end?
4. Je suis sûr(e) que tu vas prendre une chambre à la cité universitaire l'année prochaine.
5. Tu veux sortir avec mon / ma colocataire samedi soir, n'est-ce pas?
6. Mon copain / Ma copine vient passer le week-end et il / elle va dormir dans notre chambre.
7. Je vais te retrouver au restaurant universitaire à midi.
8. Est-ce que je peux mettre ton nouveau pull-over pour la soirée?
9. Tu veux nous accompagner au festival du film étranger?
10. ???

On fait du sport ce week-end?

## Situations orales

**A.** En petits groupes, composez trois ou quatre phrases pour décrire la vie des jeunes adultes nord-américains. Ensuite, présentez les idées de votre groupe aux autres qui vont expliquer pourquoi ils sont d'accord ou pas.

**B.** Parlez de trois aspects intéressants de la vie des jeunes adultes en France. A partir de vos idées, vos camarades vont composer des phrases pour comparer la vie des Français et des Nord-Américains de cet âge.

# Structures III

## The Comparative and Superlative of Adjectives

### The Comparative (to compare two elements)

To form the comparative of adjectives, place **plus, moins,** or **aussi** before the adjective and **que** after the adjective. The adjective must agree in gender and number with the first of the two nouns or pronouns used in the comparison.

| **plus... que** | *more . . . than* | Ces cafés sont **plus intéressants que** les autres. |
| **moins... que** | *less . . . than* | Lucien est **moins bavard que** Marie. |
| **aussi... que** | *as . . . as* | Je suis **aussi intelligente que** toi. |

The adjective **bon** has an irregular comparative form, **meilleur** *(better)*, that shows all standard gender and number agreements.

Ce café-ci est **meilleur** que ce café-là.

Les boissons ici sont **meilleures** que là-bas.

- Note that **aussi** may be replaced by **si** in a negative sentence.

  Cette actrice n'est pas **si** amusante **que** l'autre.

When preceding a noun and comparing amounts or quantities, **plus que, moins que,** and **aussi que** become **plus de** *(more than)*, **moins de** *(less than)*, and **autant de** *(as much* or *as many as)*.

### The Superlative (highest degree of comparison)

To form the superlative of adjectives, place the appropriate definite article and **plus** or **moins** before the adjective and **de** after the adjective.

Il est **le plus intelligent de** la classe.

Cette voiture est **la moins chère de** toutes les voitures.

Nos amis sont **les plus loyaux du** monde.

# RAPPEL!

1. When a noun is included in the superlative construction, the adjective is placed in its normal position and shows the appropriate agreement. If the adjective normally precedes the noun, the superlative construction is similar to the English superlative.

> C'est **la plus belle étudiante** de la classe.

> Ce sont **les meilleures distractions** de la ville.

If the adjective normally follows the noun, its complete superlative form, including the appropriate definite article, must follow the noun. The noun itself will still be preceded by its own definite article or possessive adjective.

> C'est **le livre le plus intéressant** de tous.

> C'est **le moment le moins heureux** de ma vie.

> Ce sont **les membres les plus actifs** du club.

2. Remember that the preposition **de** is used after the superlative as the equivalent of *in* or *of*.

**1** Le mode de vie de la famille Dumont nous permet de comparer les façons de vivre aux Etats-Unis et en France. Utilisez les éléments indiqués pour faire des phrases comparatives.

MODELE  la cuisine française / être / élégant / la cuisine américaine
*La cuisine française est plus élégante que la cuisine américaine.*

1. un appartement français / être / grand / un appartement américain
2. un repas chez McDonald's / être / long / un repas français traditionnel
3. les devoirs de classe en France / être / difficile / les devoirs aux Etats-Unis
4. le week-end en France / être / long / le week-end aux Etats-Unis
5. les examens américains / être / difficile / les examens français
6. les CD en France / être / cher / les CD aux Etats-Unis
7. un campus américain / être / moderne / une université française
8. les voitures américaines / être / gros / les voitures françaises

**2** Vous passez l'été en France chez Mme Virenque, une dame qui se plaint souvent des changements dans la société. Employez les éléments suivants pour faire des phrases comparatives qui expriment les idées de Mme Virenque.

1. l'environnement naturel / pollué
2. les produits aux supermarchés / artificiels
3. la nourriture / bonne
4. les jeunes / sérieux
5. la société / matérialiste
6. la vie / simple
7. les problèmes / compliqués
8. les gens / stressés

**3** Une amie américaine adore sa vie en France. Elle écrit une lettre pleine de superlatifs pour le dire. Transformez les phrases suivantes en utilisant la forme superlative des adjectifs indiqués. Attention au changement d'articles.

MODELES  Notre-Dame est une cathédrale. (beau / pays)
*Notre-Dame est la plus belle cathédrale du pays.*

C'est un voyage. (intéressant / ma vie)
*C'est le voyage le plus intéressant de ma vie.*

1. Paris est une ville. (beau / monde)
2. Je fais des promenades. (long / ma vie)
3. La Sorbonne est une université. (ancien / France)
4. Le Louvre est un musée. (varié / Paris)
5. Le Quartier latin est un quartier. (célèbre / la Rive gauche)
6. Les Tuileries sont un jardin. (magnifique / la ville)
7. La tour Maine-Montparnasse est un bâtiment. (haut / Paris)
8. C'est un voyage. (bon / ma vie)

Un des jardins les plus fréquentés de Paris: le Jardin des Tuileries

**4** Vous vous rendez en France et vous voyagez dans le pays. Employez les éléments indiqués pour faire des phrases superlatives qui expliquent certains choix que vous faites.

MODELE  Nous visitons un village. (pittoresque / la France)
*C'est le village le plus pittoresque de la France.*

1. Prenons le train. (rapide / le continent européen)
2. Nous allons descendre dans cet hôtel. (moderne / la ville)
3. Je veux visiter ce château. (beau / la région)
4. Ce musée me plaît beaucoup. (intéressant / la ville)
5. Dînons dans ce restaurant. (bon / le quartier)
6. Allons nous amuser sur cette plage. (belle / la France)

## INTERACTIONS

**Mettez-vous en petits groupes.** Pour chacune des catégories suivantes, faites des phrases en utilisant la forme superlative des adjectifs. Ensuite, comparez les réponses du groupe. Etes-vous d'accord ou pas?

**Catégories:** un bon acteur, une bonne actrice, un(e) athlète sympa, une émission de télévision intéressante, une bonne équipe de baseball (football, basket), un bon film, un sport passionnant

## The Comparative and Superlative of Adverbs

### The Comparative

The comparative of adverbs is formed in the same way as the comparative of adjectives. Remember, however, that adverbs are invariable.

Elle parle **aussi lentement que** son frère.

Ils travaillent **moins bien que** vous.

Nous finissons **plus vite que** les autres.

The adverb **bien** has the irregular comparative form **mieux que** *(better than)*.

Vous répondez **mieux que** Charles.

Je m'amuse **mieux** ici **qu'**au café.

The comparative of **beaucoup de** is **plus de.**

Marie **a plus d'**amis que son frère.

Il y a **plus de** vingt personnes dans cette classe.

### The Superlative

To form the superlative of adverbs place **le plus** or **le moins** before the adverb. Because adverbs are invariable, **le** is always used in the superlative construction.

Ils travaillent **le plus sérieusement de** tout le groupe.

Pierre écoute **le moins attentivement de** toute la classe.

Mais Béatrice répond **le mieux de** tous les élèves.

- Note that **de** is also used with the superlative of adverbs as the equivalent of *in* or *of.*

## RAPPEL!

The comparative and superlative forms of the adjective **bon** and the adverb **bien** may pose more problems in French than in English. Compare the following forms.

| *good* | *better* | *best* |
|--------|----------|--------|
| **bon** | **meilleur(e)** | **le / la / les meilleur(e)(s)** |
| *well* | *better* | *best* |
| **bien** | **mieux** | **le mieux** |

- Note that **être** is usually followed by an adjective; other verbs are followed by adverbs.

**5** Vous expliquez comment on fait certaines choses en France. Comparez les cultures américaine et française en complétant chacune des phrases suivantes. Utilisez le comparatif de l'adverbe entre parenthèses.

1. Les Français mangent _____ les Américains. (lentement)
2. Mais en France, on mange _____ aux Etats-Unis. (bien)
3. Le TGV roule _____ les trains Amtrak. (vite)
4. Un lycéen français doit étudier _____ un élève de l'école secondaire aux Etats-Unis. (sérieusement)
5. Les étudiants américains travaillent _____ les étudiants français. (attentivement)
6. Les jeunes Français sortent _____ les jeunes Américains. (souvent)

# INTERACTIONS

**La consommation et les jeunes.** Lisez le petit article sur les jeunes et la consommation en France. Ensuite, discutez de l'article en répondant aux questions pour comparer la consommation des jeunes Français et la situation des jeunes Américains.

---

### ...mais la consommation occupe une place centrale.

Le budget des 15–24 ans varie fortement en fonction de l'âge. Il représente en moyenne 130 € par mois pour les 15–17 ans, en tenant compte de l'argent de poche et de toutes les autres rentrées d'argent. Les 18–20 ans disposent de 500 € et les 21–24 ans de 600 €, mais la moyenne intègre les rémunérations de ceux qui ont un emploi.

Le premier poste de dépenses concerne l'apparence (habillement, hygiène-beauté), devant les sorties et loisirs, puis les frais de téléphone. Les dépenses moyennes des étudiants sont surtout consacrées aux loisirs (100 € par mois); les deux tiers possèdent un téléphone portable, la moitié un ordinateur et plus d'un tiers sont personnellement connectés à Internet. Outre leurs propres achats, les jeunes influencent une grande partie de ceux de leur entourage familial.

Les attitudes et les comportements des jeunes sont semblables dans la plupart des pays développés. Beaucoup sont des consommateurs plutôt boulimiques, mais ils font preuve en même temps d'une attitude critique à l'égard de la société de consommation. Ils balancent entre la volonté de marquer leur différence et celle d'appartenir à un groupe. Plus pragmatiques que révoltés, plus réalistes qu'idéalistes, ils sont attachés à leur liberté de mouvement et recherchent des émotions renouvelées. Adeptes des produits nouveaux et des marques branchées, ils «craquent» facilement devant les innovations et sont sensibles au design, à l'esthétique et aux matériaux. Mais ils prennent un malin plaisir à dérouter ceux qui veulent les récupérer (créateurs de mode, professionnels du marketing, publicitaires...); ils changent alors d'attitude ou détournent les produits.

---

1. Les 21 à 24 ans disposent de combien d'argent par mois? De qui reçoivent-ils cet argent?
2. Quelles sont les dépenses les plus importantes des jeunes?
3. Combien dépensent les étudiants par mois en général? Quels articles de luxe est-ce qu'ils possèdent?
4. Quel est le rapport entre les achats des jeunes et ceux de leur famille?

# SYNTHESE

**A.** Donnez votre point de vue personnel en comparant divers aspects de la vie d'étudiant. Choisissez un adjectif approprié pour chaque comparaison.

1. un cours de français / un cours de maths
2. mon université / la Sorbonne
3. notre restaurant universitaire / un restaurant en ville
4. ma chambre / la chambre de mon ami(e)
5. un examen de français / un examen d'anglais
6. mon prof de français / mon prof de...
7. ma dissertation / la dissertation de mon ami(e)
8. ???

**B. Le permis de conduire en France et chez vous.** Chacune des phrases suivantes explique comment les jeunes en France obtiennent le permis de conduire. Employez les éléments indiqués pour comparer la situation dans votre pays.

1. A seize ans, on peut conduire si on est accompagné.
   Chez nous, on peut conduire quand on / être / jeune
2. L'accompagnateur doit avoir plus de 28 ans.
   Chez nous, il / être / âgé
3. On doit faire un stage de formation de 20 ou 30 heures dans une auto-école.
   Chez nous, le stage en auto-école / être / long
4. Les frais du stage et de l'examen s'élèvent à plus de 700 euros.
   Chez nous, obtenir le permis de conduire / coûter / cher
5. On passe l'examen à l'âge de 18 ans.
   Chez nous, on peut passer l'examen quand on / être / jeune
6. En général, seulement 50% des candidats sont reçus quand ils passent l'examen pour la première fois.
   Chez nous, les candidats qui réussissent / être / nombreux
7. L'examen est très difficile.
   Chez nous, il / être / difficile
8. Le permis de conduire est valable indéfiniment.
   Chez nous, il / être / valable / longtemps

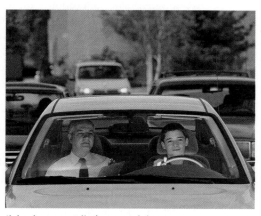

J'ai seize ans et j'adore conduire.

# Note culturelle

## Le profil des jeunes gens

Le profil des jeunes Français de 20 ans est difficile à réaliser: impossible de les classer comme «tous pareils», car leurs goûts sont éclectiques et leur univers est flou. En voici quatre.

**Wassyl Derrough**
*L'ami des vieilles dames*
- Habite à Franconville (Val-d'Oise) avec sa mère et son frère. Volontaire dans une association d'aide à domicile pour les personnes âgées et aux Restos du Cœur.
- Signe distinctif: coupe «à la Gnarl Barclay» (son groupe préféré).
- Son rêve: travailler dans l'humanitaire.
- Son angoisse: «Perdre ma mère.»
- N'a pas voté en 2007: «Ségo, c'est pas mieux que Sarko.»

**Anne-Laure Poisson**
*La scout*
- Etudiante en lettres. Toujours chez ses parents dans le 17e à Paris.
- Signe distinctif: cheftaine de louveteaux.
- Son rêve: «Concilier une vraie carrière et une vie de famille, comme ma mère.»
- Son angoisse: «Me retrouver coincée dans une vie que je n'aurais pas voulue.»
- A voté Royal en 2007.

**Caroline Calderon**
*La fashionista*
- Etudiante dans une école de stylisme. Vit chez sa mère dans le 15e à Paris.
- Signe distinctif: une passion pour Marie-Antoinette.
- Son rêve: «Rendre les gens beaux.»
- Son angoisse: «Ne plus avoir d'idées.»
- A voté Bayrou au premier tour en 2007, puis blanc au second.

**Mathilde Champenois**
*L'écolo*
- Etudiante dans une école de commerce à Marseille. Vit seule.
- Signe distinctif: n'a pas une minute à elle, «même pour tomber amoureuse».
- Son rêve: «Ne pas faire des sous aux dépens de la planète.»
- Son angoisse: «Etre inutile.»
- A voté Bayrou au premier tour en 2007, puis Sarkozy au second.

Source: «*Avoir 20 ans en 2008*», *Le Nouvel Observateur*, No. 2266 du 10 au 16 avril, 2008, pp. 8, 9, 10, 12

## Compréhension

1. Où habitent la plupart de ces jeunes Français?
2. Trouvez-vous que les attitudes de ces jeunes Français sont plutôt similaires ou différentes des attitudes des jeunes d'Amérique du Nord?
3. Quelle sorte de bonheur cherchent ces jeunes en France?
4. Connaissez-vous des jeunes Américain(e)s qui ne font pas d'études universitaires? Que font-ils dans la vie? Quels sont leurs rêves et leurs angoisses?

## Réflexion

A. En petits groupes, utilisez les profils comme modèles et composez le profil du (de la) jeune Américain(e) typique. Donnez quelques caractéristiques essentielles de votre génération. En quoi ressemblez-vous aux Français de votre âge et en quoi différez-vous d'eux?

B. Voici une liste de certains des grands problèmes de notre époque. Quelle importance ont-ils dans votre société et surtout parmi vos amis? Classez ces problèmes par ordre d'importance. Pouvez-vous y ajouter d'autres problèmes?

**Problèmes:** la délinquance, la drogue, les droits des jeunes, l'immigration, les malades et les handicapés, la pauvreté, le racisme, le sida, la dépression

## Numbers

### Cardinal Numbers

| | | | | | |
|---|---|---|---|---|---|
| 0 | zéro | 14 | quatorze | 51 | cinquante et un |
| 1 | un (une) | 15 | quinze | 60 | soixante |
| 2 | deux | 16 | seize | 61 | soixante et un |
| 3 | trois | 17 | dix-sept | 70 | soixante-dix |
| 4 | quatre | 18 | dix-huit | 71 | soixante et onze |
| 5 | cinq | 19 | dix-neuf | 80 | quatre-vingts |
| 6 | six | 20 | vingt | 81 | quatre-vingt-un |
| 7 | sept | 21 | vingt et un | 90 | quatre-vingt-dix |
| 8 | huit | 22 | vingt-deux | 91 | quatre-vingt-onze |
| 9 | neuf | 30 | trente | 100 | cent |
| 10 | dix | 31 | trente et un | 101 | cent un |
| 11 | onze | 40 | quarante | 200 | deux cents |
| 12 | douze | 41 | quarante et un | 201 | deux cent un |
| 13 | treize | 50 | cinquante | | |

| | | | |
|---|---|---|---|
| 1 000 | **mille** | 1 000 000 | **un million** |
| 1 005 | **mille cinq** | 1 000 000 000 | **un milliard** |
| 2 000 | **deux mille** | | |
| 2 010 | **deux mille dix** | | |

English and French differ in their use of commas and decimal points in writing numbers. Where a decimal point is used in English, a comma is used in French: *41.5 miles* = **66,4 kilomètres.** For numbers over 1,000, only a space is used: **10 000 euros.**

# RAPPEL!

1. Beginning with **deux cents**, there is an **s** on the number **cent**, unless it is followed by another number (**deux cents** but **deux cent cinq**). **Mille** never has an **s**. When expressing a year, **mil** may be used instead of **mille** when it is the first word in a date: **mil neuf cent vingt** (1920).

2. For hundreds and thousands, there are no equivalents in French for the preceding *a* or *an* or the following *and* frequently used in English.

   | | |
   |---|---|
   | cent cinq | *a hundred and five* |
   | mille cinquante | *a thousand and fifty* |

To say a telephone or fax number in French, you have to group the numbers and not say each number individually the way we do in English. For 01 42 61 54 33, you would say **zéro un, quarante-deux, soixante et un, cinquante-quatre, trente-trois.** When giving North-American telephone and fax numbers in France, group them in similar fashion: (212) 684–3725 = **deux cent douze, six cent quatre-vingt-quatre, trente-sept, vingt-cinq.**

## Ordinal Numbers

Most ordinal numbers are formed by adding **-ième** to the cardinal numbers. If the cardinal number ends in **e**, that e is dropped.

| | |
|---|---|
| deux | **deuxième** |
| quinze | **quinzième** |
| dix-sept | **dix-septième** |
| trente | **trentième** |
| cinquante et un | **cinquante et unième** |
| cent trois | **cent troisième** |
| deux mille | **deux millième** |

There are a few exceptions to the regular formation of ordinal numbers.

| | |
|---|---|
| un (une) | **premier (première)** |
| cinq | **cinquième** |
| neuf | **neuvième** |

- Note that the term **second** generally replaces **deuxième** when there are no more than two items in question.

  Jean-Marc est le **second** fils des Martin. Il y a deux garçons dans la famille.

# RAPPEL !

1. With titles and dates, French uses cardinal numbers where English uses ordinal numbers. The only exception is **premier**.

   | | |
   |---|---|
   | le premier novembre | François I (Premier) |
   | le onze septembre | Louis XIV (Quatorze) |
   | le vingt-trois juin | Benoît XVI (Seize) |

2. When cardinal and ordinal numbers are used together, the cardinal number precedes the ordinal, which is the reverse of English usage.

   | | |
   |---|---|
   | les **deux premières** pages | les **quatre dernières** semaines |

## Collective Numbers

To express the idea of an approximate quantity (*about* + number), the ending **-aine** is added to the cardinal numbers 10, 12 (**douzaine** = precisely 12), 15, 20, 30, 40, 50, 60, and 100. Any final **e** is dropped, and the **x** in **dix** becomes a **z**. When followed by a noun, the collective numbers require the partitive **de**.

| | |
|---|---|
| **une dizaine** | *about 10* |
| **une cinquantaine** | *about 50* |
| **une soixantaine** | *about 60* |
| **une centaine de voitures** | *about 100 cars* |

The following form is irregular and masculine:

| | |
|---|---|
| **un millier de** personnes | *about a thousand people* |

**6** De retour d'un voyage en France, vous parlez à un(e) camarade de classe au sujet des prix à Paris. Employez les éléments suivants pour expliquer les prix que vous avez payés en euros.

MODELE   Un jean / 70
         *Ça coûte 70 euros.*

1. un CD / 15
2. un sac à dos / 40
3. un billet de cinéma / 6
4. un livre sur le Musée d'Orsay / 37
5. des souvenirs de Montmartre / 16
6. un dîner au restaurant / 26
7. une boisson au café / 4
8. l'entrée dans un club / 20
9. un sandwich, une boisson, des chips / 4
10. un poster des Champs-Elysées / 12
11. un carnet de tickets de métro / 10,90
12. une chambre d'hôtel / 85
13. un taxi pour rentrer à l'hôtel / 15
14. un billet de RER pour aller à l'aéroport Charles de Gaulle / 8

**7** Complétez chaque phrase par le nombre ordinal approprié.

1. Je suis étudiant(e) en _____ année à l'université.
2. Le _____ siècle *(century)* s'est terminé à la fin de l'an 2000.
3. C'est mon _____ semestre de français à l'université.
4. Mon _____ cours commence à... heures du matin.
5. Victor Hugo est un auteur du _____ (XIX$^e$) siècle.
6. Mon _____ cours se termine à... heures de l'après-midi.
7. Pour lundi prochain, il faut lire les deux _____ chapitres dans le manuel d'histoire.
8. La _____ Guerre mondiale commence en Europe en 1939.

**8** Vous donnez quelques renseignements sur votre université à un ami français. Complétez chaque phrase par la forme numérique appropriée.

1. Je suis étudiant(e) en _____ année.
2. Dans une classe typique, il y a une _____ d'étudiants.
3. Les cours commencent toujours vers le _____ août.
4. Au total, il y a à peu près _____ étudiants dans mon université.
5. Le numéro de ma chambre à la résidence est le _____.
6. Les examens ont lieu pendant les _____ semaines de décembre.
7. Le nouveau semestre commence vers le _____ janvier.
8. Mon numéro de téléphone est le _____.

# INTERACTIONS

**Les loisirs et les jeunes.** Lisez le petit article sur les loisirs des jeunes en France. En petits groupes, faites une comparaison entre les loisirs des jeunes Français et des jeunes Américains. Comparez les réponses des groupes. Est-ce que les groupes sont d'accord sur les loisirs principaux des jeunes en Amérique?

### Les loisirs varient selon les tranches d'âge.

70% des 8–10 ans pratiquent un sport au moins deux fois par semaine (contre 90% des 15–24 ans qui disent avoir pratiqué un sport). L'audiovisuel occupe une place centrale dans leurs loisirs et, parmi les 11–20 ans, 74% ont un téléphone portable et 80% envoient ou reçoivent des SMS tous les jours (Médiamétrie, 2004). A partir de 11 ans, les centres d'intérêt évoluent: 84% des 11–19 ans placent la musique au premier rang, devant la discussion avec les amis (76%), la télévision (73%) et le cinéma (66%). 59% des 11–18 ans disposent de leur propre poste de télévision (64% des garçons, 54% des filles). 83% imposent même leur choix sur les programmes entre 18 h et 19 h, 73% entre 19 et 20 h, 64% entre 20 h et 20 h 30, 87% après 20 h 30 lorsqu'il n'y a pas cours le

lendemain, 54% dans le cas contraire. 71% lisent des journaux ou des magazines. 90% vont au cinéma au moins une fois par an. Les deux tiers des 11–19 ans ont un ordinateur à leur disposition, à l'école ou à domicile.

Les enfants d'aujourd'hui se distinguent de leurs aînés par un usage plus diversifié de l'audiovisuel, un plus grand intérêt pour les activités sportives et artistiques et un fort besoin de sociabilité. Les sorties et les relations amicales jouent un rôle essentiel. Les sports le plus pratiqués sont, par ordre décroissant, la natation, le basket, le VTT, le roller. Les visites culturelles sont souvent initiées par la famille ou l'école. Les garçons sont plus tournés vers les nouvelles technologies et les activités extérieures, les filles vers les loisirs d'intérieur et la culture scolaire.

## Situations écrites

**A.** Faites une description de votre situation financière, puis comparez votre situation à celle des jeunes Français. Travaillez-vous? Comment dépensez-vous votre argent? Quels achats faites-vous souvent, assez souvent ou rarement?

**B.** Votre correspondant(e) vous demande si vous êtes sportif(-ive). Faites une description de l'influence du sport dans votre vie. Faites-vous du sport? Si oui, lesquels? A quelle fréquence? Quelles compétitions sportives aimez-vous regarder à la télé? Est-ce que vos amis font du sport? Si oui, lesquels? A quelle fréquence?

# A lire

## Texte de culture contemporaine

### Sujets de réflexion

En France, la réussite se base souvent sur les études qu'on fait. Plus on avance dans le système éducatif, plus on a de chances de réussir. Mais l'avancement n'est pas toujours facile, surtout pour les jeunes qui viennent de certains milieux défavorisés. D'après vos propres expériences, quelles sont certaines des difficultés qu'il faut affronter quelquefois?

### Guide de lecture

Le portrait suivant d'un immigré du Congo et de sa famille donne une idée des problèmes et des attitudes que confrontent les jeunes de la deuxième génération des familles immigrantes. Les parents ont tout fait pour faciliter le succès de leurs quatre enfants qui ont tous profité des avantages que leurs parents ont essayé de créer pour eux. C'est Larissa, leur fille, qui a peut-être le mieux appris à monter «l'escalateur social». Dans un portrait biographique d'un immigrant, père de famille, quels détails voulez-vous y trouver à propos de cette personne et de sa famille?

### *Dans la famille «méritocratique»*
### Larissa, 20 ans, en prépa°

*post-secondary preparation*

Chez les Mbemba, l'escalateur social fonctionne à plein régime: *«C'est l'esprit de la maison, la meilleure forme d'intégration»*, dit Claude, 43 ans. Arrivé à Paris à 24 ans,
5 cet ancien étudiant en sciences politiques originaire du Congo a commencé comme magasinier dans un supermarché parisien. De formation en promotion, il est devenu directeur du magasin. *«A l'époque, les*

Larissa, étudiante

10 *clients demandaient à voir le "vrai chef":
ça ne pouvait pas être un Noir!»* se souvient-il. Depuis, il a fait plusieurs métiers, et travaille aujourd'hui comme consultant import-export. Sa femme Cathy, secrétaire de direction, a repris ses études à 40 ans pour décrocher° un diplôme d'infirmière°...
En vingt ans, la famille est progressivement passée d'[un] petit appartement... à [un]

*get / nursing*

15 quatre-pièces confortable acheté en 1986... Claude et Cathy ont tout fait pour éviter les cités, une des clés, pensent-ils, de la réussite de leurs enfants. *«Vous voyez, ce n'est pas trop un environnement black ici»*, dit l'ancien dirigeant local de SOS-Racisme°.

*anti-racism group*

Larissa, sa fille de 20 ans, est, elle, convaincue qu'elle aurait été tout aussi brillante dans n'importe quel environnement: *«La réussite c'est d'abord dans la tête.»*
20 Elle n'en revient pas de voir, autour d'elle, ce qu'elle appelle le «decenseur social». *«Des fils de médecins, des jeunes qui ont tout pour eux, mais qui n'en font rien, qui n'ont aucune perspective, aucun projet...»* Cathy trouve ses enfants *«bien plus ambitieux qu'ils ne l'étaient à leur âge: ils voient plus loin que nous»*. L'aînée a

intégré une école de commerce. La troisième est en école d'infirmière. Le petit
dernier veut être ingénieur... Quant à Larissa, repérée° dès le lycée par
le programme° de détection de hauts potentiels de l'Essec°, elle est en deuxième
année de prépa scientifique dans un grand lycée parisien. *«La discrimination existe,
dit-elle, mais elle s'exerce surtout au niveau intermédiaire. Le meilleur moyen d'y
échapper, c'est d'être au top niveau. La société française est si élitiste!»* Son objectif? Travailler dans la finance, à l'étranger. Bien gagner sa vie. Et s'acheter un loft!
Pour elle, la réussite matérielle est importante: *«Je ne veux pas être richissime, mais
pouvoir réaliser mes rêves. Acheter des beaux vêtements, partir en vacances où je
veux, profiter de la vie.»* Larissa sait qu'elle gagnera bien plus que ses parents...
En attendant, elle a décroché la bourse° d'une grande entreprise qui finance sa
scolarité. Travaille l'été, comme secrétaire. Et rêve d'intégrer Centrale°...

selected 25
program to identify
high-achievers

scholarship
one of the prestigious 35
**grandes écoles**

Source: «Le Bel Age Quand Même», *Le Nouvel Observateur*,
No 2266 du 10 au 16 avril, 2008, pp. 40–41.

## Après la lecture

1. Décrivez l'avancement socio-économique de Claude, le père de Larissa. Quelles attitudes discriminatoires a-t-il été forcé de confronter? Quelles sont les ambitions de la mère?
2. Pourquoi la famille de Larissa a-t-elle tout fait pour éviter d'habiter dans les cités?
3. Que font le frère et les sœurs de Larissa?
4. Selon Larissa, quelle est la clé de la réussite?
5. Comment la France essaie-t-elle d'aider les jeunes qui viennent de milieux moins avantagés?
6. Quelles sont les ambitions matérielles de Larissa?
7. Comment est-ce que Larissa finance ses études? Quelle profession veut-elle exercer à l'avenir?
8. Trouvez-vous que la situation de Larissa ressemble à ou diffère de celle des jeunes Américains qui vivent dans les mêmes circonstances sociales?

# Texte littéraire

## Sujets de réflexion

1. Pour une jeune personne, l'âge de dix-sept ans marque souvent un moment d'émancipation individuelle. Quelles conditions de vie sont particulièrement disposées aux changements chez les jeunes de 15 à 18 ans? Quelles idées ou attitudes, quels comportements sociaux semblent se manifester dans les milieux où vous évoluez?
2. Si vous avez l'idée d'écrire un poème à propos d'un premier grand amour, quels sont les éléments que vous choisissez d'inclure dans vos vers (la saison de l'année, les endroits de rendez-vous, etc.)?

## A propos de l'auteur...

Arthur Rimbaud
(1854–1891)

**Arthur Rimbaud** *est né en 1854 à Charleville, ville triste et grise près de la frontière belge. Le jeune Arthur est un enfant prodige. Certains de ses professeurs de collège l'encouragent à s'exprimer en poésie, ce qu'il fait avec une grande aisance et une remarquable originalité. Mais, comme il arrive parfois chez des adolescents excessivement doués et précoces, le jeune Rimbaud se révolte contre tout: famille, religion, éducation, moralité conventionnelle et conformisme social. Il arrive à faire publier bon nombre de ses poèmes et veut surtout se faire connaître dans les milieux littéraires parisiens. En 1870, il réalise son rêve. Le poète Paul Verlaine, qui a dix ans de plus que Rimbaud, l'invite à Paris. Bientôt, les deux hommes quittent la capitale pour mener ensemble une vie vagabonde et aventureuse. Leur existence, souvent jugée scandaleuse, finit en 1873 par un drame à Bruxelles où Verlaine blesse son ami d'un coup de revolver. Rimbaud continue d'écrire des poèmes pendant encore deux ans avant de dire définitivement adieu à toute carrière littéraire. Après 1875, Rimbaud, âgé de 21 ans, cesse d'écrire. Il mène alors pendant 16 ans une existence complètement différente pendant laquelle il est surtout explorateur et commerçant en Arabie et en Abyssinie. Rimbaud meurt à l'âge de 37 ans ayant coupé avec son propre passé littéraire. Le poème intitulé* Roman *a été composé par Rimbaud en septembre 1870. Il appartient donc aux vers composés par ce précoce adolescent de 15 ans. C'est l'histoire d'un amour qui entre, pour la première fois, dans la vie d'un garçon conscient de se trouver entre les jeux d'enfant et le «sérieux» de l'âge d'adulte.*

## Guide de lecture

1. Le titre de ce poème, *Roman*, fait penser à un autre genre littéraire. En quoi sont divisés la plupart des romans *(novels)*? Quels éléments typographiques du poème suggèrent de telles *(such)* divisions?
2. Un roman raconte un récit, c'est-à-dire une histoire ayant un début et une fin. La première strophe et la dernière strophe du poème se ressemblent. Quels sont le point de départ et le point de retour du jeune homme qui raconte ce récit?
3. Quels personnages ce poème met-il en évidence? Y en a-t-il qui sont implicites aussi?
4. Le pronom impersonnel **on** est employé partout dans le poème, y compris dans le premier vers qui est devenu assez célèbre. Qui est désigné par ce pronom, à votre avis?

# *Roman* (par Arthur Rimbaud)

### I

On n'est pas sérieux, quand on a dix-sept ans.

*away with (disdain)* —Un beau soir, foin des° bocks et de la limonade,
*noisy / bright lights* Des cafés tapageurs° aux lustres éclatants°!
*linden trees* —On va sous les tilleuls° verts de la promenade.
5 Les tilleuls sentent bon dans les bons soirs de juin!
*eyelid* L'air est parfois si doux, qu'on ferme la paupière°;
Le vent chargé de bruits,—la ville n'est pas loin,—
A des parfums de vigne et des parfums de bière...

### II

*scrap* —Voilà qu'on aperçoit un tout petit chiffon°
*Blue* 10 D'azur° sombre, encadré d'une petite branche,
*Spotted / dissolves* Piqué° d'une mauvaise étoile, qui se fond°

|  |  |
|---|---|
| *shivers* | Avec de doux frissons°, petite et tout blanche... |
| *getting intoxicated* | Nuit de juin! Dix-sept ans!—On se laisse griser°. |
| *sap* | La sève° est du champagne et vous monte à la tête... |
| *ramble / kiss* 15 | On divague°; on se sent aux lèvres un baiser° |
|  | Qui palpite là, comme une petite bête... |

### III

|  |  |
|---|---|
| *Wanders like* | Le cœur fou Robinsonne° à travers les romans, |
| *Robinson Crusoe /* | —Lorsque, dans la clarté d'un pâle réverbère°, |
| *street lamp* | Passe une demoiselle aux petits airs charmants, |
| *stiff shirt collar* 20 | Sous l'ombre du faux-col° effrayant de son père... |
|  | Et, comme elle vous trouve immensément naïf, |
| *ankle-boots* | Tout en faisant trotter ses petites bottines°, |
| *quick* | Elle se tourne, alerte et d'un mouvement vif °... |
| *short songs* | —Sur vos lèvres alors meurent les cavatines°... |

### IV

|  |  |
|---|---|
| *Rented* 25 | Vous êtes amoureux. Loué° jusqu'au mois d'août. |
|  | Vous êtes amoureux. —Vos sonnets la font rire. |
|  | Tous vos amis s'en vont, vous êtes de mauvais goût. |
|  | —Puis l'adorée, un soir, a daigné vous écrire!... |
|  | —Ce soir-là,...—vous rentrez aux cafés éclatants, |
| 30 | Vous demandez des bocks ou de la limonade... |
|  | —On n'est pas sérieux, quand on a dix-sept ans |
|  | Et qu'on a des tilleuls verts sur la promenade. |

## Après la lecture

1. **Partie I.** Quelle voix entendez-vous dans cette partie du poème? Qui semble en être le personnage principal? Est-ce la même personne dans toute la première partie? Pourquoi dit-on «on n'est pas sérieux»? A quels éléments sensuels les lecteurs sont-ils particulièrement sensibles en lisant ces vers? Quels sens sont privilégiés par le poète?

2. **Partie II.** Quels éléments de cette partie se trouvent déjà dans les strophes précédentes? Y a-t-il un nouveau sens que le poète ajoute à son répertoire sensoriel? (Rappel: les cinq sens traditionnels sont la vue, l'ouïe, l'odorat, le goût et le toucher.) Par quoi le jeune homme est-il intoxiqué? Qu'est-ce qu'il y a dans la nature qui fait perdre la raison («on divague»)?

3. **Partie III.** Pourquoi Robinson Crusoë est-il célèbre? Qu'est-ce qu'un «cœur fou» doit faire pour ressembler à Robinson? Cette partie personnalise les acteurs plus que les parties précédentes. Quelles images de personnes relevez-vous dans ces strophes? Quel pronom a disparu? Quels éléments vestimentaires sont associés aux nouveaux personnages? Que symbolisent-ils, à votre avis?

4. **Partie IV.** Il semble y avoir un certain temps qui passe entre cette partie et la précédente. Comment le sait-on? Quelles activités rapprochent le jeune homme et la jeune fille? Pourquoi pensez-vous que les amis du jeune homme le quittent? Pourquoi pensent-ils qu'il est de «mauvais goût»?

❖ ❖ ❖ ❖ ❖ ❖ ❖ ❖ ❖ ❖ ❖ ❖ ❖ ❖ ❖ ❖ ❖

## Pour mieux lire

1. Pour lire correctement un poème écrit en français, il faut suivre des règles. D'abord, il faut respecter la prononciation de certaines syllabes. Par exemple, le **e** final d'un mot doit souvent être prononcé même si, dans la conversation, il peut rester muet. Pour savoir si on doit le prononcer, il faut regarder plus loin. Si le prochain son qu'on entend est une voyelle (**a, e, i, o, u**), on ne prononce pas le **e** final. Ce système nous permet de compter les syllabes d'un vers.

   Prenons le vers 11 du poème comme exemple:

   > *Piqué d'une mauvaise étoile, qui se fond*

   Il faut le lire ainsi:

   > *Pi / qué / d'u / ne / mau / vai / se é / toi / le, / qui / se / fond*

   Combien de syllabes avez-vous prononcées? Douze? Bravo!

   Prononcez les vers suivants en comptant les syllabes:

   a. *On n'est pas sérieux, quand on a dix-sept ans.*
      (Attention: le mot *sérieux* contient trois syllabes en poésie!)

   b. *—Un beau soir, foin des bocks et de la limonade,*
      (Attention: le **e** de la dernière syllabe du vers n'est jamais compté!)

   c. *—Lorsque, dans la clarté d'un pâle réverbère,*
      (Faut-il prononcer le **e** final de «Lorsque»? Quel est le prochain son que vous entendez? Si c'est une consonne, il faut prononcer le **e** précédent!)

   Lisez maintenant le poème entier à haute voix.

2. Rimbaud est un adolescent de quinze ans quand il compose ces vers: véritable enfant prodige! Mais il a aussi l'esprit révolutionnaire qui accompagne l'adolescence. Son enthousiasme se manifeste souvent par son langage poétique. Trouvez dans le poème une illustration des caractéristiques suivantes.

   a. son style exclamatoire
   b. son humour
   c. sa créativité verbale (Que pensez-vous du verbe «Robinsonne» au vers 17?)

## LIENS CULTURELS

1. Comparez la vie des jeunes d'aujourd'hui et la vie des jeunes gens du poème de Rimbaud. Quelles en sont les ressemblances? Y a-t-il des divergences fondamentales à noter?

2. Le tableau de Renoir, à la page 89, date de la même époque que le poème de Rimbaud. Faites le rapprochement entre le tableau et le poème. Quels thèmes sont les mêmes? Quelles différences remarquez-vous entre les deux?

3. Imaginez que vous voulez écrire un poème pour illustrer une première rencontre amoureuse. Quels éléments allez-vous inclure dans votre poème? En quoi votre poème du vingt et unième siècle est-il différent d'un poème du dix-neuvième siècle? En quoi est-il semblable?

## EXPANSION

**A.** La nature joue un rôle important chez les impressionnistes. Dans leurs toiles, il y a souvent des activités qui se déroulent en plein air. Depuis le début du vingtième siècle, quelles innovations dans les transports en commun et les transports individuels rendent la nature plus accessible aux gens?

**B.** Que doivent faire les municipalités à l'heure actuelle pour encourager la pratique des sports en plein air, surtout chez les jeunes?

# Chapitre 4

# Les télécommunications

Un cybercafé où on peut lire son courrier électronique ou naviguer sur Internet.

# Un peu de culture contemporaine

## La nétiquette

Nétiquette est le terme utilisé pour désigner l'éthique que doivent respecter les utilisateurs d'Internet. Pour s'intégrer au mieux dans cette communauté virtuelle, il est important de connaître les règles de base et de les respecter.

- *La première règle:* soyez courtois. Lorsque vous accédez à un site, vous entrez chez quelqu'un qui a la gentillesse de mettre une partie de ses ressources informatiques à votre disposition. N'abusez pas de son hospitalité et ne monopolisez pas trop longtemps l'accès à un site, d'autres attendent.
- *La deuxième règle:* gardez une juste place dans les différents services de messagerie. Soyez modérés et polis dans vos propos *(statements)*. Manipulez l'humour avec retenue *(restraint)*. N'oubliez pas que vos interlocuteurs peuvent être à des milliers de kilomètres, et que souvent vous vous exprimez dans leur langue avec difficulté. Votre «image» passe par du texte.
- *La troisième règle:* n'envoyez pas de données *(data)* sensibles (numéro de carte bancaire, mot de passe d'un compte, code d'accès à un réseau, etc.).
- *La quatrième règle:* respectez les droits d'auteur de chacun quand vous importez des fichiers de données, des logiciels ou quand vous utilisez les informations de la messagerie de groupes.

### Compréhension

1. Dressez une liste de toutes les expressions propres au vocabulaire de l'informatique utilisées dans le texte sur la nétiquette et ce que vous croyez être leur équivalents en anglais.
2. Pour chacune des règles précédentes, sélectionnez l'expression qui semble en résumer son idée principale.
3. Laquelle des quatre règles de la nétiquette vous semble la plus importante? Expliquez votre choix.

### Réflexion

Faites le portrait du «gentil utilisateur» d'Internet en utilisant les renseignements tirés du texte sur la nétiquette.

## Le courrier électronique

Le courrier électronique permet d'envoyer des messages aux autres via Internet. Vous tapez votre message et cliquez simplement sur «Envoi» dans la boîte de dialogue. Voici quelques règles à suivre:

- N'envoyez pas un fort volume de données à quelqu'un sans le prévenir.
- N'envoyez aucune pièce jointe de grande taille, sauf si le destinataire l'attend et a accepté de la recevoir.
- Répondez en citant le texte auquel vous répondez.
- Ne diffusez pas de message reçu par mail sans l'autorisation de son auteur.
- N'entretenez pas et ne démarrez *(initiate)* pas de chaînes de lettres.

## Compréhension

1. Relevez dans le texte précédent les verbes qui ont un rapport direct avec ce genre de communication.

2. Expliquez ce que c'est qu'une *pièce jointe* et comment l'utiliser.

## Réflexion

A votre avis, comment les rapports entre les gens ont-ils été transformés par Internet et par le courrier électronique?

## *Les réseaux communautaires en ligne: Le monde francophone devient plus petit*

La popularité des réseaux communautaires en ligne, tels que Facebook et MySpace, a beaucoup augmenté pendant la dernière décennie. Pour les francophones, le site le plus populaire se nomme Skyrock.com. Skyrock, dont le site principal est offert en français, est gratuit et ouvert à tout le monde et met en contact des francophones de tous les coins du monde.

Pour s'inscrire, il faut d'abord désigner un pseudo et un mot de passe. Ensuite, on crée son profil dans lequel on présente des informations de base (âge, ville natale, caractère et apparence physique). Pour cette première partie, il s'agit de sélectionner ses réponses dans des listes de possibilités déterminées d'avance. Ensuite, on peut ajouter des descriptions narratives concernant sa personnalité et ses préférences. Une fois inscrit, il faut ajouter des amis à son profil. C'est impossible de rester seul dans le cyberespace! On peut en chercher parmi les membres du site ou inviter des amis à créer leurs propres profils. Mais, ce n'est pas tout. On peut également télécharger des photos, créer des blogs et se mettre en contact e-mail avec d'autres membres du réseau.

Le profil établi, on accède à d'autres fonctions et activités que le site offre à ses membres en plus des messageries et des blogs. Beaucoup de chatteurs se réunissent virtuellement dans les salons de chat où ils discutent d'une variété de sujets. Et, si on aime la concurrence, on peut même lancer un défi à un autre membre du réseau. Quand on lance un défi, on met les photos de deux personnes en concurrence. Pendant une durée de 48 heures, les autres skybloggeurs votent pour la photo qu'ils préfèrent. La photo gagnante est celle qui remporte le plus grand nombre de votes.

 *Pour des activités culturelles supplémentaires, rendez-vous sur le site Web d'**Interaction*** www.cengage.com/french/interaction

## Controverses récentes

Les controverses concernant les sites de réseaux communautaires en ligne ne sont pas négligeables. Pour certaines personnes, la nature superficielle de ces sites représente la dégradation des rapports profonds entre les êtres humains. Dans le cyberespace, le mot *ami* n'a plus le même sens qu'auparavant. Parfois, les amis internautiques ne se sont jamais rencontrés en personne. Jamais au même endroit en même temps, ils ne partagent que des messages, des commentaires, des blogs et des photos. Pour cette raison, les détracteurs accusent les amitiés virtuelles de ne pas être authentiques—qu'on aime les amis virtuels à cause de leurs identités construites, pas pour leurs personnalités véritables.

D'autres personnes s'inquiètent, car afficher trop d'informations en ligne peut être dangereux, surtout pour les jeunes. Récemment, il y a eu beaucoup de scandales provoqués par la nature confessionnelle de certains profils. Il paraît que des utilisateurs ont pris l'habitude de présenter des messages ou de montrer des photos qui suggèrent leur participation à des activités illégales. Ne savent-ils pas que les autorités, les «cybercops», ont aussi des ordinateurs et accès à l'Internet? Pour cette raison, beaucoup de coupables sont appréhendés en raison de leurs propres aveux de culpabilité en ligne.

## Compréhension

1. Quel est le site de réseaux communautaires le plus populaire pour les francophones? A quoi sert-il?
2. Quelles sortes d'informations peut-on partager sur des sites comme Skyrock?
3. Selon le texte, quels avantages et désavantages présentent les sites de réseaux communautaires? Pouvez-vous en ajouter d'autres?

## Réflexion

A. Etes-vous blogueur ou chatteur sur un site de réseaux communautaires? Expliquez pourquoi ou pourquoi pas. Quels aspects de cette activité vous plaisent et vous déplaisent le plus?
B. Les sites de réseaux communautaires servent-ils à nous éloigner les uns des autres ou à nous rapprocher? Qu'en pensez-vous? Expliquez votre point de vue.
C. Imaginez que vous allez créer un profil pour le site Web Skyrock. D'abord, trouvez-vous un pseudo, puis choisissez les réponses qui vous conviennent le mieux. Ensuite, faites la description de votre personnalité, de ce que vous aimez et de ce que vous n'aimez pas.

Pseudo: [_____]

Ici pour: [___] amitié [___] drague [___] big love

Situation: [___] célibataire [___] en couple [___] indifférent

Caractère: [___] posé [___] rigolo [___] star [___] intello [___]
frimeur [___] fainéant [___]

Habite: [___] dans mon appart [___] à la cité-U [___] chez mes parents

Activité: [___] salarié [___] étudiant [___] lycéen [___] artiste [___]
voyou [___] boss [___] chômeur [___]

Sa présentation: [_____]

[_____]

[_____]

Il/Elle aime: [_____]

[_____]

[_____]

Il/Elle n'aime pas: [_____]

[_____]

[_____]

**D.** Maintenant, comparez votre profil aux profils de vos camarades. A votre avis, les profils représentent-ils les personnes telles que vous les connaissez? Expliquez pourquoi ou pourquoi pas.

# Vocabulaire actif  CD1, Track 8

## LES ACTIVITÉS

**s'abonner (à)** to subscribe (to)
**allumer, mettre en marche** to turn on
**changer de chaîne** to change channels
**diffuser** to broadcast
**éteindre** to turn off
**passer à la télé** to appear on TV
**plaire** to please
**présenter** to introduce
**raconter** to relate, to tell
**rater** to miss (coll.)

**régler** to adjust
**sauvegarder** to save (a document)

## L'INFORMATIQUE ET LES TÉLÉCOMMUNICATIONS

**un(e) abonné(e)** subscriber
**des achats** (m) **à domicile** home shopping
**une antenne** antenna
**une antenne parabolique** satellite dish
**une banque de données** data bank

**une boîte de réception** in-box
**une chaîne** channel
**un courrier électronique, un e-mail** email
**un documentaire** documentary
**l'écran** screen
  **le petit écran** TV
**une émission** TV program
**un épisode** episode
**un feuilleton** serial, soap opera
**un fichier** file
**un jeu télévisé** game show

**un logiciel** software
**le matériel** hardware
**une messagerie** email account
**la mise en réseau** networking
**le moniteur** monitor
**un mot-clé** key word
**un mot de passe** password
**un moteur de recherche** search engine
**un navigateur** Web browser
**une page d'accueil** home page

## Exercices de vocabulaire

**A.** Choisissez l'expression du **Vocabulaire actif** qui complète le mieux chacune des phrases suivantes.

1. Windows XP est un exemple...
   a. de messagerie.
   b. de système d'exploitation.
   c. de fichier.

2. Google est un exemple...
   a. de matériel.
   b. de logiciel.
   c. de moteur de recherche.

3. Pour rechercher des informations sur Google.fr, il faut utiliser...
   a. un mot de passe.
   b. un mot-clé.
   c. une souris.

4. On reçoit le courrier électronique...
   a. dans la boîte de réception.
   b. sur la page d'acceuil.
   c. dans le salon de chat.

5. Pour avoir accès à son courrier électronique, on a besoin d'...
   a. une boîte de réception.
   b. un écran.
   c. une messagerie

6. MySpace et Facebook sont des exemples de...
   a. moteurs de recherche.
   b. logiciels.
   c. réseaux communautaires.

7. Internet Explorer et Netscape sont des types de...
   a. navigateurs.
   b. réseaux.
   c. matériels.

8. Les photos que l'on envoie par courrier électronique doivent être...
   a. cryptées.
   b. diffusées.
   c. numériques.

9. Pour établir une identité sur un site Web, il faut choisir...
   a. un mot-clé.
   b. un pseudo.
   c. une page d'acceuil.

10. Pour protéger l'accès à son courrier électronique, il faut avoir...
    a. un mot de passe.
    b. une boîte de réception.
    c. un moniteur.

**un portable** cellular phone; laptop (computer)
**le poste de télévision** TV set
**un(e) présentateur(-trice)** host
**le programme** schedule of TV programs; computer program
**un pseudo** user name
**la pub** commercials *(coll.)*
**une pub** commercial
**la publicité** advertising
**un répondeur** answering machine

**un réseau** network
**_____ communautaire social** networking site
**un salon de chat** chat room
**une série** series
**le shopping en ligne** online shopping
**une souris** mouse
**un système d'exploitation** operating system
**la télé** *abbrev. of* **la télévision**
**à la télé** on TV
**Télé 7 Jours** French equivalent of *TV Guide*

**le téléachat** teleshopping
**la télécommande** remote control
**un(e) téléspectateur(-trice)** TV viewer
**le télétravail** telecommuting
**le téléviseur** television set
**les variétés** *(f pl)* variety shows
**le zapping** channel surfing

---

## LES CARACTÉRISTIQUES

**branché(e)** plugged in; with it *(coll.)*

**crypté** encrypted
**en direct** live
**en ligne** online
**en panne** not working, out of order
**diffusé** broadcast
**déjà \_\_\_\_\_** rerun
**interactif(-ive)** interactive
**numérique** digitized, digital
**par câble** cable (TV)
**privatisé(e)** denationalized
**télématique** computerized telecommunications

11. Il y a actuellement beaucoup de gens qui travaillent sans quitter leur domicile. Ils font...
    a. du télétravail.  b. du téléachat.  c. de la mise en réseau.

12. Beaucoup d'étudiants font des recherches...
    a. en direct.  b. en panne.  c. en ligne.

Le site Internet de France Télécom

**B.** Choisissez le terme de la liste qui complète le mieux chacune des phrases suivantes.

**Expressions:** documentaires, à la télé, passer, réseau, chaîne, déjà diffusé, série, téléachat, jeux, émission, télécommande, pub

1. Qu'est-ce qu'il y a _____ ce soir?
2. On peut toujours suivre les sports sur la _____ ESPN.
3. En France, les _____ comme *Questions pour un champion* et *Des chiffres et des lettres* sont à la télé depuis longtemps?
4. Ce soir, sur le _____ Fox, je vais regarder mon _____ préférée.
5. A la télé américaine, les _____ comme *Desperate Housewives* et *CSI Miami* sont très populaires.
6. J'aime beaucoup regarder les _____ qui passent sur la chaîne Discovery Channel.
7. Aux Etats-Unis, il y a trop de _____ pendant les émissions.
8. J'adore faire du _____, par exemple sur la chaîne QVC.
9. Il y a un bon film qui va _____ ce soir à dix heures.
10. Oui, mais ce film est _____; je l'ai déjà vu.

**C.** Voici une conversation entre Peter et son colocataire en France. Complétez le dialogue par un terme approprié de la liste suivante.

**Expressions:** télécommande, rater, allumer, zapping, éteindre, passer, programme

PETER: Tiens, Jean-Marc, est-ce que ça te dérange si j'_____ la télé?

JEAN-MARC: Pas du tout, Pete. Qu'est-ce que tu vas regarder? Tu as déjà consulté le _____?

PETER: Non, mais je sais qu'il y a beaucoup d'émissions de sport qui _____ à la télé.

JEAN-MARC: D'accord, mais passe-moi la _____. Tu ne vas pas faire du _____, comme d'habitude.

PETER: Okay, okay. Si je _____ une émission, je peux toujours la faire enregistrer.

JEAN-MARC: Très bien, mais n'oublie pas d'_____ le poste avant de te coucher.

Un magasin de matériel informatique à Paris

# Lexique personnel

## LA TÉLÉVISION

**A** Pour chacun des sujets suivants, dressez une liste personnelle de mots.

1. les émissions que vous regardez à la télé
2. la publicité à la télé
3. la télé dans votre région

**B** **Un sondage.** Employez le vocabulaire du chapitre et de votre lexique personnel pour poser des questions à vos camarades de classe. Ensuite, toute la classe doit résumer les habitudes des étudiants en ce qui concerne la télévision.

1. Quelles émissions regardez-vous le plus souvent à la télé?
2. Combien d'heures par semaine regardez-vous la télé?
3. Quelle est votre émission préférée?
4. Choisissez une publicité que vous avez vue récemment à la télé. Pendant quelle émission est-elle passée? A-t-elle interrompu ou suivi l'émission? Avez-vous aimé cette publicité? Pourquoi?
5. Avez-vous la télévision par câble ou la télévision par satellite? Pourquoi?
6. Quelles chaînes regardez-vous le plus souvent? Pourquoi?
7. Faites-vous souvent du «zapping»? Pourquoi?

---

**Sur le Chat, on papote, on rigole. Mais on fait attention... à son comportement! Voici les 10 commandements que tout bon chatteur se doit de respecter afin d'éviter l'exclusion d'une salle de chat.**

**1** Tu seras courtois: tu salueras les personnes présentes sur le canal où tu entres! Un salon animé a plus de chaleur.

**2** Tu n'insulteras donc point gratuitement les «chatteurs» sur les canaux publics. Pas de propos également grossiers ou vulgaires! Bref, tu te comporteras comme dans ta vie réelle et non pas comme un robot.

**3** Tu ne tiendras point de propos racistes, fascistes, homophobes, diffamatoires, ni ne divulgueras d'informations privées sur autrui... De telles paroles peuvent être l'objet de poursuites, même sur le chat!

**4** Règles de cyber-écriture. Dans une salle de chat, les majuscules signifient hurler, alors soit calme et écris en minuscules. De même n'abuse pas des couleurs qu'il faut utiliser en cas d'urgence (appel, prise d'attention, salutations, etc.). De même, les pictogrammes doivent être utilisés à bon escient: en respectant ces usages, tu te fais toi-même respecter des autres chatteurs qui ne veulent pas que le salon ressemble à un sapin de Noël.

**5** Tu ne «flooderas» point: pas la peine d'envoyer à répétition du texte ou des signes qui polluent inutilement les écrans et le flux Internet. En répétant inutilement, tu risques l'exclusion sans préavis.

**6** Tu ne donneras point de coordonnées privées sur les canaux publics telles que des numéros de téléphone, des adresses e-mail ou postales. Tu risques là aussi d'être éjecté du salon sans préavis.

**7** Tu éviteras de faire de la publicité pour des sites Web ou des canaux *(channels)* de discussion sur nos canaux publics. Garde cela pour ton salon personnel ou tes contacts privés.

**8** Pour devenir opérateur, il faut démontrer que l'on sait animer un salon. Ensuite, il te faut obtenir l'accord des opérateurs du salon concerné et t'engager dans l'exemplarité.

**9** Tu te comporteras comme un internaute responsable. Point de «nuke» (déconnexion sauvage d'internautes), point de «take over» (vol de canal), ni de «spoof» (usurpation d'adresse IP), ni de clones injustifiés. Il y a des lois contre ça et tout se sait un jour grâce à nos amis les robots!

**10** Tu garderas ton cybersourire:o). Si tu rencontres un problème, va sur #!aide!!. Il y aura toujours un opérateur pour t'aider! Un opérateur est ton premier secours et sûrement pas un policier ou un juge du chat!

# Structures I

## Irregular *-oire* Verbs

| **croire** *to believe* | **boire** *to drink* |
|---|---|
| je **crois** | je **bois** |
| tu **crois** | tu **bois** |
| il / elle / on **croit** | il / elle / on **boit** |
| nous **croyons** | nous **buvons** |
| vous **croyez** | vous **buvez** |
| ils / elles **croient** | ils / elles **boivent** |

**1** Un étudiant français parle de la consommation d'alcool en France et aux
Etats-Unis avec un de vos camarades de classe. Complétez le dialogue en
utilisant la forme appropriée des verbes indiqués.

ETUDIANT AMÉRICAIN:    On dit que les étudiants en France ne _____ (boire) pas
autant d'alcool que les étudiants américains. C'est vrai?

ETUDIANT FRANÇAIS:    Oui, c'est vrai. On _____ (boire) rarement de l'alcool au café
ou même dans les soirées. Par exemple, moi, je _____ (boire)
normalement un jus de fruits. Et vous, qu'est-ce que vous
_____ (boire) quand vous avez soif ou quand vous allez à
une soirée?

ETUDIANT AMÉRICAIN:    Eh bien, je _____ (croire) que beaucoup de jeunes _____
(boire) du coca quand ils ont soif. Mais, dans les soirées, on
_____ (boire) souvent de la bière ou du vin. Vous autres,
vous _____ (croire) que c'est mauvais, ça?

ETUDIANT FRANÇAIS:    Ecoute, je ne critique pas. Je _____ (croire) que toutes les
cultures sont différentes.

ETUDIANT AMÉRICAIN:    Chez nous, nous _____ (boire) assez souvent des boissons
alcoolisées pour nous distraire, alors que chez vous, le vin
fait partie de la vie quotidienne. Nous _____ (boire) aussi
beaucoup plus de lait que vous! C'est presque notre boisson
nationale!

# INTERACTIONS

**Un sondage.** Une étudiante française fait un sondage sur la consommation d'alcool aux Etats-Unis. En petits groupes, un(e) étudiant(e) va jouer le rôle de l'étudiante française et va poser les questions suivantes aux membres du groupe. Ensuite, comparez les réponses des différents groupes. Quelles sont les habitudes des étudiants en ce qui concerne la consommation d'alcool?

1. Les étudiants américains _____ plus d'alcool que les étudiants français, n'est-ce pas? (boire)

2. Et toi, qu'est-ce que tu _____ à une soirée? (boire)

3. Est-ce que tu _____ qu'on _____ trop aux Etats-Unis? (croire, boire)

4. Et vous autres, est-ce que vous _____ beaucoup de boissons fraîches, comme des jus de fruits? (boire)

5. Est-ce que vous _____ toujours du lait? (boire)

6. _____-vous qu'il est mauvais de boire de l'alcool? (croire)

## Irregular *-re* Verbs

| **écrire** *to write* | **dire** *to say, to tell* | **lire** *to read* |
|---|---|---|
| j'**écris** | je **dis** | je **lis** |
| tu **écris** | tu **dis** | tu **lis** |
| il / elle / on **écrit** | il / elle / on **dit** | il / elle / on **lit** |
| nous **écrivons** | nous **disons** | nous **lisons** |
| vous **écrivez** | vous **dites** | vous **lisez** |
| ils / elles **écrivent** | ils / elles **disent** | ils / elles **lisent** |

| **vivre** *to live* | **suivre** *to follow; to take (a course)* | **prendre** *to take* |
|---|---|---|
| je **vis** | je **suis** | je **prends** |
| tu **vis** | tu **suis** | tu **prends** |
| il / elle / on **vit** | il / elle / on **suit** | il / elle / on **prend** |
| nous **vivons** | nous **suivons** | nous **prenons** |
| vous **vivez** | vous **suivez** | vous **prenez** |
| ils / elles **vivent** | ils / elles **suivent** | ils / elles **prennent** |

Other verbs conjugated like **prendre** are **apprendre** *(to learn)*, **comprendre** *(to understand)*, and **surprendre** *(to surprise)*.

The verb **prendre** can also mean *to eat* or *to drink something.*

| mettre *to put (on)* | connaître *to know* |
|---|---|
| je **mets** | je **connais** |
| tu **mets** | tu **connais** |
| il / elle /on **met** | il / elle / on **connaît** |
| nous **mettons** | nous **connaissons** |
| vous **mettez** | vous **connaissez** |
| ils / elles **mettent** | ils / elles **connaissent** |

- **Permettre** *(to permit)* and **promettre** *(to promise)* are conjugated like **mettre.**
- Note that **connaître** and **savoir** both have the English equivalent *to know,* but the uses of the two verbs differ.

**Savoir** is used with facts and specific information, such as numbers, dates, and the like. **Savoir** also means *to know how* and is often followed by an infinitive.

| **Savez-vous** la date? | ***Do you know*** *the date?* |
|---|---|
| **Je sais** jouer au tennis. | ***I know how*** *to play tennis.* |

**Connaître** means *to know* in the sense of *to be acquainted with.* **Connaître** is used when referring to proper names.

| **Je connais** l'œuvre de Sartre. | ***I know*** *the works of Sartre.* |
|---|---|
| **Ils connaissent** un bon restaurant à Paris. | ***They know*** *a good restaurant in Paris.* |
| **Connaissez-vous** les Didier? | ***Do you know*** *the Didiers?* |

**2** Vous préparez une lettre à votre ami Jean-Pierre en France où vous parlez de vos cours. Complétez la lettre avec les formes appropriées des verbes indiqués.

> *Cher Jean-Pierre,*
>     (**suivre**) *En Amérique, nous _____ beaucoup de cours. Moi, je _____ quatre ou cinq cours par semestre. Tu _____ moins de cours que cela, non?*
>     (**écrire**) *Pour chaque cours, nous _____ beaucoup. Pour le lundi, j' _____ en moyenne trois dissertations. En cours de français, les étudiants _____ une dissert tous les jours. En France, est-ce qu'on _____ beaucoup?*
>     (**lire**) *Nous _____ beaucoup aussi. En cours de littérature, je _____ sept romans (novels). Tu _____ autant que cela pour un seul cours? On _____ dans les magazines que les étudiants en France ne _____ pas régulièrement pour chaque cours mais qu'ils attendent la fin de l'année et qu'ils _____ tout à la dernière minute.*
>     (**dire**) *Mais aux Etats-Unis comme en France, je te _____ que la vie d'étudiant n'est pas facile.*

**3** Le contexte indique s'il faut employer **savoir** ou **connaître**. Donnez la forme correcte du verbe approprié dans les phrases suivantes.

1. Tu _____ régler ce poste de télé?
2. Les Français _____ bien l'émission *Mission Impossible*.
3. _____-vous à quelle heure cette émission est diffusée?
4. Je ne _____ pas du tout *Télé 7 Jours*.
5. Est-ce que tu _____ le nom de cet acteur?
6. Non, je ne _____ pas cet acteur.
7. En général, quelqu'un qui n'est pas de la région ne _____ pas les numéros des chaînes de télé.
8. Je ne _____ pas les feuilletons qui passent à la télé en France.

**4** **Les habitudes au déjeuner.** En petits groupes, employez la forme correcte du verbe **prendre** pour dire ce que les personnes indiquées prennent normalement au déjeuner. Ensuite, comparez les réponses des différents groupes. En général, quelle sorte de déjeuner les étudiants prennent-ils?

1. votre petit(e) ami(e)
2. votre colocataire ou camarade de chambre
3. vos copains
4. vous

## INTERACTIONS

**Comparaisons sur l'usage des différentes technologies.** Lisez l'article qui suit. Ensuite, répondez aux questions à la page 130.

### GÉNÉRATION TECHNO

Les 15–24 ans sont les enfants de la technologie. Nés pendant la période de diversification accélérée des outils *(tools)* audiovisuels (explosion des radios, puis des télévisions), ils ont grandi avec l'ordinateur et les outils de communication interactifs. Leurs taux d'équipement témoignent de l'avance qu'ils ont dans ce domaine sur les autres générations. 77% disposaient ainsi d'un ordinateur à domicile... (contre 59% de l'ensemble de la population). Ils représentaient 26% des internautes et 47% des «blogueurs» ... alors qu'ils ne comptent que pour 16% de la population.

Leur usage de ces nouvelles technologies est également plus intense: 86% sont connectés au moins une fois par mois, contre 50% de la population. Leur durée de connexion est plus longue et leurs usages plus diversifiés. Ils utilisent davantage les ressources de l'interactivité et sont plus que les autres à la recherche de convivialité sur les sites, forums et autres plate-formes d'échange et de partage (y compris ceux de fichiers musicaux ou de vidéo). Plus de neuf sur dix sont équipés d'un téléphone portable, un sur deux d'un baladeur. Ils font enfin preuve d'une plus grande maîtrise de ces outils, ce qui leur permet de se les approprier, parfois de les détourner *(misappropriate)*.

Source: Gérard Mermet, *Francoscopie 2007*, © Larousse, 2007, p. 134

1. En petits groupes, comparez l'usage des différentes technologies parmi les jeunes en France et aux Etats-Unis. Trouvez-vous que l'usage de la technologie chez les jeunes Français est plus ou moins courant que chez les jeunes Américains?

2. Lesquelles de ces technologies utilisez-vous personnellement? Lesquelles considérez-vous les plus importantes?

3. Chez les jeunes Américains, y a-t-il des exemples de détournement de la technologie?

## SYNTHESE

**Interview.** Posez des questions à un(e) camarade de classe en utilisant les éléments suivants.

MODELE   reprendre le cours de maths ce semestre
*Est-ce que tu reprends le cours de maths ce semestre?*

1. rentrer de l'université
2. suivre des cours
3. lire beaucoup
4. écrire des dissertations
5. sortir souvent

6. boire à une soirée
7. prendre au dîner
8. apprendre le français
9. connaître de bons restaurants
10. savoir *(+ infinitif)*

# INTERACTIONS

**Activité 1: Une interview au sujet de la télévision.** Posez cinq questions à un(e) camarade de classe en vous inspirant des thèmes suivants. Demandez...

1. combien d'heures par jour il / elle regarde la télé.
2. s'il / si elle préfère regarder la télé ou lire le journal pour s'informer.
3. quel(le) journaliste il / elle préfère.
4. s'il / si elle suit régulièrement un feuilleton à la télé.
5. quelle émission il / elle préfère.
6. ???

**Activité 2: Une soirée de télé en France.** Consultez le programme à la page 131, puis répondez aux questions suivantes.

1. A quelles heures peut-on regarder les informations et la météo?
2. Quels événements de sport y a-t-il au programme?
3. Y a-t-il des jeux au programme?
4. Lisez à la page 150 la description de l'émission *Fort Boyard*. Dans cette émission, quelles sont les professions des participants? L'argent qu'ils gagnent va soutenir une organisation qui s'appelle Partage. Il s'agit de quelle sorte d'organisation? En quoi cette émission est-elle différente de l'émission américaine *Fear Factor*?
5. En petits groupes, décidez ce que vous allez regarder ce soir. Expliquez vos préférences. Est-ce que tous les membres du groupe sont d'accord?

**6.10 KD2A** 82178155
🟠 Radio Free Roscoe (2 épiso-
🔲 des) ; Galactik Football ;
Blaise le Blasé (2 épisodes) ;
Lizzie McGuire ; H2O ;
Hannah Montana ; Derek ;
Parents à tout prix ; Ce que
j'aime chez toi ; Kméra
Kchée ; Change ta chambre ;
Documentaire : **Aller plus
haut**
et **Point route**

**12.00 TOUT LE MONDE VEUT**
🔲 **PRENDRE SA PLACE**
Jeu animé par Nagui 41180
et **Point route**

**12.50 LOTOPHONE** 200732971
et **Météo**

**13.00 JOURNAL** 60548
🔲 Édition présentée
par Laurent Delahousse
**Météo**
et **Météo des plages**

**13.25 L'AVANT TOUR** 9593567
*Magazine présenté
par Gérard Holtz,
Laurent Fignon
et Thierry Adam*
Tout sur l'étape du jour depuis
la ligne d'arrivée

**14.00 LE SPORT, ÇA MARCHE**
*Magazine*
A l'occasion des Jeux olympiques 2008, **Yohann Diniz**,
vice-champion du monde 2007
du 50 km marche, évoque avec
un groupe d'enfants les valeurs
liées à un sport. 71600

### 14.05 Tour de France
79765093 CYCLISME EN DIRECT 🔲

**Nîmes - Digne-les-Bains**
14ᵉ ÉTAPE (194,5 KM)

*Le Français Sandy Casar*

C'est la dernière étape de plaine
avant de retrouver les chemins
escarpés et sinueux des Alpes.
Le temps fort devrait être le col
de l'Orme (4ᵉ catégorie), à dix
kilomètres du final, où un barou-
deur pourrait bien créer la surprise. A noter que la dernière
arrivée à Digne-les-Bains, en
2005, avait été marquée par une
belle victoire française, celle de
David Moncoutié.

**17.00 L'APRÈS TOUR** 9103548

**18.15 26 MINUTES POUR RIRE**
*Divertissement* 890635

**18.55 LE 4ᵉ DUEL** 731708
*animé par Tania Young (photo)*
Pour chaque question, les deux
candidats disposent chacun de
dix jetons qu'ils doivent miser.
Chaque bonne réponse rap-
porte mille euros.

### 20.50 Fort Boyard
529155 DIVERTISSEMENT PRÉSENTÉ PAR OLIVIER MINNE ET ANNE-GAËLLE RICCIO 🔲

Pour cette troisième émission, **Olivier
Minne** et **Anne-Gaëlle Riccio** accueillent
trois personnages de la série quotidienne de
*France 3, Plus belle la vie :* **Franck Borde, Va-
lérie Baurens** et **Dounia Coesens.** Afin de
mener à bien leur chasse aux boyards, ces
jeunes comédiens seront épaulés par deux
journalistes de *France 3,* **Audrey Pulvar** et
**Laurent Bignolas,** et par le navigateur breton **Jean-Pierre Dick.**
Très éclectique, cette équipe compte bien ra-
fler le plus de gains possibles pour la cause
qui leur tient à cœur, celle de Partage. Créée
en 1973 pour venir en aide aux enfants victi-
mes de la guerre du Viêtnam, cette association humanitaire française soutient aujourd'hui, dans une vingtaine de pays, de
nombreuses structures associatives locales
d'aide à l'enfance. Son objectif principal est
d'aider, partout dans le monde, les enfants à
grandir dignement. Partage compte, parmi
ses nombreux membres d'honneur, la réalisatrice, comédienne et chanteuse Agnès
Jaoui et l'ancienne bassiste du groupe Téléphone Corinne Marienneau.

*Pour contacter cette association :
40, rue Vivenel - 60200 Compiègne
Tél : 03 44 20 92 92 - Mail : info@partage.org*

*Dounia Coesens
et ses coéquipiers*

### 22.40 On n'est pas couché
8082987 DIVERTISSEMENT PRÉSENTÉ PAR LAURENT RUQUIER

**Best of**

En attendant la rentrée, **Laurent Ruquier** propose de voir
- ou de revoir - les meilleurs
moments de l'émission depuis
septembre 2007. Hommes ou
femmes politiques, comédiens,
chanteurs, écrivains... ils ont
tous « affronté » les fidèles de
l'animateur : le journaliste **Éric
Zemmour,** l'écrivain et polé-
miste **Éric Naulleau ; Jean-
Luc Lemoine,** dans le rôle du
médiateur et **Jonathan Lam-
bert,** qui apparaît sous les
traits d'un ami perdu de vue de
l'un des invités.

**19.50 LES JEUX A L'ESSAI**
*Magazine* 9179884

**19.55 ET ÇA VOUS FAIT RIRE !**
🔲 *Divertissement*
Humoristes et auteurs revisitent
l'actualité... 9178155

**20.00 JOURNAL** 59529
🔲 par Laurent Delahousse
**L'Image du Tour, Météo**
et **Tirage du Loto**

#### Votre nuit

**1.00 MÉTÉO** 1045223

**1.05 L'AUBERGE DU CHEVAL**
🔲 **BLANC** 88004778
Opérette de Robert Stolz
et Ralph Benatzky
*Enregistrée à la Halle
aux grains de Toulouse*
Interprétée par l'Orchestre
du Capitole, sous la direction
de Claude Cuguillière
avec **Marie-Ange Todorovitch**
**L'argument.** L'arrivée de l'empereur François-Joseph dans un
petit village autrichien dénoue-
ra-t-elle le dramatique imbroglio
sentimental qui s'y joue ?

**3.30** En descendant la Mana. **3.55**
Paons en péril. **4.05** Voyage au bout
du monde : La Côte-d'Ivoire. **4.55** La
Femme de ta vie, série

DÉCONSEILLÉ AUX MOINS DE 10 ANS ⑩ ⑫ ⑯ ⑱ 29

# L'héritage culturel

## La circulation des idées

Il y a près de six siècles, l'invention de l'imprimerie a bouleversé la circulation des idées:

- Le livre imprimé a révolutionné la conception des rapports entre les êtres humains.
- L'invention de l'imprimerie a radicalement modifié les modes de transmission des idées entre les hommes.
- Par conséquent, l'imprimerie a donné lieu non seulement à un nouvel âge des écrivains et des artistes mais à l'âge des inventeurs et des ingénieurs.
- Il y a eu, par ailleurs, une abondance d'innovations, par exemple, dans les instruments de guerre, dans le style des bateaux et dans la conception des villes.

Plus récemment, c'est à la suite d'importantes découvertes dans le domaine des télécommunications et surtout dans l'électronique et l'informatique que l'activité humaine a été transformée et que la société a été redéfinie. L'importance sociale de ces phénomènes se manifeste souvent dans le domaine de la politique.

### Compréhension

1. Historiquement, quelle nouvelle technologie a transformé la dissémination des idées? A quelle époque?
2. A l'époque contemporaine, dans quels secteurs y a-t-il eu des innovations transformatrices pour la société?

### Réflexion

Quelle activité humaine est-ce que l'imprimerie et les télécommunications ont facilitée? Dans quelles domaines y a-t-il eu les plus grands progrès, à votre avis?

## La politique face à la radio et à la télévision

De Gaulle devant les micros de la BBC en 1940 et devant les caméras de la TV française en 1969

En France, c'est surtout à l'époque de la Seconde Guerre mondiale qu'on a pris conscience de l'importance de la communication radiophonique.

- Le 18 juin 1940, Charles de Gaulle s'est installé devant un micro de la BBC à Londres. Puis, il a lu le texte que nous appelons aujourd'hui «l'Appel du 18 juin». Il a terminé son message par les très célèbres paroles: *«Quoi qu'il arrive, la flamme de la résistance française ne doit pas s'éteindre et ne s'éteindra pas. Demain, comme aujourd'hui, je parlerai à la radio de Londres.»* Le message a été répété et distribué clandestinement en France, et le chef de la «France libre» est entré dans la légende.

- Au cours de sa carrière d'homme d'État, le général a souvent utilisé les moyens audiovisuels de l'ORTF (Office de radiodiffusion-télévision française) dont les caméras de télévision ont diffusé ses conférences de presse. Pour la première fois en France, un président de la République s'adressait au pays par le petit écran.

- En mai 1968, Charles de Gaulle s'est trouvé devant une France presque complètement paralysée. Les étudiants ont pris le pouvoir dans les universités, d'abord à Paris, puis en province, pour manifester contre un système qui avait refusé de se réformer et de s'adapter aux nécessités d'une société démocratique moderne. Bientôt les principaux syndicats d'ouvriers *(labor unions)* se sont joints

Les manifestants de la Confédération Générale du Travail rejoignent les étudiants dans la rue pour manifester contre le Gouvernement en mai 68.

au mouvement des étudiants et ont déclaré une grève *(strike)* générale. Il y a eu des confrontations terribles entre les manifestants et la police. Avec le temps, l'ordre s'est imposé et le travail a repris. Devant la peur de l'anarchie et de la dictature, les Français se sont ralliés, une fois encore, autour du général de Gaulle. Cette fois-ci, c'est en téléspectateurs qu'ils ont pu l'entendre et le voir prononcer les fameuses paroles par lesquelles il terminait ses interventions à la télévision: «*Vive la République! Vive la France!*»

- Le président Nicolas Sarkozy, comme tous ses prédécesseurs depuis de Gaulle, a très bien compris l'importance de la télécommunication avec ses concitoyens. On dit que son action politique s'inspire même de certaines mises en scènes importées de la télévision.

Nicolas Sarkozy, élu président de la République en 2007, est une personnalité médiatique aussi bien que politique.

Paul Martin, leader du Parti
libéral canadien, à la radio
le 5 décembre 2005

## Compréhension

1. A quel moment, surtout dans sa carrière politique, Charles de Gaulle a-t-il utilisé la télévision française?

2. Vrai ou faux? Avant de Gaulle, les présidents ont souvent paru à la télévision en France. Expliquez votre réponse.

3. Pour quelles raisons les étudiants français ont-ils manifesté leur mécontentement pendant les «événements de mai 68»?

4. Quel autre groupe social a participé à la grève générale en même temps que les étudiants?

5. Vrai ou faux? Il n'y a pas eu de violence associée à cette grève générale. Expliquez votre réponse.

6. Pourquoi les Français se sont-ils ralliés autour du général de Gaulle à la suite de cette grève?

## Réflexion

A. Pourquoi le général de Gaulle a-t-il fait son appel radiophonique du 18 juin 1940?

B. Dans quelles circonstances la télévision peut-elle être utilisée contre les personnalités politiques?

C. Dans quel sens peut-on dire que la télévision joue un rôle politique dans la vie quotidienne?

D. Dans l'histoire mondiale du vingtième et du vingt et unième siècles, quelles personnalités politiques ont utilisé la radio ou la télévision pour se présenter au public avec la plus grande efficacité? Donnez des exemples précis.

# Structures II

## The passé composé with *avoir* and *être*

### Verbs Conjugated with *avoir*

The **passé composé** of most French verbs is formed by combining the present tense of the auxiliary verb **avoir** and the past participle of the main verb.

| **parler** *PARTICIPE PASSE:* **parlé** | **finir** *PARTICIPE PASSE:* **fini** | **répondre** *PARTICIPE PASSE:* **répondu** |
|---|---|---|
| j'ai parlé | j'ai fini | j'ai répondu |
| tu **as parlé** | tu **as fini** | tu **as répondu** |
| il / elle / on **a parlé** | il / elle / on **a fini** | il / elle / on **a répondu** |
| nous **avons parlé** | nous **avons fini** | nous **avons répondu** |
| vous **avez parlé** | vous **avez fini** | vous **avez répondu** |
| ils / elles **ont parlé** | ils / elles **ont fini** | ils / elles **ont répondu** |

# RAPPEL!

Note that the **passé composé** always consists of an auxiliary verb plus a past participle, even when its English equivalent is the simple past tense.

| | |
|---|---|
| **j'ai regardé** | I watched |
| | I have watched |
| | I did watch |

The past participle of a regular verb is easily recognized:

$$\textbf{-er} \rightarrow \textbf{-é} \qquad \textbf{-ir} \rightarrow \textbf{-i} \qquad \textbf{-re} \rightarrow \textbf{-u}$$

The past participle of a verb conjugated with the auxiliary **avoir** must show agreement with a preceding direct object or direct object pronoun that is feminine and / or plural.[1]

[1]For a discussion of direct object pronouns and past participle agreement, see *Chapitre 7.*

| | |
|---|---|
| Tu as loué **le vélo**? | Tu **l'**as loué? |
| Il a regardé **l'émission**. | Il **l'**a regardé**e**. |
| Nous avons écrit **les lettres**. | Nous **les** avons écrit**es**. |
| On a montré **une publicité drôle**. | **La publicité** qu'on a montré**e** est drôle. |

The following verbs conjugated with **avoir** have irregular past participles.

| avoir | **eu** | être | **été** | faire | **fait** |
|---|---|---|---|---|---|

### Ending in **-u**

| | | |
|---|---|---|
| boire **bu** | lire **lu** | recevoir **reçu** |
| connaître **connu** | plaire **plu** | savoir **su** |
| devoir **dû**[2] | pleuvoir **plu** | voir **vu** |
| falloir **fallu** | pouvoir **pu** | vouloir **voulu** |

[2]The **passé composé** of **devoir** has the English equivalents *had to* or *must have.*

| | |
|---|---|
| Hier soir, j'**ai dû** étudier. | *Last night I **had to** study.* |
| Hier soir, il **a dû** s'endormir de bonne heure. | *He **must have** fallen asleep early last night.* |

### Ending in **-is** | ### Ending in **-ert**

| Ending in **-is** | Ending in **-ert** |
|---|---|
| apprendre **appris** | découvrir **découvert** |
| comprendre **compris** | offrir **offert** |
| mettre **mis** | ouvrir **ouvert** |
| prendre **pris** | vivre **vécu** |

| Ending in **-i** | Ending in **-it** |
|---|---|
| sourire **souri** | dire **dit** |
| suivre **suivi** | écrire **écrit** |

**1** Marie-Ange vous raconte ce qu'elle a fait hier. Complétez chaque phrase par le **passé composé** des verbes indiqués.

1. D'abord j' _____ (prendre) le petit déjeuner.
2. J' _____ (devoir) me presser pour ne pas être en retard à mon cours de philo.
3. En cours, nous _____ (écouter) la conférence du prof.
4. Mes amis et moi, on _____ (déjeuner) au café.
5. Ensuite, mes amis _____ (assister) à un autre cours.
6. Mais moi, j' _____ (finir) mes lectures à la bibliothèque.
7. J' _____ (écrire) une dissertation et j' _____ (lire) un chapitre pour mon cours d'histoire.
8. Mon copain Jean-Luc _____ (dîner) chez moi et nous _____ (regarder) un DVD.
9. Enfin, on _____ (boire) un verre au café.
10. Et toi, qu'est-ce que tu _____ (faire) hier?

**2** Composez des phrases au **passé composé** avec les éléments suivants pour décrire ce que ces personnes ont fait pendant le week-end.

1. mes amis / faire / des achats au centre commercial
2. mon prof de français / préparer / son cours
3. nous / dîner / au restaurant
4. mes camarades de classe / faire / leurs devoirs
5. mon (ma) meilleur(e) ami(e) / lire et travailler
6. je / ???

**3** Vous racontez à une amie une soirée de télé en utilisant le **passé composé** des verbes de la liste. Il y a quelquefois plus d'un choix possible.

**Verbes:**

| allumer | attendre | boire | choisir |
|---------|----------|-------|---------|
| consulter | décider | essayer | être |
| faire | finir | pouvoir | prendre |
| rater | regarder | trouver | voir |

Mes amis et moi, nous _____ de regarder ensemble un épisode déjà diffusé de *ER*. J' _____ le programme et j' _____ le poste. On _____ vingt minutes le début de notre émission. Mais, malheureusement, l'épisode de *ER* _____ remplacé par un match de foot. Alors, nous _____ notre émission préférée. On _____ de trouver autre chose à regarder. On _____ du zapping et on _____ toutes sortes d'émissions, mais on ne les _____ pas _____ intéressantes. Enfin, nous _____ un film. Nous _____ ce film et nous _____ du pop-corn. On _____ aussi _____ du coca. Le film _____ à minuit.

..............................................................................................

# INTERACTIONS

En petits groupes, employez les éléments suivants pour poser des questions à vos camarades de classe sur leurs activités du week-end passé. Ensuite, comparez les réponses des différents groupes. Qui a eu le week-end le plus chargé, le plus intéressant ou le plus amusant?

**Activités:**

| | |
|---|---|
| assister à un concert | dîner au restaurant |
| écrire une composition | envoyer des e-mails à des amis |
| étudier à la bibliothèque | faire du sport |
| fréquenter des boîtes | lire un livre |
| regarder la télé | téléphoner à un(e) ami(e) |
| ??? | |

## Verbs Conjugated with *être*

**A. Verbs of motion:** Some verbs form the **passé composé** with **être** as the auxiliary. The past participle of a verb conjugated with **être** must agree in gender and number with the subject of the verb.

| aller | venir |
|-------|-------|
| je **suis allé(e)** | je **suis venu(e)** |
| tu **es allé(e)** | tu **es venu(e)** |
| il / elle / on **est allé(e)**[3] | il / elle / on **est venu(e)** |
| nous **sommes allé(e)s** | nous **sommes venu(e)s** |
| vous **êtes allé(e)(s)** | vous **êtes venu(e)(s)** |
| ils / elles **sont allé(e)s** | ils / elles **sont venu(e)s** |

[3]When **on** is used to mean **nous,** the past participle of a verb conjugated with **être** often agrees in gender and number as though the subject pronoun were **nous.** **Les jeunes filles ont dit:** «*On est allées au cinéma.*»

Following is a list of verbs conjugated with **être** in the **passé composé** and their past participles. Most of these are verbs of motion. Many can be grouped by opposites, which will help you remember them.

| | | | | |
|---|---|---|---|---|
| **aller (allé)** | *to go* | ≠ | **venir (venu)** | *to come* |
| | | | **revenir (revenu)** | *to come back* |
| **arriver (arrivé)** | *to arrive* | ≠ | **partir (parti)** | *to leave* |
| **monter (monté)** | *to go up* | ≠ | **descendre (descendu)** | *to go down* |
| | | | **tomber (tombé)** | *to fall* |
| **naître (né)** | *to be born* | ≠ | **mourir (mort)** | *to die* |
| **entrer (entré)** | *to come in* | ≠ | **sortir (sorti)** | *to go out* |
| **rester (resté)** | *to stay* | ≠ | **retourner (retourné)** | *to go back* |
| | | | **rentrer (rentré)** | *to come (go) home* |
| **devenir (devenu)** | *to become* | | | |

The verbs **monter, descendre, rentrer,** and **sortir** sometimes take a direct object. In these cases, the verb is conjugated with **avoir.**

| | |
|---|---|
| Elle a descendu **les valises.** | *She took down **the suitcases.*** |
| Ils ont monté **les valises.** | *They carried up **the suitcases.*** |
| Elles ont rentré **la voiture** dans le garage. | *They put **the car** in the garage.* |

**B. Reflexive verbs:** All reflexive verbs form the **passé composé** with **être** as the auxiliary. The appropriate reflexive pronoun precedes the auxiliary. The past participles of reflexive verbs are formed in the regular manner.

| se lever | |
|----------|---|
| je **me suis levé(e)** | nous **nous sommes levé(e)s** |
| tu **t'es levé(e)** | vous **vous êtes levé(e)(s)** |
| il / elle / on **s'est levé(e)** | ils / elles **se sont levé(e)s** |

As shown above, the past participle of a reflexive verb agrees in gender and number with the reflexive pronoun *when the pronoun functions as a direct object.*

| | |
|---|---|
| Elle **s**'est habillée. | Vous **vous** êtes réveillé(**e**)(**s**). |
| Nous **nous** sommes levé(**e**)**s**. | Ils **se** sont lavés. |

In cases where a reflexive verb is followed by a noun direct object, the reflexive pronoun is no longer the direct object and the past participle does not agree with the pronoun.

| | |
|---|---|
| Elle s'est coup**ée**. | *She cut **herself**.* |
| Elle s'est coupé **les cheveux**. | *She cut **her** (own) **hair**.* |

With certain verbs, the reflexive pronoun functions as an indirect object rather than a direct object. In such cases, the past participle shows no agreement.

| | | |
|---|---|---|
| **s'écrire** | *to write to each other* | Ils **se** sont **écrit**. |
| **se parler** | *to speak to each other* | Vous **vous** êtes **parlé**. |
| **se rendre compte** | *to realize* | Elle s'est **rendu** compte de sa bêtise. |

# RAPPEL!

1. The past participles of verbs conjugated with **avoir** agree only with a preceding direct object.
2. The past participles of verbs conjugated with **être** normally agree with the subject of the verb.
3. The past participles of reflexive verbs agree with the preceding reflexive pronoun when this pronoun functions as a direct object.

**4** Faites une description de vos activités du week-end dernier et de celles de vos colocataires. Complétez les phrases en mettant les verbes indiqués au **passé composé**.

1. Samedi matin, je _____ (descendre) en ville.
2. Mes colocataires _____ (venir) me rejoindre en ville.
3. Nous _____ au centre sportif pour jouer au tennis. (aller)
4. Puis, on _____ à la maison. (revenir)
5. Le soir, je _____ avec mon ami(e). (sortir)
6. Mes colocataires _____ aussi. (sortir)
7. Mon ami(e) et moi, nous _____ voir un film. (aller)
8. Je _____ vers onze heures. (rentrer)
9. Mes colocataires _____ quelques minutes plus tard. (rentrer)
10. Nous _____ (rester) chez nous le reste de la soirée.

**5** Voici un extrait du journal de Karine. Complétez chaque phrase par la forme appropriée du **passé composé** des verbes entre parenthèses.

1. Ce matin-là, je _____ à sept heures. (se réveiller)
2. Je _____ les cheveux. (se laver)
3. Je _____ avec élégance. (s'habiller)
4. Je _____ comme candidate pour un nouvel emploi. (se présenter)
5. Le chef du personnel et moi, nous _____ pendant une heure. (se parler)
6. Ensuite, mes amis et moi, nous _____ au café. (se retrouver)
7. Soudain, je _____ de l'heure. (se rendre compte)
8. Je _____ pour arriver à l'université pour mes cours. (se presser)

**6** Employez les éléments suivants pour composer des phrases au **passé composé.**

| hier | mes amis | aller... |
| pendant le week-end | ma famille | se lever tôt |
| | je | sortir... |
| | mes copains et moi | rentrer tard |
| | mon / ma meilleur(e) ami(e) | s'amuser |
| | | se coucher... |
| | | venir au campus |

# INTERACTIONS

**En matinée.** En petits groupes, posez des questions pour déterminer ce que les membres de votre groupe ont fait avant de venir en cours aujourd'hui.

MODELE  *Est-ce que tu t'es levé(e) tôt ou tard?*
*Je me suis levé(e) tard.*

## The Negative with the *passé composé*

To negate a verb used in the **passé composé,** place **ne** before the auxiliary or object pronoun and **pas** before the past participle.

Il **n**'a **pas** parlé.  Elles **ne** sont **pas** parties.

Vous **ne** l'avez **pas** compris.  Ils **ne** se sont **pas** amusés là-bas.

Like **pas,** most negative expressions immediately precede the past participle. However, **personne** follows the past participle, and **que** and **ni... ni...** are placed directly before the words they modify.

Il **n**'a **jamais** parlé.

Vous **ne** l'avez **pas** compris.

Elles **ne** sont **pas** encore parties.

BUT:

Je **n**'ai vu **personne** au café.

Elle **n**'a pris **que** de l'eau.

Nous **ne** sommes entrés **ni** au café **ni** au bar.

**7** Tout ne va pas toujours très bien dans votre vie. Répondez négativement aux questions suivantes.

1. Vous êtes-vous levé(e) tard lundi matin?
2. Avez-vous rendu tous vos devoirs ce semestre?
3. Avez-vous eu des notes exceptionnelles le semestre dernier?
4. Etes-vous sorti(e) tous les week-ends le semestre dernier?
5. Avez-vous trouvé un job très bien rémunéré? Avez-vous gagné beaucoup d'argent?
6. Vous êtes-vous amusé(e) dans tous vos cours?
7. Etes-vous allé(e) à une soirée extraordinaire?
8. Avez-vous pu retrouver vos amis tous les week-ends?
9. Avez-vous fait beaucoup d'achats?
10. Etes-vous allé(e) à un concert exceptionnel?

# INTERACTIONS

**Peut-être qu'un jour...** Nommez cinq choses que vous n'avez jamais faites et que vous désirez faire un jour. Comparez vos réponses à celles de vos camarades de classe.

MODELE *Je n'ai jamais été à un concert de jazz.*
*Je ne suis jamais allé(e) en Afrique.*

# RAPPEL!

1. The basic question patterns discussed in **Chapitre 2** (**est-ce que**, inversion, **n'est-ce pas**, and intonation) are also used to form questions with the **passé composé** (and any other compound tense).

2. When using inversion with a compound tense, invert the conjugated auxiliary and its subject pronoun; the past participle follows.

3. Remember that when forming questions with reflexive verbs, the reflexive pronoun always precedes the auxiliary.

## Basic Question Patterns with the *passé composé*

| Est-ce que | N'est-ce pas (Non) |
|---|---|
| **Est-ce que vous avez regardé** la télé? | Vous avez regardé la télé, **n'est-ce pas (non)**? |
| **Est-ce que votre amie est aussi venue** regarder la télé? | Votre amie est aussi venue regarder la télé, **n'est-ce pas (non)**? |
| **Est-ce que vous vous êtes amusés?** | Vous vous êtes amusés, **n'est-ce pas (non)**? |

| Inversion | Intonation |
|---|---|
| **Avez-vous regardé** la télé? | Vous avez regardé la télé? |
| **Votre amie est-elle aussi venue** regarder la télé? | Votre amie est aussi venue regarder la télé? |
| **Vous êtes-vous amusés?** | Vous vous êtes amusés? |

**8** Utilisez les éléments indiqués et le **passé composé** pour poser des questions à un(e) camarade de classe.

1. à quelle heure / tu / se lever / ce matin?
2. tu / prendre / ton petit déjeuner?
3. à quelle heure / tu / partir / à la fac?
4. tu / prendre / la voiture pour aller à la fac?
5. tu / aller / en cours de français?
6. tu / déjeuner / au Resto-U?
7. que / tu / faire / ensuite?
8. à quelle heure / tu / rentrer?
9. tu / faire / tes devoirs / ou / tu / lire / tes bouquins?
10. à quelle heure / tu / se coucher / hier soir?

# Note culturelle

## La télévision

Le paysage audiovisuel français a beaucoup changé depuis les premiers temps de la télé. Pendant longtemps, il n'y a eu que trois chaînes publiques et gratuites (TF1, France 2 et France 3). Il y a aujourd'hui dix-huit chaînes gratuites dont six chaînes publiques et onze privées. Plusieurs de ces mêmes chaînes sont les premières en Europe à diffuser une partie de leurs programmes en HD (haute définition). En 1984, la première chaîne payante et cryptée, Canal+ (Canal Plus), est née. A l'origine, elle s'est concentrée sur le cinéma et le sport avec, en plus, quelques émissions d'humour anticonformiste *(Les Guignols de l'info)* qui sont devenues une institution parmi les Français. L'expérience de Canal+ a révélé que beaucoup de Français étaient prêts à payer pour avoir à leur disposition une chaîne plus diversifiée que les chaînes gratuites. Plus récemment, un bouquet de chaînes de télévision par satellite s'est ajouté à la croissance de stations thématiques en France. Dans le domaine de la télévision payante, il faut aussi compter les chaînes câblées comme Planète, Découverte ou La chaîne Histoire où l'on trouve beaucoup de documentaires. Au total, la télévision payante (onze chaînes), soit les chaînes par satellite soit les chaînes câblées, connaît une progression importante dans sa part de l'audience télévisuelle en France, même si la plupart de ses abonnés la trouvent plutôt chère!

Il existe donc plusieurs types de diffusion télévisuelle: la vieille télé hertzienne analogique (qui disparaît totalement en 2011), la télé numérique terrestre (TNT) et la télé numérique satellite (TNS), auxquelles s'ajoute la télé en ligne. Malgré cette variété d'offres chez les Français, on ne passe pas plus de temps qu'avant devant le petit écran, un peu plus de trois heures par jour en moyenne pour les 15 à 60 ans. Par ailleurs, plus de trois ménages sur quatre sont équipés d'un magnétoscope ou d'un lecteur de DVD qui leur permet de choisir et d'enregistrer les émissions qui leur plaisent et qu'ils peuvent regarder à tout moment. Ce sont les appareils électroniques qui ont connu le développement le plus rapide, surtout dans les ménages avec enfants.

### Compréhension

1. Combien de chaînes gratuites de télé y a-t-il en France aujourd'hui?

2. Que savez-vous au sujet de la chaîne Canal+?

3. En plus de la réception par téléviseur numérique, quel autre mode de réception télévisuelle peut-on utiliser?

4. Vrai ou faux? La plupart des foyers en France sont abonnés à la télé par câble ou par satellite. Expliquez votre réponse.

### Réflexion

A. En France, il existe un système mixte de télévision privée et publique. Quelle est la différence entre les deux, à votre avis?

B. Quelle a été l'importance de Canal+ dans le paysage audiovisuel français?

C. Les chaînes publiques de télé en France sont financées par l'Etat au moyen d'une taxe annuelle imposée sur chaque poste; elle permet de supprimer progressivement la publicité sur le service public. Etes-vous favorable à un tel système audiovisuel public? Pourquoi?

## INTERACTIONS

**Le semestre dernier.** Posez cinq questions au **passé composé** à un(e) camarade de classe au sujet du semestre dernier. Résumez ensuite pour la classe les renseignements que vous avez obtenus.

## Placement of Adverbs with the *passé composé*

There is no hard-and-fast rule regarding the placement of adverbs used with the **passé composé** and other compound tenses. Most short adverbs and a few of the more common longer adverbs are placed between the auxiliary and the past participle. Following is a partial list of adverbs that normally follow the auxiliary and precede the past participle.

| | | | |
|---|---|---|---|
| assez | déjà | probablement | toujours |
| beaucoup | encore | peut-être | trop |
| bien | enfin | seulement | vite |
| bientôt | longtemps | souvent | vraiment |
| certainement | mal | sûrement | |

Elle s'est **bien** amusée.

Il a **bientôt** fini.

J'ai **enfin** écrit la lettre.

Ils sont **peut-être** venus hier.

Ils ont **trop** regardé la télé.

J'ai **vraiment** souffert.

Most long adverbs, including many that end in **-ment** (except those mentioned earlier) are placed after the past participle.

Il a parlé **brillamment.**

Vous avez été **régulièrement** présent.

Elles sont restées **constamment** chez elles.

Adverbs of time and place also usually follow the past participle. The following list includes the most commonly used adverbs of time and place.

| Time | Place |
|---|---|
| après-demain | dessus (au-dessus) |
| autrefois | dessous (au-dessous) |
| avant-hier | ici |
| demain | là-bas |
| hier | partout |
| tard | |
| tôt | |

Je suis venue **hier.**

Ils se sont rencontrés **là-bas.**

In negative constructions, the adverb **peut-être** and most adverbs ending in **-ment** (except **seulement**) follow the auxiliary and precede **pas** or another negative expression.

Il n'est **peut-être** pas allé en cours.

Vous n'avez **vraiment** pas compris.

On n'a **probablement** plus d'argent.

Most short adverbs (those with one or two syllables) and the adverb **seulement** usually follow **pas** or another negative expression and precede the past participle.

Jean-Pierre n'a pas **seulement** travaillé, il a aussi **beaucoup** joué.

Je n'ai pas **encore** fini la leçon.

Nous n'avons pas **toujours** compris les explications du prof.

A few adverbs, such as **longtemps, vite,** and **aujourd'hui** follow both the negative expression and the past participle.

Tu n'as pas lu **longtemps.**

Elle n'a pas couru **vite.**

Vous n'êtes plus sorti **aujourd'hui**?

**9** Une soirée peut quelquefois mal tourner. Complétez le récit de cette soirée en ajoutant les adverbes entre parenthèses à la place appropriée.

1. Presque tout le monde est arrivé à huit heures. (hier)
2. Moi, je suis venu(e) à huit heures et demie. (ne... que)
3. Quelques-uns des invités ont bu. (beaucoup)
4. J'ai dansé. (mal)
5. Une personne ennuyeuse a parlé. (constamment)
6. L'hôtesse a offert des hors-d'œuvre très gras. (malheureusement)
7. Mon ami(e) est arrivé(e). (enfin)
8. Soudain, nous nous sommes senti(e)s fatigué(e)s. (vraiment)
9. Mon ami(e) est parti(e). (bientôt)
10. Je suis parti(e), moi aussi. (vite)

**10** Posez des questions à votre professeur de français sur son week-end en employant les expressions suggérées.

1. se lever tôt ou tard
2. travailler
3. corriger des examens
4. faire du sport
5. sortir le soir
6. faire un voyage
7. parler français
8. voir des amis
9. aller à une soirée
10. se coucher tôt ou tard
11. s'amuser
12. ???

**11** Vous êtes allé(e) à une soirée. Employez les éléments suggérés et les adverbes des listes à la page 142 pour décrire vos activités et vos impressions.

**Activités:** s'amuser      bavarder      ???
écouter      fumer des cigarettes
manger de la pizza      prendre un coca (du vin / de la bière)
regarder un DVD      danser

# INTERACTIONS

**Une journée mouvementée?** Composez une liste de six ou huit activités que vous avez faites hier. Ensuite, en petits groupes, comparez les listes. Chaque groupe doit expliquer à la classe quel membre du groupe a eu la journée la plus intéressante.

# SYNTHESE

**A. Un pique-nique à la plage.** Racontez le pique-nique de Roger et de ses copains du week-end dernier en mettant les phrases au **passé composé.**

1. Le jour du pique-nique, nous nous levons de bonne heure.
2. Avant de partir, nous préparons tout pour le pique-nique.
3. Nous sortons de chez nous tôt le matin.
4. Nous arrivons à la plage vers dix heures.
5. Nous déjeunons à une heure.
6. Après le déjeuner, nous jouons au volley.
7. Nous faisons des promenades sur la plage.
8. L'après-midi, nous nous baignons puis nous prenons un bain de soleil.
9. A six heures, nous mettons nos affaires dans la voiture.
10. Nous rentrons vers sept heures.

**B. Les réseaux communautaires.** Employez les éléments suivants pour poser des questions au **passé composé** sur les habitudes de vos camarades de classe par rapport aux réseaux communautaires.

1. choisir d'être membre d'un réseau communautaire?
2. naviguer récemment sur le site de Facebook ou MySpace?
3. créer une page personnelle sur un des réseaux?
4. accepter beaucoup d'amis?
5. mettre des photos sur ta page?
6. entrer dans un salon de chat?
7. passer beaucoup de temps sur le réseau?
8. s'amuser dans cette communauté virtuelle?

# INTERACTIONS

**Votre émission préférée.** Composez quatre phrases pour résumer les événements principaux du dernier épisode de votre émission préférée. Ensuite, mettez-vous en petits groupes pour raconter ces événements. Les autres doivent deviner l'émission que vous avez regardée.

# POUR S'EXPRIMER

## A l'écoute

### Mise en scène

Ecoutez la conversation, puis faites les activités.

**Contexte:** Christelle et Magali sont deux étudiantes. La première est en faculté de médecine, tandis que la seconde étudie l'architecture. Ce soir, elles rentrent chez elles après une journée difficile et elles décident de se détendre un peu devant la télé.

### Avant d'écouter

1. Regardez-vous beaucoup la télévision? Combien d'heures par semaine êtes-vous devant le petit écran?
2. Quelles émissions regardez-vous le plus souvent? Laquelle préférez-vous?
3. Avez-vous la télévision par câble ou par satellite chez vous?
4. Combien de postes de télévision y a-t-il chez vous? En avez-vous un dans votre chambre?

### Compréhension

**A.** Christelle demande à Magali si elle a vu «le film l'autre jour». La réponse est négative. Mais, comment sait-on de quel film parle Christelle? Que dit-elle pour l'identifier?

**B.** Faites une liste des émissions que Christelle et Magali peuvent regarder ce soir. A quel genre de programme pensez-vous que ces émissions appartiennent: films, variétés, séries (ou feuilletons), documentaires, émissions politiques? Expliquez votre choix.

**C.** Quelles émissions Magali ne veut-elle pas regarder ce soir? Pourquoi? Et Christelle? Sur quelle émission se sont-elles mises d'accord? Pourquoi?

**D.** Relevez, dans le dialogue, trois expressions négatives utilisées par Christelle et Magali. Créez un mini-dialogue dans lequel vous allez vous servir de ces mêmes expressions.

## A vous la parole

Voici quelques expressions qu'on emploie souvent pour établir la chronologie des événements qu'on raconte. Choisissez un des contextes indiqués et racontez cet événement en utilisant les expressions suivantes.

**Expressions:** alors   d'abord   enfin   ensuite   plus tard   puis

- votre premier jour à l'université
- un rendez-vous mémorable
- les préparations pour votre dernier examen
- les vacances de l'été dernier

##  Situations orales

**A.** En petits groupes, posez des questions pour déterminer les émissions préférées des membres du groupe. Qui regarde en général les mêmes émissions? Qui regarde les émissions les plus populaires ou les plus bizarres? Avec qui voulez-vous passer une soirée à regarder la télé?

**B.** Votre classe va interviewer des étudiants français. En petits groupes, composez trois ou quatre questions à poser au sujet de la télévision en France. Ensuite, chaque groupe va poser ses questions aux membres des autres groupes qui vont jouer le rôle des étudiants français.

# Note culturelle

## Le multimédia

Toute réflexion sur l'avenir doit tenir compte du multimédia: la fusion de l'informatique (les sciences de l'ordinateur) et des télécommunications. Il faut d'abord reconnaître le rôle social de plus en plus important que joue le téléphone fixe, et surtout le téléphone portable ou mobile. La diffusion du portable a été phénoménale en France. Aujourd'hui, plus de huit personnes sur dix en possèdent un. Si le portable a pu connaître un si grand succès, c'est qu'il a sérieusement transformé la notion que nous avons du temps et de l'espace. On peut facilement joindre quelqu'un par téléphone à tout moment et en tout temps. Mais cette «joignabilité» peut aussi mener assez souvent à un comportement incivil lorsqu'il dérange les autres dans les lieux publics ou, encore pire, contribue au nombre croissant d'accidents de voiture. Pour les ennemis du portable il est devenu «insu-portable». Contrairement à l'évolution du cinéma, cependant, la téléphonie portable a souvent pris un caractère muet, car on s'en sert aussi pour envoyer des messages écrits (textos ou SMS), et la majorité des Français déclare en envoyer plusieurs tous les jours.

Dans le domaine du multimédia, c'est avec un peu d'hésitation que les Français se sont aussi équipés d'ordinateurs personnels ou portables. Il faut préciser cependant que les Français ont été «en ligne» bien avant leurs voisins. Dès 1983, France Télécom a mis à la disposition de ses abonnés un système de terminaux, appelé Minitel, donnant accès à un très grand nombre de banques de données. Aujourd'hui, c'est l'ordinateur qui le remplace. Avec le temps, il faut espérer que cet outil technologique de communication va réduire les inégalités culturelles entre les individus et ne pas les renforcer, car il s'agit d'une véritable révolution dans le mode de transmission des connaissances.

### Compréhension

1. Comment le portable a-t-il transformé la vie des Français? Comment les Français regardent-ils cette transformation?

2. Que savez-vous au sujet du Minitel?

3. Quelles raisons peut-on donner pour expliquer pourquoi les ménages français ne sont pas équipés de façon égalitaire en ordinateurs?

### Réflexion

A. Comment peut-on expliquer que seul un peu plus d'un ménage sur deux dispose d'un ordinateur en France? Est-ce que cela veut dire que les Français ne bénéficient pas de services en ligne? Comparez la situation en France et dans votre pays.

B. Voici quatre raisons d'apprécier Internet. Mettez-les dans l'ordre prioritaire qui vous convient personnellement. Ensuite, comparez votre liste à celles de vos voisins.

   1. l'accès à l'information

   2. le gain de temps

   3. les distractions

   4. la possibilité de nouer des contacts

# Structures III

## Uses of the *passé composé*

The **passé composé** is used to express an action that was completed within a specified or implied time frame in the past. You must often judge from the context of the sentence if the action has been completed. The following contexts indicate completed actions.

**A. An isolated action:** A single action that was performed by someone or that occurred in the past is expressed with the **passé composé.**

**J'ai lu** *Télé 7 Jours.*
Nous **sommes allés** au café.
Le concert **a eu** lieu sans incident.

**B. An action with a specified beginning or end:** A past action for which either the beginning or the end can be easily visualized is expressed with the **passé composé.** The action or event may be of short or long duration, but if the beginning or end of the action is delineated by the context of the sentence, the **passé composé** is used.

J'**ai regardé** la télé pendant deux heures.
Le film **a commencé** à trois heures.
Il **a duré** deux heures.
Le festival du film **a continué** jusqu'au douze mai.

**C. A series of actions:** A succession of completed actions, or a single completed action repeated a number of times within a limited time frame, is expressed with the **passé composé.**

Jerry **a allumé** le téléviseur, **s'est installé** et **a regardé** son feuilleton.
Il **a vu** le même film deux fois.
L'année dernière, il **a regardé** tous les épisodes de *Scrubs.*

**D. Reaction to an event or situation / Change in a state or condition:** A past action that is characterized by its suddenness or immediacy is expressed with the **passé composé.** Such an action may state an immediate reaction to an event or situation.

Au moment de l'accident, j'**ai pensé:** «Je vais mourir».
Les enfants **ont voulu** sortir quand la neige **a commencé** à tomber.

Such an action may express a sudden change in an existing state or condition. This use of the **passé composé** often parallels the English concepts *to become* or *to get.*

Quand j'**ai vu** les questions de l'examen, j'**ai eu** peur.
Après avoir mangé de la mauvaise viande, il **a été** malade.
Après l'accident, elles n'**ont** pas **pu** marcher.

In addition to the contexts already discussed, certain expressions of time may indicate that an action is completed within a given time frame. Here is a partial list of such expressions.

| | | |
|---|---|---|
| à ce moment-là | immédiatement | tout de suite |
| enfin | soudain | une fois |
| finalement | tout à coup | vite |

# RAPPEL!

The **passé composé** is not the only past tense in French. As you will see in **Chapitre 5**, a verb may be used in any of the past tenses, depending on the context and duration of the action in question. The **passé composé** is used to indicate that an action was of limited duration and was completed within a certain time frame. The following examples provide further illustration of the various uses of the **passé composé**. Pay special attention to the different contexts that indicate completed actions and therefore require the **passé composé**.

| | |
|---|---|
| J'**ai fréquenté** cinq écoles. | **Series of actions:** *After that period, you were no longer at those schools.* |
| J'**ai déménagé** trois fois. | **Series of actions:** *You moved several times, but all the moves have been completed.* |
| Pendant ma jeunesse, j'**ai appris** l'espagnol. | **Specified beginning or end:** *You may know Spanish now, but you have stopped studying it.* |
| Mon père **s'est enrôlé** dans l'armée. | **Isolated action:** *He may still be in the army, but the act of joining it is completed.* |
| Il y a trois ans, j'**ai fait** un voyage au Mexique. | **Specified beginning or end:** *The trip began and ended three years ago.* |
| Je **me suis marié**. | **Isolated action:** *You may still be married, but the act of getting married is completed.* |
| L'année dernière, j'**ai acheté** une voiture. | **Specified beginning or end:** *You may still have the same car, but the act of acquiring it is completed.* |
| L'été dernier, j'**ai travaillé**. | **Specified beginning or end:** *You may still be working, but the work you were doing last summer is over.* |
| J'**ai vu** un accident. | **Isolated action:** *The accident is over.* |
| Le chauffeur n'**a** pas **pu** marcher tout de suite. | **Change in a state or condition:** *He may be able to walk now, but at that moment he tried and couldn't.* |
| Je **suis venue** à l'école. | **Isolated action:** *You left for school and got there, thus completing the action.* |
| Hier, il **a plu**. | **Specified beginning or end:** *The rain started and stopped yesterday.* |
| J'**ai** déjà **eu** mon cours de français. | **Isolated action:** *The class began and ended.* |
| J'**ai su** les résultats de mon examen. | **Isolated action:** *The act of finding out that information is completed.* |
| Après le déjeuner, j'**ai pensé** à mon départ. | **Specified beginning or end:** *You looked at your watch and remembered that you had to leave.* |
| Je n'**ai** pas **voulu** quitter mes amis. | **Reaction to an event or situation:** *At that moment you decided you did not want to leave your friends.* |

**1** Assis(e) dans un café à Paris, vous entendez la conversation suivante. Justifiez l'emploi du **passé composé** dans les phrases.

—Ah, bonjour, Jean-Marc, vous **êtes** enfin **arrivé**!

—Oui, excusez-moi, je suis en retard. J'**ai reçu** un coup de téléphone et puis j'**ai dû** dire un mot à ma secrétaire et enfin j'**ai pu** partir.

—Alors, vous **vous êtes** bien **amusé** hier soir chez les Dumont?

—Bien sûr. On **a bavardé**. Les Dumont **ont servi** un dîner superbe. Et puis on **a joué** aux cartes. Mais, **il y a eu** un moment gênant. Soudain, Mme Dumont **est devenue** très pâle. D'abord elle **a tremblé,** ensuite elle **a eu** l'air d'avoir chaud. Puis elle **s'est excusée** et elle **est montée** dans sa chambre. Vers dix heures, elle **est revenue**. Après cet incident, le reste de la soirée **s'est** très bien **passé**.

—C'est bizarre. Elle **n'a** donc **pas été** vraiment malade?

—Non. On **n'a pas** vraiment **compris** son problème, mais elle **n'a plus rien dit** à ce sujet.

**2** Posez cinq questions contenant des verbes au **passé composé** à vos camarades de classe pour déterminer ce qu'ils ont fait à différentes heures de la journée.

MODELE  —*A sept heures, est-ce que tu t'es levé(e)?*
        —*Non, à sept heures, j'ai pris mon petit déjeuner.*

**3** Le **passé composé** n'est pas le seul temps du passé en français. Il accompagne souvent un autre verbe à l'**imparfait** (voir **Chapitre 5**), un temps employé pour la description. Voici des phrases qui commencent par des descriptions. Complétez chaque phrase par un verbe au **passé composé** pour indiquer ce qui s'est passé dans le contexte.

1.  Pendant que j'allais en cours...
2.  J'entrais en cours de français quand...
3.  Après mes cours, comme j'avais soif, je...
4.  J'avais besoin de réviser ma leçon, alors je...
5.  Pendant que j'étais chez moi,...
6.  Je lisais quand...
7.  Comme je regardais une émission qui n'était pas très intéressante, je...
8.  J'étais fatigué(e), alors je...

 **4** On veut savoir ce que vous avez fait samedi dernier. Racontez trois ou quatre événements qui ont eu lieu. Comparez vos réponses à celles de vos camarades de classe.

# INTERACTIONS

**Fort Boyard.** D'abord, lisez l'article qui suit. Ensuite, répondez aux questions.

## *Fort Boyard,* le futur mythe télévisuel

**Le jeu fête ses quinze ans de télévision en France. Mais vingt-deux pays ont aussi enregistré «leur» *Fort Boyard*.**

Comment expliquer le succès de *Fort Boyard* qui fête ses quinze ans d'existence sur France 2, un record en ces temps d'émissions Kleenex?

*Fort Boyard,* c'est l'anti-trash: les parents peuvent laisser leurs enfants seuls devant le poste de télévision et les candidats ne sont pas poussés au-delà de leurs limites. Rien à voir avec *Fear Factor.* Autre atout: le site exceptionnel de la forteresse au large de La Rochelle.

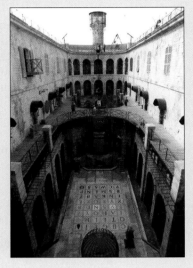

Le triomphe de l'émission a d'ailleurs dépassé depuis longtemps les frontières hexagonales. Au Québec, par exemple, le jeu a atteint jusqu'à 69% d'audience! D'autres nations, comme l'Argentine, l'Allemagne, la Russie, le Liban, Israël et les pays scandinaves ont eux aussi acheté le format de l'émission.

Cet été, sept pays démarreront sur place le tournage de leur propre *Fort Boyard.* Mais les Français gardent un œil sur ce grand roulement planétaire. Derrière la caméra, on retrouve un réalisateur français. Il en va de même pour les équipes techniques. Seuls les présentateurs et les candidats sont importés par les pays.

Afin de réduire les coûts, la République tchèque et la Chine notamment achètent le programme français et le diffusent doublé ou sous-titré.

Grâce à cette énorme popularité, *Fort Boyard* pourrait détrôner la baguette et devenir le nouveau symbole de la France.

1. Depuis combien d'années est-ce que l'émission *Fort Boyard* passe à la télé en France?

2. Où se trouve le fort où l'émission est tournée?

3. D'où viennent les équipes de tournage des différentes versions de *Fort Boyard?* De quelle nationalité sont les réalisateurs et les équipes? Quels personnages sont importés par les pays étrangers?

4. Comment explique-t-on le succès de cette émission? A quelle émission américaine est-ce que *Fort Boyard* est comparé? Etes-vous d'accord avec l'opinion exprimée au sujet de cette émission américaine?

5. Que pensez-vous des émissions de «réalité» à la télé américaine? Lesquelles est-ce que vous regardez? Comment expliquez-vous la popularité de ce genre d'émission?

## Situations écrites

**A.** Une correspondante française vous écrit un e-mail. Pour avoir une idée des modes de vie et des habitudes des jeunes Américains, elle veut savoir ce que vous avez fait pendant les vacances d'été. Répondez à votre amie pour raconter ce que vous avez fait l'été dernier.

**B.** Vous cherchez un poste dans une entreprise qui a des succursales *(branches)* au Canada. On vous demande d'écrire un court texte sur un événement qui a beaucoup influencé votre vie.

Le portable et l'ordinateur permettent de rester en contact avec les amis.

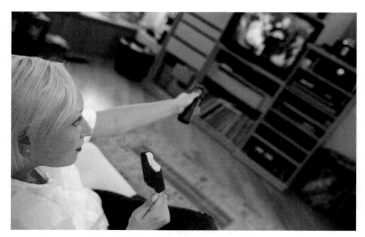

J'aime bien regarder la télé pendant les vacances.

# A lire

## Texte de culture contemporaine

### Sujets de réflexion

1. Avez-vous un téléphone portable? Comment vous y êtes-vous abonné(e)? Avez-vous jamais tenté de régler un problème en appelant les services de télécommunications? Quelle est votre impression en ce qui concerne ce qui se passe dans cette situation normalement?

2. Faites-vous confiance à la publicité que font les vendeurs de téléphones portables et les fournisseurs d'accès à Internet? Pourquoi?

### Guide de lecture

1. Quand on lit le titre de cet article, *Simple comme un clic?*, on remarque immédiatement le point d'interrogation à la fin. Le clic va-t-il être simple? Quelle sorte d'article doit-on anticiper... un commentaire positif? ironique? comique?

2. Que pensez-vous de la publicité qui incite le public à acheter? Dit-on toujours la vérité et rien que la vérité?

3. D'habitude, que signifie le *clic* du téléphone?

## Simple comme un clic?

*«Il y a quelque chose de magique entre nous», abonnez-vous en ligne en toute simplicité*... Les opérateurs de téléphonie mobile, les fournisseurs° d'accès Internet et de télévision numérique rivalisent d'offres alléchantes° et de slogans ciselés°. «Modernité», «facilité», «liberté» sont les nouveaux mots d'ordre° de ces pros du
5 marketing. De fait, il n'a jamais été aussi simple de plonger dans ce monde virtuel. En un clic de souris, un coup de fil° ou un zap de télécommande l'homme moderne jongle entre les forfaits°, les options, les bouquets°. Et malheur à° celui qui passe à côté°: au pis° un ringard°, au mieux un incapable. Après avoir un peu traîné° les pieds, les Français ont fini par céder° aux sirènes high-tech et se sont connectés. [...]
10 44,2 millions d'utilisateurs de téléphone portable. Un tiers° des foyers français surfent désormais à domicile. Et 23% d'entre eux font même leurs courses en ligne [...]. Pour la très grande majorité d'entre eux, tout va pour le mieux dans le meilleur des cybermondes. Mais pour les autres, il suffit parfois d'un grain de sable° pour enchaîner° insomnies, crises de nerfs° et lettres recommandées°.
15 Simple comme un clic? Tu parles!° Quand la machine se bloque°, l'enfer commence. Bienvenue sur kafka.com, royaume° des hot-lines à 0,34 euro la minute, où le dialogue se résume souvent à la touche dièse° et à la touche étoile°. Et où l'on vous demande sans rire des renseignements sur la configuration de votre «firewall»

*providers*
*enticing / well-crafted*
*keywords*

*phone call*
*package deals /*
*bundles / woe to /*
*misses the point /*
*at worst / good-for-*
*nothing / dragged /*
*give in / A third*
*sand*
*bring about /*
*hysterical fits /*
*registered mail /*
*You said it! /*
*stops working /*
*kingdom, land /*
*pound-key / star-key*

*Transmission Control Protocol/ Internet Protocol, the suite of communications protocols used to connect hosts on the Internet / poked fun at / mysteries*

ou l'installation de votre protocole TCP/IP°... Hier on raillait° l'administration
20 française et ses arcanes°. Elle fait aujourd'hui figure d'amateur, comparée à la
bureaucratie high-tech et à son opacité.

Source: Anne-Laure Walter, «Simple comme un clic?»,
*Le Nouvel Observateur*, N° 2079, 9–15 septembre 2004

## Après la lecture

1. Selon l'article, est-il facile pour un futur client de choisir parmi les offres faites par les entreprises de télécommunications? Choisissez trois exemples dans le texte pour justifier votre réponse.
2. L'auteur de cet article se plaint de quelque chose. Est-ce qu'il s'agit de l'utilisation des télécommunications ou du service après-vente? En quoi consiste le dilemme de l'homme moderne, d'après l'auteur?
3. En vous servant du vocabulaire spécialisé de l'article, écrivez un dialogue entre un abonné du téléphone et un opérateur de téléphonie mobile. Imaginez une situation où le client désire résilier *(cancel)* son contrat de téléphone portable parce qu'il part à l'étranger pour un an.
4. Expliquez pourquoi l'auteur de l'article emploie l'expression *kafka.com* pour caractériser la situation en question.

❖ ❖ ❖ ❖ ❖ ❖ ❖ ❖ ❖ ❖ ❖ ❖ ❖ ❖

# Texte littéraire

## Sujets de réflexion

A. Certains textes ont été écrits pour nous faire réfléchir. Peut-on dire que la télévision nous fait réfléchir, elle aussi, de la même manière? Quelle est, à votre avis, l'importance de la télévision dans la société actuelle et dans votre propre vie?
B. Combien de temps passe-t-on devant le petit écran chez vous? Réfléchissez aux diverses tranches de la société (enfants, adolescents, personnes actives, personnes âgées, etc.). Quelle partie de leur vie est consacrée à regarder la télé? Pour quelles raisons?

## A propos de l'auteur...

**Jean-Philippe Toussaint** *est né à Bruxelles en 1957. Il reçoit sa formation universitaire à Paris. Diplômé de l'Institut de Sciences Politiques en 1978, il fera ensuite des études d'histoire contemporaine à la Sorbonne. L'intérêt qu'il porte à l'actualité politique et sociale va bientôt lui inspirer de nouvelles carrières, celles de romancier et de cinéaste. Mais il se posera toujours la même question: Qu'est-ce qui fait le temps présent?*

*Jean-Philippe Toussaint publie son cinquième roman, La Télévision, en 1997. Le texte est bientôt traduit en plus de vingt langues comme le sont la plupart de ses œuvres. L'intrigue de ce roman tourne autour du narrateur, double de l'auteur et jeune historien de l'art. Un jour, celui-ci décide tout bêtement de boycotter la télé, trouvant son esprit «comme anesthésié d'être aussi peu stimulé» par elle. L'écran éteint, le téléviseur va être remplacé par des réflexions et des méditations sur la crise de notre civilisation contemporaine, bombardée sans cesse par des images virtuelles.*

## Guide de lecture

Lisez rapidement le premier paragraph du texte. Qu'est-ce que le narrateur a fait? Pourquoi a-t-il décrit son geste avec tant de détails? D'après ce que vous venez de lire, quel va être le thème du texte?

# *La Télévision* (extrait)

J'ai arrêté de regarder la télévision. J'ai arrêté d'un coup, définitivement, plus une émission, pas même le sport. J'ai arrêté il y a un peu plus de six mois, fin juillet, juste après la fin du Tour de France. J'ai regardé comme tout le monde la retransmission° de la dernière étape° des Champs-Elysées, qui s'est terminée par un sprint massif
5 remporté par l'Ouzbèke Abdoujaparov, puis je me suis levé et j'ai éteint le téléviseur. Je revois très bien le geste que j'ai accompli alors, un geste très simple, très souple, mille fois répété, mon bras qui s'allonge et qui appuie sur le bouton, l'image qui implose et disparaît de l'écran. C'était fini, je n'ai plus jamais regardé la télévision. [...]
  Une des principales caractéristiques de la télévision quand elle est allumée est
10 de nous tenir continûment en éveil° de façon artificielle. Elle émet en effet en permanence des signaux en direction de notre esprit, des petites stimulations de toutes sortes, visuelles et sonores, qui éveillent notre attention et maintiennent notre esprit aux aguets°. Mais, à peine° notre esprit, alerté par ces signaux, a-t-il rassemblé ses forces en vue de la réflexion, que la télévision est déjà passée à autre chose, à la
15 suite, à de nouvelles stimulations, à de nouveaux signaux tout aussi° stridents que les précédents, si bien qu'° à la longue, plutôt que° d'être tenu en éveil par cette succession sans fin de signaux qui l'abusent, notre esprit, fort des° expériences malheureuses qu'il vient de subir et désireux sans doute de ne pas se laisser abuser° de nouveau, anticipe désormais° la nature réelle des signaux qu'il reçoit, et, au lieu
20 de mobiliser de nouveau ses forces en vue de la réflexion, les relâche° au contraire et se laisse aller° à un vagabondage passif au gré des° images qui lui sont proposées. Ainsi notre esprit, comme anesthésié d'être aussi peu stimulé en même temps qu'autant° sollicité, demeure-t-il essentiellement passif en face de la télévision. De plus en plus indifférent aux images qu'il reçoit, il finit d'ailleurs par ne plus réa-
25 gir du tout lorsque de nouveaux signaux lui sont proposés, et, quand bien même° réagirait-il encore, il se laisserait de nouveau abuser par la télévision, car, non seulement la télévision est fluide, qui ne laisse pas le temps à la réflexion de s'épanouir° du fait de sa permanente fuite en avant°, mais elle est également étanche°, en cela qu'elle interdit tout échange de richesse entre notre esprit et ses matières°.

Source: Jean-Philippe Toussaint, *La Télévision*, Editions de Minuit, 1997

*rerun*
*stage*

*alert*

*on the look-out /*
*barely*
*just as*
*with the result that /*
*rather than /*
*armed with the /*
*to allow itself to*
*be deceived / from*
*then on /*
*relaxes*
*allows itself to drift /*
*at the mercy of the /*
*so greatly /*
*even though /*
*to flourish*
*flight forward /*
*impervious /*
*subject matter*

## Après la lecture

1. Quand le narrateur a-t-il cessé de regarder la télé? Quelle est la dernière émission qu'il a regardée?

2. Quelles indications dans le texte nous donnent l'impression que, avant de prendre sa décision d'arrêter de regarder la télé, cet homme ressemble à ses compatriotes dans sa façon de se comporter devant la télé?

3. Dans le deuxième paragraphe de l'extrait, Toussaint présente une série de caractéristiques de la télévision quand elle est allumée. Donnez-en au moins cinq et dites si vous êtes d'accord avec l'auteur.

4. Toussaint fait aussi le portrait du téléspectateur. Quelles sont les caractéristiques de ceux qui regardent la télé, selon l'auteur?

5. En somme, comment peut-on résumer l'effet de la télévision sur le public? Partagez-vous les idées de Jean-Philippe Toussaint? Dites pourquoi.

## Pour mieux lire

1. Le style littéraire de Jean-Philippe Toussaint peut quelquefois rendre difficile la lecture de certaines phrases comme la troisième du second paragraphe. Pour faciliter la lecture de celle-ci, cherchez d'abord l'idée centrale. Il a déjà indiqué dans la phrase précédente l'importance des effets de la télé sur l'*esprit*. Comment va-t-il pousser cette idée encore plus loin dans la phrase en question?

2. Le premier paragraphe nous offre un assez grand nombre d'exemples de l'emploi du *passé composé*. Dressez une liste de tous les verbes au passé composé de cet extrait. En utilisant les explications grammaticales du chapitre, justifiez l'emploi de ce temps verbal dans chaque cas.

# LIENS CULTURELS

1. Quel avantage la télévision a-t-elle donné aux personnages politiques chez vous et en France? Une chaîne comme CNN est-elle une aide ou un obstacle en temps de crise? Prenez un événement comme les attaques du onze septembre et d'autres actes de terrorisme comme exemples.

2. Certaines personnes manifestent des phobies vis-à-vis de l'informatisation de la vie moderne. En quoi ont-elles raison?

3. Que faut-il penser de quelqu'un comme le narrateur de *La Télévision* de Jean-Philippe Toussaint? Si on arrête de regarder la télé, par quoi va-t-on la remplacer dans la vie quotidienne?

# EXPANSION

**A.** Si la révolution industrielle a totalement bouleversé la société du dix-neuvième siècle, quelle nouvelle révolution a le plus marqué le vingtième siècle: la radio, la télé, l'informatique? Comparez votre réponse à celles de vos camarades de classe.

**B.** On considère quelquefois l'informatique comme l'ennemi de la culture traditionnelle. Que pensez-vous de ce point de vue?

**C.** A votre avis, quels sont les plus grands dangers du cyberespace pour la société moderne? Etes-vous pour ou contre l'expansion rapide des autoroutes de l'information? Quels sont vos peurs et vos souhaits dans ce domaine? Est-ce que tout est «simple comme un clic»?

# Chapitre 5

# La presse et le message

Un kiosque à journaux à l'entrée d'une station de métro à Paris

# Un peu de culture contemporaine

## La bande dessinée

En France, on prend la bande dessinée au sérieux. La «B.D.», comme on l'appelle, a une histoire très longue, et la bulle (l'endroit où se trouve le texte) est apparue dans la B.D. il y a plus de cent ans. Même si les auteurs de bandes dessinées n'ont pas toujours eu la même célébrité que d'autres écrivains, ils ont beaucoup contribué au développement de la créativité à notre époque et à l'art en général. Leur aventure est souvent celle d'une collaboration entre artistes, car le scénariste et l'illustrateur travaillent en tandem dans un univers où la parole et le dessin se combinent pour produire une histoire en images.

- Les experts font remonter la naissance de la B.D. à 1827. Depuis ce temps-là, elle a beaucoup évolué. Les maisons d'édition françaises vendent actuellement environ 3 millions de B.D. adultes et 8 millions de B.D. jeunes par an.

- Parmi les nombreux genres de B.D., on trouve, par exemple: les œuvres littéraires et les histoires policières; le western où domine *Lucky Luke*, personnage créé en 1946 par le Belge Morris; la science-fiction; la satire sociale; les récits historiques (réels ou imaginaires) tels que les 31 albums d'*Astérix le Gaulois*, des Français René Goscinny et Albert Uderzo; et les récits d'aventures dans le genre de *Tintin* créé par un autre Belge, Hergé.

Des B.D. célèbres: *Lucky Luke* et *Astérix*

- Parmi les auteurs qui s'adressent au public adulte, surtout dans les journaux et les magazines d'information, il faut signaler Georges Wolinski, Cabu et Claire Bretécher pour leur témoignage souvent satirique sur les réalités de la vie contemporaine. Curieusement, chez les adultes, la lecture des albums de bandes dessinées augmente avec le niveau d'instruction.

## Compréhension

1. Depuis combien de temps y a-t-il des B.D.?
2. Quels types d'artistes collaborent à la création d'une B.D.?
3. Donnez plusieurs exemples de genres de B.D.
4. A quels genres correspondent les B.D. comme *Lucky Luke, Astérix* et les *Contes de Maupassant en bandes dessinées*?

## Réflexion

A. A votre avis, le public est-il attiré plutôt par l'illustration ou par le récit dans une B.D.? Citez des exemples de B.D. qui connaissent actuellement un grand succès. Comment expliquez-vous leur attrait?

B. Pensez-vous que, de nos jours, le texte d'un message «passe» mieux s'il est accompagné d'images? Pourquoi?

# La presse française et francophone

Grâce à la technologie, l'accès aux médias et aux informations devient de plus en plus facile. Sur l'Internet, on témoigne d'une véritable dissolution des frontières géographiques. Il n'est plus nécessaire de se déplacer pour regarder des émissions télévisées ou pour écouter les informations radiodiffusées provenant de France et du monde francophone. Il est actuellement possible d'écouter la radio ou de regarder des vidéos en direct sur les sites Internet. On peut également télécharger des podcasts (ce qu'on appelle officiellement des «diffusions pour baladeur»).

Par exemple, sur le site de Radio France Internationale (www.rfi.fr), on peut écouter les journaux radiodiffusés, les émissions culturelles et la radio en direct. Pour les étudiants de français, il y a des diffusions quotidiennes en français facile. C'est une version ralentie du journal accompagnée d'une transcription pour ceux qui veulent écouter et lire en même temps. De plus, le site présente un fait du jour accompagné d'exercices d'écoute pour ceux qui veulent améliorer leurs compétences en français.

Sur le site Web de TF1 (www.tf1.fr), une des chaînes nationales françaises, on peut regarder le journal télévisé chaque jour en entier ou même sélectionner un reportage particulier qu'on trouve intéressant. On y trouve aussi des émissions populaires disponibles sur le site. Pour ceux qui s'intéressent à la musique, il y a la possibilité de voir des clips vidéo, des entretiens et des prises de vue en coulisse des artistes français et francophones.

Evidemment, grâce à l'Internet, on peut accéder aux journaux électroniques francophones de tous les coins du monde. Il y a des versions électroniques de centaines de journaux, de magazines, de revues et d'autres publications, y compris *Le Soleil* (du Sénégal, www.lesoleil.sn), *Le Soir Info* (de Côte d'Ivoire, www.soirinfo.com), *Le Journal de Montréal* (du Québec, www.canoe.com/journaldemontreal), *Le Soir* (de Belgique, www.lesoir.be) et *Le Mauricien* (de l'Ile Maurice, www.lemauricien.com). Consulter des sites médiatiques internationaux divers nous permet de considérer les événements locaux et internationaux du point de vue de nations et de cultures différentes, ce qui sert à élargir notre propre vue du monde.

## Compréhension

1. Pourquoi l'accès aux médias et aux informations est-il facile aujourd'hui? Quelles sont les conséquences d'un tel accès?

2. Quelles activités éducatives sont disponibles sur le site de Radio France Internationale?

3. Quelles fonctions est-ce que le site de TF1 offre aux internautes?

## Réflexion

A. Est-ce que vous consultez des sites Web pour vous informer ou vous amuser? Pourquoi ou pourquoi pas? Quels sites fréquentez-vous?

B. Parmi les sites mentionnés ci-dessus, lesquels vous intéressent le plus? Le moins? Expliquez vos choix.

  *Pour des activités culturelles supplémentaires, rendez-vous sur le site Web d'***Interaction** www.cengage.com/french/interaction

# Vocabulaire actif 🔊 CD 1, Track 10

## LES ACTIVITÉS

**conseiller** to advise
**distribuer** to distribute, circulate
**s'habituer (à)** to get used to
**se moquer de** to make fun of
**paraître** to appear
**traiter** to treat, deal with
**se tromper** to make a mistake

## LE JOURNALISME

**les actualités** *(f pl)* news
**un article de fond** feature article
**des conseils** *(m pl)* advice
**la droite** political right wing
**une enquête** investigation
**un événement** event
**un exemplaire** copy
**la gauche** political left wing
**un hebdomadaire** weekly newspaper or magazine
**les informations** *(f pl)* news
**un journal** newspaper
**le _____ télévisé** TV news
**un kiosque** newspaper / magazine stand
**un lecteur / une lectrice** reader

## Exercices de vocabulaire

**A.** Vous expliquez la presse française à un(e) ami(e) qui ne connaît pas du tout la France. Complétez chacune des phrases par un des termes suivants.

**Termes:**  un article de fond    branchées    les événements    exemplaires
le journal    des kiosques    la majorité    se moquent
politisé    la presse

1. Chez les Français, une personne sur trois lit _____ tous les jours.
2. Pour avoir une idée précise de ce qui se passe sur un certain sujet, il faut lire _____.
3. La presse française a un caractère _____.
4. On peut lire un journal local pour s'informer sur _____ régionaux.
5. Certaines revues sont considérées très _____.
6. Il y a toujours en France un journal qui représente _____.
7. Les Français achètent souvent leurs journaux et leurs magazines dans _____.
8. Il y a des journaux et des émissions à la télé qui _____ des personnalités et des événements du moment.
9. Beaucoup d'_____ du *Monde* se vendent à l'étranger.
10. En France, il ne faut jamais sous-estimer le pouvoir de _____.

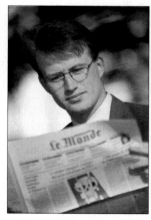

*Le Monde* est mon quotidien préféré.

| | | | |

**un magazine** magazine
**la majorité** (political) majority
**les médias** *(m pl)* media
**un mensuel** monthly
    newspaper or magazine
**un porte-parole** spokesperson

**le pouvoir** power
**la presse** the press
**un quotidien** daily
    newspaper
**la rédaction** editorial staff

**un reportage** report
**une revue** (literary, scientific)
    magazine
**une rubrique** newspaper
    heading

**LES CARACTÉRISTIQUES**

**arrêté** definite
**branché** with it *(coll.)*
**politisé** having a political slant

Le jeu télévisé *Jeopardy*

**B.** *Questions pour un champion (Jeopardy).* Complétez les questions qui correspondent aux réponses par une expression du **Vocabulaire actif.**

1. Réponse: *Cosmopolitan* et *Sports Illustrated*.
   Question: Pouvez-vous nommer deux _____ célèbres?

2. Réponse: Mon père lit toujours *The New York Times*.
   Question: Quel est le _____ américain le plus connu?

3. Réponse: La télévision et la presse.
   Question: Qu'est-ce qui constitue _____?

4. Réponse: J'adore *Ask Amy*.
   Question: Quelle est la rubrique des _____?

5. Réponse: Les Démocrates.
   Question: Quel parti constitue actuellement la _____ au Congrès américain?

6. Réponse: *Time* et *Newsweek*.
   Question: Quels sont deux _____ importants aux Etats-Unis?

7. Réponse: Les journalistes d'information.
   Question: Qui présente le _____ télévisé aux Etats-Unis?

8. Réponse: Les informations sur la chaîne France 2.
   Question: Qu'est-ce que c'est qu'un _____?

# Lexique personnel

**A** Pour chacun des sujets suivants, dressez une liste personnelle de mots.

1. les sortes de journaux qu'on publie dans votre région
2. les sortes de journaux que vous lisez
3. les sortes de magazines que vous lisez
4. les rubriques du journal que vous lisez
5. les journaux les plus populaires dans votre pays

**B** En utilisant le vocabulaire du chapitre et votre lexique personnel, complétez les phrases suivantes.

1. Je lis souvent...
2. Dans le journal, les rubriques que je lis toujours sont...
3. Dans le journal, les rubriques que je ne lis jamais sont...
4. En ce qui concerne les magazines, mes amis lisent...
5. Les journaux américains les plus lus sont...
6. Les Américains choisissent leurs journaux selon...

**C** En petits groupes, comparez vos réponses. Ensuite, faites un résumé des habitudes de lecture de la presse dans votre classe.

# Structures I

## Formation of the Imperfect *(l'imparfait)*

To form the imperfect of a French verb, drop the **-ons** ending of the present-tense **nous** form and add the appropriate ending: **-ais, -ais, -ait, -ions, -iez, -aient.**

| **parler** *(nous parlons)* | **finir** *(nous finissons)* | **répondre** *(nous répondons)* |
|---|---|---|
| je parl**ais** | je finiss**ais** | je répond**ais** |
| tu parl**ais** | tu finiss**ais** | tu répond**ais** |
| il / elle / on parl**ait** | il / elle / on finiss**ait** | il / elle / on répond**ait** |
| nous parl**ions** | nous finiss**ions** | nous répond**ions** |
| vous parl**iez** | vous finiss**iez** | vous répond**iez** |
| ils / elles parl**aient** | ils / elles finiss**aient** | ils / elles répond**aient** |

**Etre** is the only French verb that is irregular in the imperfect.

| **être** | |
|---|---|
| j'**étais** | nous **étions** |
| tu **étais** | vous **étiez** |
| il / elle / on **était** | ils / elles **étaient** |

**1** Vous et vos amis parlez avec des personnes plus âgées que vous. La discussion se concentre sur votre façon de vivre comparée à celle qu'elles ont connue. Complétez la deuxième réplique en utilisant le verbe de la première réplique conjugué à l'**imparfait.**

1. —Nous avons beaucoup de copains.

—Moi aussi, j'...

2. —Nous prenons la voiture pour faire des excursions.

—Ah non, nous...

3. —Nous nous retrouvons au café.

—Non, mon groupe d'amis...

4. —Nous faisons des études pratiques.

—Oui, tout le monde...

5. —Nous sortons souvent.

—Ah oui, les jeunes...

6. —Nous déjeunons dans un fast-food.

—Moi, je ne...

7. —Nous lisons assez souvent le journal.

—Oui, ta mère aussi, elle...

8. —Nous regardons des vidéoclips à la télé.

—Non, de notre temps, on ne...

9. —Nous adorons écouter de la musique et danser.

—Ah oui, ça alors, nous...

10. —Nous sommes contents de notre style de vie.

—Nous aussi, nous...

**2** Marc et Marie-Ange sont en train de parler du week-end dernier. Complétez leur dialogue en mettant les verbes indiqués à l'**imparfait.**

MARIE-ANGE: Salut, Marc, comment _____ (être) la soirée chez Barbara?

MARC: Ah, c'_____ (être) super! Il y _____ (avoir) beaucoup de monde. Tous les copains _____ (être) là.

MARIE-ANGE: Qu'est-ce que vous avez fait?

MARC: On a parlé de beaucoup de choses. On _____ (être) tous d'accord qu'on _____ (trouver) le travail à la fac très difficile. On _____ (écrire) trop de disserts et on _____ (préparer) beaucoup d'examens. On _____ (penser) qu'on _____ (lire) beaucoup de livres et qu'il _____ (falloir) aussi faire trop d'exposés.

MARIE-ANGE: Quand même, tu ne _____ (travailler) pas tous les soirs le semestre dernier.

MARC: C'est vrai. Je _____ (sortir) quand je _____ (vouloir). Les copains _____ (sortir) pas mal aussi. Ils _____ (faire) des excursions le week-end et _____ (aller) quelquefois en boîte.

MARIE-ANGE: Alors, ta vie le semestre dernier n' _____ (être) pas si affreuse que ça.

**3** **Chien ou chat?** Aviez-vous un animal familier chez vous quand vous étiez enfant? Comment s'appelait-il / elle? Quels souvenirs gardez-vous de cet animal? Présentez un petit portrait de cet animal.

# INTERACTIONS

En petits groupes, employez l'imparfait pour raconter aux membres du groupe quelques bons souvenirs que vous avez de votre enfance. Comparez les réponses des différents groupes. Y a-t-il beaucoup de souvenirs en commun?

## Uses of the Imperfect

### General Uses of the Imperfect

The imperfect tense is used to describe people, scenes, actions, or conditions in the past. The imperfect is sometimes called the descriptive tense.

**A. Setting:** The imperfect is used to describe scenes and events that form the background or decor of a time frame in the past.

The imperfect is also used to describe two or more events that **were** going on simultaneously and that may frequently be linked by the conjunction **pendant que** *(while)*. This use of the imperfect expresses the English concept *(was / were)* _____*ing*.

Hier après-midi il **faisait** très beau. Sophie et Andy **prenaient** quelque chose à la terrasse d'un café. Pendant qu'ils **buvaient** leurs boissons, les gens **allaient** et **venaient** dans la rue. Les deux amis **bavardaient** de choses et d'autres et **discutaient** de la presse en France quand soudain...
*Yesterday afternoon the weather **was** really nice. Sophie and Andy **were having** some refreshments on the terrace of a café. While they **were drinking** their drinks, people **were going** and **coming** in the street. The two friends **were chatting** and **discussing** the French press when suddenly . . .*

**B. Habitual Actions:** The imperfect is used to describe actions that were repeated habitually for an indefinite period of time in the past. Used in this way, the imperfect describes a situation that recurred regularly and for which no definite beginning or end can be visualized. This use of the imperfect is the equivalent of the English concepts *used to* or *would* when referring to the past.

| | |
|---|---|
| Mon père **finissait** son travail tous les jours à cinq heures. | *My father **used to finish** work every day at five o'clock.* |
| Nous **regardions** toujours les informations à la télé. | *We **would** always **watch** the news on TV.* |
| Je **discutais** souvent avec ma mère des événements de la journée. | *I often **used to discuss** the events of the day with my mother.* |

**C. States or Conditions:** The imperfect describes states or conditions that existed in the past.

| | |
|---|---|
| Andy **avait** beaucoup de travail, il **était** donc assez fatigué. | *Andy **had** a lot of work, and therefore he **was** quite tired.* |
| C'est pourquoi il **préférait** rester à la maison où il **aimait** bien regarder la télé. | *That's why he **preferred** to stay at home, where he **liked** to watch TV.* |

The following verbs are often used to describe a physical or emotional state and are often, though not exclusively, used in the imperfect.

| avoir | croire | détester | préférer |
|-------|--------|----------|----------|
| aimer | désirer | penser | vouloir |

A few verbs vary in meaning or nuance depending on whether they are used in the **imparfait** or the **passé composé.**

| Imparfait | Passé composé |
|-----------|---------------|
| Elle **était** souvent malade. *She **was** often sick.* | Elle **a été** malade en arrivant. *She **got** sick when she arrived.* |
| Je **savais** la vérité. *I **knew** the truth.* | J'**ai su** la vérité. *I **found out** the truth.* |
| Ils **devaient** faire un exposé. *They **were supposed** to give a presentation.* | Ils **ont dû** faire un exposé. *They **had** to give a presentation.* |
| Il **voulait** rentrer. *He **wanted** to go home.* (His state was not translated into action.) | Il **a voulu** rentrer, mais il **a manqué** l'autobus. *He **wanted** to go home, but he **missed** the bus.* (An attempt was made.) |
| Nous **ne pouvions pas** voyager quand nous étions malades. *We **were unable** to travel when we were sick.* (It was impossible for us to travel.) | Nous **n'avons pas pu** réserver des places. *We **couldn't** reserve seats.* (We attempted to reserve seats but did not succeed.) |

Certain expressions of time often indicate that the verb in question is describing a habitual event and should be in the imperfect. Below is a partial list of such expressions.

| d'habitude | souvent |
|------------|---------|
| fréquemment | toujours |
| habituellement | tous les jours |

## Idiomatic Uses of the Imperfect

**A.** After *si:* The imperfect is also used after **si** to express a wish concerning the present or the future.

| **Si j'avais** le temps de lire le journal! | *If only I had the time to read the paper!* |
| **Si vous pouviez** m'aider pour mon exposé! | *If only you could help me with my presentation!* |

The imperfect is also used after **si** to propose a course of action.

| **Si nous allions** ensemble au café? | *What if we were to go to the café together?* |
| **Si on prenait** quelque chose? | *Shall we have something to eat or drink?* |

**B.** With *depuis:* The imperfect used with **depuis** expresses the English concept *had been* _____*ing.* This construction is the past tense equivalent of **depuis** + present tense. **Depuis** + imperfect links two actions in the past, indicating that one action began before the other but was still going on when the second action took place.

| | |
|---|---|
| J'**attendais depuis une heure** quand vous êtes arrivé. | *I **had been waiting for an hour** when you arrived.* |
| Ils **vivaient** en France **depuis un an** quand la guerre a éclaté. | *They **had been living** in France **for a year** when the war broke out.* |
| Elle **était** déjà ici **depuis dix minutes** quand le cours a commencé. | *She **had** already **been here for ten minutes** when class began.* |

**C.** *Venir de* in the imperfect: *Venir de* (in the imperfect) + infinitive is the equivalent of the English idea *had just* + past participle.

| | |
|---|---|
| Il **venait de partir.** | *He **had just left.*** |
| Je **venais de** le **voir.** | *I **had just seen** him.* |
| Vous **veniez d'apprendre** la nouvelle. | *You **had just learned** the news.* |

**4** Dans une lettre, Marc raconte à sa copine Sophie un épisode de sa vie à l'université. Complétez la lettre de Marc en mettant les verbes entre parenthèses à l'**imparfait.** Justifiez chaque emploi de l'**imparfait.**

*Chère Sophie,*

*Tu me demandes comment je suis devenu journaliste. Eh bien, c'(être) _____ au printemps de ma dernière année à l'université. Je (vouloir) _____ de bonnes notes et je (faire) _____ toujours bien mon travail. Tous les soirs, pendant que le reste de ma famille (regarder) _____ la télé, je (se mettre) _____ à mon bureau, j'(ouvrir) _____ mes bouquins et je (travailler) _____. J'(avoir) _____ beaucoup de devoirs et je (lire) _____ aussi beaucoup. Même le week-end quand il (faire) _____ beau et que tous mes copains (aller) _____ s'amuser au café, je (rester) _____ à la maison. Cette situation (durer) _____ depuis deux mois et personne ne (pouvoir) _____ comprendre pourquoi j'(avoir) _____ cette passion pour le travail. Un jour j'ai décidé que cette vie n'(être) _____ pas très saine. J'(aller) _____ rater beaucoup de choses intéressantes. Je me suis dit: «Tiens, si seulement je (travailler) _____ moins et (s'amuser) _____ davantage!» Ce jour-là, j'ai écrit mon premier article, pour* Rolling Stone Magazine. *Et voilà comment a commencé cette carrière passionnante.*

*Ciao,*
*Marc*

**5** Posez les questions suivantes à des camarades de classe. Ensuite, répondez vous-même à chaque question.

1. Regardais-tu plus souvent ou moins souvent la télévision quand tu étais élève dans le secondaire?
2. Quels magazines lisais-tu quand tu avais seize ans?
3. Quelles émissions aimais-tu regarder à la télé l'année dernière?
4. Le semestre dernier, allais-tu souvent préparer les cours à la bibliothèque?
5. Étais-tu plus ou moins occupé(e) le semestre dernier?
6. Sortais-tu souvent avec tes amis le semestre passé?
7. Où allais-tu pour t'amuser?
8. Faisais-tu plus de sport quand tu étais plus jeune?

**6** Il est important de savoir comment inviter les autres à faire quelque chose. Faites différentes propositions en employant la structure idiomatique **si** + sujet + **imparfait** du verbe et les éléments suivants.

1. on / prendre un pot ensemble
2. nous / acheter un journal français
3. vous / venir chez moi demain soir
4. les copains / passer à la maison ce soir
5. tu / faire ce voyage avec moi
6. on / déjeuner ensemble
7. (une suggestion que vous faites à votre professeur de français)

**7** Employez la structure idiomatique **si** + **imparfait** du verbe pour formuler un désir ou un souhait *(wish)* à propos des personnes indiquées.

1. Mon ami(e)? Si seulement il / elle...!
2. Si seulement mon prof de français...!
3. Si mes parents...!
4. Et mes colocataires, s'ils / si elles...!
5. Si seulement je...!

**8** Complétez chaque phrase en utilisant **venir de** à l'**imparfait** suivi d'un infinitif. Le verbe à l'**imparfait** décrit ce qui s'est passé avant les actions indiquées.

1. Quand je me suis assis(e) à table pour le petit déjeuner ce matin, je...
2. Quand je suis arrivé(e) en cours de français aujourd'hui, je...
3. Quand j'ai retrouvé mes amis, ils...
4. Quand j'ai rendu mes devoirs en cours de _____, le professeur...
5. Quand mes copains et moi sommes sortis, nous...

# INTERACTIONS

**Vous lisez des journaux français.** Lisez les extraits tirés du quotidien *Le Monde* et de la presse gratuite, *Directsoir*, puis répondez aux questions.

## HOROSCOPE DE DEMAIN

**BÉLIER** DU 21 MARS AU 19 AVRIL
- Vie sociale : Une discussion franche avec votre supérieur pourrait être salutaire et renouvellerait votre motivation.
- Cœur : Soyez un peu plus indulgent envers les défauts de votre partenaire. Mais si la raison de votre trouble est plus grave, parlez-en.

**TAUREAU** DU 20 AVRIL AU 20 MAI
- Vie sociale : Vous devriez écouter les conseils de personnes dignes de confiance. Vous n'arriverez pas seul à prendre la bonne décision.
- Cœur : Consacrez plus de temps à votre famille. En amour, les gestes simples ne doivent pas être oubliés.

**GÉMEAUX** DU 21 MAI AU 20 JUIN
- Vie sociale : On vous reprochera à juste titre votre précipitation, et vous devrez faire un effort pour reconnaître votre maladresse.
- Cœur : N'hésitez pas à dialoguer avec vos enfants. Vous devrez faire preuve de réalisme pour rester crédible.

**CANCER** DU 21 JUIN AU 22 JUILLET
- Vie sociale : Le moment est peut-être venu de faire valoir votre point de vue dans une affaire délicate ; faites-le avec doigté.
- Cœur : Votre partenaire sera patient et compréhensif. Mais soyez plus attentif à ses désirs.

**LION** DU 23 JUILLET AU 22 AOÛT
- Vie sociale : Votre sens de l'analyse sera mis à l'épreuve, mais vous ne décevrez pas et l'on vous en sera reconnaissant.
- Cœur : Ne vous montrez pas prétentieux avec vos amis, cela ne sera pas apprécié. Soyez plus tendre avec l'être aimé, et tout ira bien.

**VIERGE** DU 23 AOÛT AU 22 SEPTEMBRE
- Vie sociale : Ne refusez pas les évidences. Acceptez ce qui s'impose pour rebondir vers quelque chose de neuf.
- Cœur : Montrez-vous attentionné, votre vie affective sera plus équilibrée. Ne négligez pas d'entretenir l'harmonie de votre couple.

**BALANCE** DU 23 SEPTEMBRE AU 22 OCTOBRE
- Vie sociale : Les relations dans votre équipe de travail pourraient s'améliorer sensiblement si vous faisiez un effort de dialogue.
- Cœur : Apportez sans compter votre soutien à un ami qui en a besoin. Pardonnez une maladresse plutôt que d'envenimer la situation.

**SCORPION** DU 23 OCTOBRE AU 21 NOVEMBRE
- Vie sociale : Vous serez particulièrement perspicace, ce qui vous permettra de faire progresser un projet de manière significative.
- Cœur : En famille, vous devrez faire des choix, mais ne vous précipitez pas. En couple, ne laissez pas la jalousie vous aveugler.

**SAGITTAIRE** DU 22 NOVEMBRE AU 21 DÉCEMBRE
- Vie sociale : Ne tenez pas trop compte de l'avis des autres, vous maîtrisez suffisamment votre sujet pour savoir quoi décider.
- Cœur : Vous devriez être plus patient avec votre partenaire. Vos amis réclament votre présence.

**CAPRICORNE** DU 22 DÉCEMBRE AU 19 JANVIER
- Vie sociale : Les affaires d'argent ne seront pas à votre portée, oubliez toute tentation de vous engager dans ce type d'aventure.
- Cœur : Vos amis seront de loin vos meilleurs alliés. Une rencontre pourrait vous combler de joie, restez disponible.

**VERSEAU** DU 20 JANVIER AU 19 FÉVRIER
- Vie sociale : Votre travail réclame toute votre vigilance et vous risquez de montrer de l'agacement, ménagez-vous des moments calmes.
- Cœur : Cessez de tergiverser, prenez la décision qui s'impose. Vous vivez de purs instants de bonheur.

**POISSONS** DU 20 FÉVRIER AU 20 MARS
- Vie sociale : Vous devrez régler un conflit dans votre équipe de travail et cela réclamera beaucoup d'énergie. Rassemblez vos forces.
- Cœur : Montrez-vous plus sincère avec l'être cher. Vos amis sont indulgents, n'en abusez pas.

## SAINT DE DEMAIN
*PAR DEFENDENTE GÉNOLINI*

### Saint Elisée

Ce grand prophète de la Bible est un personnage très marquant de la foi juive et chrétienne. Son nom signifie «Dieu est salut». Porte-parole sublime de l'Eternel, Elisée, au IXᵉ siècle avant notre ère, combat les cultes syriens de Baal et d'Astarté. Bienfaits et miracles accompagnent ses pas. Dans le Livre des rois, nous le voyons agir sur le Carmel, en Samarie et à Jéricho. Il est le disciple aimé d'Elie qu'il voit disparaître dans les cieux et dont le manteau qu'il garde jalousement, comme signe de son investiture, est source de grands prodiges. Il guérit de la lèpre le général syrien Naaman et soulage les pauvres, écoute les veuves à Gilgal comme à Shunem. Il intervient en politique et prédit aux rois alliés d'Israël ce qui va arriver, conseillant les uns et réconfortant les autres. Bien qu'il appartienne au Royaume du Nord, il reconnaît la prééminence de Jérusalem. Il meurt très âgé et son tombeau était encore vénéré au Vᵉ siècle. Il sera profané par l'empereur Julien l'Apostat. Quelques ossements sont transférés à Alexandrie en 463, puis à Constantinople.

**Etymologie du nom :**
De l'hébreu «El» («Dieu») et «shâlôm» («salut», «sécurité»).

**Parole du prophète Elisée :**
«J'assainis ces eaux, ainsi parle le Seigneur. Il ne viendra plus de là ni mort, ni avortement.»

**Courte prière du prophète :**
«Parle, Seigneur, ton serviteur écoute !»
(Livre de Samuel)

## SUDOKU

|   | 6 | 8 |   |   | 9 | 4 |   |   |
|---|---|---|---|---|---|---|---|---|
|   | 7 |   |   |   | 5 | 1 | 9 |   |
| 9 | 3 |   |   |   |   |   |   | 7 |
| 7 |   |   | 9 | 3 | 2 |   |   |   |
|   |   |   | 8 | 6 | 4 |   |   |   |
|   |   |   | 1 | 5 | 7 |   |   | 4 |
| 8 |   |   |   |   |   |   | 4 | 6 |
| 2 | 9 | 3 |   |   |   |   | 5 |   |
|   |   | 4 | 2 |   |   | 8 | 9 |   |

**Force 2**

Retrouvez les solutions des jeux à partir de 18 heures sur :
**www.directsoir.net**

## MÉTÉO

**Demain nous serons le samedi 14 juin 2008**

LEVER: 5H46 / COUCHER: 21H55

**Soleil, nuages et averses se partagent le terrain**

**DEMAIN MATIN**

**DEMAIN APRÈS-MIDI**

**QUALITÉ DE L'AIR**

## LA BLAGUE

Une vache et un citron entrent dans une banque pour faire un hold-up :
Le citron dit : «Plus un zeste !»
Et la vache crie : «Personne ne bouze !»

*Nicolas, Halluin*

**Envoyez vos blagues à : lejournal@directsoir.net (avec vos nom et adresse). Un backgammon de voyage pour une blague retenue.**

**Directsoir**

DIRECTSOIR, 31-32, quai de Dion Bouton - 92800 PUTEAUX - Tél. : 01 46 96 31 00 - Fax : 01 46 96 40 94 - Mail rédaction : redac@directsoir.net ■ Journal édité par DIRECT SOIR, SA au capital de 10 000 000 Euros - 485 374 128 RCS NANTERRE ■ Président du Conseil d'administration : Vincent BOLLORÉ ■ Actionnaire principal : BOLLORÉ ■ Directeur général, directeur de la publication : Serge NEDJAR ■ Rédacteur en chef : Christian STUDER ■ Rédacteur en chef adjoint : Guillaume ZELLER ■ Rédacteur en chef adjoint photo : Jean-Bernard MAUREL ■ Publicité : BOLLORÉ INTERMÉDIA - Président : Gaël BLANCHARD - Tél. : 01 46 96 48 41 - Direction Générale : Xavier COS - Tél. : 01 46 96 40 45 - Fax : 01 46 96 40 45 - E-mail : bolloreintermedia@bollore.net ■ Directeur de la distribution : Patrick LÉPINAY - Tél. : 01 46 96 31 94 ■ Diffusion : Intervalles, 8, place Boulnois, 75017 Paris. Tél. : 01 42 52 75 38 ■ Imprimé par Sego, Taverny (95) ; Rotofrance, Lognes (77) ; Le Progrès, Chassieu (69) ; Corelio, (Belgique) ; Midi Print, Gallargues le Montueux (30) ; La Dépêche, Toulouse (31) ; Rotogaronne, Estillac (47) ; L'Alsace, Mulhouse (68) ; Cila, groupe Simgam, Heric (44) ■ N°ISSN : 1771-2092 ; dépôt légal : juin 2008.

1. Où y a-t-il des nuages aujourd'hui?
2. Est-ce que ça vaut la peine de faire des projets pour aller à la plage à Nice demain?
3. Vous allez faire du camping pendant le week-end. Dans quelle région fait-il un temps convenable pour le camping?
4. En petits groupes, comparez vos horoscopes. Quel membre du groupe a les meilleures prédictions pour la vie sociale? Pour la vie romantique?
5. En France, et dans les pays de tradition catholique, beaucoup de personnes portent le nom d'un saint ou d'une sainte. Chaque jour, on célèbre la *fête* du saint et des personnes du même nom. Quel saint est mentionné ici par la météo? Qu'est-ce que vous savez de lui?

**Les petites annonces**

6. Expliquez les termes de l'offre proposée par la compagnie Aldisa.
7. Où peut-on faire un stage pour apprendre l'anglais?
8. Combien paie-t-on par semaine pour louer une maison en Dordogne? Combien de personnes peuvent y loger?
9. Parmi les vacances proposées, lesquelles vous intéressent? Expliquez votre choix.

# Note culturelle

## La presse quotidienne

- Les journaux existent depuis le dix-septième siècle en France. Le premier journal imprimé, *La Gazette*, fondé par Théophraste Renaudot en 1631, n'a cessé de paraître qu'en 1914. Le tirage moyen de *La Gazette* était de 1 200 exemplaires au dix-septième siècle, mais il avait déjà atteint 12 000 exemplaires au siècle suivant.

- En France, la presse quotidienne actuelle se divise en deux grandes catégories: les journaux nationaux et les journaux régionaux. *Le Monde*, *Le Figaro*, *Libération*, *L'Humanité* et quelques autres journaux sont publiés à Paris et présentent les actualités parisiennes, nationales et internationales. (On peut aussi lire la plupart de ces journaux en ligne sur Internet.) La presse quotidienne régionale—*Ouest-France*, *Nice Matin*, *Le Midi libre*, *Les Nouvelles d'Alsace*, par exemple—insiste plutôt sur les événements d'intérêt local, mais couvre aussi l'actualité nationale et internationale.

- La plupart des quotidiens français ont un caractère franchement politisé. Les grands journaux nationaux donnent une interprétation de l'actualité politique, économique et sociale en accord avec les opinions de leurs lecteurs. Un partisan de la gauche communiste lit *L'Humanité*, alors qu'un Français de la droite conservatrice achète *Le Figaro*. Une fois par semaine, le mercredi, si on aime vraiment la satire politique et sociale, on dévore *Le Canard enchaîné* où les journalistes se moquent de tout (de la droite, de la gauche et du centre!) avec le plus grand humour. Mais un fait qui peut surprendre, c'est que *L'Equipe*, bénéficiant de la passion des Français pour le sport, est devenu le premier quotidien national avec 2,3 millions de lecteurs.

### Compréhension

1. Entre le dix-septième et le dix-huitième siècles, quelle a été la progression dans le tirage de *La Gazette* de Renaudot?

2. En France, où sont publiés les journaux nationaux? Quelles sortes d'informations contiennent-ils? Faut-il les acheter dans un kiosque ou y a-t-il d'autres moyens de les lire?

3. Quel est le quotidien qui se vend le mieux en France? Comment explique-t-on son succès?

4. Citez un quotidien français «de gauche» et un quotidien «de droite».

### Réflexion

A. Nommez quelques quotidiens nationaux dans votre pays. Quelles caractéristiques attribuez-vous à un de vos journaux nationaux et à un de vos journaux régionaux ou locaux? Quels sont les avantages des uns par rapport aux autres?

B. On parle souvent de «journaux de gauche» et de «journaux de droite» en France. A votre avis, en quoi consistent les différences entre ces deux orientations? Cette distinction politique se manifeste-t-elle dans les journaux que vous lisez normalement? Quelle sorte de journal préférez-vous? Comparez vos idées à celles de vos camarades de classe.

# The Pluperfect *(Le plus-que-parfait)*

## Formation of the Pluperfect

The pluperfect is formed with the imperfect tense of the auxiliary verb **avoir** or **être** and the past participle of the main verb.

| parler | répondre |
|---|---|
| j'avais parlé | j'avais répondu |
| tu avais parlé | tu avais répondu |
| il / elle / on avait parlé | il / elle / on avait répondu |
| nous avions parlé | nous avions répondu |
| vous aviez parlé | vous aviez répondu |
| ils / elles avaient parlé | ils / elles avaient répondu |

| aller | s'amuser |
|---|---|
| j'étais allé(e) | je m'étais amusé(e) |
| tu étais allé(e) | tu t'étais amusé(e) |
| il / elle / on était allé(e) | il / elle / on s'était amusé(e) |
| nous étions allé(e)s | nous nous étions amusé(e)s |
| vous étiez allé(e)(s) | vous vous étiez amusé(e)(s) |
| ils / elles étaient allé(e)s | ils / elles s'étaient amusé(e)s |

The pluperfect follows the same rules as the **passé composé** for the formation of questions and the placement of adverbs.

—**Avait-il déjà vu** le film avant son départ?
—Oui, il l'**avait déjà vu.**

## Uses of the Pluperfect

The pluperfect expresses an action or situation in the past that had taken place and had been completed before some other event. The action of a verb in the pluperfect is more remote in the past than other events described. The pluperfect expresses the English concept *had* + past participle.

| Remote past | Recent past |
|---|---|
| Il **avait** déjà **trouvé** un poste | quand il **s'est marié.** |
| He **had** already **gotten** a job | when he **got married.** |
| Nous **étions** déjà **partis** | quand vous **êtes arrivé.** |
| We **had** already **left** | when you **arrived.** |
| J'**avais** déjà **terminé** mes études | quand on **s'est rencontrés.** |
| I **had** already **finished** school | when we **met.** |
| Elles **étaient** déjà **sorties** | quand il **est arrivé.** |
| They **had** already **gone out** | when he **arrived.** |

The pluperfect is also used after **si** to express a wish or regret about the past.

| **Si** (seulement) j'**avais étudié**! | *If only I had studied!* |
| **Si** (seulement) vous m'**aviez compris(e)**! | *If only you had understood me!* |
| **Si** (seulement) l'examen **avait été** plus facile! | *If only the test had been easier!* |

The pluperfect always carries the meaning of *had* + past participle; therefore, it should not be confused with any of the other past tenses. Contrast the following examples.

| | |
|---|---|
| **J'avais parlé.** | *I had spoken.* |
| **J'ai parlé.** | *I spoke (have spoken, did speak).* |
| **Je parlais.** | *I spoke (was speaking, used to speak).* |
| **Je parlais** depuis... | *I had been speaking since . . .* |
| **Je venais de parler.** | *I had just spoken.* |

In English, we sometimes do not use *had* with the past participle when this tense would best express what we mean. But if a certain action clearly must have been completed at a time before other past event(s), French uses the pluperfect to relate that action.

Sophie et Andy ont réglé la note
    que le serveur **avait préparée**
    plus tôt.

*Sophie and Andy paid the bill that
    the waiter (**had**) **prepared** earlier.*

**9** Il y a eu une fête chez Sandrine et beaucoup de ses amis l'ont aidée à faire les préparations. Complétez les commentaires de Sandrine en mettant les verbes entre parenthèses au **plus-que-parfait.** Attention à la place des adverbes.

1. J'allais inviter les copains, mais Marc _____ à tout le monde. (déjà téléphoner)
2. J'ai pu faire le marché, car Hélène et Marie _____ le menu. (déjà composer)
3. J'ai fait apporter une chaîne stéréo, parce que tu _____ d'excellents CD. (acheter)
4. J'ai servi les hors-d'œuvre que vous *(pl)* _____ chercher. (aller)
5. J'ai pu ranger les meubles car les copains _____ à nettoyer la cuisine. (aider)
6. J'ai pu me coucher assez tôt parce que nous _____ à l'avance. (si bien s'organiser)

**10** D'abord, racontez au **passé composé** cinq choses que vous avez faites hier. Ensuite, pour chaque phrase, mentionnez un état ou une action qui a précédé ces choses. Dans cette deuxième phrase, utilisez le **plus-que-parfait.**

MODELE  *J'ai écrit une dissertation.*
                *J'avais déjà choisi mon sujet.*

**11** Employez la structure idiomatique **si + plus-que-parfait** du verbe pour expliquer un regret à propos des personnes indiquées.

1. Si seulement je...
2. Si seulement mes parents...
3. Mon petit ami / Ma petite amie? Ah, si seulement il / elle...
4. Et mon / ma colocataire de l'année dernière, si seulement il / elle...
5. Si seulement mon prof de français...

# INTERACTIONS

En petits groupes, posez des questions aux autres membres du groupe sur ce qu'ils avaient l'habitude de faire à l'école secondaire. Ensuite, comparez les réponses des différents groupes. Quelles étaient les activités faites par la majorité des gens?

# L'héritage culturel

## Le dix-huitième siècle et l'Encyclopédie

En français, on appelle souvent le dix-huitième siècle le *Siècle des Lumières*. Cette période philosophique et scientifique remarquable a connu une vie intellectuelle brillante grâce à plusieurs grands penseurs de l'époque: Montesquieu, Voltaire, Rousseau et Diderot. Tous croyaient qu'il fallait assurer le bonheur humain par le progrès de la civilisation, et ce principe se manifeste clairement dans l'ouvrage le plus représentatif du dix-huitième siècle: l'*Encyclopédie*.

Une planche typique de l'*Encyclopédie*

- Denis Diderot (1713–1784) et un groupe de collaborateurs passionnés ont travaillé plus de vingt ans (de 1750 à 1772) à la rédaction et à la publication de l'*Encyclopédie*.

- Plus de 1 000 articles composent ce «Dictionnaire raisonné des sciences, des arts et des métiers». Ils sont consacrés à la morale, à la littérature, à la religion, à la politique, à l'économie et aussi aux sciences.

- Diderot accorde aux arts mécaniques une place importante dans cette œuvre. Les encyclopédistes réhabilitent ainsi le travail des artisans en démontrant qu'il est utile pour la société et doit donc prendre sa place dans le progrès économique du siècle.

- Un nouvel ordre économique se préparait sous l'influence des encyclopédistes. La Révolution de 1789 allait bientôt réaliser l'idée démocratique de la souveraineté du peuple.

## Compréhension

1. Qui sont certains des grands philosophes du dix-huitième siècle en France?

2. Quelle idée principale a motivé les penseurs du Siècle des Lumières et surtout les encyclopédistes?

3. Quel est le titre complet de l'*Encyclopédie*?

## Réflexion

A. Les arts mécaniques et les artisans occupent une place importante dans l'*Encyclopédie.* En quoi ce fait annonce-t-il la Révolution de 1789?

B. Un article de l'*Encyclopédie* expliquait que le monarque «tient de ses sujets mêmes l'autorité qu'il a sur eux». Pourquoi pouvait-on considérer cette idée comme dangereuse?

# Le dix-neuvième siècle et l'Affaire Dreyfus

Vers la fin du dix-neuvième siècle, la France fut agitée par une profonde tourmente politique et sociale: l'Affaire Dreyfus. Au milieu de cette mêlée, qui polarise la nation sur une grande polémique morale, se lève la voix d'un homme passionné et humanitaire, Emile Zola.

Zola s'est servi de la presse pour défendre Dreyfus.

- En 1898, l'écrivain Emile Zola (1840–1902) est le romancier le plus controversé et le plus lu de son temps.
- Alfred Dreyfus, un obscur capitaine de l'armée française qu'on a accusé d'espionnage, est juif. C'est surtout pour cette raison qu'on l'a jugé sommairement et condamné à la déportation à vie.
- Zola, convaincu de l'innocence de Dreyfus, intervient dans «l'affaire». Il publie trois articles dans le journal *Le Figaro* puis, le 13 janvier 1898, paraît, dans *L'Aurore*, son très célèbre article, *J'Accuse!*.
- Pour son attaque menée contre les autorités militaires et civiles, zola a été condamné à la prison et a dû s'exiler.

## Compréhension

1. Que savez-vous au sujet d'Emile Zola?
2. Résumez brièvement l'essentiel de l'Affaire Dreyfus.
3. Pourquoi Zola a-t-il été condamné à la prison après avoir publié *J'Accuse!*?

## Réflexion

Qu'est-ce que la publication par Zola de plusieurs articles sur l'Affaire Dreyfus vous indique au sujet du rôle des journaux quotidiens à la fin du dix-neuvième siècle? Nommez d'autres exemples de nations divisées par une polémique politique ou culturelle.

# Structures II

## RAPPEL!

1. When narrating events that took place in the past, the three tenses that are most often used are the **passé composé**, the **imparfait**, and the **plus-que-parfait.** As you have seen, each of these tenses has different uses; consequently, for each verb, you must decide which tense is appropriate.

2. Once you establish a time frame for your narration (such as **ce matin, hier soir, quand j'étais jeune**), the main events and descriptions within this time frame will be in either the **passé composé** or the **imparfait.** The **plus-que-parfait** will be used to express actions that must have been completed prior to the events of the time frame. Therefore, the use of the **plus-que-parfait** is quite specific and is limited to the concept *had* + past participle.

3. As you have seen, it may sometimes be helpful to refer to English structures when choosing between the **passé composé** and the **imparfait.** However, often either the **passé composé** or the **imparfait** is used to express an English simple past, depending on the context in which the English simple past is used.

   | | |
   |---|---|
   | Andy **est allé** au café hier. | *Yesterday, Andy **went** to the café.* |
   | Andy **allait** souvent dans ce quartier. | *Andy often **went** to this neighborhood.* |
   | Ce matin, il **a lu** Libération. | *This morning, he **read** Libération.* |
   | Comme beaucoup de jeunes, il **lisait** Libération. | *Like many young people, he **read** Libération.* |

4. When choosing between the **passé composé** and the **imparfait,** it is necessary to understand what you are actually communicating by your choice of tense (completed action or description).

## Choosing Past Tenses

The following examples and the chart on page 176 contrast the uses of the **passé composé** and **imparfait.**

| Imparfait | Passé composé |
|---|---|
| Je **travaillais** à Paris au début de la guerre. *(setting)* | J'**ai travaillé** à Paris. *(isolated action)* |
| Il **pleuvait** à New York. *(setting)* | Hier, il **a plu.** *(specified beginning or end)* |
| Elle **voyait** souvent son ami. *(habitual action)* | Elle **a vu** son ami trois fois hier. *(quantifiable series of completed actions)* |
| Pendant sa jeunesse, il **buvait, fumait** et **n'étudiait** pas. *(habitual action)* | Il **a** trop **bu** et **fumé** et il **est parti** à minuit. *(series of completed actions)* |

| Imparfait | Passé composé |
|---|---|
| Nous **étions** malades. *(state or condition)* | Nous **avons été** malades. *(change in state or condition)* |
| Ils **pouvaient** danser. *(state or condition)* | Après avoir trop mangé, ils n'**ont** pas **pu** danser. *(change in state or condition)* |
| J'**aimais** aller aux concerts de jazz. *(state or condition)* | J'**ai** beaucoup **aimé** le concert. *(reaction to an event)* |

It may help you develop your understanding of the different mental images that will be evoked by your choice of either the **imparfait** or **passé composé** if you visualize your time frame as a TV program that you have watched. The succession of actions or events that advanced the plot of your program will be expressed in the **passé composé.** However, scenes that were purely descriptive, in which no further action took place, will be expressed by the **imparfait.** Such descriptive scenes were those in which a camera held a scene, panned around the set, or went in for a close-up.

| Choice of past tenses | | | | |
|---|---|---|---|---|
| **PLUS-QUE-PARFAIT** | **IMPARFAIT** | | | **PASSÉ COMPOSÉ** |
| **prior completed action** | **habitual action** | **setting** | **state** | **completed action** |
| Philippe avait déjà raté le bac, et... | il s'ennuyait, parce qu'... | il travaillait pour son père, et... | il n'avait pas d'argent quand... | un jour, il a décidé de trouver un autre poste. |
| Il avait passé un an dans une grande compagnie, où... | il restait souvent tard au bureau, et... | il réfléchissait à son avenir parce qu'... | il voulait réussir. | Après deux ans, il en a eu assez. |
| Il avait trop voulu en faire, mais comme... | il rentrait tard tous les soirs, et parce que... | ce travail le fatiguait, | il était très découragé, alors... | il a quitté cette entreprise et est retourné chez son père. |
| J'étais déjà sorti(e) de l'école; | comme d'habitude je conduisais la voiture; | il pleuvait, et... | je pensais à mes cours, quand... | tout à coup, j'ai eu un accident. |
| Vendredi après-midi, ma mère était allée à la banque où elle avait retiré de l'argent, car... | elle faisait toujours le marché le samedi matin; | elle était au rayon de la boucherie pour acheter de la viande; | les steaks étaient trop chers alors... | elle a refusé d'en acheter. |

Read the following account of an accident as if you were going to film it for TV.

Il pleuvait et la route était glissante *(program opens with the camera panning the scene of rain coming down on a slick road)*. Un camion est apparu et a tourné dans une rue *(action of a truck coming into view and turning the corner)*. Le camion s'approchait du carrefour *(the camera holds the scene of the truck continuing along the highway toward the intersection)*, quand soudain une voiture a brûlé le feu rouge *(a car appears on camera and runs through the red light)*. Le camion est rentré dans la voiture au milieu du carrefour *(the action of collision)*. Le choc a été violent *(the camera records the shock of the impact)*.

Un homme a couru vers la voiture et a regardé dedans *(a man comes on camera and looks in the car)*. Il a examiné le chauffeur pendant quelques secondes *(the man looks at the driver)*, puis a essayé plusieurs fois de le réanimer *(the camera shows the repeated attempts to revive the driver)*. La victime saignait beaucoup *(a close-up of the bleeding driver)*; l'homme n'a plus voulu le toucher *(the man moves back, afraid to touch the victim)*; il ne savait pas quoi faire *(the camera zooms back on the scene of the bewildered man standing over the driver)*. Enfin le chauffeur a ouvert les yeux, s'est levé et a fait un effort pour marcher *(the camera focuses on the driver getting up and taking a step)*, mais il n'a pas pu *(the driver falls)*; il ne pouvait rien faire *(a close-up of the immobile driver)*. Le pauvre chauffeur avait souvent fait cette même route *(a flashback of trips over the same road in the past)*, mais ce dernier trajet a été pour lui un désastre *(a closing shot of the driver on the ground, the police and ambulance arriving)*.

**1** Trois jeunes Français racontent des moments passés devant la télé. Lisez leurs remarques et justifiez l'emploi des temps du passé pour chacun des verbes indiqués.

La télévision **était allumée** (1) quand je **suis entré** (2) dans la pièce. Comme je ne **voulais** (3) pas rater mon émission, je **me suis assis** (4) immédiatement devant le poste. C'**était** (5) un film de Jean Renoir. Il **a duré** (6) deux heures et à la fin du film, j'**ai éteint** (7) le poste. Voilà ce que j'**ai fait** (8) hier soir.

Il y a quelques années, mon frère **regardait** (9) un feuilleton à la télé tous les soirs, sans exception. Mais un jour, il **était sorti** (10) avec des amis et il **a manqué** (11) un épisode. Quand il **est rentré** (12), il m'**a demandé** (13) de lui raconter ce qui **s'était passé** (14) au cours de l'épisode. Il ne **savait** (15) pas que j'**étais allé** (16) au cinéma à l'heure de son émission favorite. J'**avais** aussi **manqué** (17) l'émission et donc, je n'**ai** pas **pu** (18) faire le récit des aventures de son héros préféré. Il **était** (19) très triste!

Un jour, Robert **regardait** (20) le match de football le plus important de l'année. Tout **allait** (21) bien. Soudain, la télé **a fait** (22) un bruit bizarre et le poste **est tombé** (23) en panne. D'habitude, Robert **téléphonait** (24) à l'atelier de réparation quand cette sorte de catastrophe **arrivait** (25). Mais ce jour-là, quand il **a voulu** (26) appeler l'atelier de réparation, personne n'**a répondu** (27), car c'**était** (28) dimanche. Tout à coup, Robert **a eu** (29) une idée: «Si j'**allais** (30) chez mon très bon ami Henri qui a le câble chez lui?»

**2** Emma raconte sa première année à l'université. Complétez chaque phrase en mettant le verbe au **plus-que-parfait,** au **passé composé** ou à l'**imparfait,** selon le contexte de la phrase.

1. Alors, ça / c'_____ (être) la première année loin de ma famille.
2. Je n'_____ (aimer) pas tellement ma colocataire, car elle _____ (faire) toujours des choses bizarres.
3. J'_____ (avoir) quatre cours et j(e) _____ (passer) des examens très difficiles.
4. Ma meilleure amie _____ (aller) à une autre université et elle m(e) _____ (manquer) beaucoup.
5. Deux fois, j'_____ (attraper) la grippe et j(e) _____ (devoir) aller chez le médecin.
6. Un jour quand j(e) _____ (rentrer), j(e) _____ (voir) que ma colocataire _____ (rester) au lit et elle _____ (être) malade aussi.
7. Bien sûr je _____ (se faire) de nouveaux amis à l'université. Beaucoup d'entre eux _____ (faire) les mêmes études que moi au lycée.
8. Mes nouveaux amis _____ (être) super et tous les soirs, on _____ (dîner) ensemble et on _____ (parler) de beaucoup de choses.
9. Nous _____ (aller) aussi à deux concerts formidables où il y _____ (avoir) beaucoup de monde, et nous _____ (voir) d'autres copains de notre université!
10. A la fin du semestre, je _____ (se rendre compte) que je _____ (s'amuser) beaucoup plus en janvier qu'en mai ce semestre.

**3** Il faut souvent connaître le contexte pour bien comprendre l'action. Lisez les descriptions des situations suivantes et complétez les phrases à l'aide d'actions décrites par des verbes au **passé composé** ou à l'**imparfait.**

1. Je venais en cours ce matin quand...
2. Pendant que mon / ma colocataire faisait ses devoirs, je...
3. Je faisais mes devoirs quand...
4. Je ne suis pas sorti(e) samedi soir parce que...
5. En rentrant j'étais très fatigué(e) et...
6. Je parlais à ma copine avec mon portable quand...
7. Je regardais la télé quand...
8. Pendant que je regardais la télé, je...
9. Je ne suis pas allé(e) à la fête parce que...
10. Puisque j'avais faim, je...

# INTERACTIONS

**Et puis, alors...** Employez les éléments suivants dans des phrases au **passé composé** ou à l'**imparfait** pour dire ce que vous avez fait récemment. Ensuite, les autres membres de la classe vont poser des questions pour avoir des renseignements supplémentaires au sujet de ce que vous avez fait.

| | | |
|---|---|---|
| acheter des CD | aller à un concert | aller au marché |
| dîner dans un restaurant | jouer (à) | regarder la télé |
| rester à la maison | retrouver des amis | sortir avec... |
| voyager | téléphoner à... | ??? |

# SYNTHESE

**A.** La famille de votre copine française a une résidence secondaire dans un petit village. Racontez votre séjour dans ce village en employant les temps du passé appropriés.

On _____1_____ (passer) une semaine dans la maison de notre copine. Dans le village, il y _____2_____ (avoir) seulement 800 habitants, et tous les gens du village _____3_____ (se connaître). En face de la maison de notre copine _____4_____ (se trouver) une maison où il y _____5_____ (avoir) un très gros chien. Quand nous _____6_____ (arriver), le chien _____7_____ (commencer) à aboyer *(bark)* très fort, et nous _____8_____ (avoir) peur. Mais quand il _____9_____ (s'approcher) de nous, on _____10_____ (comprendre) tout de suite qu'il _____11_____ (être) très gentil.

Avant notre arrivée, la mère de notre copine _____12_____ (nettoyer) la maison et _____13_____ (mettre) quelques provisions dans le frigo. Alors, nous _____14_____ (entrer) dans la maison, nous _____15_____ (préparer) un petit dîner, et nous _____16_____ (se coucher) très tôt, parce qu'on _____17_____ (être) fatigués de notre long voyage.

Le matin suivant, on _____18_____ (dormir) toujours quand soudain on _____19_____ (entendre) un bruit terrible! Ça / C' _____20_____ (être) des oies *(geese)* qui _____21_____ (habiter) dans le jardin derrière notre maison. Alors, on _____22_____ (se lever) et on _____23_____ (prendre) le petit déjeuner. Ensuite, on _____24_____ (faire) une promenade dans le village. Il y _____25_____ (avoir) seulement une épicerie dans le village, mais les produits _____26_____ (être) très bons. Après notre excursion à l'épicerie, on _____27_____ (s'arreter) un peu au Bar du Pont où on _____28_____ (boire) un café. Au Bar du Pont, on _____29_____ (regarder) les gens et on _____30_____ (discuter) de nos projets pour la journée quand on _____31_____ (voir) toute une bande de motos qui _____32_____ (traverser) le pont et _____33_____ (s'installer) sur la place. Ces motards _____34_____ (passer) toujours par le village quand ils _____35_____ (faire) des excursions le week-end. Ils _____36_____ (aimer) se promener sur les routes dans les montagnes autour du village.

On _____37_____ (rester) une semaine dans ce petit village. Il n'y _____38_____ (avoir) pas beaucoup de choses à faire. Heureusement, nous _____39_____ (apporter) beaucoup de bouquins à lire! On _____40_____ (pouvoir) voir la vraie vie de village et on _____41_____ (s'amuser) beaucoup.

**B.** Pendant que vous arriviez à votre hôtel à Paris, un homme a volé votre valise. Employez les éléments indiqués et les temps du passé pour raconter au policier ce qui s'est passé.

1. je / sortir / de mon taxi
2. je / être / devant mon hôtel
3. ma valise / être / à côté de moi
4. un homme / sortir / déjà de l'hôtel et il / venir / près de moi
5. soudain, il / prendre / ma valise
6. je / être / très surpris(e)
7. l'homme / traverser / la rue
8. je / commencer / à courir, mais je ne / pouvoir / pas rattraper l'homme
9. beaucoup d'autres personnes / voir / l'incident
10. l'homme / être / grand
11. il / avoir / les cheveux bruns et il / porter / un jean et un tee-shirt
12. il / aller / dans la direction du Louvre

**C. Ton week-end s'est bien passé?** Employez les éléments indiqués pour poser des questions à vos camarades de classe. Employez le **passé composé** ou l'**imparfait** selon le contexte.

1. que / tu / faire le week-end dernier?
2. où / tu / aller?
3. quel temps / il / faire?
4. tu / pouvoir te reposer un peu?
5. tu / avoir / des devoirs à faire?
6. tu / sortir / avec tes copains?
7. tu / faire / un voyage?
8. tu / avoir besoin d'argent pour t'amuser?
9. que / tu / vouloir / faire dimanche?
10. tu / s'amuser?

**D. Votre vie à l'université.** Employez les éléments suivants pour poser des questions à vos camarades de classe au sujet de leur semestre dernier.

1. étudier beaucoup pour tes cours?
2. écrire beaucoup de compositions en cours de français?
3. lire un journal ou un magazine?
4. s'intéresser à la politique
5. visiter un réseau communautaire en ligne?
6. être abonné(e) à un magazine spécialisé?
7. aimer les bandes dessinées?
8. regarder les informations à la télé?
9. sortir avec tes amis?
10. trouver tes cours difficiles?

# Note culturelle

## Les magazines

Actuellement, les Français ont tendance à prendre leurs informations au journal télévisé ou sur Internet plutôt que dans les quotidiens. La faiblesse de la presse quotidienne est compensée, cependant, par le succès phénoménal des magazines.

- Chaque jour, 67% des Français lisent au moins un magazine! Les gens désirant des analyses plus profondes que celles de la télévision achètent, une fois par semaine, un magazine d'information générale comme *Le Nouvel Observateur* ou *L'Express* (qui comptent chacun plus de 2 millions de lecteurs).

- Cette solution semble efficace et économique, car un quotidien national comme *Libération* ou *Le Monde* coûte 1,20 €, alors qu'un hebdomadaire comme *Le Nouvel Observateur*, par exemple, se vend à 3 €.

- La presse a surtout effectué sa plus grande progression dans le domaine des magazines qui répondent aux divers intérêts des Français—les hebdomadaires, bimensuels et mensuels féminins et familiaux, décoration-maison-jardin, distractions-loisirs-culture, les revues professionnelles, etc. Mais ce sont les hebdomadaires de télévision (comme *TV Magazine* et *Télé 7 Jours*) qui sont les plus lus par les Français avec un total de plus de 23 millions de lecteurs.

## Le bilan

Quel est donc le bilan actuel de la presse périodique en France? Les quotidiens se vendent de moins en moins bien (à l'exception des journaux économiques et sportifs). Par contre, les magazines (plus de 3 000 titres paraissent régulièrement en France) ont des résultats franchement spectaculaires avec 96% de la population qui en sont lecteurs.

## Compréhension

1. Pour s'informer, les Français préfèrent-ils lire un quotidien ou un magazine hebdomadaire?
2. Quelles sortes de journaux et d'hebdomadaires se vendent le mieux en France?
3. Si on achète *Le Monde* cinq fois par semaine, combien a-t-on dépensé? Coûte-t-il plus cher d'acheter un exemplaire du *Nouvel Observateur* une fois par semaine? Quel moyen de s'informer semble le plus économique?

## Réflexion

Pourquoi, en France, les magazines d'information ont-ils actuellement tendance à l'emporter sur les quotidiens? Est-ce le cas chez vous également? Quels sont les points forts et les points faibles de chacun de ces types de publications? Selon vous, le journal télévisé est-il un substitut convenable du journal imprimé? Pourquoi?

# POUR S'EXPRIMER

CD 1, Track 11

## A l'écoute

### Mise en scène

Avant de faire les activités suivantes, écoutez cette conversation au sujet de la presse et des jeunes.

**Contexte:** Andy, un Américain de vingt-quatre ans, travaille depuis quelques mois dans une banque française. Depuis son arrivée en France, il s'interroge souvent sur ce qu'il est utile de lire pour se tenir au courant de la culture contemporaine de ce pays. Il décide de rejoindre ses amis Sophie et Christophe et de leur demander des explications au sujet des quotidiens français.

### Avant d'écouter

1. Combien de fois par semaine lisez-vous le journal?
2. Quel journal régional ou national lisez-vous?
3. Est-ce que les journaux nord-américains ont tendance à être politisés? Quels sont les journaux de gauche et de droite?

### Compréhension

**A.** Racontez au passé composé ce qui s'est passé entre Andy, Christophe et Sophie pendant cette conversation. Commencez ainsi: «Andy a retrouvé Christophe et Sophie au café des Deux Magots. Ses amis l'ont invité à prendre un café avec eux...»

**B.** Andy demande un conseil à Sophie et Christophe, mais les réponses qu'il obtient montrent que sa question est, en fait, assez compliquée. Quelles expressions sont utilisées dans les situations suivantes pour marquer la contradiction?

**a.** Christophe conseille à Andy de lire *Le Monde*. Sophie répond: _____

**b.** Christophe néglige de mentionner certains autres journaux. Sophie lui dit: _____

**C.** Quel type de journal Andy cherche-t-il? Quelles questions pose-t-il sur le contenu des journaux mentionnés par ses amis? Quelle solution Sophie propose-t-elle?

**D.** Parlez des journaux que vous lisez, en imitant les paroles de Christophe: «Lorsque je faisais Sciences-Po...»

## A vous la parole

Voici quelques expressions qu'on emploie souvent pour décrire des actions habituelles au passé. Donnez des détails sur un des thèmes suggérés en utilisant les expressions suivantes.

**Expressions:** de temps en temps, pendant, fréquemment, toujours, d'habitude, souvent, habituellement, tous les jours

1. vos passe-temps préférés à l'âge de douze ans
2. votre vie quotidienne pendant votre dernière année à l'école secondaire
3. votre emploi du temps pendant les vacances de l'été dernier
4. vos activités de groupe dans le courant de l'année dernière

**Situations orales**

Un hôtel où on reçoit beaucoup de clients francophones cherche des employés. Dans l'entretien d'embauche *(job interview)*, il faut présenter un résumé de vos études et de votre expérience professionnelle. Mettez-vous en groupes; chaque membre du groupe doit parler de ses qualifications et le groupe va choisir le meilleur candidat / la meilleure candidate pour travailler à l'hôtel.

# Structures III

## Dates

In French, the days of the week, the months, and the seasons are all masculine nouns that are not capitalized.

**A.** The days of the week are **lundi, mardi, mercredi, jeudi, vendredi, samedi, dimanche.**

- The days of the week are normally used without an article. If you use **le** before a day of the week, however, this construction implies *on* or *every*.

  Normalement, ils vont en ville **le samedi. Samedi,** ils vont faire une excursion à la campagne.

  *They usually go downtown on **Saturday**. **This Saturday** they will go on an outing in the country.*

- When referring to periods of a week or two weeks in French, the expressions quite often used are **huit jours** and **quinze jours.**

  Il va partir dans **huit jours.**

  *He'll leave in **a week**.*

  J'ai acheté mes billets il y a **quinze jours.**

  *I bought my tickets **two weeks ago**.*

**B.** The months of the year are **janvier, février, mars, avril, mai, juin, juillet, août, septembre, octobre, novembre, décembre.**

**C.** The seasons of the year are **le printemps, l'été, l'automne, l'hiver.**

- The preposition **en** is used with a month or season to express *in*, except with **printemps,** which takes **au.**

  **Au printemps** les élèves français attendent avec impatience les grandes vacances. Les cours se terminent **en juillet** et, **en été,** beaucoup de Français vont à la plage. **En août,** tout le monde rentre parce qu'**en septembre,** il faut retourner à l'école. Mais courage, les enfants! **En automne** et **en hiver,** il y a beaucoup d'autres fêtes et de jours fériés où on est libres.

**D.** There are two ways to express years in French.

| 1999 | **dix-neuf cent quatre-vingt-dix-neuf** |
|------|----------------------------------------|
| *or:* | **mil neuf cent quatre-vingt-dix-neuf** |
| 1789 | **dix-sept cent quatre-vingt-neuf** |
| *or:* | **mil sept cent quatre-vingt-neuf** |

- **En** is used with years and **au** with centuries to mean *in*.

**en l'an 2000**
**en 2006**          **au vingt et unième siècle**
**en 1789**          **au dix-huitième siècle**

- To ask the date in French, you will normally use the following pattern:
  **Quelle est la date** aujourd'hui / de son départ?

- To ask for other dates, you will use the following pattern:
  **A quelle date** est-elle revenue?

- To give the date in French, you will normally use **c'est,** the definite article, and the cardinal number. (The only exception is the first of the month, when **le premier** is used.) With the numbers **huit** and **onze,** there is no contraction of **le.** To give today's date, use also **nous sommes** or **on est** before the date.
  C'est **le vingt mars** 2006.

  On est **le premier mars** 2007.

  Nous sommes **le onze novembre.**

- The article **le** must be used before the date itself. When referring to both the date and the day of the week, **le** may be placed before either the day of the week or the date.
  Elle rentre **lundi, le sept juin.**

  Elle rentre **le lundi sept juin.**

**1** Le directeur de votre programme d'échange universitaire en France vous demande de faire un court autoportrait et de parler de vos projets d'avenir. Complétez chaque phrase par une des expressions entre parenthèses.

1. (en / au) Je suis né(e) _____ (mois de votre naissance).
2. (le / en) Je suis né(e) _____ (date de votre naissance).
3. (dans / en) Je vais obtenir mon diplôme _____ (année où vous allez obtenir votre diplôme).
4. (le vendredi / vendredi) Je n'ai pas cours en général _____.
5. (Le vendredi / Vendredi) _____ prochain, je vais faire une excursion dans la région des châteaux de la Loire.
6. (huit / sept) On va passer _____ jours à voyager, une semaine entière.
7. (au / en) Nous allons voir beaucoup de châteaux construits _____ seizième siècle.
8. (En / Au) _____ printemps, je vais voyager en Italie.
9. (en / au) Je vais rentrer aux Etats-Unis _____ été.
10. (le quinze / le quinzième) En fait, je dois rentrer _____ août.

**2** Voici, dans la colonne de gauche, quelques dates célèbres de l'histoire de France. Dans la colonne de droite, se trouvent les faits associés à ces dates. Associez chaque date à l'événement qui lui correspond. De quel siècle s'agit-il dans chaque cas?

| | | | |
|---|---|---|---|
| 1. | 800 | a. | Napoléon devient empereur des Français. |
| 2. | 1431 | b. | La Seconde Guerre mondiale est déclarée. |
| 3. | 1515 | c. | Charlemagne est sacré empereur. |
| 4. | 1643 | d. | Charles Lindbergh atterrit au Bourget. |
| 5. | 1793 | e. | Paris est libéré de l'occupation allemande. |
| 6. | 1804 | f. | Jeanne d'Arc est brûlée à Rouen. |
| 7. | 1815 | g. | Charles de Gaulle meurt. |
| 8. | 1918 | h. | Louis XVI est guillotiné. |
| 9. | 1927 | i. | Il y a de grandes manifestations d'étudiants et d'ouvriers |
| 10. | 1939 | | à Paris. |
| 11. | 1944 | j. | François Ier, qui va introduire la Renaissance en France, |
| 12. | 1968 | | devient roi. |
| 13. | 1970 | k. | Napoléon perd la bataille de Waterloo. |
| 14. | 2001 | l. | L'armistice marque la fin de la Première Guerre mondiale. |
| | | m. | L'euro devient la monnaie unique de l'UE. |
| | | n. | Louis XIV devient roi de France. |

Napoléon Bonaparte

. . . . . . . . . . . . . . . . . . . . . . . . . . . . . . . . . . . . . . . . . . . . . . . . . . . . . . . . . . . . . . . . . . . . . . . . . . . . . . . . . .

# INTERACTIONS

**Quelques dates importantes.** Demandez à un(e) camarade de classe les dates suivantes.

1. la date de son arrivée à l'université pour la première fois
2. la date de son arrivée à l'université pour ce semestre
3. la date à laquelle commence le congé pour Noël
4. la date à laquelle les cours reprennent le semestre prochain
5. la date de son anniversaire
6. la date de l'anniversaire de son / sa meilleur(e) ami(e)
7. la date du prochain examen de français
8. la date à laquelle il / elle va obtenir son diplôme

. . . . . . . . . . . . . . . . . . . . . . . . . . . . . . . . . . . . . . . . . . . . . . . . . . . . . . . . . . . . . . . . . . . . . . . . . . . . . . . . . .

# Note culturelle

Un kiosque parisien

## Le kiosque

Il y a actuellement présents sur le territoire français 30 000 points de vente de la presse (kiosques, maisons de la presse, etc.)! Dans les villes surtout, on a tendance à acheter ses journaux et ses magazines soit dans un bureau de tabac, soit dans un kiosque à journaux. Dans la capitale, la plupart des 350 kiosques sont dûs à Gabriel Davioud (1823–1881), que le baron Haussmann avait chargé de dessiner le mobilier urbain parisien. L'un des inconvénients de ce mode d'achat, selon les 15–24 ans, est qu'il ne permet pas de feuilleter ni de consulter facilement les magazines sur les points de vente!

### Compréhension

1. Où peut-on facilement acheter un quotidien ou un magazine en France?
2. Quel est l'intérêt historique de la plupart des kiosques parisiens?

### Réflexion

Dans quels établissements est-ce qu'on achète un exemplaire de la presse périodique chez vous? Préférez-vous vous abonner à un magazine ou au journal plutôt que de l'acheter chez un marchand? Pourquoi?

# INTERACTIONS

**Activité 1. Lectures pour tous.** En groupes de trois ou quatre personnes, consultez le tableau suivant et discutez des revues auxquelles vous aimeriez vous abonner. Expliquez vos choix. Quels sont les équivalents de certains de ces titres dans la presse nord-américaine?

## Lectures pour tous

*Nombre de lecteurs de 15 ans et plus des principaux magazines, par périodicité (2005, en milliers de lecteurs)*

| Bihebdomadaires | | Mensuels | | Mon jardin et ma maison | 1 585 |
|---|---|---|---|---|---|
| France Football | 1 687 | Plus, le Magazine de Canal+ | 10 460 | Le Monde diplomatique | 1 584 |
| | | | | Famili | 1 549 |
| Hebdomadaires | | Canal Sat Magazine | 7 561 | Science et Vie Junior | 1 510 |
| TV Magazine | 14 179 | Santé Magazine | 5 133 | Top Famille | 1 505 |
| Version Femina | 10 348 | Entrevue | 5 079 | FHM | 1 459 |
| Femme actuelle | 7 370 | Top Santé | 4 590 | Système D | 1 440 |
| Télé 7 Jours | 7205 | Géo | 4 577 | Première | 1 436 |
| Télé Z | 6 654 | Télé 7 Jeux | 4 287 | Réponse à tout | 1 382 |
| Télé-Loisirs | 5 938 | Notre temps | 3 950 | Cosmopolitan | 1 370 |
| Télé Star | 5 866 | Média Cuisine | 3 920 | La Pêche et les Poissons | 1 224 |
| TV Hebdo | 5 820 | Cuisine actuelle | 3 626 | | |
| Voici | 4 221 | Science et Vie | 3 542 | Bimestriels | |
| Paris-Match | 4 204 | Modes et Travaux | 3 511 | Art et Décoration | 5 330 |
| Télé Poche | 4 057 | Parents | 3 472 | Maison et Travaux | 4 208 |
| L'Équipe Magazine | 3 788 | Pleine Vie | 3 251 | Elle Décoration | 3 139 |
| Maxi | 2 925 | Marie-Claire | 3 147 | Marie-Claire Maison | 2 764 |
| Télécâble Satellite Hebdo | 2 662 | Auto Moto | 2 846 | Maison Bricolage | 1 945 |
| Le Nouvel Observateur | 2 584 | Ça m'intéresse | 2 766 | Maxi Cuisine | 1 903 |
| Télérama | 2 569 | Prima | 2 730 | Maisons côté sud | 1 808 |
| Auto Plus | 2 467 | L'Automobile Magazine | 2 710 | Super GTI Mag | 1 731 |
| Gala | 2 387 | Le Chasseur francais | 2 671 | Cuisines et vins de France | 1 763 |
| Elle | 2 206 | Psychologies Magazine | 2 463 | Fan 2 | 1 762 |
| Ici Paris | 2 064 | Capital | 2 412 | Bébé puissance deux | 1 696 |
| France Dimanche | 2 059 | Sciences at Avenir | 2 411 | Famille et Éducation | 1 690 |
| Le Figaro Magazine | 2 003 | Avantages | 2 275 | Maison Magazine | 1 502 |
| L'Express | 1 994 | Sélection du Reader's Digest | 2 115 | Cuisine gourmande | 1 496 |
| | | Onze Mondial | 2 075 | Maisons côté ouest | 1 495 |
| Bimensuels | | National Geographic | 1 959 | Infobébés | 1 374 |
| Télé 2 Semaines | 6 294 | Enfant Magazine | 1 867 | Maison créative | 1 344 |
| Choc | 4 839 | Marie France | 1 741 | Trimestriels | |
| TV Grandes Chaines | 2 763 | Le Particulier | 1 729 | Marie-Claire Idées | 2 646 |
| L'Auto Journal | 1 442 | | | | |

AEPM

## Télé, musique, lecture

*Parmi les choses suivantes, quelles sont celles que vous aimez le plus faire? (15 ans et plus, en %*)*

| | Mars 2006 | Oct. 1979 |
|---|---|---|
| Regarder la télévision | 59 | 54 |
| Écouter de la musique | 57 | 41 |
| Lire des livres | 49 | 49 |
| Lire des journaux, des magazines, des revues | 49 | 42 |
| Aller au cinéma | 33 | 27 |
| Surfer sur Internet | 26 | – |
| Aller au théâtre | 9 | 11 |
| Sans opinion | 1 | 2 |

* Total supérieur à 100, plusieurs réponses étant possibles.

**Activité 2. La presse et le message.** En groupes, discutez des activités de la liste à gauche que vous aimez le plus faire. Comparez vos réponses à celles des Français. Trouvez-vous que vos priorités sont différentes de celles de Français? Quelles réponses des Français ont changé le plus? Le moins? Qu'est-ce que les réponses des Français indiquent au sujet du rôle de la presse en France?

## Situations écrites

**A.** Votre correspondant(e) en France vous demande de lui raconter un événement récent qui s'est passé dans votre pays. Lisez un article de journal et faites un résumé de cet article pour l'envoyer à votre correspondant(e).

**B.** Les feuilletons et les séries américaines sont très à la mode à la télé en France, mais les épisodes sont ceux qui ont déjà été diffusés aux Etats-Unis. Choisissez un épisode d'un feuilleton ou d'une série que vous regardez normalement et faites un résumé de cet épisode pour l'envoyer par courrier électronique à votre correspondant(e).

# A lire

## Texte de culture contemporaine

### Sujets de réflexion

Quelle sorte de préparation professionnelle demande-t-on normalement à un marchand de journaux? Pour quelles raisons un diplômé de philosophie choisit-il le métier de kiosquier?

### Guide de lecture

1. A Paris, on achète souvent des journaux et des magazines dans un kiosque. Où sont situés les kiosques normalement?

2. Cherchez dans l'article suivant quelques indications qui permettent de situer le kiosque de M. Ferrenbach.

3. Le deuxième paragraphe présente un grand nombre de chiffres. A quels sujets principaux se réfèrent ces chiffres?

4. A votre avis, les conditions de travail d'un kiosquier sont-elles faciles ou difficiles en général? Cherchez deux éléments dans le deuxième paragraphe qui confirment cette impression.

## Kiosquier et philosophe

On peut être fils de kiosquier, kiosquier soi-même, époux de kiosquière et... diplômé de philosophie. C'est le cas de Patrick Ferrenbach, 49 ans, qui officie° sur le boulevard Saint-Michel, à Paris dans le 5ᵉ arrondissement, à deux pas de la Sorbonne où il a fait ses études et rencontré sa femme, maître, elle, en linguistique.

5     A la fin de ses études en Sorbonne, Patrick Ferrenbach épouse Iwona, rencontrée à l'université. Diplômes en poche, tous les deux conviennent°, par goût de l'indépendance, de reprendre le flambeau° de M. Ferrenbach père, qui avait choisi, à dix ans de la retraite, de devenir kiosquier à Paris, du côté de la station de métro Mouton-Duvernet, dans le 14ᵉ arrondissement. En 1979, inscrit sur

10 les listes d'attente des concessions tenues à la direction des finances de la Mairie de Paris, le couple obtient un premier kiosque, moins important que celui qu'il gère° aujourd'hui devant le 47 boulevard Saint-Michel, dans le 5ᵉ arrondissement. Considéré comme «moyen» dans la nomenclature du métier, il dispose d'un stock de 5 000 à 7 000 titres à la vente, d'une valeur de quelque 12 000 euros. Le salaire

15 moyen mensuel des Ferrenbach est de 1 500 à 2 300 euros, sommes prélevées° sur la vente des journaux. Ces ressources ténues° expliquent pourquoi 65 kiosques ont fermé à Paris entre 1998 et 2002. Un kiosquier perçoit°, en effet, 18,40% sur les publications magazines, 17% sur les quotidiens nationaux et 24% sur les journaux étrangers. L'amplitude du travail quotidien est de quatorze heures, du lundi au

20 samedi (Patrick tient le kiosque de 7 heures à 10 heures, puis de 18 heures à 21 heures, et Iwona prend le relais de 10 heures à 18 heures). Les bonnes années, le couple s'octroie° un mois de congé, en août. Compte tenu du quartier, la clientèle

*Marginal glosses (left column):*
officiates
agree
torch
operates
deducted
tenuous
receives
grants itself
grants itself

est surtout composée d'étudiants, de professeurs et de touristes. 300 exemplaires du *Monde* sont ici vendus en moyenne chaque jour. [...]

*show off* 25     Fidèle à ses lectures d'étudiant, Patrick Ferrenbach a choisi de mettre en valeur° trois titres [de] magazines dans son kiosque. Il dispose de la collection quasi complète du *Magazine littéraire*, de *L'Histoire* et de *Sciences humaines.* En revanche, il ne vend aucun titre pornographique—ce qui ne peut être considéré comme un «refus de», les règlements permettant au kiosquier un libre choix pour les titres de 30  cette catégorie.

## Après la lecture

1. Que savez-vous au sujet de la vie personnelle de Patrick Ferrenbach et de sa femme Iwona? Faites un court portrait de ces deux personnes.

2. En ce qui concerne leur métier de kiosquiers parisiens, combien de kiosques ont-ils tenus à Paris? Que pensez-vous de l'endroit où leur kiosque actuel est situé? Est-ce un emplacement favorable à la presse? De quelles sortes de personnes la clientèle est-elle composée?

3. Comment les Ferrenbach gagnent-ils leur vie? Sont-ils considérés comme de gros commerçants? Que pensez-vous de leurs revenus? Vous semblent-ils bons, adéquats, insuffisants par rapport au coût de la vie à Paris et aux horaires de travail?

4. Quelle sorte d'avenir attend les kiosquiers de Paris selon l'article?

# Texte littéraire

## Sujets de réflexion

1. Quelle est la qualité la plus importante des renseignements que vous obtenez en lisant les informations du jour sur Internet ou dans la presse? Quelle est la différence entre faire un reportage et faire un éditorial?

2. Est-il possible ou même désirable pour un journaliste d'être impartial? Pourquoi le croyez-vous?

## A propos de l'auteur...

Albert Camus (1913–1960)

**Albert Camus (1913–1960),** *Prix Nobel de Littérature en 1957, est né en Algérie. Ayant fait des études de philosophie, il deviendra, au cours de sa carrière d'écrivain, dramaturge, romancier, essayiste et journaliste. La plus célèbre de ses œuvres littérarires,* La Peste *(1947), raconte, dans un style volontairement sobre et mesuré, la chronique imaginaire de la ville algérienne d'Oran, victime d'une peste bubonique. Le narrateur, apprend-on à la fin du livre, est le médecin Rieux, un homme effacé mais héroïque, qui désire rester le témoin le plus objectif du comportement humain de ses concitoyens devant cette calamité qui tombe sur eux.*

## Guide de lecture

1. Le premier paragraphe nous apprend l'identité de l'interlocuteur du Dr Rieux. Quelle impression avons-nous de lui?

2. Il s'agit, dans le passage, d'un dialogue. L'usage français est d'indiquer par un tiret (—) un changement de locuteur. En lisant l'échange de propos entre les deux hommes, quelle semble être l'évolution des rapports entre eux? Quel est le ton du début? De la fin?

# *La Peste* (extrait)

L'après-midi du même jour, au début de sa consultation, Rieux reçut un jeune homme dont on lui dit qu'il était journaliste et qu'il était déjà venu le matin. Il s'appelait Raymond Rambert. Court de taille, les épaules épaisses, le visage décidé, les yeux clairs et intelligents, Rambert portait des habits de coupe sportive et sem-
*straight to the point* 5 blait à l'aise dans la vie. Il alla droit au but°. Il enquêtait pour un grand journal de Paris sur les conditions de vie des Arabes et voulait des renseignements sur leur état
*health [conditions]* sanitaire°. Rieux lui dit que cet état n'était pas bon. Mais il voulait savoir, avant d'aller plus loin, si le journaliste pouvait dire la vérité.

—Certes, dit l'autre.

10 —Je veux dire: pouvez-vous porter condamnation totale?

—Totale, non, il faut bien le dire. Mais je suppose que cette condamnation serait sans fondement.

Doucement, Rieux dit qu'en effet une pareille condamnation serait sans fondement,
*account* mais qu'en posant cette question, il cherchait seulement à savoir si le témoignage° de
*impartial* 15 Rambert pouvait ou non être sans réserves°.

—Je n'admets que les témoignages sans réserves. Je ne soutiendrai donc pas le vôtre de mes renseignements.

*leader of French* —C'est le langage de Saint-Just°, dit le journaliste en souriant.
*Revolution whose* Rieux dit sans élever le ton qu'il n'en savait rien, mais que c'était le langage d'un
*uncompromising* 20 homme lassé° du monde où il vivait, ayant pourtant le goût de ses semblables et
*idealism led to* décidé à refuser, pour sa part, l'injustice et les concessions. Rambert, le cou dans les
*his downfall at* épaules, regardait le docteur.
*the hands of the* —Je crois que je vous comprends, dit-il enfin en se levant.
*common people /* Le docteur l'accompagnait vers la porte:
*tired* 25 —Je vous remercie de prendre les choses ainsi.

Rambert parut impatienté:

—Oui, dit-il, je comprends, pardonnez-moi ce dérangement.

Le docteur lui serra la main et lui dit qu'il y aurait un curieux reportage à faire sur la quantité de rats morts qu'on trouvait dans la ville en ce moment.

30 —Ah! s'exclama Rambert, cela m'intéresse.

Source: Albert Camus, *La Peste*, © Editions Gallimard, 1947, pp. 18–19

## Après la lecture

1. Les lecteurs de ce passage ont-ils une image précise du portrait physique du jeune journaliste? En raison de quels éléments?

2. La santé de la population arabe est-elle bonne ou mauvaise? D'après le texte, à quel groupe faut-il attribuer ces conditions sanitaires?

3. A quelle sorte de reportage Rieux s'attend-il de la part de Rambert? Ce genre de reportage va-t-il se réaliser à votre avis? Pourquoi ou pourquoi pas?

4. Quelle est une autre manière de dire «le langage de Saint-Just»?

5. L'entretien de Rambert avec le docteur a-t-il été cordial? Comment le savez-vous?

6. Comment finit l'entretien entre Rambert et Rieux? Le journaliste va-t-il enfin pouvoir assurer un reportage à Oran?

## Pour mieux lire

1. Camus emploie régulièrement le *passé simple* dans son récit. (Consulter l'Appendice A pour une explication de ce temps verbal.) Trouvez dans l'extrait au moins cinq exemples différents du *passé simple*. Quel autre temps peut-on aussi utiliser pour ces verbes?

2. Les lecteurs de Camus ont souligné la qualité allégorique ou métaphorique de ce texte en faisant allusion à l'occupation de la France par les Allemands pendant la Deuxième Guerre mondiale. Mais d'autres interprétations d'un cataclysme sont aussi possibles dans une œuvre classique comme *La Peste*. Pouvez-vous en proposer une autre?

3. A votre avis, qui a raison, le docteur Rieux ou le journaliste Rambert? Justifiez votre réponse.

# LIENS CULTURELS

1. Choisissez un événement qui a eu, sur notre société, un effet aussi dramatique que l'Affaire Dreyfus en France. Quels sont les éléments de la situation qui ont provoqué la controverse?

2. Depuis toujours, le principe de la liberté personnelle a une importance capitale dans une société démocratique. Mais à l'époque moderne, le terrorisme mondial a soulevé une polémique au sujet de la sécurité de tous: Doit-on renoncer à certaines libertés personnelles afin d'assurer la sécurité et le bien-être de tous? Doit-on se soumettre à l'utilisation de caméras de surveillance et aux contrôles dans les aéroports, par exemple? Imaginez que vous préparez un reportage journalistique à ce sujet. Quel point de vue allez-vous défendre? Comment allez-vous le justifier?

3. Le gouvernement d'un pays a-t-il le droit de commettre, en matière politique, une action illégale ou injuste pour des considérations d'intérêt public? La raison d'Etat peut-elle mériter le silence de la presse? Un chef d'Etat démocratique a-t-il le droit de prendre des sanctions contre les journalistes, comme on l'a fait en France contre Emile Zola au moment de l'Affaire Dreyfus? Quel rôle les journalistes internationaux jouent-ils aujourd'hui dans la guerre contre le terrorisme?

# EXPANSION

**A.** A votre avis, en quoi les habitudes ont-elles changé au cours du vingtième et du vingt et unième siècles en ce qui concerne la manière de s'informer sur l'actualité? S'agit-il d'un changement positif ou négatif? Donnez des exemples.

**B.** L'image a toujours eu une grande importance dans la communication d'un message. Expliquez ce principe en faisant allusion aux différents types de textes qui vous ont été présentés dans ce chapitre.

**C.** Que faut-il penser des paparazzis dans l'évolution actuelle de la presse? Les quotidiens et les hebdomadaires ont-ils le droit de publier le genre de photos que les paparazzis proposent? Que pensez-vous du proverbe «Toute vérité n'est pas bonne à dire»?

# Le mot et l'image

## Cultural Focus

❖ French Cinema

## Readings

**Contemporary Cultural** *L'Autre Festival de Cannes*

**Literary** François Truffaut: «Donner du plaisir ou le plaisir du cinéma», *Le plaisir des yeux* (extrait)

## Structures

I  Interrogative Adverbs
   Expressing Time
II  Interrogative Pronouns
III  **Quel** and **lequel**

## Functions

Asking Questions

Seeking Information

Expressing Time

**iLrn**

On fait la queue à l'entrée d'une salle de cinéma sur les Champs-Elysées.

**LES ACTIVITÉS**

**doubler** to dub
**faire la queue** to stand in line
**passer** to show (a film)
**tourner** to shoot (a film)

**AU CINÉMA**

**un abonnement** subscription
**une affiche** movie poster

**un billet** ticket
**un caissier / une caissière** cashier
**un ciné-club** film club
**un(e) cinéphile** cinema enthusiast
**le cinoche** movie theater, flicks (slang)
**l'écran** (m) screen

**un(e) fana** fan
**le guichet** ticket window
**une ouvreuse** female usher
**une place** seat
**une salle de cinéma** movie house
**une séance** showing

**un spectacle** show
**un tarif** price

**LES FILMS**

**un acteur / une actrice** actor / actress
**un(e) cinéaste** filmmaker
**le décor** set, scenery
**un dessin animé** cartoon

## Exercices de vocabulaire

**A. *Questions pour un champion (Jeopardy).*** En utilisant des termes du **Vocabulaire actif**, complétez les questions qui correspondent aux réponses données.

1.  Pouvez-vous nommer deux _____ de cinéma célèbres?
    Leonardo Di Caprio et Gérard Depardieu.

2.  Pouvez-vous nommer un _____ récent?
    *Ratatouille.*

3.  Pouvez-vous nommer des _____ célèbres?
    *The Departed, American Gangster.*

4.  Où est-ce que le film va _____?
    Au cinéma Rex.

5.  A quelles heures est-ce qu'il y a des _____ de films en France?
    A 18 heures, 20 heures et 22 heures.

6.  Pouvez-vous nommer deux _____ de cinéma françaises?
    *Première* et *Star.*

7.  Pouvez-vous nommer deux _____ célèbres?
    Steven Spielberg et Agnès Varda.

8.  Quel metteur en scène _____ *Indiana Jones and the Kingdom of the Crystal Skull?*
    Spielberg.

9.  Quels sont deux films où il y a beaucoup d'_____?
    *Star Wars: Revenge of the Sith* et *Harry Potter.*

10. Pouvez-vous nommer deux _____ célèbres?
    Nicole Kidman et Audrey Tautou.

les effets spéciaux *(m pl)* / les trucages *(m pl)* special effects
un film d'épouvante horror movie
un film policier detective movie
le générique credits
le grand film main feature

l'interprétation *(f)* acting
l'intrigue *(f)* plot
un long métrage feature film
le maquillage makeup
un maquilleur / une maquilleuse makeup artist
un metteur en scène director

un personnage character
le plateau movie set
un réalisateur / une réalisatrice director
la sortie release
les sous-titres *(m pl)* subtitles
le tournage shooting (of a film)

une vedette male or female star
la version doublée dubbed version of a movie
la version originale movie in its original language
un western western (movie)

**B.** Pour préparer un exposé sur le cinéma en France, vous cherchez des termes utiles dans le dictionnaire. Complétez les définitions en utilisant les expressions suivantes.

**Expressions:**  un abonnement        un fana de cinéma        l'interprétation
l'intrigue          un metteur en scène      la première
en version doublée   en version originale      une vedette

1. L'histoire qui est racontée dans un film s'appelle _____.
2. Un film étranger présenté dans la langue du pays où passe le film est _____.
3. Si les acteurs jouent assez bien leur rôle, on peut dire que _____ est correcte.
4. Un film présenté dans la langue du pays d'origine de ce film est _____.
5. Un acteur ou une actrice très célèbre dans le monde du cinéma est _____.
6. Si on est vraiment passionné de cinéma, on est prêt à s'offrir _____ à une revue de cinéma.
7. Le grand gala qui accompagne un nouveau film est _____.
8. Une personne qui adore le cinéma est _____.
9. Une personne qui tourne des films est _____.

**C.** Philippe et Maryse pensent aller au cinéma. Complétez leur conversation par un terme de la liste suivante.

**Termes:**  l'affiche      cinoche       de film d'épouvante     séance
guichet       l'intrigue      l'ouvreuse          des places

MARYSE:  Dis, Philippe, tu veux aller au _____ ce soir?

PHILIPPE:  D'accord, mais si nous y allons tous, est-ce qu'on va pouvoir trouver _____?

MARYSE:  Quand on arrive assez tôt, la queue n'est pas trop longue au _____, en général. Mais, tu sais que je ne veux absolument pas voir _____. Je déteste ça. J'ai toujours trop peur. Quel film est à _____ au Palace?

PHILIPPE:  Un bon film comique, je crois. Je ne connais pas _____, mais je sais que les critiques sont bonnes.

MARYSE:  D'accord, alors. A quelle _____ veux-tu aller?

PHILIPPE:  Peut-être à celle de vingt heures?

MARYSE:  Pas de problème. Bon, alors, il ne reste qu'une seule question à résoudre.

PHILIPPE:  Laquelle?

MARYSE:  Si _____ passe dans la salle, est-ce que tu vas m'offrir une glace?

# Lexique personnel

## LE CINÉMA

**A** Pour chacun des sujets suivants, dressez une liste personnelle de mots.

1. les types de films qui sont à la mode actuellement
2. les types de films que vous aimez / détestez
3. la réalisation d'un film
4. les différents endroits, moyens ou moments pour regarder un film

 **B** En utilisant le vocabulaire du chapitre et votre lexique personnel, posez les questions suivantes à vos camarades de classe.

1. Quelles sortes de films sont très appréciées du public dans votre pays?
2. Quelles sortes de films aimez-vous et détestez-vous? Pourquoi?
3. Y a-t-il certains metteurs en scène que vous préférez? Lesquels et pourquoi?
4. Allez-vous souvent au cinéma? Quand? Combien de fois par mois?
5. Louez-vous quelquefois le DVD d'un film au lieu d'aller au cinéma? Pourquoi?

# Structures I

## RAPPEL!

1. As you have seen in **Chapitres 2** and **4,** questions seeking *yes* or *no* answers are formed by using one of the basic question patterns to make a declarative sentence interrogative.

2. Questions that seek to gain some specific information will contain an interrogative expression (adverb, pronoun, or adjective) whose only function in the sentence is to elicit the desired information (*why, who, which*, etc.).

3. The key to forming questions in French is to realize that the interrogative expression itself does not form the question; it only elicits the information. You must still use one of the basic question patterns (normally **est-ce que** or inversion) to form the question. Such questions are actually composed of two separate slots, each of which must be manipulated independently.

| Whom | *did you see* at the movies? |

| Qui | { est-ce que vous avez vu au cinéma? <br> avez-vous vu au cinéma? |

# Interrogative Adverbs

Interrogative adverbs are used to request information about time, location, manner, number, or cause. Some commonly used interrogative adverbs are listed below.

**A. Time:**

**quand** *when*
**à quelle heure** *when, at what time*

> **Quand** est-ce que ce film passe?
> **Quand** commence le grand film?
> **A quelle heure** êtes-vous arrivé au cinéma?
> **A quelle heure** finit la première séance?

**B. Location:**

**où** *where*

> **Où** est-ce que Truffaut a tourné ce film?
> **Où** passe ce nouveau film d'épouvante?

**C. Manner:**

**comment** *how*

> **Comment** est-ce que Jean a trouvé le film?
> **Comment** s'appelle cet acteur?

**D. Number:**

**combien** *how much*
**combien de** + NOUN *how many, how much*

> **Combien** avez-vous payé les billets?
> **Combien** coûte une bière?
> **Combien de** billets a-t-il pris?
> **Combien de** places y a-t-il dans la salle?

**E. Cause:**

**pourquoi** *why*

> **Pourquoi** Jean est-il rentré?
> **Pourquoi** est-ce que ces billets coûtent si cher?

With the interrogatives **quand, à quelle heure, où, comment,** and **combien,** you may invert the noun subject and its verb to form the question if the verb is in a simple tense and has no object. The noun subject and its modifiers will be the last element in the question.

> **A quelle heure** commence **le long métrage**?

> **Où** passe **ce nouveau film**?

This type of inversion cannot be made with the expressions **combien de** or **pourquoi,** because normal sentence structure will prevent the noun subject from being the last element in the question.

> **Combien de** places est-ce que Jean prend?

**1** Léa raconte sa sortie au cinéma avec Alexandre et ses copains à Jeanne. Employez les mots interrogatifs appropriés et les éléments indiqués pour compléter les questions de Jeanne. Les mots en **caractères gras** vous servent d'indices.

JEANNE: Salut, Léa. __1__ a été ton week-end?

LÉA: Ah, bonjour, Jeanne. Le week-end a été **très chouette.**

JEANNE: __2__ est-ce que vous êtes allés au cinéma?

LÉA: Nous sommes allés au cinéma **vendredi soir.**

JEANNE: __3__ êtes-vous descendus en ville?

LÉA: Nous sommes descendus en ville **dans la voiture de Paul.**

JEANNE: __4__ est-ce que vous avez retrouvé Jean-Marc?

LÉA: Nous avons retrouvé Jean-Marc **sur le parking** du cinéma.

JEANNE: __5__ est-ce que la séance a commencé?

LÉA: La séance a commencé **à 17 h,** et puis après nous avons dîné au restaurant.

JEANNE: __6__ d'autres copains sont allés avec vous?

LÉA: Nous étions **six** au début. Mais au milieu du film, Jean-Marc est parti.

JEANNE: Sans blague! __7__ est-il parti?

LÉA: **Parce qu'il trouvait le film bête.** Et c'est vraiment dommage parce que nous avons payé les billets assez cher.

JEANNE: Oui? __8__ ont coûté les billets?

LÉA: **Huit euros** par personne parce qu'il y avait plus d'un film au programme.

JEANNE: Ah? __9__ films est-ce qu'il y avait?

LÉA: Il y avait **deux** films. De toute façon, nous avons retrouvé Jean-Marc plus tard.

JEANNE: __10__ était Jean-Marc?

LÉA: Il était **au café.** Ça a été une soirée de cinéma assez bizarre, finalement.

**2** Employez les éléments indiqués pour poser des questions à vos camarades de classe à propos du cinéma.

1. combien / fois / par mois / tu / aller au cinéma?
2. pourquoi / tu / aller / au cinéma / si (peu) souvent?
3. à quelle heure / tu / préférer / aller au cinéma?
4. comment / tu / aller / au cinéma?
5. combien / tu / payer / un billet de cinéma?
6. où / tu / aimer / t'asseoir, près ou loin de l'écran?
7. combien / tu / payer / le pop-corn ou les friandises?
8. quand / tu / aller / récemment au cinéma?

# INTERACTIONS

En petits groupes, employez les mots interrogatifs indiqués pour poser des questions à votre professeur au sujet d'une journée typique.

| Mots interrogatifs: | à quelle heure | combien (de) | comment |
| --- | --- | --- | --- |
| | où | pourquoi | quand |

# Note culturelle

## Des renseignements pratiques sur le cinéma

- Qui va au cinéma en France?
  Ce sont principalement les adolescents et les jeunes de moins de 25 ans qui se rendent le plus souvent au cinéma. Ils représentent 41% des entrées.

- Quels films ont le plus de succès?
  Ceux (pour la plupart américains) qui correspondent au goût de ce même public pour l'aventure, le fantastique et les effets spéciaux. On aime aussi en France le cinéma qui permet de se divertir ou de s'évader, car le cinéma français a une longue tradition comique. Pourtant le public va de plus en plus souvent au cinéma pour découvrir des films romantiques, positifs et «gentils».

- Qui sont certaines vedettes du cinéma français?
  Il semble aussi que les Français se déplacent moins souvent pour admirer une grande star que pour voir un film dont ils ont entendu dire du bien. En dépit de cette tendance, certaines vedettes ont conquis le public et continuent d'attirer l'attention des foules: côté masculin, Gérard Depardieu, Fabrice Luchini, Thierry Lhermitte ou Daniel Auteuil; côté féminin, des actrices comme Catherine Deneuve, Emmanuelle Béart, Isabelle Adjani et Juliette Binoche représentent des «valeurs sûres» qui ont su se faire connaître à l'étranger aussi bien qu'en France.

## Compréhension

1. Quelles personnes fréquentent le plus souvent les salles de cinéma en France?
2. Quelles sortes de films est-ce que la plupart des Français préfèrent?
3. D'habitude, les Français vont-ils au cinéma surtout pour voir une star ou à cause de la réputation du film?

## Réflexion

A. Quand on décide d'aller voir un film, est-on plus influencé par la notoriété des interprètes ou par l'histoire qui est racontée? Faites une liste de quelques réalisateurs de films. Pour quelles sortes de films sont-ils connus? Y a-t-il des réalisateurs étrangers parmi eux? Cherchez sur Internet le nom du réalisteur / comédien Mathieu Kassovitz et faites son portrait.

B. Connaissez-vous déjà le nom de quelques acteurs ou actrices français? Choisissez le nom d'un(e) artiste mentionné(e) dans la **Note culturelle** et consultez Internet pour trouver des renseignements à présenter aux autres étudiants au sujet de cette personne.

## Expressing Time

**A. Hours and Minutes:** Time in French is indicated by a cardinal number followed by **heure**(s) and the number of minutes.

| 1:10 | **une heure dix** |
|------|-------------------|
| 3:05 | **trois heures cinq** |
| 5:20 | **cinq heures vingt** |

- For time past the half-hour, the number of minutes is subtracted from the next hour.

| 6:35 | **sept heures moins vingt-cinq** |
|------|----------------------------------|
| 8:50 | **neuf heures moins dix** |
| 10:40 | **onze heures moins vingt** |

- The quarter- and half-hours, as well as noon and midnight, have special forms.

| 4:15 | **quatre heures et quart** |
|------|----------------------------|
| 2:30 | **deux heures et demie** |
| 9:45 | **dix heures moins le quart** |
| 12:30 P.M. | **midi et demi** |
| 12:20 A.M. | **minuit vingt** |

- The concepts A.M. and P.M. are normally expressed by **du matin, de l'après-midi, du soir.**

| 2:15 A.M. | **deux heures et quart du matin** |
|-----------|-----------------------------------|
| 3:10 P.M. | **trois heures dix de l'après-midi** |
| 6:20 P.M. | **six heures vingt du soir** |

- In France, official time (train and airline schedules, store closings, times for concerts and public functions, openings and closings of public buildings, etc.) is frequently quoted on the 24-hour clock.

Fermé de **12 h à 14 h.**   Ouvert de **9 h 15 à 19 h 45.**
Le train part à **20 h 38.**   Le concert finit à **23 h 30.**

- To ask the time, you normally use one of the following patterns:

| **Quelle heure est-il?** | *What time is it?* |
|--------------------------|--------------------|
| **A quelle heure...?** | *At what time . . . ? (When . . . ?)* |

**B. Divisions of Time:** With periods of the day, **le, la, l'** are used before the noun to express the idea of *in the* or *at*.

| Je me lève tôt **le matin** car je travaille. | *I get up early **in the morning** because I work.* |
|-----------------------------------------------|------------------------------------------------------|
| J'ai tous mes cours **l'après-midi.** | *I have all my classes **in the afternoon.*** |
| **Le soir,** je fais mes devoirs. | ***In the evening** I do my homework.* |
| Je dors bien **la nuit** parce que je suis très fatigué(e). | *I sleep well **at night** because I am very tired.* |

**C. *Temps, fois, heure*:** The terms **temps, fois,** and **heure** can all be used as the equivalent of the word *time*, but there are differences in their meanings.

- **Temps** refers to time as a general or abstract concept.

| Je n'ai pas **le temps** de voyager. | *I don't have **time** to travel.* |
|--------------------------------------|-------------------------------------|
| **Le temps** passe vite. | ***Time** flies.* |
| Prenez **le temps** de vous reposer. | *Take the **time** to rest.* |

- **Fois** means time in the sense of an occasion or time in succession.

| | |
|---|---|
| Je suis ici pour la première **fois**. | *I'm here for the first **time**.* |
| Il est venu me voir trois **fois**. | *He visited me three **times**.* |
| Combien de **fois** avez-vous visité la France? | *How many **times** have you visited France?* |

- **Heure** implies a specific time of day.

| | |
|---|---|
| C'est **l'heure** du dîner. | *It's dinner**time**.* |
| Il arrivera à une **heure** fixe. | *He will arrive at a fixed **time**.* |
| A quelle **heure** ouvre le guichet? | *At what **time** does the ticket window open?* |

**D. Divisions of Time Ending in *-ée*: Jour, an, soir,** and **matin** have alternative forms ending in **-ée** that are used to emphasize the duration of the time period.

| | | | |
|---|---|---|---|
| l'an ................ l'année | | le matin .......... la matinée | |
| le jour ............ la journée | | le soir ............ la soirée | |

The type of sentence in which the **-ée** form is used often contains some reference to the activities taking place during the time span.

Elle part à Paris pour **deux ans.**

Pendant les **deux dernières années,** elle a beaucoup voyagé.

Dans **trois jours,** nous partons en vacances.

J'ai passé **la journée** à régler mes affaires.

**Ce matin,** je vais consulter le *Guide Michelin*.

Et moi, je vais passer **la matinée** au marché.

Nos invités arrivent **ce soir.**

Nous allons nous amuser pendant **la soirée.**

Choosing between these alternative forms can often be puzzling, but there are some general guidelines. If the period of time is immediately preceded by a cardinal number, you will normally use the short, masculine form. If the time period is preceded by concepts such as *all the, the whole, a part of,* or *most of,* you will normally use the **-ée** form.

**3** Vous écoutez une conversation entre un groupe de jeunes Français. Complétez chaque phrase en choisissant le mot approprié.

1. Aujourd'hui, je dois passer (le soir / la soirée) _____ à écrire une dissertation pour mon cours de philosophie.

2. Dis, Emma, tu as (le temps / l'heure) _____ d'aller au cinéma ce soir?

3. Regardez! Voilà Olivier et Anne-Marie. C'est (la première fois / le premier temps) _____ qu'ils sortent ensemble.

4. J'ai un emploi du temps très chargé. Je n'ai même pas (l'heure / le temps) _____ de me reposer.

5. Marc va passer trois (jours / journées) _____ chez sa cousine en Bretagne. C'est (le premier temps / la première fois) _____ qu'il va lui rendre visite à sa résidence secondaire.

6. Je dois vous quitter. Chez moi, c'est (le temps / l'heure) _____ du dîner. Au revoir. (Au prochain temps / A la prochaine fois) _____! (Notez bien: une de ces expressions ne doit jamais être utilisée!)

**4** Vous êtes à Paris avec un ami américain et vous lisez les horaires suivants dans la petite revue *Pariscope*. Votre ami n'a pas l'habitude de numéroter les heures de 0 à 24. Aidez-le donc en utilisant le système de numérotage de 0 à 12 auquel il est habitué.

1. un concert à 20 h 15
2. un film qui commence à 21 h 30
3. un magasin qui ferme à 18 h
4. un magasin qui est fermé entre 12 h et 14 h
5. une boîte qui ouvre à 22 h
6. un spectacle qui se termine à 23 h 45
7. un restaurant qui ouvre ses portes à 19 h 30
8. un film qui se termine à 23 h 30

# INTERACTIONS

Vous habitez avec un(e) étudiant(e) français(e) qui passe l'année dans votre université. Vous cherchez une troisième personne pour partager votre appartement. En petits groupes, employez les éléments suivants pour découvrir l'emploi du temps de vos camarades de classe. Essayez de trouver un(e) camarade de chambre idéal(e).

MODELE  dîner d'habitude
*A quelle heure dînes-tu d'habitude?*

1. se lever normalement
2. prendre le petit déjeuner
3. quitter la maison le matin
4. avoir cours le lundi / le mardi
5. rentrer en semaine
6. travailler le soir
7. sortir le samedi soir
8. se coucher

# SYNTHESE

Vous faites une demande d'emploi à mi-temps dans un hôtel qui reçoit beaucoup de clients français. Un(e) camarade de classe joue le rôle du / de la responsable du personnel. Répondez à ses questions.

1. Quel âge avez-vous?
2. En quelle année êtes-vous né(e)?
3. Quelle est la date de votre anniversaire?
4. Combien d'heures par semaine voulez-vous travailler?
5. A quelle heure commence votre premier cours chaque jour?
6. A quelle heure finit votre dernier cours chaque jour?
7. Quels jours préférez-vous travailler?
8. Préférez-vous travailler pendant la journée ou pendant la soirée?

# L'héritage culturel

*L'Arrivée d'un train en gare de La Ciotat*
des frères Lumière

*Le Voyage dans la lune* de G. Méliès

## Les pionniers du cinéma français

**1895: La naissance du «septième art».** Les frères Lumière, Auguste et Louis, inventent le cinématographe—un appareil capable de reproduire le mouvement par une suite de photographies. Ils tournent plusieurs films très courts (deux minutes environ), dont *L'Arrivée d'un train en gare de La Ciotat*.

**1896: Le début de l'empire français du cinéma.** Charles Pathé fonde la firme mondiale Pathé Frères qui va mettre la France au premier rang des producteurs de films. Les frères Pathé créent les premières actualités filmées, le *Pathé-Journal*.

**1902: Le premier film important du cinéma français.** Georges Méliès tourne *Le Voyage dans la lune*, un film muet qui dure seize minutes et qui marque le début du cinéma de science-fiction. Pour son film, Méliès s'inspire du roman de Jules Verne, *De la terre à la lune* (1865) et du roman *Les premiers hommes dans la lune* de H.G. Wells (1901). Le film de Méliès a eu un immense succès mondial.

## Compréhension

1. Qui étaient les inventeurs français du cinématographe? Quelle définition peut-on donner à leur invention?
2. Quelle a été la contribution des frères Pathé au développement du cinéma?
3. Quel type de film Méliès a-t-il choisi de tourner au début de l'histoire du cinéma?

## Réflexion

A. Par quels moyens techniques l'invention du cinéma a-t-elle changé notre façon de représenter le passé, le présent et même le futur?
B. Consultez Internet ou une encyclopédie pour situer Georges Méliès dans l'évolution du cinéma.

## Le mot et l'image: *Cyrano de Bergerac*

*Cyrano de Bergerac*, film réalisé par Jean-Paul Rappeneau en 1990, illustre l'importance, pour le public français, d'un bon scénario et d'une histoire bien écrite. Les œuvres littéraires ont toujours inspiré le cinéma, et les romans d'écrivains tels qu'Emile Zola *(Germinal)*, Marcel Pagnol *(Jean de Florette, Manon des Sources)* ou Jean Giono *(Le Hussard sur le toit)* ont souvent nourri l'imagination des cinéastes. Les premiers films parlants n'étaient parfois que des pièces de théâtre filmées. Avec le film *Cyrano*, c'est le texte de la pièce d'Edmond Rostand (1897) qui continue de séduire les spectateurs. Interprété par Gérard Depardieu, le personnage principal triomphe par la fantaisie de la parole aussi bien que par le sens de l'effet dramatique—ce que Cyrano en mourant appelle son «panache». Et lorsque Cyrano, le visage caché par l'ombre du balcon, déclare son amour à Roxane, l'élégance de ses paroles et la grâce de l'image forment une alliance exaltante. Il n'y a rien d'étonnant si, parmi tous les personnages littéraires, c'est Cyrano que les Français disent préférer ou admirer le plus.

Gérard Depardieu, dans le rôle de Cyrano de Bergerac

### Compréhension

1. Qui a écrit la pièce de théâtre intitulée *Cyrano de Bergerac*? Qui a joué le rôle de Cyrano dans la dernière version filmée de cette pièce? Par quel mot Cyrano a-t-il caractérisé la finesse de ses paroles et leur effet dramatique?

2. Donnez d'autres exemples d'œuvres littéraires françaises qui ont été tournées en versions filmées.

### Réflexion

A. Citez des films qui ont été tirés d'œuvres littéraires. A votre avis, est-ce qu'il vaut mieux voir un film avant ou après la lecture de l'œuvre littéraire? Pourquoi?

B. Dans quel contexte le nom de Cyrano de Bergerac est-il évoqué généralement? (Si vous ne connaissez pas ce personnage, faites une recherche sur Internet ou dans une encyclopédie.)

# Structures II

## Interrogative Pronouns

### Questions about People

To ask questions about people, use the interrogative pronoun **qui.** The distinction between *who* and *whom* in English does not exist in French, because **qui** is used for both *who* (subject) and *whom* (object).

**A.** *Qui* **as Subject:** As the subject of a question, **qui** both elicits the information and forms the question. **Qui** is the first word in the question and is followed by a verb in the third-person singular. There is no change in word order.

> **Qui** vient avec vous?

> **Qui** a tourné ce film?

**B.** *Qui* **as Direct Object:** When **qui** is the direct object of the sentence, it is still the first word, but you must use either **est-ce que** or inversion of subject and object to form the question.

> **Qui est-ce que** Jean amène au cinéma?  *"bring"*

> **Qui ont-ils** vu au cinéma?

**C.** *Qui* **as Object of a Preposition:** When **qui** is the object of a preposition, the preposition normally becomes the first word in the question and **qui** immediately follows the preposition. Either **est-ce que** or inversion of subject and verb must be used to form the question.

> **Avec qui est-ce que** vos amis sont venus?

> **De qui s'agit-il** dans ce film?

---

# RAPPEL!

1. It is not always possible to determine from the English verb whether its French equivalent requires a preposition to introduce a noun object. Following is a list of French verbs that take a preposition before a noun object.

| À | DE |
|---|---|
| s'abonner à | s'agir de |
| jouer à | avoir besoin de |
| parler à | avoir peur de |
| passer à | jouer de |
| penser à | parler de |
| réfléchir à | se rendre compte de |
| téléphoner à | se souvenir de |

2. The reverse is also true: Some common verbs require a preposition before a noun object in English but use no preposition in French.

| | |
|---|---|
| attendre = *to wait **for*** | écouter = *to listen **to*** |
| chercher = *to look **for*** | payer = *to pay **for*** |
| demander = *to ask **for*** | regarder = *to look **at*** |

**1** Vous parlez avec un(e) ami(e) d'une sortie récente au cinéma. Employez les mots interrogatifs appropriés et les éléments indiqués pour compléter les questions posées par votre ami(e) au sujet des personnes que vous connaissez. Les mots en caractères gras vous servent d'indices.

L'ami(e): ___1___ / tu / aller / au cinéma?

Vous: Je suis allé(e) au cinéma **avec des copains.**

L'ami(e): ___2___ / venir?

Vous: **Elodie et Grégoire** sont venus.

L'ami(e): ___3___ / tu / amener?

Vous: Je n'ai amené **personne.**

L'ami(e): ___4___ / être / la vedette du film?

Vous: **Audrey Tautou** était la vedette.

L'ami(e): ___5___ / jouer / le rôle de son amie?

Vous: **Jodie Foster** a joué ce rôle.

L'ami(e): ___6___ / tu / voir / au cinéma?

Vous: J'ai vu **deux de mes colocataires.**

L'ami(e): ___7___ / tu / parler?

Vous: J'ai parlé **aux personnes à côté de moi.**

L'ami(e): ___8___ / s'amuser?

Vous: **Tout le monde** s'est bien amusé.

# INTERACTIONS

En petits groupes, utilisez les éléments suivants pour poser des questions aux membres du groupe afin de savoir qui sont les personnes importantes dans leurs vies.

1. tu / sortir avec / en général?
2. tu / voir régulièrement?
3. tu / parler à / tous les jours?
4. être / ton prof d'anglais?
5. tu / téléphoner à / souvent?
6. inviter / chez toi le week-end?
7. être / ton (ta) meilleur(e) ami(e)?
8. tu / aller avec / à des soirées?

## Questions about Things, Actions, or Situations

In French, the ways of asking questions about things, actions, or situations vary according to the function of the interrogative word. This may be confusing for the English speaker, because the same interrogative, *what*, is used in English as both subject and object.

**A.** *Qu'est-ce qui* as Subject: When *what* is the subject of a question, the interrogative pronoun **qu'est-ce qui** is used *without exception.* It both asks for the information and forms the question; neither **est-ce que** nor inversion is required.

**Qu'est-ce qui** arrive à la fin du film?
**Qu'est-ce qui** vous amuse dans ce film?

**B.** *Que* as Direct Object: When *what* is the direct object, **que** is used to elicit the information, but it does not form the question. You must use either **est-ce que** or the appropriate type of inversion after **que**. The form **qu'est-ce que** (**que + est-ce que**) is preferred in everyday speech.

**Qu'est-ce qu'on** passe au Rex?
**Que** passe-t-on au Rex?

**Qu'est-ce que** tu fais ce soir?
**Que** fais-tu ce soir?

# RAPPEL!

Don't confuse the forms **qu'est-ce qui** (*what?* as subject) and **qu'est-ce que** (*what?* as object).

| | |
|---|---|
| Qu'est-ce *qui* + VERB | **Qu'est-ce qui est** amusant dans ce film? |
| Qu'est-ce *que* + NOUN or PRONOUN | **Qu'est-ce que cet acteur** fait actuellement? |
| | **Qu'est-ce que vous** faites après le film? |

Remember that the form *qui* est-ce que is used to ask questions about *people* when the interrogative word **qui** is the object of the verb.

*Qui* **est-ce que** vous amenez au cinéma?

C. *Quoi* **as Object of a Preposition:** When *what* is the object of a preposition, the interrogative used is **quoi.** The preposition is normally the first word in the question and **quoi** immediately follows the preposition and precedes either **est-ce que** or inversion.

**De quoi s'agit-il** dans ce film?
**A quoi est-ce qu**'on fait allusion dans ce film?

D. **Asking for a Definition:**

| | |
|---|---|
| **Qu'est-ce que c'est?** | *What is it?* |
| **Qu'est-ce que c'est que ça (cela)?** | *What is that?* |
| **Qu'est-ce que c'est qu'un «navet»?** | *What is a "flop?"* |

2 Vous avez l'intention d'écrire à votre copain français. Vous préparez une liste de questions à lui poser. Complétez chacune des questions suivantes par l'expression interrogative qui correspond à la réponse entre parenthèses.

1. _____ se passe dans ta vie ces jours-ci? (Rien de sérieux.)
2. _____ un cinéaste? (C'est quelqu'un qui réalise des films.)
3. _____ passe au cinéma en ce moment? (Beaucoup de bons films.)
4. _____ tu as vu au cinéma récemment? (J'ai vu un excellent film d'aventures.)
5. _____ il y a de nouveau comme festival de cinéma? (Il y a un festival Clint Eastwood.)
6. De _____ parle-t-on au ciné-club actuellement? (On parle de films québécois.)
7. _____ rend les activités du club amusantes? (L'atmosphère et la variété des films qu'on passe.)
8. _____ tu vas voir le week-end prochain? (Je vais voir un film policier.)

3 Employez les éléments indiqués pour poser des questions logiques à un(e) camarade de classe. Une fois que votre camarade a répondu, posez-lui une autre question.

MODELE   s'agir de / dans ton manuel d'histoire
        —*De quoi est-ce qu'il s'agit dans ton manuel d'histoire?*
        —*Il s'agit de la Révolution française.*
        —*Ah oui, qu'est-ce que tu apprends?*

1. parler de / dans ton cours de _____?
2. penser à / beaucoup?
3. réfléchir à / souvent?
4. parler de / le plus souvent / avec tes amis?
5. avoir besoin de / ces jours-ci?
6. téléphoner à / souvent?
7. jouer à / pour t'amuser?

# INTERACTIONS

Mettez-vous en petits groupes. Interviewez les autres membres sur leurs goûts en ce qui concerne le cinéma. Utilisez la liste suivante pour vos questions. Ensuite, comparez les réponses à celles des autres groupes.

Demandez, par exemple...
ce qu'ils aiment au cinéma.
ce qu'ils détestent.
la fréquence à laquelle ils vont au cinéma.
s'ils louent souvent des DVD pour les regarder chez eux.
les titres des films qu'ils ont vus à plusieurs reprises.
les titres de leurs films préférés.

# SYNTHESE

**A.** En parlant de cinéma avec une étudiante de Bruxelles qui passe l'année dans votre université, vous discutez du film qu'on appelle *La Vie en rose* en Amérique du Nord et *La Môme* partout ailleurs. Même si ce film est sorti en Belgique, l'étudiante ne l'a pas vu. Complétez ses questions par l'expression interrogative appropriée en vous servant des réponses indiquées.

L'ÉTUDIANTE: _____1_____ est-ce que ce film est sorti aux Etats-Unis?

VOUS: *La Vie en rose* est sorti assez récemment.

L'ÉTUDIANTE: _____2_____ l'as-tu vu?

VOUS: Je l'ai vu chez moi. Je l'ai loué en DVD.

L'ÉTUDIANTE: _____3_____ joue le rôle d'Edith Piaf?

VOUS: C'est Marion Cotillard qui interprète le rôle de Piaf.

L'ÉTUDIANTE: De _____4_____ est-ce qu'il s'agit dans le film?

VOUS: Il s'agit d'une biographie de la célèbre chanteuse française.

L'ÉTUDIANTE: _____5_____ était la vie de Piaf?

VOUS: Ah, elle a eu une vie assez difficile.

L'ÉTUDIANTE: De _____6_____ est-elle tombée amoureuse?

VOUS: Elle est tombée amoureuse d'un boxeur d'Afrique du Nord.

L'ÉTUDIANTE: _____7_____ cette relation n'a-t-elle pas marché?

VOUS: Parce que le boxeur était déjà marié et surtout parce qu'il est mort dans un accident d'avion.

L'ÉTUDIANTE: _____8_____ se passe à la fin du film?

VOUS: Piaf est morte assez jeune.

L'ÉTUDIANTE: _____9_____ tu as pensé du film?

VOUS: Je l'ai beaucoup aimé et Cotillard a mérité son Oscar.

**B.** Vous avez l'intention d'aller au cinéma avec vos copains. Posez des questions logiques en employant les éléments indiqués.

1. vouloir / voir?
2. payer cher / billet?
3. se passer / film?
4. jouer / rôle principal?
5. amener / cinéma?
6. adorer / comme vedette?
7. présenter / comme film?
8. faire / après / cinéma?

C. Vous posez des questions à un(e) camarade sur les sujets indiqués. Utilisez les adverbes et les pronoms interrogatifs étudiés dans le chapitre.

1. sa famille
2. ses cours
3. ses distractions
4. ses copains
5. ses préférences au cinéma

# INTERACTIONS

En petits groupes, lisez les critiques des films suivants tournés par des réalisateurs francophones, tous candidats pour la Palme d'Or au Festival de Cannes. Chaque groupe va décider lequel des films les membres voudraient ou ne voudraient pas voir. Comparez les opinions des groupes. Quel film plaît le plus à la majorité de la classe? Pourquoi?

## LE SILENCE DE LORNA

BELGIQUE. 1 H 46. **SCÉNARIO** JEAN-PIERRE ET LUC DARDENNE. **PHOTO** ALAIN MARCOEN. **PRODUCTEURS** JEAN-PIERRE ET LUC DARDENNE.

**Les Réalisateurs**
Fidèles parmi les fidèles, les Belges Jean-Pierre et Luc Dardenne viennent pour la neuvième fois sur la Croisette. Ils ont déjà présenté six films (et obtenu au passage deux Palmes d'or, pour *Rosetta* et *L'Enfant*) et présidé deux jurys (ceux de la Caméra d'or et des courts métrages).

**Le Pitch**
Pour devenir propriétaire d'un snack avec son amoureux, Lorna, une jeune Albanaise, accepte un marché dangereux de la part d'un voyou. Elle doit épouser un Belge pour obtenir sa nouvelle nationalité puis se remarier avec un richissime mafieux russe. Problème: le premier époux doit disparaître rapidement.

## LA FRONTIÈRE DE L'AUBE

FRANCE. 1 H 40. **SCÉNARIO** MARC CHOLODENKO, ARLETTE LANGMANN. **PHOTO** WILLIAM LUBTCHANSKY. **MUSIQUE** JEAN-CLAUDE VANNIER. **PRODUCTEUR** ÉDOUARD WEIL.

**Le Réalisateur**
Philippe Garrel, 60 ans, fils de l'acteur Maurice Garrel, est aussi le père de Louis, à qui il donne souvent des rôles miroirs. Il a remporté à deux reprises un Lion d'argent à Venise, pour *J'entends plus la guitare* en 1991 et *Les Amants réguliers* en 2005, mais c'est la première fois que le cinéaste franc-tireur est sélectionné en compétition à Cannes.

**Le Pitch**
Une comédienne vit seule chez elle, délaissée par un mari dont la carrière décolle à Hollywood. Un photographe venu faire un reportage sur elle devient son amant.

## JOHNNY MAD DOG

FRANCE. 1 H 36. **SCÉNARIO** JEAN-STÉPHANE SAUVAIRE, JACQUES FIESCHI. **PHOTO** MARC KONINCKX. **PRODUCTEUR** BENOÎT JAUBERT.

**Le Réalisateur**
Jean-Stéphane Sauvaire, 39 ans. Après *Carlitos Medellin*, un documentaire sur la guérilla colombienne, le réalisateur congolais met en scène son premier long métrage de fiction en s'inspirant de *Johnny, chien méchant*, le roman d'Emmanuel Dongala.

**Le Pitch**
Un pays d'Afrique en pleine guerre civile. Johnny, un enfant-soldat de 15 ans sumommé << Mad Dog >>, joue à la guerre avec son petit commando en pillant et tuant tout ce qui bouge. Une gamine qui tente de fuir la ville avec son père infirme et son petit frère va croiser sa route.

**Pitbull**
*Johnny Mad Dog* est le premier film jamais tourné au Liberia, pays ravagé par les guerres civiles jusqu'en 2003.

# POUR S'EXPRIMER

CD2, Track 3

## A l'écoute

### Mise en scène

Ecoutez attentivement la conversation entre Christophe et Barbara au sujet du cinéma, puis faites les activités qui suivent.

**Contexte:** Invitée à une soirée, Barbara fait la connaissance de Christophe. Au cours de la conversation, elle apprend rapidement que celui-ci est passionné de cinéma. Etant américaine et connaissant très peu les films français, elle décide de l'interroger sur ce sujet.

### Avant d'écouter

1. Allez-vous souvent au cinéma? A quelle fréquence?
2. Combien coûte un billet de cinéma dans votre région?
3. Qu'est-ce que vous achetez à manger ou à boire au cinéma? Combien coûtent les consommations au cinéma?
4. Quels films avez-vous vus récemment?
5. Aimez-vous vous asseoir près ou loin de l'écran?

### Compréhension

**A.** On pose beaucoup de questions dans ce dialogue. Christophe en pose neuf, Barbara quatorze. Les trois formes interrogatives sont utilisées: 1. l'inversion sujet / verbe, 2. l'intonation et 3. **est-ce que.** Relevez toutes les questions que vous entendez au cours du dialogue. Combien de fois chacune des formes interrogatives est-elle utilisée? Quelle conclusion tirez-vous à propos de l'usage des différentes formes interrogatives dans la conversation?

**B.** Pour chacun des éléments suivants, mentionnez au moins deux détails qui y sont associés dans le dialogue:
1. les vieux films
2. les films en v.o.
3. les habitudes des Français qui vont au cinéma
4. Luc Besson
5. le Festival de Cannes

**C.** Choisissez trois éléments du dialogue qui sont, à votre avis, les plus difficiles à comprendre. Qu'est-ce qui les rend difficiles? Est-ce la prononciation, le vocabulaire, le contexte culturel? Expliquez votre choix. Comment peut-on résoudre ce problème de compréhension quand il se pose dans une vraie conversation?

**D.** Imaginez que c'est à vous, au lieu de Barbara, que Christophe donne le titre du dernier film qu'il propose d'aller voir. Qu'est-ce que vous avez compris? Répétez exactement ce qu'il a dit. Si vous trouvez le titre difficile à comprendre, qu'est-ce qu'il faut dire à Christophe?

## A vous la parole

On emploie souvent, dans le style parlé, des expressions interrogatives pour demander une explication supplémentaire. D'abord, un membre de la classe lit une des déclarations suivantes. Ensuite, un(e) deuxième étudiant(e) réagit à cette déclaration en employant une des expressions de la liste. Puis finalement, la première personne doit préciser sa pensée.

| | |
|---|---|
| **Et alors?** | *So what?* |
| **C'est vrai?** | *Is that right?* |
| **Comment ça?** | *How's that?* |
| **Tu plaisantes ou quoi?** | *Are you joking, or what?* |
| **Ah bon?** | *Really?* |
| **Vraiment?** | *Really?* |
| **Sans blague?** | *No kidding?* |

MODELE —*Je déteste les films d'épouvante.*
   —*Vraiment?*
   —*Oui, oui, je trouve ces films trop violents.*

1. Le week-end dernier j'ai vu un film super!
2. Je trouve les films de Jim Carrey très amusants.
3. J'adore les films de Spielberg.
4. Les films américains sont trop violents.
5. On devrait censurer les films pornographiques.
6. J'ai adoré le film qui s'appelle *(nom d'un film)*.
7. J'ai vraiment détesté le film qui s'appelle *(nom d'un film)*.
8. Mon actrice préférée est *(nom d'une actrice)*.

## Situations orales

**A.** Mettez-vous en petits groupes. Un membre du groupe propose une sortie au cinéma pour voir un certain film. Quelles questions posez-vous pour déterminer si vous voulez voir ce film? Est-ce que le groupe veut aller voir ce film? Pourquoi?

**B.** Vous avez vu un film que vous avez beaucoup aimé (ou détesté) récemment. Votre ami(e) ne l'a pas vu. Expliquez à votre ami(e) pourquoi vous avez tellement aimé (ou détesté) ce film.

# Note culturelle

## La situation mondiale du cinéma français

- Le cinéma français est le premier producteur de films en Europe, avec près de 250 films de long métrage par an. Mais, selon Daniel Toscan du Plantier, le président d'Unifrance—l'organisme chargé de la promotion du cinéma français à l'étranger—la vocation du film français «n'est pas d'être le deuxième cinéma mondial, loin derrière le premier, mais d'être le leader d'une alternative au monopole». En effet, l'exportation représente une dimension importante pour la santé du cinéma français.

- Quels sont les principaux marchés étrangers du cinéma français? L'Allemagne, en premier, puis le Japon où les films français sont réapparus grâce à la vidéo, et la Russie qui en achète beaucoup.

- Bien que le cinéma français ait retrouvé les faveurs du public sur son territoire et à l'étranger, sa survie serait problématique sans l'aide de l'Etat. Le Ministère de la Culture aide au financement des films français au moyen d'une «avance sur recette» qui permet de les produire. De plus, chaque entrée dans une salle de cinéma française contribue au maintien de cette industrie, car le prix de l'entrée comprend des taxes (les deux tiers du prix!) qui sont redistribuées aux producteurs français. L'importance de ce phénomène pour la survie du cinéma français a même été reconnue par le principe de l'«exception culturelle» qui a figuré dans les accords internationaux sur les tarifs et le commerce. Le cinéma est un art en France; mais il est également une grande entreprise commerciale.

## Compréhension

1. Quelle importance la France a-t-elle dans la production de films en Europe?
2. Vers quels pays la France exporte-t-elle beaucoup de films actuellement?
3. Dans quelle mesure est-ce que le Ministère de la Culture aide à subventionner le cinéma français?

## Réflexion

A. Le cinéma français exporte beaucoup de ses films même si, en Europe, 80% de ses ventes sont faites aux télévisions de ces pays. Avez-vous l'impression que la France exporte beaucoup de ses films vers les Etats-Unis? Quels sont les obstacles les plus considérables à l'exportation des films de langue française? Faut-il doubler les films français pour réussir leur distribution aux Etats-Unis, par exemple?

B. A votre avis, quels sont les avantages et les inconvénients de la subvention donnée par l'Etat français aux réalisateurs de films en France? Est-ce une bonne idée de subventionner l'art?

# Structures III

## *Quel* and *lequel*

### *Quel*

**Quel** has the English equivalents *what* and *which*. **Quel** is an adjective and must agree in gender and number with the noun it modifies, even if it is separated from that noun by other elements of the sentence.

|  | Singular | Plural |
|---|---|---|
| Masculine | quel | quels |
| Feminine | quelle | quelles |

# RAPPEL!

One of the key problems in forming questions in French is recognizing when you must use the interrogative adjective **quel** as opposed to one of the interrogative pronouns. Keep in mind that **quel** is used when you want to single out one or more persons or things from a larger group. Sometimes in English we use *what* as a modifier instead of *which: What time is it?* **Quel** should not be confused, however, with any of the interrogative forms meaning *what* because, as an adjective, it is always used in conjunction with a noun. The following is an explanation of the types of sentence patterns in which **quel** and the noun it modifies are normally used.

**A.** *Quel + être + Noun*: When **quel** precedes the verb **être**, the noun subject follows the verb to form the question.

> **Quel** est **le premier film** ce soir?
> **Quelle** est **la date** de la version originale?
> **Quels** sont **les résultats** de cette investigation?
> **Quelles** sont **les meilleures revues** de cinéma?

Choosing between the interrogative adjective **quel** and the interrogative pronoun **qu'est-ce qui** to render the concept of *What?* is one of the most difficult distinctions to make when forming questions.

If the verb **être** is followed by a noun, then **quel** should be used to seek the information *What?*

> **Quelle** est **la date** de la version originale?

If the verb **être** is followed by any construction other than a noun, then **qu'est-ce qui** is the correct choice to render the idea *What?*

> **Qu'est-ce qui** est **amusant** dans le film?

When *what* is the subject and the verb is anything other than **être,** then **qu'est-ce qui** is always the correct choice to express this interrogative concept.

> **Qu'est-ce qui arrive** à la fin de ce film?

**B.** *Quel + Noun Subject*: When the noun modified by **quel** is the subject of the sentence, **quel** both elicits the information and forms the question; normal declarative word order is used.

> **Quel acteur** a joué le rôle principal?
> **Quels films** passent en ce moment?

**C.** *Quel* + **Noun Direct Object**: When the noun modified by **quel** is the direct object, **quel** elicits the information but does not form the question. The noun must be followed by either **est-ce que** or inversion.

> **Quelles revues** de cinéma **est-ce que** vous lisez?
> **Quelle interprétation** a-t-il donnée de ce rôle?

**D.** **Preposition** + *quel* + **Noun**: When the noun modified by **quel** is the object of a preposition, **quel** elicits the information but the noun must be followed by either **est-ce que** or the appropriate type of inversion to form the question.

> **De quel film** parliez-vous?
> **Pour quelle actrice** a-t-il écrit ce rôle?

**1** Au Cercle français, on parle de cinéma. Réagissez à chaque phrase en complétant la question par la forme appropriée de **quel.**

1. —Je viens de voir deux films.
   — _____ films viens-tu de voir?
2. —Il y a certaines vedettes que je n'aime pas.
   — _____ vedettes n'aimes-tu pas?
3. —Paul a beaucoup parlé de certains acteurs français.
   —De _____ acteurs a-t-il parlé?
4. —Mes copains reçoivent deux revues de cinéma différentes.
   — _____ revue est-ce qu'ils préfèrent?
5. —Il y a un cinéma où je ne vais jamais.
   —A _____ cinéma est-ce que tu ne vas jamais?
6. —Mon ami a mis plusieurs affiches dans sa chambre.
   — _____ affiches a-t-il mis dans sa chambre?
7. —Il faut passer un film français pour une de nos réunions.
   —Pour _____ réunion veux-tu passer un film français?
8. —Allons à ce club qui passe des films étrangers demain soir.
   — _____ club passe des films étrangers?

**2** Après la réunion du Cercle français, on continue de parler de cinéma. Pendant la discussion, on a dit les choses suivantes. Demandez des renseignements supplémentaires en utilisant la forme appropriée de l'adjectif interrogatif **quel.**

1. Nous allons voir un film français.
2. Le film passe dans un des cinémas du quartier.
3. Il y a certains aspects du film qui sont extraordinaires.
4. Le film a gagné le grand prix de l'un des festivals l'année dernière.
5. Une revue de cinéma française a publié une excellente critique de ce film.
6. Nous allons demander à chacun de donner une contribution pour aller voir le film.

## Lequel

**Lequel** is a pronoun that replaces **quel** and the noun it modifies and therefore must agree in gender and number with that noun. The following forms may refer to either persons or things.

| | Singular | Plural |
|---|---|---|
| Masculine | **lequel** | **lesquels** |
| Feminine | **laquelle** | **lesquelles** |

**Lequel** is always used as the equivalent of *which one(s)*. It never means *what*, so there should be no confusion with the other interrogative pronouns or with **quel**. Because it is a pronoun, **lequel** can be the subject or the object of a verb, or the object of a preposition.

**A.** *Lequel* **as Subject:** When **lequel** is the subject of a sentence, it elicits the information and forms the question.

> Je voudrais voir un des films de Mathieu Kassovitz. **Lequel** passe en ville en ce moment?
> J'ai tendance à oublier le nom de ces deux actrices. **Laquelle** joue dans le film *Amélie*?
> Il y a maintenant en France deux ou trois metteurs en scène très célèbres. **Lesquels** ont gagné un prix à Cannes?
> Il y a tant de revues de cinéma actuellement! **Lesquelles** sont les meilleures?

**B.** *Lequel* **as Direct Object:** When **lequel** is the direct object of the sentence, it only elicits the information. To ask the question, you must use either **est-ce que** or the appropriate form of inversion.

> —J'aime beaucoup les films avec Depardieu.
> —Ah oui, **lequel est-ce que** vous avez vu récemment?
> —Je connais une actrice française célèbre.
> —**Laquelle connaissez-vous?**
> —Je préfère les acteurs qui sont amusants.
> —**Lesquels aimez-vous** le mieux?
> —Je prépare un exposé sur les vedettes françaises.
> —**Lesquelles est-ce que** tu as vues?

**C.** *Lequel* **as Object of a Preposition:** When **lequel** is the object of a preposition, it elicits the information but does not form the question, so it must be followed by either **est-ce que** or the appropriate type of inversion.

When preceded by the prepositions **à** and **de**, **lequel** follows the same pattern of contraction as does the definite article.

- Note that in everyday conversational responses, French speakers often avoid the construction *preposition* + **lequel** and instead use *preposition* + **quel** + *noun*.

| À | DE |
|---|---|
| **au**quel | **du**quel |
| **à la**quelle | **de laquelle** |
| **aux**quels | **des**quels |
| **aux**quelles | **des**quelles |

> —En classe on a parlé d'un film de Luc Besson.
> —**Duquel** a-t-on parlé?
> —**De quel film** a-t-on parlé?
> —Au ciné-club, on écrit quelquefois à des acteurs.
> —**Auxquels** est-ce qu'on a écrit?
> —**A quels acteurs** est-ce qu'on a écrit?
> —Depardieu joue dans plusieurs films actuellement.
> —**Dans lesquels** est-ce qu'il joue?
> —**Dans quels films** joue-t-il?

**3** Au Cercle français, on parle de cinéma. Réagissez à chaque phrase en complétant la question par la forme appropriée de **lequel.**

1. —Je viens de voir deux films.
   — _____ viens-tu de voir?

2. —Il y a certaines vedettes que je n'aime pas.
   — _____ n'aimes-tu pas?

3. —Paul a beaucoup parlé de certains acteurs français.
   —(De) _____ a-t-il parlé?

4. —Mes copains reçoivent deux revues de cinéma différentes.
   — _____ est-ce qu'ils préfèrent?

5. —Il y a un cinéma où je ne vais jamais.
   —(A) _____ est-ce que tu ne vas jamais?

6. —Mon ami a mis plusieurs affiches dans sa chambre.
   — _____ a-t-il mis dans sa chambre?

7. —Il faut passer un film français pour une de nos réunions.
   —Pour _____ veux-tu passer un film français?

8. —Allons à ce club qui passe des films étrangers demain soir.
   — _____ passe des films étrangers?

**4** Formez des phrases en utilisant les éléments indiqués. Après chaque phrase, un(e) camarade va vous demander une précision en employant une forme de **lequel.** Répondez-lui.

1. je / adorer / plusieurs / genres de films
2. je / s'abonner à / toutes sortes de revues
3. il / y avoir / beaucoup / vedettes / que / je / adorer
4. il / y avoir aussi / vedettes / que / je / détester
5. je / aller voir / plusieurs fois / certains genres de films
6. je / avoir / une actrice préférée
7. je / avoir aussi / un acteur préféré
8. je / voir / récemment / deux films très mauvais

# INTERACTIONS

En groupes, discutez du film suivant. De quelle sorte de film s'agit-il? Cherchez des renseignements sur l'auteur, Françoise Sagan. Puis, en vous basant sur les renseignements de la critique suivante, chaque groupe doit donner une raison pour laquelle le groupe veut, ou ne veut pas, voir le film.

## Critiques, coups de cœur, coups de gueule . . .

Le biopic (biographie filmée) serait-il en train de devenir un genre reconnu en France? Il faut savoir et admettre dès le départ que cette biographie a été écrite pour la télévision. Le film fini étant au-delà de ses espérances, France 2 a décidé d'en sortir une version raccourcie au cinéma. Et l'on comprend pourquoi dès les premiers plans. Vieillie, amaigrie, dans son fauteuil roulant, Sylvie Testud – qui incarne Françoise Sagan – est saisissante et exceptionnelle. Certes, la ressemblance physique est frappante, mais l'actrice a surtout réussi à prendre les tics, la façon de bouger si particulière et la manière de parler inimitable de l'auteur de *Bonjour tristesse*. Elle est tellement imprégnée de Françoise Sagan qu'on vous met au défi de savoir si c'est elle ou la vraie qui est à l'écran. Ne serait-ce que pour admirer cette performance, ce *Sagan* vaut le déplacement. Enfin, ceux qui ne la connaissent pas encore pourront se réjouir de découvrir la vie hors des convenances menée par cet écrivain qui, en un seul roman écrit à 18 ans, a connu un succès planétaire. En maniant la plume comme le scandale, Sagan savait s'attirer les médias comme les foudres de ses détracteurs. Son biopic, bien que trop conventionnel – ce qui est un comble – reste enthousiasmant.

Source: *Première*, No 376, Juin 2008, p. 96.

# SYNTHESE

**A.** Vous parlez à Patrick, un étudiant de Djibouti qui passe l'année dans votre université. Employez les indications suivantes pour composer des questions à poser à Patrick. Demandez-lui...

1. *(when he came to this country)*
2. *(why he came to this country)*
3. *(what he is studying)*
4. *(where he is living)*
5. *(who he is living with)*
6. *(if he is married)*
7. *(whom he sees a lot in this country)*
8. *(what aspects of life in this country he likes)*
9. *(what he doesn't like in this country)*
10. *(what the weather is typically in his country)*

**B.** Une journaliste française prépare un article sur quelques habitudes et préférences des jeunes aux Etat-Unis. Utilisez ses notes pour interroger un(e) camarade de classe.

**Les sites Web de réseaux sociaux**

1. son site préféré
2. ce qu'il / elle fait sur les sites de réseaux sociaux
3. ce qu'il / elle n'aime pas sur ces sites
4. les dangers possibles sur ces sites
5. les personnes qui fréquentent des sites de réseaux sociaux

**La télé**

1. les personnes avec qui il / elle regarde la télé
2. son émission préférée
3. ce qu'il / elle pense de la diffusion de films sur ordinateur
4. s'il / si elle regarde des émissions diffusées sur téléphones portables
5. l'avantage du câble

**La musique**

1. la musique qu'il / elle aime écouter
2. l'endroit où il / elle écoute le plus souvent de la musique
3. l'aspect des lecteurs MP3 qui lui plaît le plus
4. la raison pour laquelle il / elle écoute de la musique
5. l'heure à laquelle il / elle écoute le plus souvent de la musique

**C.** Vous êtes au café avec des amis français. Vos amis font les constatations suivantes. Posez des questions pour avoir des renseignements supplémentaires.

1. Je viens de faire un voyage intéressant.
2. Elodie passe un semestre très difficile.
3. Mes parents m'ont offert un très beau cadeau.
4. J'ai un prof qui est très sévère.
5. Ma copine sort avec un type que je n'aime pas du tout.
6. Hier soir, on est allé dans des clubs.
7. Jean-Pierre a une nouvelle moto.
8. Crystale n'habite plus chez ses parents.

# Note culturelle

## Le cinéma français et le Ministère des Affaires étrangères

Le Quai d'Orsay (nom par lequel on désigne d'habitude ce ministère en France) possède huit cinémathèques dans le monde: à Bangkok, Delhi, Amman, Mexico, Buenos Aires, Ouagadougou, Rio de Janeiro et Brazzaville. On y assure plus de 10 000 projections pour les films de fiction et 16 000 pour les documentaires, avec un stock de plus de 4 000 films. A quelle clientèle ces films sont-ils destinés? D'abord aux établissements culturels français à l'étranger, mais aussi aux grandes institutions étrangères comme le Museum of Modern Art (MoMA) et le Lincoln Center à New York, le British Film Institute, les cinémathèques, les universités et les festivals de cinéma. Depuis quelques temps, le réseau culturel français dispose aussi de films via téléchargement *(downloading)*, ce qui permet l'organisation de projections publiques partout dans le monde. Tous les ans, le gouvernement français consacre plus de 2,5 millions d'euros aux achats de droits, au tirage de copies et au sous-titrage.

Source: Adapté de l'article de Pascal Mérigeau, *Le Nouvel Observateur*, 5 mai 2005

### Compréhension

1. Qu'est-ce que le Quai d'Orsay?
2. Quels continents sont représentés par les villes mentionnées dans le texte?
3. Quelles sortes d'établissements et d'institutions reçoivent les films en question?

### Réflexion

A. Qu'est-ce que c'est qu'un réseau culturel? En tant que manifestation culturelle, les films sont-ils un moyen efficace pour promouvoir la culture d'un pays à l'étranger? Expliquez pourquoi.

B. Pourquoi l'Amérique du Nord ne figure-t-elle pas dans la liste de villes auxquelles le Quai d'Orsay envoie ses films? S'agit-il de raisons économiques, politiques, culturelles ou autres?

# INTERACTIONS

Lisez le texte sur le film *Madame Brouette*. Ensuite, discutez de vos réponses aux questions suivantes avec un(e) partenaire.

1. Est-ce que ce film vous intéresse? Pourquoi?
2. A votre avis, à quel genre de film appartient *Madame Brouette*? Pourquoi?
3. Quels autres films connaissez-vous qui abordent le thème des difficultés des mères célibataires et/ou de la violence familiale?
4. Pouvez-vous penser à d'autres exemples de cinéma engagé? Lesquels?
5. A votre avis, est-ce qu'un film peut vraiment encourager les spectateurs à promouvoir des changements sociaux? Pourquoi ou pourquoi pas?

## Le film: *Madame Brouette*
de Moussa Sene Absa (2002)

**I**ntrigue: Mati est une jeune mère célibataire qui travaille comme vendeuse ambulante dans les rues de Dakar, au Sénégal. Equipée d'une seule brouette *(wheelbarrow)*, elle vend de petits produits divers aux passants. Indépendante et inlassable *(tireless)*, Mati travaille jour et nuit pour fournir aux besoins de sa fille et contribuer au revenu de ses parents. Travailleuse et ambitieuse, elle ne veut plus vivre toute sa vie sous le nom de «Madame Brouette». Elle rêve de devenir propriétaire de son propre café.

Le destin de Mati change quand elle fait la connaissance de Naago, un policier charmant mais corrompu. Au début de leur relation, Naago réussit à cacher ses défauts de caractère, et Mati tombe amoureuse de lui. A cause de cette déception, le bonheur du couple est éphémère. Mati est enceinte au moment où elle découvre les mensonges et la brutalité de Naago. Femme forte et autonome, Mati refuse de compromettre l'avenir de ses enfants à cause d'un homme. Quand un coup de feu éclate un matin chez le jeune couple et quand Naago est retrouvé mort, la vraie histoire commence. Tout le monde se demande: Qui est cette Madame Brouette? Quelle est l'histoire de sa vie? A-t-elle tué Naago? Pourquoi? Que deviendra-t-elle? Le mystère de la mort de Naago et l'histoire de la vie de Mati se démêlent peu à peu dans ce film rempli des sons, sensations et couleurs du Sénégal contemporain.

Cinéma engagé: Souvent caractérisé comme cinéaste engagé—un cinéaste qui travaille dans l'intérêt de promouvoir la conscience sociale du public—Moussa Sene Absa nous offre des images du Sénégal historique et contemporain. Par ses films, comme *Ça twiste à Poponguine* (1993), *Tableau Ferraille* (1997) et *Madame Brouette* (2002), Absa explore la complexité des problèmes sociaux au Sénégal. Sans défaillir, Absa affronte des sujets tels que la corruption politique, l'exploitation économique, les conflits religieux, la violence contre les femmes, la discrimination raciale et la stratification sociale dans l'espoir de stimuler la conscience, la communication et l'action chez ses spectateurs.

## Situations écrites

**A.** Un(e) ami(e) français(e) désire mieux connaître le cinéma aux Etats-Unis. Faites une présentation sur le cinéma américain (les films à la mode, les vedettes à la mode, les types de films qui sont populaires, etc.). Ensuite, comparez votre description avec celles de vos camarades de classe.

**B.** Une étudiante suisse avec qui vous correspondez critique le cinéma américain en disant que les films américains sont souvent médiocres et trop violents. Réagissez à cette critique du cinéma américain. Etes-vous d'accord?

# A lire

## Texte de culture contemporaine

### Sujets de réflexion

1. Lorsque vous réfléchissez au cinéma, imaginez-vous une activité artistique ou s'agit-il plutôt d'une entreprise commerciale?

2. Suivez-vous quelquefois les grands prix du cinéma: les Oscars, les Césars...? A la suite de quelles démarches de sélection les films sont-ils nominés? Y a-t-il un aspect médiatique de la compétition que vous aimez vraiment ou que vous n'aimez pas du tout?

### Guide de lecture

L'univers du cinéma est composé de cinéastes, de réalisateurs, d'acteurs, de techniciens, etc. Mais on ne doit pas oublier qu'il y a aussi un public à atteindre et qu'il faut inciter ce public à acheter des billets d'entrée dans les salles de cinéma partout dans le monde. Voilà le véritable travail des vendeurs de film. Mais comment s'y prennent-ils? En quoi consiste le marché du film?

1. Faites une lecture rapide de l'article suivant. Quels sont les mots et expressions qui ont un rapport direct avec le *business* du cinéma?

2. Quelles sont les références à la vocation internationale du festival?

## *L'autre Festival de Cannes*

_klieg lights / red carpet / Stock exchange / moles (spies) jargon_

Loin des sunlights° et du tapis rouge°, le marché de Cannes est la Bourse° du cinéma mondial. Les professionnels y vendent les films et n'hésitent pas à créer la rumeur,... [et à] utiliser des taupes°... L'un des meilleurs vendeurs français, François Yon, raconte...

5     Acheteurs et vendeurs parlent un langage qui n'appartient qu'à eux, un sabir°où se mêlent anglais, français, espagnol, tout ce qui leur vient sous la langue... Tout au long du festival, ils multiplient les rendez-vous, un toutes les trente minutes dans la journée, toutes les heures à la nuit tombée, s'efforcent de voir les films de la compétition, jonglent avec leurs téléphones multifonctions, passent d'une fête à l'autre

_money (coll.)_

10  pour ramasser les infos sans lesquelles ils travailleraient moins, donc plus mal. Mieux que quiconque, ils savent que film et fric°sont deux mots indissociables...

    **Le Nouvel Observateur**—*Que représente le Festival de Cannes pour un vendeur?*

    **François Yon**—Même si le marché de Berlin a progressé ces dernières années,

_unavoidable, essential issues /day before_

Cannes est toujours aussi incontournable° et représente de 25% à 30% de notre

15 chiffre d'affaires...

    **Le Nouvel Observateur**—*Quels sont les grands enjeux° pour vous à la veille du festival?*

François Yon—Avant d'être vendeur, il faut être acheteur. Nous achetons 90% de nos films sur scénario: nous recevons 550 scénarios par an, à partir desquels nous constituons un programme de 22 films. Au-delà de ce chiffre, nous ne pourrions pas nous occuper correctement des films...

Le Nouvel Observateur—*Comment les films sont-ils montrés aux acheteurs à Cannes?*

*brawl* François Yon—La première grande bagarre° porte sur la date de présentation des films. Sachant que la fin de la deuxième semaine est plus faible, les acheteurs

**ayant déjà... :** *have already reached their limit* étant déjà repartis ou ayant déjà fait le plein°, et que le premier jeudi ne compte pas pour nous, tous les vendeurs veulent obtenir pour leurs films le vendredi, le samedi et le dimanche de la première semaine...

*selection* Le Nouvel Observateur—*Les salles du marché sont de capacité réduite et les séances sont ouvertes à tous les professionnels. Comment faites-vous le tri°?*

François Yon—Il existe des séances pour lesquelles il faut presque mettre les acheteurs de force dans la salle et d'autres pour lesquelles nous devons limiter l'accès... Il n'y a pas d'autre possibilité: les acheteurs sont 250, il n'y a que 60 places. Notre métier, c'est de faire que le type voie le film... L'erreur à ne surtout pas commettre est d'emmener le réalisateur à une projection de son film au marché: je l'ai fait une

*fainted* fois, le type s'est évanoui°. Bon, c'est vrai que dans une salle du marché on a tous les droits, on peut parler, dormir, téléphoner... Et puis un acheteur ne voit jamais un film en entier. Les Américains envoient des *scouts*, qui passent quinze-vingt minutes dans

*spotted* chaque salle et téléphonent au décideur, qui ne se déplace qu'une fois le film repéré°...

*tricks* Le Nouvel Observateur—*Quels sont les trucs° des vendeurs?*

François Yon—Il m'est arrivé de payer des gens pour qu'ils rient dans la salle! Je me souviens d'un film français sous-titré en anglais dont je savais que les acheteurs japonais seraient insensibles au comique, alors j'avais placé des gens dans la salle qui devaient éclater de rire à chaque gag. Et ça a marché!...

Le Nouvel Observateur—*Quel rôle joue la presse dans votre commerce?*

François Yon—La presse quotidienne nationale est sans grand effet sur les vendeurs. En revanche, les recensions données par «Variety» et «Screen» sont essentielles: leurs journalistes sont aussi des spécialistes du marché et ils évaluent le potentiel commercial des films. «Variety», sutout est important... Un article favorable dans «Variety» ou «Screen» suscite de la demande. Il est essentiel pour nous d'être toujours au courant de tout. C'est pour cela que nous avons toujours au moins

*shuttles* une taupe dans toutes les fêtes. Les navettes° qui transportent les invités depuis les villas dans les collines de Cannes jusqu'aux hôtels de la Croisette sont des lieux très

*boozed it up / speak openly* appréciables pour les infos: les gens sont fatigués, ils ont picolé°, il se lâchent°...

Le Nouvel Observateur—*Comment évolue l'image du cinéma français dans le monde?*

François Yon—Il reste placé en deuxième position, grâce à sa diversité et à sa

*overall* qualité d'ensemble°, mais son image s'est considérablement dégradée depuis dix ans,

*fall* et la dégringolade° s'est encore accélérée ces deux dernières années... La loi selon laquelle un bon film s'impose toujours sur le marché n'est pas valable pour le cinéma

*special* français: les bons films français ne s'imposent pas. Le cinéma français était singulier° *et* populaire; il n'est plus, dans le meilleur des cas, que singulier. Que depuis vingt ans aucun film français n'ait obtenu la Palme d'Or n'est tout de même pas un hasard!

Source: Pascal Mérigeau, «L'autre Festival de Cannes», *Le Nouvel Observateur*, No 2270 du 8 au 14 mai, 2008, pp. 62–64

## Après la lecture

1. Pourquoi les acheteurs de films à Cannes sont-ils si occupés? Que font-ils? Que cherchent-ils?

2. Pourquoi le Festival de Cannes est-il si important pour le marché mondial du film?

3. Quel est le meilleur moment du festival pour la vente des films? Expliquez.

4. Pourquoi est-il difficile d'avoir accès aux séances où les films sont présentés? Quelle est la méthode des Américains pour trouver de bons films?

5. Quel exemple François Yon donne-t-il d'un truc qu'il a employé pour vendre un certain film comique?

6. Pouquoi les articles de «Variety» sont-ils tellement importants?

7. Que font les «taupes» pour avoir des renseignements sur les films?

8. François Yon dit que le cinéma français est «singulier». En vous basant sur des films français que vous connaissez, discutez des différences entre le cinéma français et le cinéma américain.

9. Y a-t-il certains aspects de la vente des films qu'il faut absolument changer ou dont il faut se débarrasser? Défendez votre point de vue.

# Texte littéraire

## Sujets de réflexion

1. En général, pourquoi va-t-on au cinéma? Quelles sortes de films préférez-vous? Pourquoi?

2. Quels films classiques (c'est-à-dire de la période des années 20 jusqu'aux années 50) connaissez-vous? Lesquels aimez-vous particulièrement? Pourquoi?

3. Quelles tendances générales peut-on reconnaître dans les films américains modernes? Considérez, par exemple, la liste suivante de films:

   *The Lord of the Rings*
   *Shrek*
   *The Departed*
   *Frost-Nixon*
   *The Dark Knight*

   Lesquels de ces films avez-vous vus? Les avez-vous appréciés ou non? Pourquoi?

4. Quels films français connaissez-vous? A votre avis, quelles différences essentielles y a-t-il entre les films américains et les films français?

## A propos de l'auteur...

**François Truffaut (1932–1984)** *est, de tous les réalisateurs français des années 50 jusqu'à aujourd'hui, celui qui représente, aussi bien pour les étrangers que pour les Français, le véritable style cinématographique français. Fils unique d'un père architecte et d'une mère secrétaire, Truffaut a connu une vie marquée par des déplacements fréquents et un certain isolement. Pour lui, le cinéma est devenu un refuge, surtout durant l'occupation de Paris par les forces allemandes pendant la Seconde Guerre mondiale. Après la guerre, ayant abandonné ses études, Truffaut a connu une période de délinquance, mais il a heureusement découvert les films d'Orson Welles, en particulier* Citizen Kane, *et est devenu un disciple du cinéaste André Bazin. Au cours des années 50, Truffaut a commencé à tourner ses propres films, tels que son premier chef-d'œuvre* Les Quatre cents coups, *et il a participé au mouvement spontané appelé la Nouvelle vague, composé de jeunes cinéastes qui allaient transformer pour toujours le cinéma moderne. Les films de Truffaut, qu'il a tournés jusqu'à sa mort subite en 1984 (*Jules et Jim, L'Argent de poche, Le Dernier Métro *et beaucoup d'autres) sont classés de nos jours parmi les vrais classiques du cinéma français. Marqué par un fort élément autobiographique, le cinéma de Truffaut est fidèle à la qualité essentielle de la Nouvelle vague dont les films représentent souvent une sorte de confession ou de journal intime. Mais c'est Truffaut qui a su interpréter, peut-être mieux que tout autre cinéaste de sa génération, les grands bouleversements de la société contemporaine au niveau de l'individu.*

## Guide de lecture

Lisez rapidement chaque paragraphe de cet article de Truffaut, puis complétez en quelques mots les phrases suivantes pour résumer l'idée principale de chaque paragraphe.

**a.** Paragraphe 1: Les premiers films étaient caractérisés par un aspect...

**b.** Paragraphe 2: Très vite, le cinéma a voulu surpasser la réalité pour créer...

**c.** Paragraphe 3: Les cinquante premières années du cinéma ont été marquées par...

**d.** Paragraphe 4: Parce qu'on apprécie toujours les films classiques, on tourne...

**e.** Paragraphe 5: A la suite des progrès techniques, le cinéma a perdu...

**f.** Paragraphe 6: L'aspect artistique du cinéma nécessite une déformation de...

**g.** Paragraphe 7: La seule chose qui soit essentielle au cinéma, c'est...

**h.** Paragraphe 8: Truffaut a peur que les professeurs de cinéma amènent leurs étudiants à...

**i.** Paragraphe 9: Pour Truffaut, il ne doit pas y avoir de hiérarchie entre les films sérieux et comiques, et le seul aspect du cinéma qui soit vraiment important, c'est...

**j.** Paragraphe 10: Selon Truffaut, le vrai cinéaste est celui qui a la capacité de...

# «Donner du plaisir ou le plaisir du cinéma»
## (extrait de: *Le plaisir des yeux*)

(1) Les gens qui, à la fin du dix-neuvième siècle, ont inventé le cinématographe, n'ont pas été immédiatement conscients de bouleverser notre vie quotidienne, et cependant les premières bandes enregistrées° ressemblent, par leur aspect strictement *informatif* et *documentaire*, à ce qu'allait devenir à partir des années cinquante la télévision.

*bandes... : film strips*

(2) D'abord créé pour reproduire la réalité, le cinéma est devenu grandiose chaque fois qu'il a réussi à surpasser cette réalité en s'appuyant sur elle, chaque fois qu'il a pu donner de la plausibilité à des événements étranges ou des êtres bizarres, établissant ainsi les éléments d'une mythologie en images.

(3) De ce point de vue, les cinquante premières années de l'histoire du cinéma ont été d'une richesse prodigieuse. Il est bien difficile aujourd'hui pour un «monstre» de l'écran de rivaliser avec *Nosferatu*, *Frankenstein* ou *King Kong*, impossible pour un danseur d'être plus gracieux que Fred Astaire, pour une vamp d'être plus énigmatique et dangereuse que Marlene Dietrich, pour un comique d'être plus inventif et drôle que Charlie Chaplin.

*hesitations / way*

(4) Le cinéma parlant, après quelques flottements°, a trouvé sa voie° en tournant les remakes des films muets et aujourd'hui, on tourne en couleurs les remakes des films noir et blanc!

(5) A chaque étape, à chaque progrès technique, à chaque nouvelle invention, le cinéma perd en poésie ce qu'il gagne en réalisme. Le son stéréophonique, l'écran géant, les vibrations sonores ressenties directement sur les fauteuils ou encore les essais de relief° peuvent aider l'industrie à vivre et survivre, rien de tout cela n'aidera le cinéma à demeurer un art.

*3-D*

*betrayal*

(6) L'art cinématographique ne peut exister que par une trahison° bien organisée de la réalité. Tous les grands cinéastes disent NON à quelque chose. C'est, par exemple, le refus des extérieurs réels dans les films de Federico Fellini, le refus de la musique d'accompagnement dans les films d'Ingmar Bergman, le refus d'utiliser des comédiens professionnels chez Robert Bresson, le refus des scènes documentaires chez Hitchcock.

(7) Si [...] le cinéma existe encore, c'est grâce à la seule chose dont vous ne trouverez aucune image [...]: un bon scénario, une bonne histoire racontée avec précision et invention. Avec *précision*, car il est nécessaire dans un film de clarifier et de classer toutes les informations pour garder l'intérêt du spectateur en éveil°, avec *invention*, car il est important de créer de la fantaisie pour donner du plaisir au public. J'espère que la mention du mot PLAISIR ne choquera pas le lecteur. [...]

*en... : alert*

(8) Aujourd'hui, dans les universités, on enseigne le cinéma au même titre que la littérature ou les sciences. Cela peut être une bonne chose, à condition que les professeurs n'amènent pas leurs élèves à préférer la sécheresse° du documentaire à la fantaisie de la fiction, la théorie à l'instinct. N'oublions jamais que les idées sont moins intéressantes que les êtres humains qui les inventent, les perfectionnent ou les trahissent.

*dryness*

(9) Certains professeurs, journalistes ou de simples observateurs ont parfois l'ambition de vouloir décider eux-mêmes de ce qui est *culturel* et de ce qui ne l'est

*However* pas. [...] Or°, je crois fermement qu'il faut refuser toute hiérarchie de genres [films
45 sérieux et films comiques], et considérer que ce qui est *culturel* c'est simplement tout ce qui nous plaît, nous distrait, nous intéresse, nous aide à vivre.

(10) Le cinéma est à son meilleur chaque fois que l'homme-cinéaste réussit à
*bend* plier° la machine à son désir et, de cette manière, à vous faire entrer dans son rêve.

Source: François Truffaut, «Donner du plaisir ou le plaisir du cinéma» in
*Le plaisir des yeux © Les Cahiers du Cinéma*

François Truffaut

## Après la lecture

1. Répondez aux questions suivantes sur l'article de Truffaut.

   a. Les gens qui ont inventé le cinéma avaient-ils l'intention, à l'origine, de créer une réalité nouvelle? Quelle sorte de films ont-ils créée?

   b. Pourquoi Truffaut n'aime-t-il pas les innovations technologiques au cinéma?

   c. Selon Truffaut, que faut-il créer pour donner du plaisir au public? Etes-vous d'accord?

   d. Pourquoi, selon Truffaut, ne faut-il pas considérer les comédies comme inférieures aux films sérieux?

   e. Selon Truffaut, quel est le but d'un bon film?

2. En général, parmi les films modernes, Truffaut n'aimait pas ceux qui emploient beaucoup d'effets basés sur les innovations technologiques; il préférait ceux qui ont «une bonne histoire racontée avec précision et invention». En petits groupes, parlez de différents films contemporains appartenant au type de films que Truffaut n'aimait pas et au type de films qu'il trouvait bons. Expliquez vos choix aux autres groupes et comparez vos sélections.

3. Quelles idées de Truffaut vous plaisent personnellement? Lesquelles appréciez-vous moins?

### Pour mieux lire

Cet article de Truffaut est remarquable par son organisation et sa simplicité d'expression. Pour réaliser cet effet, Truffaut se sert d'expressions qui établissent des liens entre les idées des différents paragraphes et créent ainsi une progression logique. Répondez aux questions suivantes pour analyser l'emploi que fait Truffaut de ce genre d'expressions.

a. Au paragraphe 2, quelle idée l'expression «D'abord» sert-elle à introduire?

b. Au début du paragraphe 3, à quoi fait allusion l'expression «De ce point de vue»?

c. Le paragraphe 4 commence par l'expression «Le cinéma parlant», mais le lecteur sait déjà que Truffaut va faire une comparaison. Laquelle?

d. Quels éléments du paragraphe 5 servent à illustrer l'expression «A chaque étape»?

e. Quel mot sert à lier les idées centrales des paragraphes 5 et 6?

f. Au paragraphe 7, quand Truffaut écrit «Si le cinéma existe encore», de quelle sorte de cinéma parle-t-il?

g. Quelle sorte de transition le mot «Aujourd'hui», au début du paragraphe 8, assure-t-il dans cet essai?

h. Comment l'allusion à «Certains professeurs» rapproche-t-elle les paragraphes 8 et 9? En quoi cette allusion aux professeurs annonce-t-elle la notion de «culture» qui constitue l'idée centrale du paragraphe 9?

i. Le paragraphe 10 commence par une allusion au désir d'un cinéaste. Quelle idée-clé, exposée à la fin de l'essai, cette allusion sert-elle à préparer?

## LIENS CULTURELS

1. Imaginez qu'il soit possible de réaliser un entretien entre François Truffaut (qui est mort en 1984) et le réalisateur américain Spielberg. Quelles attitudes manifestent-ils vis-à-vis du «culturel», de la «réalité» et de l'«instinct», par exemple?

2. Compte tenu des nouvelles technologies, de l'informatique, du numérique, de la réalité virtuelle, êtes-vous optimiste ou pessimiste en ce qui concerne l'avenir du cinéma? Rappelez-vous la constatation de François Truffaut: «A chaque étape, à chaque progrès technique, à chaque nouvelle invention, le cinéma perd en poésie ce qu'il gagne en réalisme.» Préférez-vous les films à grands effets spéciaux ou les films plus intimes ayant une bonne intrigue et un message à communiquer?

## EXPANSION

A. Vous avez pu vous former une impression générale sur le cinéma français. Vous possédez assez d'informations pour pouvoir décrire les aspects principaux du cinéma français depuis ses débuts. Faites une liste des éléments qui devraient figurer dans une histoire du cinéma en France jusqu'à nos jours.

B. M. Toscan du Plantier (voir Note culturelle, page 214) parle du cinéma américain comme d'un monopole dans le domaine du cinéma mondial. A-t-il raison? A votre avis, qu'est-ce qu'il envisage pour le cinéma français lorsqu'il parle d'une «alternative au monopole»? Faut-il éviter le contrôle des images et des images cinématographiques?

# Chapitre 7

# Les transports et la technologie

## Cultural Focus
❖ Technology and Transportation
❖ Rise of Technology in France

## Readings
**Contemporary Cultural** *L'avion du futur ne fait pas rêver*

**Literary** Pierre Boulle: *La Planète des singes* (extrait)

## Structures
**I** Object Pronouns
**II** Disjunctive Pronouns
**III** Possessive Pronouns
Demonstrative Pronouns

## Functions
Making Travel Arrangements

Indicating Possession

Indicating Distinctions

**iLrn**

Le TGV (train à grande vitesse) peut atteindre une vitesse maximale de 320 km/h.

# Un peu de culture contemporaine

## Dans l'air: Airbus

- En Europe, certains grands succès dans les transports aériens sont le fruit d'une collaboration internationale européenne. Ce fut le cas du Concorde, l'impressionnant avion supersonique des compagnies Air France et British Airways. C'est toujours le cas pour les divers modèles d'Airbus. Depuis les années 1970, le consortium européen EADS (France, Allemagne, Espagne et Grande-Bretagne) construit, aménage et administre la réalisation de plusieurs modèles d'Airbus. Parmi ses clients, on compte plusieurs compagnies aériennes non-européennes (par exemple, American Airlines) auxquelles on vend plus de 300 appareils par an.

L'A380: le dernier-né des Airbus

- L'A380, le dernier-né des Airbus (entrée en service en 2007), est un quadriréacteur à double pont *(double-deck)* qui possède une envergure *(wingspan)* de 80 mètres, une longueur de 73 mètres et une hauteur de 24 mètres—l'équivalent d'un immeuble de sept étages. Il peut transporter 555 personnes en trois classes ou 840 passagers en charter. Une dizaine d'aéroports, y compris Paris-Charles-de-Gaulle et New York-JFK, sont déjà prêts à le recevoir. Grâce à de nouvelles technologies et des matériaux composites plus légers, l'appareil est plus silencieux et plus économe que son rival américain, le Boeing 747.

### Compréhension

1. Quel autre exemple de coopération internationale aérienne a précédé l'Airbus?
2. Depuis combien de temps le consortium EADS existe-t-il? Les avions Airbus sont-ils commercialisés exclusivement en France?
3. Donnez au moins cinq qualités extraordinaires que possède l'Airbus A380.

### Réflexion

A. En quoi la France a-t-elle contribué à l'évolution de l'aviation durant les cinquante dernières années? Résumez en quelques phrases.
B. Quelle réaction avez-vous eue en lisant les dimensions de l'Airbus A380? Etes-vous d'accord avec l'idée qu'un avion de cette taille joue un rôle nécessaire dans l'industrie aéronautique d'aujourd'hui et de demain?

Une fusée Ariane

## Dans l'espace: Ariane

Les satellites et les lanceurs Ariane qui les propulsent dans l'espace depuis 1984 sont produits, financés et commercialisés par Arianespace, une société européenne dont le siège est à Evry, près de Paris.

- La fonction des fusées Ariane est de mettre en orbite, à partir d'un vaste site à Kourou (en Guyane française, à 7 000 km de Paris), des satellites appartenant au domaine civil.

- Arianespace a effectué plus de 200 lancements de fusées Ariane et son dernier modèle Ariane 5 ES, est devenu le premier lanceur du vingt et unième siècle. Aujourd'hui, plus de 60% des satellites opérationnels en orbite ont été lancés par Arianespace.

## Compréhension

1. A quoi sert la fusée Ariane? D'où est-ce qu'on lance les fusées Ariane?
2. Quel pourcentage du marché Ariane 5 ES a-t-elle déjà capté?

## Réflexion

A. Le mot latin *aster* (étoile) nous a donné le terme **astronaute** pour désigner une personne qui voyage ou navigue dans l'espace, vers les étoiles justement. Suivant ce modèle, comment appelle-t-on en français les voyageurs dans le cyberespace, ceux d'**Inter**net?

B. Cherchez Kourou sur une carte géographique. Pourquoi cet endroit est-il particulièrement bien placé pour le lancement des fusées dans l'espace?

C. Dans quelle mesure notre vie quotidienne est-elle influencée par des satellites de communication comme ceux qui sont lancés par Arianespace?

# Sur les rails: Le TGV et le tunnel sous la Manche

Le nombre de voyageurs qui prennent le train augmente en France et le train à grande vitesse (TGV) représente plus de 50% du trafic ferroviaire (du chemin de fer).

- Depuis 1981, les lignes de TGV se multiplient sur une grande partie de la France (plus de 250 villes sur 6 zones).
- Le TGV peut atteindre une vitesse maximale de plus de 320 km/h, mais la vitesse moyenne, gare à gare, est de 264 km/h. Ses passagers effectuent le trajet Paris-Lyon en 2 heures et celui de Paris-Marseille en 3 heures.
- Le TGV Eurostar amène les passagers vers Calais d'où, en 35 minutes, ils se rendent à Folkestone en Angleterre via le tunnel sous la Manche *(English Channel)*.
- Le tunnel sous la Manche a été inauguré en 1984. A vrai dire, il s'agit de trois tunnels: un tunnel de service est relié à deux tunnels principaux par des points de communication. Les deux tubes identiques sont destinés au passage du train qu'on appelle «le Shuttle». Ces navettes transportent voitures, camping-cars, autocars et camions.

## Compréhension

1. Qu'est-ce que le TGV? A quelle vitesse maximale peut-il rouler?
2. Combien de temps dure le trajet Paris-Marseille en TGV et celui sous la Manche en Shuttle?
3. Le tunnel sous la Manche est-il composé d'un tube unique? Expliquez.

## Réflexion

A. Quels sont les progrès les plus remarquables réalisés depuis vingt ans dans le système ferroviaire en France?

B. Pourquoi des pays comme la France et l'Angleterre ont-ils tant investi dans l'amélioration du chemin de fer? Est-ce le cas dans votre pays? Expliquez pourquoi.

*Pour des activités culturelles supplémentaires, rendez-vous sur le site Web d'**Interaction*** www.cengage.com/french/interaction

# Vocabulaire actif  CD2, Track 6

## LES ACTIVITÉS

**appuyer (sur un bouton)** to press (a button)
**attacher** to fasten
**atterrir** to land
**composter (son billet)** to punch (a ticket)
**décoller** to take off
**se déplacer** to get around
**enregistrer (ses bagages)** to check (baggage)
**éteindre** to extinguish
**faire une escale** to stop over

**se rendre** to go
**valider** to validate

## POUR VOYAGER

**une agence de voyages** travel agency
**un aller-retour** round-trip ticket
**un aller simple** one-way ticket
**l'arrivée** *(f)* arrival
**le bureau de renseignements** information counter
**le comptoir** airline ticket counter

**une correspondance** connection, transfer point
**le départ** departure
**une grève** strike
**le *haut-parleur**[1] loudspeaker
**les heures de pointe** *(f pl)* rush hour
**l'horaire** *(m)* schedule
**un tarif (réduit)** (reduced) fare
**les transports en commun** *(m pl)* mass transit
**une valise** suitcase

## En avion

**la ceinture** seat belt
**la compagnie aérienne** airline
**la piste** runway
**la porte** gate
**un steward / une hôtesse de l'air** flight attendant
**le vol** flight

## Dans le métro

**un arrêt** stop
**une bouche de métro** subway entrance

[1]*Asterisk preceding the **h** indicates that it is aspirated. There is no elision or liaison with an aspirated **h**.*

## Exercices de vocabulaire

**A.** Vous visitez Paris avec un(e) ami(e) qui n'a jamais pris le métro. Complétez les phrases suivantes par le terme approprié de la liste pour expliquer à votre ami(e) comment utiliser le métro à Paris.

**Termes:** l'arrêt    la bouche de métro    un carnet    une correspondance
        le plan    le quai    la rame    la sortie
        la station    un ticket    valider

1. D'abord, il faut trouver _____ la plus proche.
2. Ensuite, descends dans _____.
3. Cherche le distributeur ou le guichet et achète _____.
4. Pour économiser de l'argent, il est préférable d'acheter _____.
5. Consulte _____.
6. N'oublie pas de _____ ton ticket, tu risques d'être contrôlé(e).
7. Va sur _____ pour attendre _____.
8. Tu dois déterminer s'il faut prendre _____.
9. Arrivé(e) à _____ désiré, tu descends, et voilà. C'est très simple.
10. Enfin, tu cherches _____ pour quitter la station. Après, tu peux jeter ton ticket!

**B.** Vous prenez le train de Toulouse jusqu'à Paris pour vous rendre ensuite à l'aéroport de Roissy. Complétez cette conversation entre vous et l'agent de la SNCF par les termes convenables de la liste suivante.

**Expressions:** correspondance, voiture, à destination de, classe, composter, aller simple, voie, gare, tarif, place

VOUS: Bonjour, monsieur. A quelles heures y a-t-il des trains de Toulouse _____ Paris? Je voudrais un _____, parce que je ne reviens pas à Toulouse.

**un carnet (de tickets)** book of tickets
**le distributeur (automatique)** (automatic) ticket dispenser
**un plan** map
**le quai** platform
**une rame** subway train
**la RATP (Régie Autonome des Transports Parisiens)** Paris bus and subway agency
**le RER (Réseau Express Régional)** suburban rapid transit line
**la sortie** exit

**En bus**
**l'avant** *(m)* front
**le bouton** button
**le car** intercity bus
**le couloir** aisle, bus lane

**Par le train**
**le chemin de fer** railroad
**un compartiment** compartment
**une couchette** bunk
**la gare** station
**l'indicateur** *(m)* train schedule

**la période creuse** slack period
**la place** seat
**un rapide** express train
**un réseau** network
**la SNCF (Société Nationale des Chemins de fer Français)** French national railroad system
**le système ferroviaire** train system
**la voie** track
**la voiture** railway car, subway car

**LES CARACTÉRISTIQUES**

**à bord** on board
**à destination de** bound for
**affiché(e)** posted
**direct(e)** non-stop
**de location** rental
**en partance pour** departing for
**en provenance de** arriving from

---

L'AGENT: Très bien. Comment désirez-vous voyager? En première ou en deuxième _____?

VOUS: Je préfère une _____ en deuxième. Y a-t-il un _____ pour les étudiants?

L'AGENT: Oui, en effet, les étudiants de moins de 25 ans paient moins cher les billets de train.

VOUS: Aussi, je voudrais éviter *(avoid)* une _____. Je préfère un trajet direct.

L'AGENT: Il y a un TGV qui part à 14 heures de la _____ de Toulouse.

VOUS: Très bien. Je prends un billet pour le TGV de 14 heures.

L'AGENT: Voilà, monsieur / madame / mademoiselle. Votre train part de la _____ 20, quai A, et votre place se trouve dans la _____ 12. N'oubliez pas de _____ votre billet avant de monter dans le train.

VOUS: Merci, monsieur / madame / mademoiselle.

**C.** Vous arrivez à l'aéroport de Roissy avec un(e) ami(e) pour prendre votre vol vers les Etats-Unis. Complétez les phrases par les termes appropriés de la liste suivante.

**Termes:** attacher   atterrir   le comptoir   décoller
enregistrer   le haut-parleur   l'horaire   porte

1. D'abord, il faut chercher _____ Air France.
2. Est-il nécessaire d' _____ toutes nos valises?
3. On va consulter _____ pour voir si notre vol va partir à l'heure.
4. Ecoute, je crois que _____ annonce notre vol.
5. De quelle _____ part notre vol?
6. Ah, il y a un petit retard; notre vol va _____ à onze heures au lieu de dix heures et demie.
7. Attention, il faut _____ ta ceinture, on y va!
8. Dans huit heures, on va _____ à New York.

**D.** Vous êtes arrivé(e) à la gare SNCF d'Arles. Regardez les symboles ci-dessous et complétez chacune des phrases par le(s) terme(s) qui correspond(ent) au symbole approprié.

1. Vous avez soif et désirez prendre quelque chose à boire avant de quitter la gare. Vous cherchez «_____».

2. Vous avez laissé un paquet dans le train de Dijon. Vous cherchez «_____».

3. Vous voulez laisser votre valise à la gare pendant votre visite de la ville. Vous cherchez «_____».

4. Vous désirez confirmer votre réservation pour le voyage de retour. Vous cherchez «_____».

5. Vous voulez vous asseoir et vous reposer un moment avant de quitter la gare. Vous cherchez «_____».

6. Vous désirez quitter la gare. Vous cherchez «_____».

 Information - Réservation
 Train Autos Couchettes
 Facilités pour handicapés
 Relais-toilettes (bains-douches)
 Bureau des objets trouvés
 Consigne
 Bagages
 Non fumeurs

 Bar (cafétéria)
 Sortie
 Point de rencontre
 Billets
 Eau potable
 Buffet (restaurant)
 Toilettes pour dames
 Consigne automatique

 Salle d'attente
 Téléphone public
 Fumeurs
 Toilettes pour hommes
 Chariot porte-bagages
 Bureau de poste
 Bureau de change
 Entrée

# Lexique personnel

### LES MOYENS DE TRANSPORT

**A** Pour chacun des sujets suivants, dressez une liste personnelle de mots.

1. les moyens de transport que vous pouvez utiliser pour (a) rentrer chez vous, (b) partir en Europe, (c) aller faire du ski au Canada, (d) aller de Paris à Dijon, (e) traverser la ville de Washington aux USA.

2. comment acheter un ticket pour les transports en commun (avion, train, autobus, etc.)

3. l'expérience d'un voyage en avion

**B** En utilisant le vocabulaire du chapitre et votre lexique personnel, discutez en petits groupes des sujets suivants. Comparez vos réponses à celles des autres groupes.

1. Vous avez la possibilité de partir en France l'été prochain. Expliquez les divers moyens de transport que vous allez utiliser pour vous rendre de votre domicile jusqu'à votre hôtel à Paris.

2. Beaucoup d'étrangers croient que les Américains utilisent exclusivement la voiture pour se déplacer et ne prennent jamais les transports en commun. Décrivez l'emploi que font les Américains de ces moyens de transport.

# Structures I

## Object Pronouns

**A. Direct-Object Pronouns:** If a verb does not require a preposition and the noun object directly follows the verb, the noun object is replaced by the appropriate direct-object pronoun: **me, te, le, la, l', nous, vous, les.**

> —Vous cherchez **le métro**?
> —Oui, je **le** cherche.
> —Alors, vous voyez **la bouche de métro**?
> —Oui, je **la** vois.
> —Descendez dans la station. Vous savez consulter **les plans**?
> —Oui, je sais **les** consulter.

Some common verbs that do not require a preposition before a noun object are **acheter, aimer, amener, choisir, consulter, faire, lire, préférer, réserver, trouver, vendre.** (See also *Chapitre 6*, p. 207, and *Chapitre 9*, p. 324.)

## RAPPEL!

Study the following examples in which the English pronoun *it* is used. Note that in French, a different pronoun is necessary in each case.

| | | | |
|---|---|---|---|
| Je **le** vois. | *I see **it**.* | J'**en** ai besoin. | *I need **it**.* |
| J'**y** réponds. | *I answer **it**.* | J'écris avec **cela**. | *I write with **it**.* |

To choose which object pronoun to use in French, you must know what preposition, if any, the verb requires when introducing a following noun object. If you concentrate first on the preposition, you can choose correctly every time.

**1** Vous dites à un(e) ami(e) que vous allez faire un voyage au Québec. Il / Elle vous pose les questions suivantes. Répondez à ses questions en remplaçant les mots en **caractères gras** par le pronom qui convient.

1. Votre ami(e): Tu fais **ce voyage** à Québec cet été?
   Vous:  Oui, je _____ fais cet été.

2. Votre ami(e): Tu prends **ta voiture,** n'est-ce pas?
   Vous:  Oui, je _____ prends.

3. Votre ami(e): Tu vas visiter **les sites touristiques célèbres**?
   Vous:  Oui, je vais _____ visiter.

4. Votre ami(e): Tu emmènes **tes copains** avec toi?
   Vous:  Non, je ne _____ emmène pas!

**B. Indirect-Object Pronouns:** If the noun object is a person and is introduced by the preposition **à**, the preposition and its object are replaced by the appropriate indirect-object pronoun: **me, te, lui, nous, vous, leur.** Note that **lui** and **leur** replace both masculine and feminine nouns.

> —Vous avez parlé **à l'agent**?     —Et vous avez écrit **à vos amis**?
> —Oui, je **lui** ai parlé.     —Oui, je **leur** ai écrit.

**C.** *Y:* If the object of the preposition **à** is a thing, the preposition and its object are replaced by **y. Y** also replaces a preposition of location and its object (***dans** le sac, **sous** la table, **devant** la porte,* etc.).

> —Est-ce que la directrice a répondu **à votre lettre**?

> —Oui, elle **y** a répondu.

> —Et est-ce qu'on dîne assez bien **dans l'avion**?

> —Oui, on **y** dîne assez bien.

For other verbs requiring the preposition **à** before a noun object, see *Chapitre 6,* p. 207, and *Chapitre 9,* p. 318.

**2** Votre ami(e) vous interroge toujours au sujet de votre voyage au Québec. Répondez à ses questions en remplaçant les mots en **caractères gras** par les pronoms appropriés.

1. Votre ami(e): Quand est-ce que tu vas **au Québec**?
   Vous: J'_____ vais au mois de juillet.
2. Votre ami(e): Tu as déjà téléphoné **aux copains** pour les inviter?
   Vous: Bien sûr, je _____ ai déjà téléphoné.
3. Votre ami(e): Tu écris souvent **à tes amis québécois**?
   Vous: Oui, je _____ écris souvent.
4. Votre ami(e): Et ils répondent **à tes e-mails**?
   Vous: Bien sûr, ils _____ répondent.
5. Votre ami(e): Ils habitent toujours **à Québec**?
   Vous: Oui, ils _____ habitent toujours.
6. Votre ami(e): Tu vas envoyer des cartes postales **à tes amis**, n'est-ce pas?
   Vous: Oui, oui, je vais _____ envoyer des cartes comme d'habitude.

**D.** *En:* The pronoun **en** replaces the preposition **de** and its object when the object is a thing. When the noun object is introduced by a number or another expression of quantity (**beaucoup de, plusieurs, assez de,** etc.), **en** replaces the preposition, if any, and the noun, but the expression of quantity remains in the sentence.

> —Elle a fait **deux voyages** en France.

> —C'est vrai? Elle **en** a fait **deux**?

> —Est-ce qu'on a besoin **de son passeport** pour aller en France?

> —Oui, on **en** a besoin.

> —Est-ce qu'elle a envoyé **beaucoup de cartes**?

> —Oui, elle **en** a envoyé **beaucoup.**

> —Est-ce qu'elle parle souvent **de ses voyages**?

> —Ah, oui. Elle **en** parle souvent.

For other verbs requiring the preposition **de** before a noun object, see also *Chapitre 6,* p. 207, and *Chapitre 9*, p. 319.

**E. Disjunctive Pronouns:** When the noun object of **de** is a person, the preposition retains its original position in the sentence, and the person is replaced by the appropriate disjunctive pronoun: **moi, toi, lui / elle, nous, vous, eux / elles.** Note that third-person forms (**lui / elle** and **eux / elles**) show a gender distinction.

—Vous parliez **de Marie**?

—Oui, on parlait **d'elle.**

—Vous parlez **des Ricard**?

—Oui, qu'est-ce que vous pensez **d'eux**?

**3** Vous parlez avec un(e) camarade d'un ami commun et d'un voyage qui n'a pas eu lieu. Remplacez les mots en **caractères gras** par les pronoms appropriés.

1. VOTRE CAMARADE: Mon ami rêve **d'aller en France.**

   VOUS: C'est vrai, il _____ rêve?

2. VOTRE CAMARADE: Oui, mais il a peur de prendre l'avion. Il a fait **deux longs voyages** en Californie et en Floride, mais jamais en avion.

   VOUS: Il _____ a fait deux sans prendre l'avion?

3. VOTRE CAMARADE: Oui. Et il parle toujours **d'un voyage en France.**

   VOUS: En effet, il _____ parle toujours.

4. VOTRE CAMARADE: Et il parle sans cesse **de son amie Suzanne** qui est allée en France l'année dernière.

   VOUS: Pourquoi parle-t-il si souvent d'_____?

5. VOTRE CAMARADE: Ah, ce n'est pas seulement de Suzanne qu'il parle; il parle aussi **de tous ses copains** qui ont visité la France.

   VOUS: Il parle d'_____, mais il n'a pas le courage de les imiter, hein?

6. VOTRE CAMARADE: C'est ça. Il n'a pas trop **de courage,** n'est-ce pas?

   VOUS: En effet, il n'_____ a pas trop.

**4** Vous passez un semestre en France. Vous et votre colocataire préparez un voyage en Normandie pendant une période de congé. En vue de ce voyage, votre colocataire a fait des achats. Demandez-lui ce qu'il / elle a acheté.

MODELE VOUS: *Tu es allé(e) à l'épicerie?*
VOTRE COLOCATAIRE: *Oui, j'y suis allé(e).*
VOUS: *Tu as acheté de l'eau minérale?*
VOTRE COLOCATAIRE: *Oui, j'en ai acheté deux bouteilles.*

1. à la crémerie:
   fromage
   deux paquets

2. à la boulangerie:
   baguette
   une

3. à la pharmacie:
   shampoing
   une bouteille

4. au marché:
   fruits
   un sachet

5. au bureau de tabac:
   carte téléphonique
   une

6. à la charcuterie:
   tranches de pizza
   quatre

**F.** **Prepositions with Object Pronouns:** If the noun object is a person and is introduced by any preposition other than **à**, the preposition retains its original position in the sentence, and the person is replaced by the appropriate disjunctive pronoun.

> —Ils partent en vacances **avec leurs copines**?
>
> —Oui, ils partent **avec elles.**
>
> —Ils ont réservé des places **pour les copines**?
>
> —Oui, bien sûr. Ils ont réservé des places **pour elles.**
>
> —Et **pour leur frère** aussi?
>
> —Oui, **pour lui** aussi.

 **5** Employez les éléments indiqués pour poser des questions à d'autres étudiants. Ils doivent répondre aux questions en utilisant des pronoms objets dans leurs réponses.

1. tu / sortir souvent / avec tes copains?
2. tu / habiter toujours / chez tes parents?
3. tu / acheter quelquefois / un cadeau / pour ton (ta) meilleur(e) ami(e)?
4. tu / être assis(e) / devant *(nom d'un[e] étudiant[e])*?
5. tu / parler français / avec ton (ta) prof?
6. tu / aller au restaurant / avec ton (ta) meilleur(e) ami(e)?
7. tu / faire des courses / pour tes copains?
8. tu / voyager souvent / sans ta famille?

# INTERACTIONS

**Vous vous entendez bien?** Mettez-vous en petits groupes. Demandez aux membres du groupe de décrire leurs relations avec les personnes indiquées.

MODELE    —*Tu as une cousine?*
       —*Oui, elle s'appelle* (nom).
       —*Tu la vois souvent?*
       — *Je la vois de temps en temps.*
       —*Tu lui écris?*
       —*Je ne lui écris jamais.*

| Qui? | Quoi? | Quand? |
|---|---|---|
| un copain / une copine | voir | souvent |
| un(e) colocataire | inviter | rarement |
| un(e) meilleur(e) ami(e) | téléphoner | jamais |
| un(e) ami(e) d'enfance | envoyer un e-mail | de temps en temps |
| un frère / une sœur | offrir un cadeau | régulièrement |
| un(e) voisin(e) | parler de tes problèmes | quelquefois |
| ??? | ??? | ??? |

## Position of Object Pronouns

Object pronouns are placed either directly before a conjugated verb or directly before an infinitive, depending on which verb the object pronoun logically accompanies. Never separate these pronouns from the verb form on which they depend. Note the position of pronouns in negative and interrogative sentences.

Vous **lui** parlez.              Vous **lui** avez parlé.
Vous ne **lui** parlez pas.       Vous ne **lui** avez pas parlé.
**Lui** parlez-vous?              **Lui** avez-vous parlé?

        Il voudrait **la** voir.
        Il ne voudrait pas **la** voir.
        Voudrait-il **la** voir?

—Tu **lui** téléphones aujourd'hui?
—Non, je **lui** ai téléphoné hier.
—Tu veux toujours **la** voir?
—Oui, je veux bien **la** voir.

When two object pronouns are used together, the following order is used before the verb:

| me | le | lui | y | en |
|------|-----|------|---|----|
| te | la | leur | | |
| se | les | | | |
| nous | | | | |
| vous | | | | |

—Dis, tu as parlé **à ta mère de nos projets de voyage**?
—Oui, oui, je **lui en** ai parlé hier.
—Et tes parents vont **nous** prêter **la voiture**?
—Oui, ils vont **nous la** prêter.
—Super! Alors, nous cherchons **des copains** pour **nous** accompagner **jusqu'à Paris**.
—Oui, nous **en** cherchons pour **nous y** accompagner tout de suite.

Remember that in compound tenses, the past participle of a verb using **avoir** as the auxiliary agrees with any direct object pronoun preceding the verb.

J'ai vu **mes amies**.              Je **les** ai vu**es**.

When **le** and **les** are used as object pronouns, there is no contraction with **de** or **à**.

J'ai envie **de le** voir.              J'hésite **à les** acheter.

**6** Voici quelques questions que des touristes en France posent à leur guide à propos du métro. Jouez le rôle du guide et répondez aux questions selon les indications données. Remplacez les mots en **caractères gras** par les pronoms appropriés.

1. D'abord, on cherche **une bouche de métro**, n'est-ce pas? (oui)
2. Et puis, on descend directement **dans la station**? (oui)
3. Il faut acheter **un carnet de tickets**? (non)
4. Le plan est toujours affiché **au mur**? (oui)
5. Il faut attendre longtemps **les rames**? (non)
6. Il y a beaucoup **de passagers** à six heures du soir? (oui)
7. Il est toujours nécessaire de prendre **une correspondance**? (non)

**7** Voici les questions posées au guide à propos des trains. Continuez à jouer le rôle du guide en répondant aux questions. Remplacez les mots en **caractères gras** par les pronoms appropriés.

1. Et pour prendre le train, on achète **les billets** au guichet?
2. Est-ce qu'il est toujours nécessaire d'enregistrer **les valises**?
3. Vaut-il mieux réserver **une place**?
4. Il y a toujours **huit personnes** dans un compartiment?
5. Peut-on parler **aux autres passagers**?
6. On donne son billet **au contrôleur**?
7. L'horaire des trains est toujours précisé **sur l'indicateur**?
8. On attend le train **sur le quai**?
9. On demande **des renseignements**?
10. Il faut toujours composter **le billet**?

**8** Une étudiante française qui passe l'année dans votre université vous pose les questions suivantes. Répondez à ses questions en utilisant les pronoms objets appropriés.

1. Est-ce que tes parents t'envoient quelquefois de l'argent?
2. Est-ce que le prof de français vous parle souvent français?
3. Est-ce que tes copains t'ont souvent rendu visite à l'université l'année dernière?
4. Est-ce qu'ils t'ont souvent téléphoné ce semestre?
5. Est-ce que les profs te parlent souvent après les cours?
6. Peux-tu me recommander un bon cours pour le semestre prochain?
7. Est-ce que les profs vous font passer beaucoup d'examens?
8. Veux-tu venir en France l'été prochain?

**9** Vous avez visité Bruxelles avec un groupe d'amis. Racontez ce que vos amis y ont fait. Répondez aux questions suivantes en utilisant les pronoms appropriés.

1. Julien a laissé ses valises dans le train?
2. Jean-Claude a pris des photos?
3. Catherine a perdu son passeport?
4. Julie a écrit des cartes postales?
5. Tu as téléphoné à ton petit ami / ta petite amie?
6. Christine a acheté des souvenirs?
7. Le groupe a souvent mangé des frites?
8. Nous sommes arrivés en retard à la gare?
9. Suzanne a manqué le train?
10. On s'est bien amusés à Bruxelles?

# INTERACTIONS

**Votre vie à l'université.** En petits groupes, posez des questions à vos camarades de classe en employant les éléments suivants. Vos camarades doivent répondre aux questions en utilisant des pronoms compléments d'objet dans leurs réponses.

1. aimer bien ton cours de français
2. téléphoner souvent à tes parents
3. avoir des colocataires
4. regarder souvent la télé
5. avoir une voiture
6. vendre tes livres à la fin du semestre *Je les y vends.*
7. suivre quatre ou cinq cours *J'en suis cinq.*
8. déjeuner au restaurant universitaire
9. parler souvent à tes amis
10. travailler à la bibliothèque *en  y*
11. pouvoir facilement trouver une place sur le parking *Je peux facilement y en trouver une.*
12. parler souvent à votre prof de français
13. ???

*suis    suivons*
*suis    suivez*
*suit    suivent*

## Object Pronouns with the Imperative

Object pronouns used with a negative imperative immediately precede the verb and follow their normal order of placement.

Ne **lui en** donnez pas.

Ne **me la** donnez pas.

Ne **les y** mettez pas.

Ne **m'en** parlez pas.

With an affirmative imperative, the object pronouns immediately follow the verb, are connected to it by hyphens, and are placed in the following order:

(1) direct object      (2) indirect object      (3) **y**      (4) **en**

Donnez-**lui-en.**

Passe-**la-moi.**

Mettez-**les-y.**

Parlez-**lui-en.**

Achètes-**en.**

Vas-**y.**

Donnez-**m'en.**

Parlez-**m'en.**

**Me** and **te** are replaced by **moi** and **toi** when they are the only or the last pronoun hyphenated to the imperative.

| | |
|---|---|
| Donnez-**moi** le livre. | Donnez-**le-moi.** |
| Donnez-**moi** des livres. | Donnez-**m'en.** |
| Achète-**toi** ce livre. | Achète-**le-toi.** |
| Achète-**toi** des livres. | Achète-**t'en.** |

**10** Vous prenez le train avec des amis. Certains vous posent des questions. Composez une réaction à ces questions en utilisant la forme impérative du verbe et en remplaçant au moins un des noms par un pronom objet convenable.

MODELE —Alors, j'achète mon billet à la gare?
—*Oui, achète-le à la gare.* ou *Oui, achètes-y ton billet.*

1. Je fais une réservation pour le TGV?
2. J'arrive à la gare de bonne heure?
3. J'achète mon billet au guichet?
4. Je dois composter mon billet?
5. Je trouve la bonne voiture?
6. Je cherche mon compartiment?
7. Je mets mes affaires sur mon siège?
8. Je montre mon billet au contrôleur?

# SYNTHESE

**A.** Votre ami(e) canadien(ne) pense aller en France cet été. Composez une réaction à chacune de ses questions en employant l'impératif affirmatif ou négatif et les pronoms convenables.

MODELE Votre ami(e): Est-ce qu'il est préférable de prendre un vol direct?

Vous: Oui, *prends-en un*, parce que les vols directs sont plus agréables.

1. Votre ami(e): Je dois rester à Paris pendant quelques jours?
Vous: Oui, absolument, _____ aussi longtemps que possible. C'est une ville très intéressante.

2. Votre ami(e): Est-ce que je dois visiter le musée d'Orsay?
Vous: Oui, _____. Il y a des tableaux remarquables.

3. Votre ami(e): Est-ce que cela vaut la peine d'aller au théâtre?
Vous: Oui, _____. C'est une bonne activité culturelle.

4. Votre ami(e): Est-ce que je dois chercher un hôtel quatre étoiles ou autre chose?
Vous: Ah, non _____. Il y a beaucoup de bons petits hôtels pas chers.

5. Votre ami(e): Est-ce possible d'aller aussi à Nice?
Vous: Oui, oui, _____. Vous pouvez facilement passer quelques jours à Nice.

6. Votre ami(e): Pour aller à Nice, est-ce que je peux prendre le TGV?
Vous: Ah oui, _____. Tu arrives à Nice en quelques heures.

7. Votre ami(e): Pour prendre le TGV, est-il nécessaire de réserver une place?
Vous: Oui, _____. C'est obligatoire.

8. Votre ami(e): Est-il nécessaire d'enregistrer ma valise?
Vous: Non, _____. Tu peux mettre ta valise au-dessus de ton siège.

9. Votre ami(e): Et à Nice, est-ce que je peux faire de la planche à voile?
Vous: Absolument, _____. C'est facile.

10. Votre ami(e): Je vais te téléphoner de Paris, d'accord?
Vous: Oui, oui, _____. Je veux recevoir de tes nouvelles.

**B. Interview: les moyens de transport.** Posez les questions suivantes à d'autres étudiants. Ils doivent répondre aux questions en employant un pronom pour remplacer les noms compléments d'objet.

1. Tu as une voiture?
2. Tu prends ta voiture pour aller à l'université?
3. Tu mets ta voiture sur le parking?
4. Ta voiture consomme beaucoup d'essence?
5. Tu prends souvent le train?
6. Tu aimes prendre l'avion?
7. On prend souvent des taxis dans votre ville?
8. Il y a un système de bus dans votre ville?

Un train RER en région parisienne

# INTERACTIONS

Lisez les renseignements à la page suivante tirés d'une brochure de la SNCF sur le TGV. Puis, répondez aux questions.

1. Avec quelle compagnie de voitures de location la SNCF est-elle partenaire? Où pouvez-vous aller chercher votre voiture de location? Quels sont les avantages de louer une voiture en même temps que d'acheter votre billet de train?
2. Quel choix d'hôtels y a-t-il si on réserve une chambre d'hôtel avec son billet TGV?
3. Quel service est-ce que la SNCF offre aux personnes qui prennent le TGV pour aller à l'aéroport Charles-de-Gaulle pour voyager à l'étranger?
4. Qu'est-ce qu'on peut prendre au bar dans le TGV?
5. Qu'est-ce qu'on peut acheter aux distributeurs automatiques?
6. A qui est-ce que vous vous adressez pour appeler un taxi?

# TEMPS D'ALLER VITE

## Une arrivée simplifiée

Voyage d'agrément ou déplacement professionnel? Profitez des formules «Train +» proposées par la SNCF et ses partenaires pour préparer votre voyage de la façon la plus simple.

### • Train + Location de voitures

Gagnez du temps, grâce à la SNCF et son partenaire AVIS, en réservant votre voiture de location en même temps que votre billet de train: vous la retrouverez dès la descente du train dans près de 200 gares. Et si vous bénéficiez d'un tarif réduit sur votre billet TGV*, vous profitez de prix très avantageux sur la location de votre voiture.

Informations et réservations sur www.voyages-sncf.com, dans les points de vente SNCF ou auprès de la centrale de réservation AVIS: 0 820 05 05 05 (0,12 €/min). Brochure «Train + Location de voitures» disponible en gare.

*Hors tarifs sociaux et assimilés.

### • Train + Hôtel

Réservez votre chambre d'hôtel et votre billet TGV en une seule démarche, à tarif préférentiel. La SNCF et ACCOR vous proposent un choix parmi plus de 1000 hôtels, sur plus de 250 destinations en France et en Europe.

Informations et réservations sur www.voyages-sncf.com, Ligne Directe, Minitel ou dans les points de vente SNCF. Soumis à conditions. Brochure «Train + Hôtel» disponible en gare.

### • Train + Avion

Pour simplifier vos voyages vers l'étranger, vous pouvez, grâce à TGV AIR, combiner votre vol et votre parcours en TGV entre 15 villes de France* et la gare Aéroport-Charles-de-Gaulle TGV.

L'offre TGV AIR est commercialisée par les agences de voyages et les agences des compagnies aériennes Air France, Air Austral, American Airlines, Continental Airlines, Delta Airlines, Emirates, KLM, Lufthansa et United Airlines.

*Lille Europe, Lyon Part-Dieu, Nantes, Rennes, Le Mans, Angers St-Laud, St-Pierre-des-Corps, Poitiers, Bordeaux, Aix-en-Provence TGV, Avignon TGV, Marseille St-Charles, Montpellier, Nîmes et Valence TGV.

# A BORD, VOYAGEZ TOUT CONFORT. . .

Pour vous assurer des conditions de voyage optimales, les rames TGV font l'objet d'améliorations régulières en termes de rapidité et de confort. Profitez des aménagements mis à votre disposition pour travailler, lire ou simplement vous détendre.

## Vous restaurer pendant le voyage

Un petit creux? Pourquoi ne pas profiter de votre voyage pour vous restaurer.

### • Au bar: à chacun ses envies

Sur tous les TGV qui ne sont pas au départ ou à destination de Paris, un bar vous propose une large gamme de produits (formules, sandwiches, plats chauds, salades, desserts et confiseries, boissons chaudes et fraîches...) pour satisfaire tous les appétits . . . sans oublier une sélection de magazines, en vente dans la quasi totalité des TGV.

### • Les distributeurs automatiques

A bord de l'ensemble des TGV (à l'exception des TGV Duplex), ils vous offrent un choix de boissons chaudes ou fraîches, snacks ou friandises.

## Taxis réservés à bord

Si vous voyagez en 1ère classe, vous pouvez réserver pendant votre voyage, auprès du contrôleur, un taxi qui vous attendra à votre gare d'arrivée. Vous réglez au chauffeur uniquement la course (elle inclut les frais d'approche).

Ce service est proposé, du lundi au vendredi, pour vos arrivées à Paris pour les voyageurs montés en gares de Lille Flandres, Lille Europe et Arras, et à l'arrivée à Lille Europe et Lille Flandres pour les voyageurs montés à Paris gare du Nord.

# L'héritage culturel

## *Vers la technologie des transports modernes*

Depuis toujours, l'être humain désire aller plus loin, plus vite. Dans le domaine des transports modernes, on peut dire que de véritables progrès se font depuis la fin du dix-huitième siècle.

Ascension d'une montgolfière à Versailles, 1783

- En septembre 1783, le peuple de Paris assiste à un spectacle extraordinaire: la première ascension du premier appareil plus léger que l'air, un ballon à air chaud. Les frères Joseph et Etienne de Montgolfier assurent le vol libre de leur «montgolfière». En décembre, J. Charles et N. Robert s'embarquent eux-mêmes dans une montgolfière. Cette fois-ci, suspendus à un ballon à hydrogène dans une nacelle *(wicker basket)*, ils partent des Tuileries (à Paris) et atterrissent 36 kilomètres plus loin, après un vol de deux heures.

- En 1900, la ville de Paris inaugure son premier *chemin de fer métropolitain* connu bientôt sous le simple nom de *métro*. Rapide, pratique et économique, le métro parisien est aussi une œuvre d'art: ses premiers architectes, comme Hector Guimard, ont voulu lui donner un style, et certaines des entrées les plus anciennes (*Anvers* ou *Bastille*, par exemple) ont été décorées dans le style «Art Nouveau» appelé «Modern Style» ou «style nouilles» par les Français. Voyager dans le métro est aussi une leçon d'histoire, car les stations portent souvent le nom de batailles ou de grands personnages: un véritable test scolaire!

Une entrée de métro de style Art Nouveau à Paris

- Dans les années 1920 et 1930, les transports en commun ont réalisé un véritable mariage entre la technologie et l'esthétique. Le style Art déco a transformé en voitures de luxe l'intérieur des trains-express de la Compagnie internationale des wagons-lits. L'Orient-Express en est un magnifique exemple.

- En 1935, le paquebot Normandie traverse 2 971 milles de l'Atlantique en 4 jours, 3 heures, 28 minutes. C'était un record de vitesse pour les passagers qui venaient de traverser la mer dans un paquebot non seulement rapide mais d'une architecture somptueuse.

## Compréhension

1. Qui a été responsable du premier vol libre d'un appareil plus léger que l'air? En quelle année a-t-on effectué ce vol? Comment appelle-t-on ces premiers ballons? En quoi l'expérience de Charles et Robert est-elle différente de celle de leurs prédécesseurs?

2. A quelle époque la ville de Paris a-t-elle eu sa première ligne de métro? Quel style a été utilisé dans la décoration de certaines stations?

3. Quelles ont été certaines grandes innovations dans les transports maritimes et ferroviaires pendant les années 20 et 30?

**A.** En quoi consiste une montgolfière? Définissez ce mot en utilisant les éléments de vocabulaire du texte que vous venez de lire.

**B.** Quels types de voitures, de trains et de bateaux viennent à votre esprit lorsque vous imaginez l'époque que nous appelons les «années folles», c'est-à-dire les années 1920? Quels noms portent-ils?

## Fernand Léger (1881–1955), peintre des temps modernes

L'art de Fernand Léger est le reflet de son époque.

*Les Constructeurs* (1950) de Fernand Léger

- Pendant les années 1920, Léger va s'enthousiasmer pour le chaos des grandes villes de ces «années folles» avec ses affiches et ses vitrines de magasin aux couleurs pures: rouges, verts, jaunes.

- Les toiles de Léger prennent rapidement des formes architecturales et les corps de ses personnages se présentent sous forme de colonnes, d'ovales et de cylindres sur un fond de rectangles et de lignes droites.

- Le peintre s'attache de plus en plus à mettre en scène le monde ouvrier. Ses tableaux expriment une confiance dans l'avènement de l'ère industrielle du béton *(concrete)* et du métal. C'est l'époque des arts et techniques de la vie moderne.

### Compréhension

1. Quelles sortes de couleurs préférait le peintre Fernand Léger?
2. Quelles formes Léger donnait-il souvent à ses personnages et objets?
3. Quelle classe sociale figurait souvent dans les peintures de Léger?
4. Quelle attitude envers l'avenir exprimaient les œuvres de Léger?

### Réflexion

**A.** Imaginez que vous êtes un(e) artiste comme Fernand Léger. Par quelles images est-ce que vous représentez les progrès techniques d'aujourd'hui?

**B.** Quelles sortes d'artistes ou d'œuvres s'inspirent de la technologie actuellement? Dans quel sens peut-on dire que l'art précède la technologie?

# Structures II

## Disjunctive Pronouns

**A. As Compound Subject or Object:** As mentioned earlier, the disjunctive pronouns are **moi, toi, lui / elle / soi, nous, vous, eux / elles.** Compound subjects and objects may be composed of two or more disjunctive pronouns or a combination of nouns and pronouns. In such cases, the noun precedes the pronoun.

**Charles et moi,** nous allons au cinéma.

Nous avons invité **Pierre et elle.**

**Eux et elles** viennent aussi.

**Vous et lui,** vous pourrez nous accompagner.

The subject pronoun is normally repeated when it is **nous** or **vous; ils** is often omitted.

Nous y allons, **nous. Vous,** vous y allez aussi? **Eux** n'y vont pas.

**B. To Emphasize a Single Element of the Sentence:** In French, emphasis cannot be placed on a single element of the sentence with voice inflection as is done in English because each element of a sentence receives equal stress. Emphasis can be achieved by the addition of a disjunctive pronoun or by using the construction **c'est** or **ce sont** followed by the appropriate disjunctive pronoun.

| | |
|---|---|
| **Moi,** je ne l'ai pas vu. | *I didn't see him.* |
| Je ne l'ai pas vu, **lui.** | *I didn't see **him**.* |
| **Ce n'est pas moi** qui l'ai vu. | ***I'm not** the one who saw him.* |
| **C'est lui** que j'ai vu. | ***He's** the one I saw.* |

A disjunctive pronoun stressing a subject can be placed either at the beginning or at the end of the sentence. A disjunctive pronoun used to stress an object is placed only at the end of the sentence.

| | |
|---|---|
| **Moi**, je ne l'ai pas vu. | Elle l'a vu, **lui.** |
| Je ne l'ai pas vu, **moi.** | Nous les avons rencontrés, **eux.** |

When using the construction **c'est / ce sont** followed by the disjunctive pronoun and a clause, be sure that the verb of the clause agrees in gender and number with the disjunctive pronoun.

| | |
|---|---|
| C'est **moi** qui **suis** en retard. | C'est **nous** qui **voyageons** ensemble. |
| Ce sont **elles** qui **prennent** l'autobus. | C'est **vous** qui **conduisez.** |

**C. After a Preposition:** Remember to replace the object of any preposition except **à** (+ person or thing) or **de** (+ thing) by the appropriate disjunctive pronoun. (See p. 238.)

**D. In Special Constructions:**

- Subject pronouns cannot stand alone without a verb. A disjunctive pronoun can be used alone.

  Qui est là?    **Moi.**        Qui vient avec vous? **Eux.**
  Qui a fait cela?  **Lui.**

- When the impersonal subject pronoun **on** is used, **soi** is used as the object of a preposition.

  On est toujours bien chez **soi.**
  On aime travailler pour **soi.**

- The ending -**même**(s) added to any of the disjunctive pronouns reinforces the pronoun. In such cases, -**même** is the equivalent of the English -*self*, as in *myself, himself, yourself*, and agrees in number with the pronoun it accompanies.

  J'y vais **moi-même.**        Nous travaillons pour **nous-mêmes.**

- The disjunctive pronouns are used as direct objects following the negative expressions **ne... que** and **ne... ni... ni...**

  Il n'aime **qu'elle.**        Il **ne** comprend **ni elle ni moi.**
  Je **n'**accompagne **qu'eux.**    Je n'ai vu **ni lui ni eux.**

- The disjunctive pronouns follow **que** in comparisons.

  Il court **plus vite que moi.**    Elles voyagent **plus souvent que lui.**

- After the following verbs, when the object of the preposition **à** refers to people, a disjunctive pronoun is used.

  | | |
  |---|---|
  | **être à** | Cette voiture **est à moi.** |
  | **faire attention à** | **Faites attention à elles.** |
  | **s'habituer à** | Nous **nous habituons à vous.** |
  | **penser à** | Je **pense à lui.** |
  | **tenir à** | Il **tient à eux.** |

- However, even with the verbs in the preceding list, when the object of the preposition **à** is a thing, the object pronoun **y** is used.

  Je m'habitue **au climat.**    Je m'**y** habitue.
  Elles pensent **au voyage.**   Elles **y** pensent.

# RAPPEL!

Remember, the preceding examples of **à** with a disjunctive pronoun are exceptions, and you should learn them as such.

In the majority of cases, a person as the object of the preposition **à** is replaced by an indirect object pronoun, which precedes the verb.

Je donne le carnet **à Paul.**    Je **lui** donne le carnet.
Ils téléphonent **à leurs copains.**   Ils **leur** téléphonent.

**1** Un groupe de jeunes Français parlent d'aller à un concert. Complétez chaque phrase par le pronom disjoint convenable.

1. Dis, Jean-Marc, tu as réservé des billets pour Jeanne et *(me)* _____?
2. Oui, oui, mais qui va payer ces billets? *(Me)* _____?
3. Nous partons avant Olivier et Catherine? Je veux arriver avant *(them)* _____.
4. Mais n'attendez pas Emma. *(She)* _____, elle va arriver en retard.
5. D'accord, mais *(I)* _____, je ne veux pas être en retard.
6. Et Charles et Jean-Pierre? Charles et *(he)* _____ vont nous accompagner?
7. Magali et Hélène ont leurs billets. Nous sommes assis derrière *(them)* _____.
8. Je vais conduire la voiture de Robert. Je connais la route mieux que *(him)* _____.
9. D'accord, c'est *(you)* _____ qui conduis.
10. Rachelle et son frère ne peuvent pas aller au concert. Je vais penser à *(them)* _____ pendant toute la soirée!

**2** Posez des questions à vos camarades de classe en utilisant les éléments indiqués. Vos camarades doivent utiliser des pronoms dans leurs réponses.

MODELE   aimer travailler avec ton petit ami / ta petite amie
    —*Tu aimes travailler avec ton petit ami / ta petite amie?*
    —*Non, je n'aime pas travailler avec lui / elle.*

1. s'habituer à notre prof de français
2. voyager souvent avec tes colocataires
3. penser souvent à ton petit ami / ta petite amie
4. travailler plus souvent que ton copain
5. rentrer tard à la maison plus souvent que tes colocataires
6. parler souvent de tes profs
7. faire attention à tes parents
8. vouloir me présenter à ton meilleur ami / ta meilleure amie
9. habiter toujours chez tes parents
10. acheter des cadeaux pour tes amis

# SYNTHESE

**A.** Des étudiants nord-américains suivent un cours d'été à l'université de Dijon. Ils sont en train d'organiser une excursion à Paris pour y passer le week-end et aussi pour voir un concert de U2. Jouez le rôle des étudiants et répondez aux questions suivantes en employant les pronoms convenables.

1. On va prendre le train?
2. Nous retrouvons Kim à la gare, non?
3. Est-ce qu'on va descendre à l'hôtel?
4. Mark, tu as réservé des billets pour le concert, non?
5. On voyage avec Paul et Suzanne?
6. Jeff, est-ce que tu as expliqué tous les détails du voyage aux autres?
7. A quelle heure est-ce qu'il nous faut arriver au Palais des Sports?
8. Vous autres, vous avez déjà vu U2?
9. Chris, tu vas acheter beaucoup de souvenirs?
10. On a demandé à Jean-Marc de venir nous chercher à la gare?

**B.** De retour à Dijon, Kim raconte à une de ses copines françaises le séjour qu'elle vient de faire à Paris avec d'autres amis. Complétez chaque phrase en utilisant des pronoms disjoints ou des pronoms compléments d'objet.

1. Je dois _____ dire qu'on s'est beaucoup amusés à Paris.

2. J'ai logé chez Paul et Suzanne et je suis allée au théâtre avec _____.

3. Sarah et Matthew? Je ne _____ ai pas vus. Ils ne faisaient pas partie de mon groupe.

4. Chris? C'est _____ qui a choisi les films à voir à Paris et le groupe _____ a beaucoup appréciés.

5. Tout le monde est allé au concert du groupe U2. Paul et _____, nous _____ avons vu l'année dernière.

6. C'est _____ qui avions proposé ce concert au groupe.

7. J'ai beaucoup aimé le concert, mais Paul, _____, a trouvé ce concert moins bien que l'autre.

8. Pour rentrer, on a pris le TGV. Je _____ ai trouvé super rapide!

9. On a eu de bonnes places. Paul _____ avait réservées à l'avance.

10. La petite bande est rentrée à Dijon vers minuit. J'étais contente d' _____ arriver.

# INTERACTIONS

**Vous êtes à Paris.** Répondez aux questions en consultant le plan de la ville de Paris.

1. Vous êtes dans un hôtel près de la Gare du Nord. Dans quel quartier célèbre pouvez-vous vous rendre à pied?

2. Vous visitez le Palais de Chaillot. Quel monument célèbre pouvez-vous voir de la terrasse devant le palais?

3. Vous êtes assis(e) dans un café au coin des boulevards St-Michel et St-Germain. Quel monument pouvez-vous voir de la terrasse du café?

4. Vous êtes devant la Pyramide du Louvre et vous regardez vers la Place Charles-de-Gaulle-Etoile. Quelle avenue célèbre se trouve devant vous? Quel monument y a-t-il à l'autre bout?

5. Vous voulez voir les Invalides et le tombeau de Napoléon. Est-il préférable de faire la visite des Invalides après la visite de la tour Eiffel ou après la visite du musée d'art moderne à Beaubourg? Expliquez votre réponse.

6. A la fin de votre séjour à Paris, vous prenez le TGV pour aller à Avignon. Par quelle place célèbre est-ce que votre bus va peut-être passer pour arriver à la Gare de Lyon?

# POUR S'EXPRIMER

## A l'écoute

CD2, Track 7

### Mise en scène

Avant de faire les activités qui suivent, écoutez la conversation entre Christelle et Magali qui parlent de leurs projets pour l'été.

**Contexte:** Nous sommes à Paris au début du mois de juillet. Christelle vient de terminer ses examens de deuxième année de médecine et envisage de rentrer chez ses parents à Bordeaux. Magali, quant à elle, se prépare à faire un stage à Montpellier dans un cabinet d'architecte pendant l'été. Sur le point de partir, chacune vers une destination différente, les deux amies discutent de leurs préparatifs.

### Avant d'écouter

1. Lorsque vous partez en voyage, quels moyens de transport choisissez-vous d'habitude? Où êtes-vous allé(e) en avion?
2. Dans quelles villes d'Amérique du Nord y a-t-il un métro? Avez-vous déjà pris le métro en Amérique ou en Europe? Quelles sortes de difficultés se présentent lorsqu'on prend le métro dans une ville qu'on ne connaît pas?
3. Prenez-vous quelquefois le bus? Pourquoi?
4. Expliquez pourquoi vous prenez ou ne prenez pas le train pour voyager en Amérique?

### Compréhension

**A.** Christelle et Magali mentionnent plusieurs moyens de transport au cours de leur conversation. Lesquels avez-vous notés?

**B.** Faites une liste des villes dont vous entendez les noms au cours du dialogue. Essayez de les situer sur la carte de France au début du livre. A quelle distance approximative sont-elles de la capitale?

**C.** Imaginez dans le détail l'emploi du temps de Magali le jour de son départ. Retracez son voyage à partir du moment où elle quitte son appartement à Paris.

**D.** Comparez le voyage de Christelle à celui de Magali. Pour chacun des moyens de transport mentionnés, à quels avantages et inconvénients est-ce que les deux amies font allusion?

## A vous la parole

Consultez la liste d'expressions utiles, à la page 252, pour proposer quelque chose et pour accepter ou refuser une proposition. Faites les propositions indiquées à un(e) camarade de classe qui va accepter ou refuser en expliquant sa décision.

1. donner une soirée le week-end prochain
2. partager un appartement l'année prochaine
3. prendre un pot ce soir
4. voyager en Europe l'été prochain
5. passer les vacances de Pâques chez mes parents
6. aller au concert de MC Solaar
7. passer les vacances en Floride
8. dîner dans un restaurant végétarien
9. préparer ensemble l'examen de français
10. ???

| Pour proposer | Pour accepter | Pour refuser |
|---|---|---|
| Tu veux m'accompagner... ? | Oui, oui, je veux bien. | Merci, mais je n'ai pas le temps. |
| Si on allait... ? | Ah, oui, volontiers! | Je regrette, mais je suis très occupé(e) |
| Ça te tente de... ? | Mais oui, bien sûr. | en ce moment. |
| Dis, tu voudrais... ? | D'accord. Je suis disponible. | Franchement, ça ne me dit pas |
| Si on partageait les frais pour... ? | Pourquoi pas? | grand-chose. |
| | Ça m'est égal. | Non, vraiment, ça ne me tente pas. |
| | | Je voudrais bien, mais je suis |
| | | fauché(e) *(broke)*. |

 ## Situations orales

**A.** Vous êtes à Paris et vous désirez prendre le train pour aller à Tours pendant deux jours afin de visiter quelques-uns des châteaux de la vallée de la Loire. Imaginez votre conversation avec l'agent de la SNCF à la gare.

**B.** Vous avez passé l'année scolaire à Bordeaux et maintenant vous voulez rentrer chez vous. Vous allez dans une agence de voyages pour préparer votre retour (le train vers Paris et le vol transatlantique). Jouez votre conversation avec l'agent de voyages. Quelles questions posez-vous?

# Note culturelle

## *Les transports en commun à Dakar*

Comme beaucoup de grandes villes autour du monde, Dakar témoigne d'une augmentation du nombre de voitures en dépit des problèmes d'embouteillages quotidiens. Peuplée de 1,5 million d'habitants, la capitale sénégalaise sert aussi de carrefour important aux commerces et aux échanges locaux et internationaux, ce qui nécessite de bons systèmes de transports en commun.

La manière la plus efficace de se déplacer, c'est le taxi privé. On peut en trouver partout, mais surtout près de l'aéroport, des hôtels et d'autres destinations touristiques. Avant de monter dans le taxi, il faut négocier un prix avec le chauffeur, même s'il y a un compteur. Il y a aussi des réseaux de bus à Dakar, désignés par couleurs. Les grands bus bleus s'appellent les *dem dikk* (c'est-à-dire aller-venir en wolof, langue parlée au Sénégal). Gérés par une compagnie privée, les *dem dikk* suivent des routes précises, même s'ils sont parfois bondés, surtout pendant les heures de pointe.

Pour les gens moins pressés, on peut aussi monter en calèche, un taxi tiré par un cheval qui suit les mêmes routes que les voitures. Normalement, les calèches accueillent trois ou quatre personnes en plus du chauffeur. Il est aussi possible de prendre une autre forme de transport en commun: le car rapide. Ces minibus aux couleurs vives, typiquement peints en bleu, blanc et orange, font des trajets locaux.

Pour voyager entre Dakar et d'autres destinations, il faut d'abord se rendre à l'une des cinq gares routières situées autour de la ville. A la gare routière, il y a typiquement deux possibilités de transport: le taxi brousse et le *Ndiaga N'diaye*. Normalement, le taxi brousse accueille sept passagers en route vers la même destination. Les *Ndiaga N'diaye*, nommés pour un grand transporteur sénégalais, sont des minibus blancs à environ 35 places. Souvent, les destinations des *Ndiaga N'diaye* sont annoncées à haute voix ou affichées sur le pare-brise du minibus. En principe, les *Ndiaga N'diaye* suivent le même système que les taxis brousses: on part seulement après avoir rempli le véhicule.

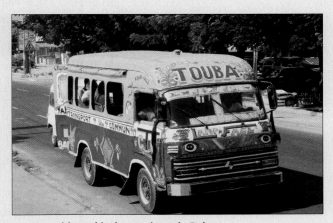

Un car rapide multicolore typique de Dakar

## Compréhension

1. En quoi consiste le système de transports en commun à Dakar? Pourquoi les transports en commun sont-ils si importants dans cette ville? Quelle est la manière la plus efficace de se déplacer à Dakar? Qu'est-ce qu'un groupe de trois personnes peut prendre pour se déplacer à Dakar sans partager de véhicule avec d'autres personnes?

2. Qu'est-ce qu'un *dem dikk*? Et un car rapide?

3. Quelles sont les différences entre un taxi brousse et un *Ndiaga N'diaye*?

## Réflexion

A. Pour voyager au Sénégal, quels moyens de transport préféreriez-vous utiliser? Expliquez votre réponse.

B. Comparez les moyens de transport au Sénégal et les moyens de transport chez vous. Identifiez les aspects qui sont semblables et ceux qui sont différents. A votre avis, quel système est préférable du point de vue de l'écologie et de l'environnement? Expliquez pourquoi.

# Structures III

## Possessive Pronouns

The possessive pronouns in French are equivalent to the English pronouns *mine, yours, his, hers, its, ours, theirs*. A possessive pronoun replaces the possessive adjective and the noun it modifies. The possessive pronoun must agree with the noun replaced, *not* with the possessor.

| One Possessor | Single Possession | Plural Possessions |
|---|---|---|
| mine | le mien (m) / la mienne (f) | les miens (m) / les miennes (f) |
| yours (fam.) | le tien (m) / la tienne (f) | les tiens (m) / les tiennes (f) |
| yours (formal) | le vôtre (m) / la vôtre (f) | les vôtres (m & f) |
| his / hers / its | le sien (m) / la sienne (f) | les siens (m) / les siennes (f) |

| More Than One Possessor | Single Possession | Plural Possessions |
|---|---|---|
| ours | le nôtre (m) / la nôtre (f) | les nôtres (m & f) |
| yours | le vôtre (m) / la vôtre (f) | les vôtres (m & f) |
| theirs | le leur (m) / la leur (f) | les leurs (m & f) |

Apportez votre livre et **le mien.**
Ils ont vérifié vos billets et **les miens.**
Tu peux prendre ma valise et **les tiennes.**
Jeanne a acheté mon carnet et **le sien.**
Je vais attacher ma ceinture et **la sienne.**

Voici votre compartiment et **le nôtre.**
Vous avez pris vos places et **les nôtres.**
J'ai réclamé ma valise et **la vôtre.**
Nous pouvons trouver notre train
et **le leur.**

The pronoun forms corresponding to the adjectives **notre** and **votre** have a circumflex accent over the **o** (**ô**), and, like **les leurs**, the plural forms show no gender distinction. The prepositions **à** and **de** contract with the definite article of the possessive pronouns.

Je pense à mon voyage et **au sien.**
Nous avons besoin de nos valises et **des leurs.**

---

# RAPPEL!

The choices involving **le sien** and **le leur** sometimes pose a problem for the English speaker. When expressing *his* or *hers*, only one person is the possessor, so choose from among **le sien, les siens, la sienne,** and **les siennes** the form that agrees with the object possessed, not the possessor.

—Elle achète son billet?
—Oui, elle achète son billet à elle et **le sien.**
—Et lui?
—Il enregistre ses valises à lui et **les siennes.**

—*She's buying her ticket?*
—*Yes, she's buying her ticket and his.*
—*And what about him?*
—*He's checking his bags and hers.*

When expressing *theirs*, there is always more than one possessor, but they may possess either a single thing or more than one thing.

—Mon train part à midi. A quelle heure part **leur train**?
—**Le leur** part à trois heures.
—Alors, je vais mettre mes valises dans le compartiment. Et **leurs valises à eux**?
—Mettez **les leurs** dans le compartiment aussi.

To express the concept of possession, the two types of structures **elle est à moi** and **c'est la mienne** can be used.

The two constructions are not always interchangeable. When no comparison or contrast is implied in expressing ownership, French usage tends to prefer the form **il / elle / ce + être + à +** disjunctive pronoun. In making comparisons, the possessive pronoun would be preferred.

—Cette vidéo? **Elle est à moi.** (= *statement of ownership*)

—C'est ma vidéo? —**Non, c'est la mienne.** (= *mine, not yours*)

**1** Vous venez de terminer un voyage en voiture avec des amis. Il reste quelques affaires dans la voiture et vous essayez de déterminer à qui elles appartiennent. Répondez aux questions selon les indications.

1. —J'ai déjà enlevé ma valise. Cette valise-là, elle est à Paul?
   —Oui, c'est _____ *(his)*.

2. —Jeanne, tu as déjà ton sac, non? Alors, ce sac-là est à Marie?
   —Oui, c'est _____ *(hers)*.

3. —Ce livre-ci est à moi. Et le livre qui est par terre?
   —C'est _____ *(theirs)*.

4. —Et ces petits gâteaux?
   —Ils sont _____ *(ours)*.

5. —Voilà aussi un carnet.
   —Il est _____ *(mine)*.

6. —Tout le monde a enlevé ses affaires. Les affaires qui restent sont à Paul et à Martin?
   —Oui, ce sont _____ *(theirs)*.

7. —J'ai aussi trouvé des CD.
   —Alors, les CD de Renaud sont à vous, non? Et les CD de MC Solaar sont _____ *(mine)*.

8. —Tu as vu mes lunettes de soleil *(sunglasses)*?
   —Oui, voilà tes lunettes et _____ *(his)*.

**2** Vous et vos colocataires faites les préparatifs avant de partir pour une soirée chez des copains. Répondez aux questions suivantes en utilisant le pronom possessif qui correspond au pronom entre parenthèses.

1. On va prendre ma voiture ou ta voiture? *(yours)*

2. Tu apportes tes CD ou les CD de Marie? *(hers)*

3. C'est ton pullover ou le pullover de Jean-Claude? *(his)*

4. On apporte notre chaîne stéréo ou la chaîne stéréo d'Eric? *(his)*

5. Tu préfères tes CD ou les CD de ton ami(e)? *(mine)*

# INTERACTIONS

Lisez les renseignements suivants tirés du *Guide des services multimédia mobiles*, puis répondez aux questions.

### Cette offre Gallery, au final permet quoi et comment y accède-t-on ?

Elle vous permet, d'accéder directement à **plusieurs centaines de services mobiles** : Personnalisation de votre téléphone en pouvant télécharger des sonneries ou des fonds d'écrans pour votre nouveau téléphone couleur, consultation des infos, de la bourse, de la météo ou de la circulation, jouer, consulter votre horoscope, consulter des annuaires, discuter avec vos amis, etc...

L'intérêt réside surtout dans la façon d'y accéder, de retrouver la même ergonomie et les mêmes noms des services d'un opérateur à un autre. Ainsi, que vous passiez d'Orange à Bouygues ou à SFR, vous aurez toujours la possibilité d'aller sur Gallery et donc de continuer à trouver vos services favoris. Il y a donc bien une offre commune même si il faut signaler quand même que cela n'est pas simple pour les éditeurs de services qui doivent tout de même souscrire à des dossiers différents auprès des trois opérateurs.

L'offre **Gallery** est automatiquement activée dès lors que vous avez souscrit auprès de votre opérateur à une **offre multimédia mobile** ou que vous avez acheté un pack du même nom. Le plus simple reste à bien se faire confirmer ce point au moment où vous prenez votre abonnement. Reste aussi à bien vous faire confirmer que votre **modèle de mobile** est compatible avec l'offre **Gallery**.

### Un marché en pleine expansion :

En France les mobiles continuent leur incroyable progression avec, début 2004 selon l'**ART\*** (Autorité de Régulation des Télécommunications), un parc de près de **42 millions d'utilisateurs de téléphonie mobile** soit 69 % de taux de pénétration (nombre d'utilisateurs par rapport à la population française), soit un taux bien supérieur à celui des utilisateurs Internet. Les abonnés forfaitaires continuent de croître (13,8 % en un an) au détriment des abonnés en prépayé (-2,9 %). La facture mensuelle moyenne sortante par client est de 34,9 euros et le nombre moyen mensuel de SMS est de 19 messages par client.

Les terminaux « nouvelle génération » arrivés depuis l'année dernière, comportent encore plus de capacité de stockage, des écrans couleurs de plusieurs milliers de couleurs, l'appareil photo intégré et des logiciels de lecture de format vidéo, musique, etc... La convergence entre le téléphone et le PC est devenue une réalité.

Aujourd'hui avec son téléphone multimédia mobile, on peut envoyer ou recevoir des emails, communiquer par mini message SMS, s'envoyer des photos prises en vacances grâce aux MMS, ou encore surfer sur Internet ou accéder à de plus en plus de services d'informations, de jeux ou autres à travers les offres proposées par les trois opérateurs français.

**Voici chez les trois opérateurs à quoi ressemble la page d'accueil de l'offre Gallery :**

## Gallery

1. Qu'est-ce qu'il y a d'intéressant en ce qui concerne le service Gallery?
2. Quels services sont offerts par Gallery?
3. Avez-vous un téléphone multimédia? Quels services utilisez-vous?

## Un marché en pleine expansion

1. Quel pourcentage des Français possèdent un portable?
2. Est-ce que les Français utilisent plus souvent le portable ou Internet?
3. Est-ce qu'il y a plus d'abonnés forfaitaires *(who paid a lump sum)* ou en prépayés?
4. A combien d'euros se monte la facture mensuelle moyenne? Croyez-vous que cette somme soit plus ou moins élevée que la facture typique dans votre pays?
5. Décrivez les avantages des terminaux «nouvelle génération».
6. Qu'est-ce qu'on peut faire avec son téléphone multimédia mobile?

# Note culturelle

## Les transports urbains: mode d'emploi

Pour se déplacer dans les villes, si on ne veut pas se servir de sa voiture, d'une voiture de location ou se déplacer à pied, les transports en commun sont un moyen efficace et plutôt facile à utiliser.

### Le métro

À Paris, les entrées ou «bouches» des stations de métro sont marquées par un grand M, facilement visible du trottoir. On descend vers les quais souterrains en passant devant les guichets ou les distributeurs automatiques où l'on achète son billet. Le carnet de dix tickets coûte 11,40 (et, pour les personnes qui se servent du métro pendant plusieurs jours, le passe Navigo Découverte et le passe Navigo permettent un nombre illimité de voyages pendant une période donnée. Après avoir validé son ticket, on attend sur le quai. Quelques minutes plus tard, une des rames de la RATP se présente sur la voie. On monte en voiture et le petit voyage commence. En suivant le plan affiché dans chaque voiture, on peut déterminer à quel arrêt il faut descendre, mais attention, car aux heures de pointe il faut quelquefois faire un effort pour sortir de la voiture. Puis, arrivé sur le quai, on cherche la sortie du métro ou le passage qui mène à une station de correspondance, car il faut souvent changer de ligne pour arriver à sa destination dans Paris. Si on se destine vers la banlieue parisienne (pour se rendre à l'aéroport Charles-de-Gaulle ou pour visiter Disneyland Paris, par exemple), on doit souvent prendre le RER.

### L'autobus et le tramway

Dans la plupart des villes de France, le moyen de transport en commun le plus populaire est l'autobus. Les municipalités maintiennent un réseau de lignes et chaque bus porte le numéro de la ligne qu'il dessert ainsi que le nom du terminus. Pour savoir quel autobus il faut prendre, on doit consulter le tableau qui se trouve à tous les arrêts. En montant par l'avant du bus, on peut aussi vérifier qu'on ne s'est pas trompé en posant la question au conducteur. Ensuite, on doit composter son ticket dans la machine à côté du chauffeur. Si on veut descendre, il faut appuyer sur un bouton spécial, puis à l'arrêt, on sort par la porte arrière ou celle du milieu.

Après bien des années d'absence, le tramway fait sa réapparition dans les rues de beaucoup de villes françaises. Depuis les années 80, une dizaine de villes ont réintroduit ce moyen de transport collectif aux trains modernes, élégants et silencieux. À Paris, Rouen, Grenoble, Strasbourg, Bordeaux, Montpellier et dans plusieurs autres grandes et moyennes villes, les trams circulent sur pneus ou sur rails de fer grâce à un système électrique alimenté soit par une ligne aérienne monofil, soit par une prise de contact au sol activée au passage du train. Ne roulant ni à l'essence ni au gazole *(fuel diesel)*, le tram réduit la pollution due aux particules rejetées dans l'atmosphère par les automobiles et les autobus. Le manque de pollution sonore plaît aussi aux Français pour qui le bruit est la principale source d'insatisfaction.

## Compréhension

1. Expliquez ce qu'il faut faire pour prendre le métro à Paris.
2. Qu'est-ce qu'on peut prendre pour aller dans la banlieue autour de Paris?
3. Que faut-il faire en montant dans les bus et avant d'en sortir?
4. Quel avantage écologique présente le tramway comparé à la voiture ou à l'autobus?

## Réflexion

**A.** Imaginez que vous faites du tourisme dans la capitale française. Quel moyen de transport en commun choisissez-vous pour vous rendre, par exemple, du Louvre à la place de la Bastille, de l'aéroport de Roissy au quartier de la gare Montparnasse, des Invalides au boulevard Saint-Michel? Expliquez vos choix en tenant compte des distances et du temps dont vous disposez. Si on est très pressé, quel autre moyen de transport peut-on prendre, même si cela coûte plus cher et doit être accompagné d'un pourboire? (Consultez le plan de la ville, page 250.)

**B.** Comparées aux systèmes de transports collectifs dans les villes de votre pays, les municipalités françaises semblent-elles encourager les personnes à utiliser les transports publics plutôt que leurs voitures? Justifiez votre comparaison avec des détails de la Note culturelle.

## Demonstrative Pronouns

The demonstrative pronouns in French are equivalent to the English expressions *this one, that one, these,* and *those.* A demonstrative pronoun replaces a demonstrative adjective and the noun it modifies. It must agree in gender and number with the noun replaced.

|  | Singular | Plural |
|---|---|---|
| Masculine | celui | ceux |
| Feminine | celle | celles |

Apportez-moi **ce** livre.

Apportez-moi **celui-là.**

## Basic Uses of Demonstrative Pronouns

The demonstrative pronoun cannot stand alone and must be followed by one of the following constructions.

**A.** *-ci* or *-là:*

| | |
|---|---|
| Cette voiture-là est sale; prenons **celle-ci.** | *That car is dirty; let's take **this one.*** |
| Cet avion est dangereux; je préfère **celui-là.** | *This plane is dangerous; I prefer **that one.*** |
| Les couchettes de ce côté sont plus commodes que **celles-là.** | *The bunks on this side are more convenient than **those.*** |
| Ce trajet est plus facile que **ceux-là.** | *This trip is easier than **those.*** |

The demonstrative pronoun followed by -**ci** may also mean *the latter*; followed by -**là** it may mean *the former*. The -**ci** refers to the last element mentioned (the latter or closest one), whereas -**là** refers to the first element mentioned (the former or the farthest one).

| | |
|---|---|
| Nous allons prendre ou le bateau ou l'avion. Moi, je préfère **celui-ci** car **celui-là** va trop lentement. | *We're going to take either the boat or the plane. I prefer **the latter**, because **the former** goes too slowly.* |

**B. A relative pronoun + clause:**

De tous les trains, je préfère **celui qui est rapide.**

*Of all the trains, I prefer the **fast one.***

Montrez-moi ma place et **celles que vous avez réservées.**

*Show me my seat and **those you reserved.***

Voilà **celle dont j'ai besoin.**

*There's **the one I need.***

**C. *De* + noun:**

Voilà ma valise et celle **de Jean.**

*There's my suitcase and **John's.***

J'ai apporté mon horaire et **ceux de Paul et d'Hélène.**

*I brought my schedule and **Paul's and Helen's.***

## *Ceci* and *cela*

The neuter demonstrative pronouns **ceci** and **cela** do not refer to a specific noun but to a concept or idea. **Ceci** announces an idea that is to follow, and **cela** refers to something that has already been stated.

Je vous dis **ceci:** ne prenez jamais le métro après 11 heures du soir.

Vous avez manqué le train, et je vous ai dit que **cela** allait arriver.

**Cela (ça)** is often used to translate *this* or *that* as the subject of a verb other than **être.** With **être, ce (c')** is used as the subject.
**Ça** is generally used only in spoken language; **cela** is used in written French.

**C'est** un trajet difficile.

**Ça fait** une heure qu'on attend.

**3** Vous rentrez chez vous après un long voyage pendant lequel vous avez acheté des souvenirs pour tout le monde. Distribuez les souvenirs en utilisant un pronom démonstratif dans vos phrases.

1. Voilà un livre. C'est _____ d'Hélène.
2. Voilà une bague *(ring)*. C'est _____ que j'ai rapportée pour Josée.
3. Voilà une vidéo. C'est _____ de Marc.
4. Et ces bracelets en bois sont _____ qui se vendent partout en Afrique.
5. J'ai rapporté des photos aussi jolies que _____ qu'on trouve en carte postale.
6. Voilà un sac. C'est _____ d'Annick.
7. Enfin, une bouteille de cognac. C'est _____ d'Edouard.
8. Et ces excellents chocolats ? _____-là, je les garde pour moi.

**4** Vers la fin d'un voyage en TGV avec des amis, vos amis et vous rangez vos affaires avant l'arrivée en gare. Inventez votre conversation.

> MODELE —*C'est ton livre?*
> —*Non, le mien est dans ma serviette.*
> —*Alors, c'est celui d'Emilie?*
> —*Oui, c'est probablement le sien.*

1. ton sac
   plus grand
   Nathalie

2. tes lunettes de soleil
   noires
   Marc

3. ta veste
   rouge
   David

4. tes valises
   en cuir
   Annie

5. votre serviette
   sous mon siège
   Jean

6. horaire
   dans mon sac
   Catherine et Paul

# INTERACTIONS

Le Thalys est un système de trains à grande vitesse qu'on peut utiliser pour aller de Paris vers Bruxelles, Cologne et Amsterdam. Lisez la publicité pour le service ThalysNet et répondez aux questions.

1. De quoi a-t-on besoin pour pouvoir se servir de ThalysNet?

2. Quelle sorte d'activités peut-on faire en utilisant ThalysNet?

3. Quel est l'avantage de ce système pour les hommes et les femmes d'affaires qui prennent ces trains?

4. Quelles autres informations peut-on obtenir en utilisant ThalysNet?

5. Combien les passagers qui voyagent en Comfort 1 paient-ils le service ThalysNet? Quelles sont les méthodes de paiement pour les voyageurs en Comfort 2?

6. Pourquoi les voyageurs d'aujourd'hui s'intéressent-ils à une collaboration entre les services de transports et la technologie? Pour voyager, de quelles sortes de technologie vous servez-vous?

# Bienvenue sur ThalysNet

*Vous voulez vous connecter à Internet ou au réseau de votre entreprise ? Consulter des informations sur votre voyage ou réserver une place à bord de Thalys pour votre prochain déplacement ? Avec ThalysNet, vous pouvez continuer à travailler et à communiquer en toute simplicité à bord de Thalys. Il vous suffit d'ouvrir votre PC portable compatible WiFi, de démarrer votre navigateur Internet et vous voilà prêt à surfer !*

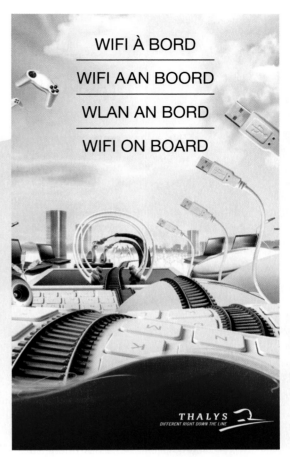

WIFI À BORD

WIFI AAN BOORD

WLAN AN BORD

WIFI ON BOARD

## Cinq bonnes raisons d'essayer ThalysNet :

**Facilité**
Pour vous connecter à ThalysNet, utilisez simplement votre PC portable compatible WiFi. Votre appareil n'a pas besoin d'être reconfiguré.

**Confort**
Grâce à la liaison haut débit de ThalysNet, vous disposez du même confort de connexion qu'au bureau ou à la maison. Résultat ? Que vous souhaitiez télécharger des documents, regarder des clips vidéo ou des présentations interactives, plus besoin d'attendre ! Démarrez votre navigateur, connectez-vous et c'est parti !

**Fiabilité**
ThalysNet utilise la technologie standard WiFi (Wireless Fidelity) certifiée pour vous assurer une connexion sans fil à Internet ou au réseau de votre entreprise. Cette technologie garantit une connexion performante et de haute qualité.

**Pratique**
Restez connecté à vos activités professionnelles et privées pendant votre voyage à bord de Thalys. Échangez des courriels, mettez vos fichiers à jour sur le réseau de votre entreprise et surfez sur le Net. Tout cela, à 300 km/h !

**Information**
En plus de l'accès Internet, le portail ThalysNet vous offre des informations sur votre voyage en train, ainsi que sur Thalys et ses partenaires.

## Que vous faut-il pour vous connecter à l'Internet ?

- Vous devez voyager dans un train Thalys équipé du service ThalysNet.

  *Vérifiez que ce symbole est bien présent dans votre train Thalys :*

  **WiFi Inside**

- Votre PC portable doit être équipé de la technologie WiFi (WiFi 802.11b ou g).

  *Dans la plupart des cas, les PC portables de la dernière génération sont d'emblée compatibles WiFi. Si votre portable n'est pas équipé de la technologie WiFi, vous pouvez acheter une carte WiFi dans votre magasin d'informatique habituel.*

- Un navigateur Internet tel que Internet Explorer©, Firefox© ou Safari©. (Mac ou PC)

## Méthodes de paiement

**Pour les passagers en Comfort 1**
Accès Internet offert

**Pour les passagers en Comfort 2**
Paiement en ligne par carte de crédit ou à l'aide d'une carte prépayée. Les cartes prépayées sont en vente au Thalys Bar.

*THALYS*
DIFFERENT RIGHT DOWN THE LINE

---

## Situations écrites

**A.** En basant vos idées sur les Notes culturelles, écrivez une composition qui compare les transports en France à ceux de votre pays. Par exemple, quels moyens de transport est-ce que vous utilisez souvent? Quels moyens de transport est-ce que les Français semblent employer plus souvent que vos concitoyens?

**B.** Vous envoyez un courrier électronique à votre correspondant(e) français(e) qui vous demande comment la technologie influence les modes de vie dans votre pays. Décrivez comment vous utilisez la technologie dans votre vie, par exemple à la maison, à l'université, au travail, etc.

# A lire

## Texte de culture contemporaine

Le Concorde

### Sujets de réflexion

1. Quelle impression avez-vous du futur de l'aviation commerciale dans le monde? La dimension des avions va-t-elle changer? Les voyages vont-ils durer longtemps? Sur quelles bases vos impressions sont-elles fondées?

2. A quelle sorte d'avions rêviez-vous quand vous étiez enfant? D'où venait votre inspiration: des livres, des dessins animés, des progrès réels dans le domaine de l'aéronautique?

### Guide de lecture

1. Jetez un coup d'œil rapide sur les paragraphes 1, 2 et 3 du texte suivant. Relevez dans ces paragraphes une comparaison négative entre le futur et le passé de l'aviation.

2. Le dernier paragraphe contient un chiffre important. De quoi s'agit-il?

## L'avion du futur ne fait pas rêver

*aircrafts* Les aéronefs° de demain ressembleront comme des frères aux avions actuels. Seule différence: ils seront plus sûrs, plus silencieux et pollueront moins.

*turns out to be* On est entré dans l'ère de l'après-Concorde, ce merveilleux supersonique qui s'avère° sans descendance. Et aucun autre rêve excitant ne se profile à l'horizon
5 des tours de contrôle. Il faut s'habituer à l'idée que, contrairement à une vieille
*if not* habitude, on ne volera pas plus vite demain qu'hier, voire° moins. Les bangs

*ronger... : to champ at the bit*

*elders*

*decades* 10

*put away*

*de... : the latest / relentlessly*

*unnoticed*

*fuel* 20

*that is to say*

*deal*

*takes to the skies*

supersoniques sont maintenant réservés aux avions militaires. En plus de ronger leur frein°, les jeunes voyageurs du civil vont devoir supporter les commentaires de leurs aînés°, du genre: «De mon temps, on pouvait aller à New York en moins de quatre heures...» Pour tout l'avenir prévisible, cela sur plusieurs décennies°, le vol Paris–New York est condamné à durer sept ou huit heures, exactement comme en 1956 avec le vieux 707.

L'avenir promet donc surtout de ressembler au passé, et toutes les utopies volantes ont été remisées° au placard. [...] Telle est la conclusion d'une conférence [...] qui réunissait les meilleurs spécialistes français impliqués dans la recherche aéronautique de pointe°. Bien sûr, tous ces chercheurs travaillent d'arrache-pied° pour améliorer les avions, [...] ils nous promettent des progrès très importants dans la conception des appareils. Mais ceux-ci risquent de passer inaperçus°, au moins pour la majorité des passagers que les détails technologiques ne passionnent pas. [...] [Les avions] devront être plus économes en carburant° (réduction de 20% par passager transporté). Plus silencieux (réduction de 10 décibels, soit° deux fois moins de bruit). Et encore plus sûrs [...]. Telle est la nouvelle donne°: l'aéronautique est contrainte à des progrès aussi extravagants que peu spectaculaires. [...]

Pour toutes ces améliorations, imperceptibles mais indispensables, il y a urgence car il en va de l'avenir du transport aérien, condamné à devenir massif. Selon Yves Crozet (Laboratoire d'économie des transports à l'Université de Lyon-II), «dès 2010, chaque année 200 millions de Chinois prendront l'avion pour des vacances à l'étranger». Quand la Chine s'envolera°, le monde aéronautique tremblera... et c'est imminent.

Source: Fabien Gruhier, dans *Le Nouvel Observateur*, no 2118, 9 juin 2005

## Après la lecture

1. L'article fait allusion au Concorde. De quoi cet avion est-il devenu le symbole dans le domaine de la technologie, de la politique et de l'économie?

2. Expliquez avec vos propres mots la citation «l'avenir promet donc de ressembler au passé» dans le contexte de cet article.

3. Les chercheurs travaillent beaucoup pour améliorer les avions de demain. Faites une liste des progrès auxquels nous pouvons nous attendre dans le transport aérien.

4. Etes-vous d'accord avec les conclusions de cet article? Croyez-vous que ce soit une erreur d'abandonner toute recherche sur les avions supersoniques? Expliquez votre point de vue. Y a-t-il un autre domaine où existent des possibilités pour ceux qui rêvent de voyages à grande vitesse dans l'espace?

# Texte littéraire

## Sujets de réflexion

1. Dans l'univers des voyages dans l'espace, il y a le rêve et la réalité. Que savez-vous de la légende grecque d'Icare? Quelles sortes de machines volantes dessinait Léonard de Vinci? Quels véhicules imaginait Jules Verne pour le voyage dans la Lune?

2. Quels films ou livres connaissez-vous où il est question de voyages interstellaires? Les avez-vous appréciés? Dites pourquoi.

3. Depuis 1957, nous avons lancé dans l'espace plus de 5 000 satellites qui nous observent et observent les autres planètes. Quelle planète a déjà reçu notre visite? A votre avis, la vie est-elle possible sur une autre planète? Selon vous, y a-t-il des êtres vivants ailleurs que dans notre galaxie?

4. Quelles sont les caractéristiques essentielles d'une œuvre de science-fiction? Quel est l'équilibre idéal entre les éléments familiers et étranges qui la composent?

## A propos de l'auteur...

**Pierre Boulle** *est né à Avignon. Dans les années 30, il part en Asie du Sud-Est puis, pendant la Seconde Guerre mondiale il combat en Chine et en Birmanie. C'est de cette expérience qu'il tire son livre* Le Pont de la Rivière Kwaï *dont Hollywood fait une adaptation cinématographique mondialement célèbre. En littérature française, Boulle est un de ceux qui ont le plus contribué à la science-fiction. C'est en 1963 qu'il publie* La Planète des singes. *Ce roman, lui aussi, sera adapté au cinéma, d'abord en 1967 dans le film de Franklin Schaffner et plus récemment, en 2001, dans un film de Tim Burton.*

Pierre Boulle (1912–1994)

*L'action de* La Planète des singes *se déroule à 300 années-lumière de la Terre dans un endroit étrangement familier aux voyageurs. En partant explorer, le journaliste Ulysse Mérou et ses compagnons ne s'attendaient pas à trouver une planète qui ressemblait tant à la Terre. Ils l'appellent Soror (sœur, en latin), car ils y trouvent même des humains! Mais ces «hommes» vivent nus, semblent dénués de pensée et communiquent par des cris. Ce sont les autres habitants de la planète, les singes, qui sont habillés et qui parlent! Boulle renverse donc les rôles de domination et met en cause le comportement des hommes et leurs mépris des autres espèces.*

*Ulysse Mérou, après avoir été subjugué par les singes de Soror, devient amoureux de Nova, un être humain, belle mais stupide. Bientôt Nova a un enfant avec Ulysse. L'amour et la maternité vont la transformer lentement et lui rendre, petit à petit, toutes les caractéristiques humaines qu'elle avait perdues. Grâce à une ruse qui a bien réussi, tous les trois, Ulysse, Nova et leur petit enfant Sirius, échappent à la planète des singes et se dirigent vers la Terre.*

## Guide de lecture

1. Le retour d'Ulysse vers la Terre se divise en deux parties. Les paragraphes 1 à 10 sont consacrés au voyage lui-même. Ulysse raconte le trajet en utilisant bon nombre de termes techniques. Aussi fait-il allusion à certaines manœuvres qui nous sont devenues familières depuis l'époque où Boulle a écrit son roman. Mettez dans l'ordre logique les phrases suivantes, tirées du texte:
   a. Nous sommes dans l'atmosphère. Les rétrofusées entrent en action.
   b. Collés aux hublots, nous regardons la Terre s'approcher.
   c. L'abordage de notre vaisseau s'est bien passé.
   d. Le soleil grossit à chaque instant.
   e. C'est déjà la période de freinage, qui doit durer une autre année.

2. Dans la seconde partie du texte (paragraphes 11 à 18), il y a un manque de modernité, de progrès et même de vie humaine. Quelles images, surtout dans les paragraphes (11) et (13), se rattachent au passé?

# La Planète des singes

**Le... :** *It's all over*
*streaking*
*increases*

(1) Le tour est joué°. Je vogue de nouveau dans l'espace, à bord du vaisseau cosmique, filant° comme une comète en direction du système solaire, avec une vitesse qui s'accroît° à chaque seconde.

(2) Je ne suis pas seul. J'emmène avec moi Nova et Sirius, le fruit de nos amours
5 interplanétaires, qui sait dire papa, maman et bien d'autres mots. Il y a également à bord un couple de poulets et de lapins, et aussi diverses graines, que les savants

*effect of rays*
avaient mis dans le satellite pour étudier le rayonnement° sur des organismes très divers. Tout cela ne sera pas perdu...

*The boarding*
(3) L'abordage° de notre vaisseau s'est bien passé. J'ai pu m'en approcher peu

*gaping* 10 à peu, en manœuvrant le satellite, pénétrer dans le compartiment resté béant°,
*vehicle*
prévu pour le retour de notre chaloupe°. Alors, les robots sont entrés en action pour
*exits / equipment*
refermer toutes les issues°. Nous étions à bord. L'appareillage° était intact et le calculateur électronique se chargea de faire toutes les opérations du départ. Sur la planète Soror, nos complices ont prétendu que le satellite avait été détruit en vol,
15 n'ayant pu être placé sur son orbite.

(4) Nous sommes en route depuis plus d'un an de notre temps propre. Nous avons atteint la vitesse de la lumière à une fraction infinitésimale près, parcouru en un temps
*slowing down*
très court un espace immense et c'est déjà la période de freinage°, qui doit durer une
*tire*
autre année. Dans notre petit univers, je ne me lasse° pas d'admirer ma nouvelle
20 famille...

(5) Quelle émotion j'ai ressentie ce matin en constatant que le soleil commençait à prendre une dimension perceptible! Il nous apparaît maintenant comme une boule
**se... :** *becomes tinged*
de billard et se teinte° de jaune. Je le montre du doigt à Nova et à Sirius. Je leur explique ce qu'est ce monde nouveau pour eux et ils me comprennent. Aujourd'hui,
25 Sirius parle couramment et Nova, presque aussi bien. Elle a appris en même temps que lui. Miracle de la maternité; miracle dont j'ai été l'agent. Je n'ai pas arraché
*degradation*
tous les hommes de Soror à leur avilissement°, mais la réussite est totale avec Nova.
*gets large / locate*
(6) Le soleil grossit° à chaque instant. Je cherche à repérer° les planètes dans le télescope. Je m'oriente facilement. Je découvre Jupiter, Saturne, Mars et... la Terre.
30 Voici la Terre!

(7) Des larmes me montent aux yeux. Il faut avoir vécu plus d'un an sur la planète des singes pour comprendre mon émotion... Je sais, après sept cents ans, je ne retrouverai ni parents ni amis, mais je suis avide de revoir de véritables hommes.

*windows*
(8) Collés aux hublots°, nous regardons la Terre s'approcher. Il n'est plus besoin de télescope pour distinguer les continents. Nous sommes satellisés. Nous tournons autour de ma vieille planète. Je vois défiler° l'Australie, l'Amérique et la France; oui, voici la France. Nous nous embrassons tous trois en sanglotant°.

*pass by*
**en... :** *sobbing*

**ont... :** *were made*
(9) Nous nous embarquons dans la deuxième chaloupe du vaisseau. Tous les calculs ont été effectués° en vue d'un atterrissage dans ma patrie, non loin de Paris, j'espère.

*retrorockets*
(10) Nous sommes dans l'atmosphère. Les rétrofusées° entrent en action. Nova me regarde en souriant. Elle a appris à sourire et aussi à pleurer. Mon fils tend les bras et ouvre des yeux émerveillés. Au-dessous de nous, c'est Paris. La tour Eiffel est toujours là.

*technology / land*
(11) J'ai pris les commandes et me dirige d'une manière très précise. Miracle de la technique°! Après sept cents ans d'absence, je parviens à me poser° à Orly, qui n'a pas beaucoup changé, au bout du terrain, assez loin des bâtiments. On a dû m'apercevoir; je n'ai qu'à attendre. Il ne semble pas y avoir de trafic aérien; l'aéroport serait-il désaffecté°? Non, voici un appareil°. Il ressemble en tout point aux avions de mon époque!

*abandoned / aircraft*

**en... :** *in the grips of*
(12) Un véhicule se détache des bâtiments, roulant dans notre direction. J'arrête mes fusées, en proie à° une agitation de plus en plus fébrile. Quel récit je vais pouvoir faire à mes frères humains! Peut-être ne me croiront-ils pas tout d'abord, mais j'ai des preuves. J'ai Nova, j'ai mon fils.

*combustion*
(13) Le véhicule grandit. C'est une camionnette d'un modèle assez ancien: quatre roues et un moteur à explosion°. J'enregistre machinalement tous ces détails. J'aurais pensé que ces voitures étaient reléguées dans les musées.

(14) J'aurais imaginé volontiers aussi une réception un peu plus solennelle. Ils sont peu nombreux pour m'accueillir. Deux hommes seulement, je crois. Je suis stupide, ils ne peuvent pas savoir. Quand ils sauront!...

*shining*
*military insignia*
(15) Ils sont deux. Je les distingue assez mal, à cause du soleil déclinant qui joue° sur les vitres, des vitres sales. Le chauffeur et un passager. Celui-ci porte un uniforme. C'est un officier, j'ai vu le reflet de ses galons°. Le commandant de l'aéroport, sans doute. Les autres suivront.

(16) La camionnette s'est arrêtée à cinquante mètres de nous. Je prends mon fils dans mes bras et sors de la chaloupe. Nova nous suit avec quelque hésitation.

*fearful*
*will get over it*
Elle a l'air craintive°. Cela lui passera° vite.

(17) Le chauffeur est descendu. Il me tourne le dos. Il m'est à

*grass*
moitié caché par de hautes herbes° qui me séparent de la voiture. Il tire la portière pour faire descendre le passager. Je ne m'étais pas trompé, c'est un officier; au moins un commandant; je vois briller de nombreux galons. Il a sauté à terre.

Une scène du film *La Planète des singes*

*scream*

*motionless* 80

Il fait quelques pas vers nous, sort des herbes et m'apparaît enfin en pleine lumière. Nova pousse un hurlement°, m'arrache son fils et court se réfugier avec lui dans la chaloupe, tandis que je reste cloué° sur place, incapable de faire un geste ni de proférer une parole.

(18) C'est un gorille.

Source: Pierre BOULLE, *La Planète des singes*, ©1994, éditions Julliard, 2001

## Après la lecture

1. Le paragraphe (3) raconte la manière dont Ulysse et sa famille ont réussi à s'évader en satellite de la planète Soror. Quelles sont les indications, dans ce paragraphe du texte, qui expliquent cet événement?

2. Ulysse nous dit: «Je ne me lasse pas d'admirer ma nouvelle famille...» (4). Comment imaginez-vous les deux autres personnages, sa femme Nova et son fils Sirius, au moment où ils quittent Soror? Les paragraphes (5) et (10) peuvent vous aider.

3. Ce récit de voyage interstellaire est en même temps une sorte de leçon d'astronomie. Quels éléments de cette leçon se trouvent dans les paragraphes (6), (7) et (8)?

4. Ulysse a très envie de faire le récit de ses aventures à ses frères humains. Mais il doit faire face à un certain nombre de déceptions en atterrissant. Quels détails dans les paragraphes (13) et (14) ajoutent à cette déception?

5. La réaction de Nova, lorsqu'elle voit le visage de l'officier, est violente. Expliquez pourquoi.

## Pour mieux lire

1. Le style de Pierre Boulle est plutôt direct et concret. De plus, il utilise un vocabulaire scientifique, indispensable pour communiquer dans le domaine de la technologie. Les phrases suivantes contiennent des mots en caractères gras. Ce sont des expressions scientifiques ou techniques que vous expliquerez en utilisant vos propres mots.
   a. Nous étions à bord. **L'appareillage** était intact et **le calculateur électronique** se chargea de faire toutes les opérations du départ.
   b. Nous avons atteint **la vitesse de la lumière** à une fraction infinitésimale près, parcouru en un temps très court un espace immense et c'est déjà **la période de freinage,** qui doit durer une autre année.
   c. Nous sommes dans **l'atmosphère. Les rétrofusées** entrent en action.

2. Maintenant, racontez avec vos propres mots l'épisode de *La Planète des singes* que vous avez lu. Si vous avez vu l'un des deux films tirés de ce roman, quelles sont les différences que vous avez pu noter entre le livre et le film?

# LIENS CULTURELS

1. La lecture de *La Planète des singes* offre un exemple de la transformation, en littérature, de réalités scientifiques. Imaginez que vous êtes J. Charles ou N. Robert et que vous faites un des premiers voyages en ballon au dix-huitième siècle. Ecrivez une page dans votre journal de bord pour décrire ce que vous avez fait pour survoler la campagne française au départ de Paris.

2. A partir du dix-neuvième siècle, l'idée de la vitesse est devenue une obsession. Faites une liste des découvertes qui ont sensiblement accéléré le rythme de la vie moderne. Y a-t-il certaines de ces découvertes que vous jugez inutiles ou frivoles? Est-ce que les grandes découvertes dans le domaine de la technologie des transports ont été motivées par le désir d'aller toujours plus vite ou par d'autres préoccupations? Quelle est, à votre avis, la découverte la plus importante qu'on ait faite dans le domaine des transports? Expliquez votre réponse.

3. La technologie et l'art: Comparez l'utilisation de la technologie faite par Fernand Léger dans son tableau (page 246) et par Pierre Boulle dans le passage de *La Planète des singes* que vous avez lu (pages 265–267). Lequel des deux semble avoir plus confiance en la nature humaine?

# EXPANSION

**A.** De quelle manière l'esprit qui a inspiré les frères Montgolfier continue-t-il à se manifester de nos jours?

**B.** Quelqu'un a dit que ce n'étaient pas les grands peintres qui créaient le style au vingtième siècle mais les ingénieurs. Etes-vous d'accord avec cette affirmation? Expliquez.

**C.** Si un gouvernement, dans la répartition des aides financières, doit choisir entre l'automobile, le chemin de fer et l'aéronautique, lequel de ces domaines doit, selon vous, avoir la priorité? Défendez votre point de vue.

# Chapitre 8

# A la fac

## Cultural Focus
❖ The Rise of Education in France
❖ Education in Contemporary France

## Readings

**Contemporary Cultural** *Les Centres de Formation des Apprentis (CFA)*

**Literary** Guy Tirolien: *Prière d'un petit enfant nègre* (poème)

## Structures

**I** Formation of the Present Subjunctive

Formation of the Past Subjunctive

**II** Uses of the Subjunctive

**III** The Subjunctive after Certain Conjunctions

The Subjunctive after Indefinite Antecedents

The Subjunctive in Superlative Statements

## Functions

Stating Opinions and Preferences

Expressing Feelings and Reactions

Describing Personal Values

**iLrn**

Des étudiants discutent devant l'entrée de la Sorbonne.

# Un peu de culture contemporaine

L'Université de Paris X, Nanterre

L'amphithéâtre Richelieu à la Sorbonne

## Les Universités de Paris

Depuis 1971, l'ancienne Université de Paris est composée de treize universités interdisciplinaires dans la capitale et sa banlieue portant chacune la désignation Université de Paris I, II, III, etc., en plus d'un nom qui lui est propre: Paris I Panthéon-Sorbonne, Paris II Panthéon-Assas, Paris III Sorbonne-Nouvelle, Paris IV Sorbonne... Certaines des universités de Paris occupent encore les locaux de la Sorbonne historique au cœur du Quartier latin. D'autres, de création plus récente comme Paris X Nanterre, ressemblent d'assez près aux campus à l'américaine avec résidences et restaurants universitaires, installations sportives et espaces verts.

- Les lycéens de la région parisienne, prêts à entrer à l'université, font souvent leurs demandes d'admission universitaire en fonction de la discipline qu'ils désirent étudier à Paris. Par exemple, les bacheliers qui se destinent aux études de droit font leur demande d'admission à Paris II. Ceux qui veulent étudier les «Humanités» vont de préférence à Paris IV. Ceux qui sont attirés par les études de médecine ou de science choisissent Paris VI Pierre-et-Marie-Curie ou Paris VII Diderot, les deux universités qui partagent le campus de Jussieu. Les futurs spécialistes de gestion ou des sciences des organisations privées et publiques s'inscrivent à Paris IX Dauphine.

- Parmi les élèves de la même génération en France, 70% arrivent au niveau du baccalauréat et 80% des bacheliers entrent dans l'enseignement supérieur. La part des jeunes de 19 à 21 ans qui poursuivent des études supérieures en France est de 40%. La France occupe ainsi le troisième rang parmi les pays occidentaux, derrière le Canada et l'Espagne, mais devant les Etats-Unis, l'Allemagne, le Royaume-Uni et l'Italie.

## Compréhension

1. Pourquoi parle-t-on aujourd'hui des Universités de Paris au pluriel et non de l'Université au singulier?

2. Un jeune Parisien obtient son bac scientifique et a l'intention de devenir médecin. A quelles universités fait-il une demande d'admission?

3. Quel pourcentage des élèves de l'école secondaire poursuivent des études supérieures en France? Et chez vous?

## Réflexion

La plupart des bacheliers français font leurs études supérieures dans l'université de la région où ils habitent. A Paris, le nombre de ces étudiants augmente de plus en plus. A votre avis, quelles sortes de problèmes pratiques se posent à l'administration des universités dans un pays où toute personne ayant le bac ou son équivalent peut s'inscrire à l'université?

# L'Université française hors de la France métropolitaine

Plus de 25 000 étudiants sont inscrits dans des universités françaises situées loin de la France métropolitaine: l'Université des Antilles-Guyane, l'Université de la Nouvelle-Calédonie, l'Université de la Polynésie française et l'Université de la Réunion.

L'Université des Antilles-Guyane

- A 7 000 km de la France métropolitaine, les sept sites de l'Université des Antilles-Guyane (l'UAG) sont répartis sur l'archipel de la Guadeloupe, en Guyane, sur le continent sud-américain et sur l'île de la Martinique. Actuellement, 12 000 étudiants y font des études pluridisciplinaires menant à des diplômes des deux premiers niveaux universitaires.

- Les principaux campus de l'UAG à Schœlcher (Martinique), à Pointe-à-Pitre (Guadeloupe) et à Kourou (Guyane) forment un carrefour de communication et d'échanges intellectuels, car ils sont liés politiquement à l'Europe mais géographiquement et culturellement aux Antilles et aux Amériques.

## Compréhension

1. Situez géographiquement les universités françaises hors de la France métropolitaine.

2. Expliquez ce qu'est l'UAG.

## Réflexion

Imaginez une jeune Martiniquaise qui vient de réussir son bac et s'inscrit à l'UAG. En quoi la situation géographique de son université peut-elle influencer sa formation ainsi que son avenir professionnels?

# Le Système de Transfert de Crédits Européens (ECTS) et le LMD

Pour créer un système commun de diplômes et d'enseignement supérieur en Europe, beaucoup de pays membres de l'Union européenne adoptent actuellement la réforme appelée **LMD** (pour les trois grades: Licence, Master, Doctorat).

- Dans le but de favoriser la mobilité des étudiants et leur accès au monde du travail en Europe, la scolarité est découpée en semestres. Pour chaque semestre validé, on obtient 30 **crédits européens (c.u.)** en vue de la préparation des grades universitaires nationaux qui sanctionnent les étapes terminales des trois cycles européens:

  - **la Licence** (bac + 3) =        6 semestres (3 ans) = 180 c.u.
  - **le Master** (bac + 5) =        4 semestres de plus (2 ans) = 120 c.u.
  - **le Doctorat** (bac + 8) =        6 semestres de plus (3 ans) = 180 c.u.

- Chaque cours ou **unité d'enseignement (UE)** porte un coefficient (de 1 à 3) et un poids ECTS. Le nombre de crédits par UE est défini en fonction du travail total requis de l'étudiant: les heures de cours, le travail personnel, le stage, la rédaction d'un mémoire, les projets et autres activités.

- D'autres **titres** déjà utilisés tels que le Diplôme d'Etudes Universitaires Générales ou **DEUG** (bac + 2: Licence 1 / Licence 2 = 120 crédits) et la **Maîtrise** (bac + 4 = Licence + 60 crédits) continuent d'être délivrés à la demande de l'étudiant et sont considérés comme des diplômes intermédiaires.

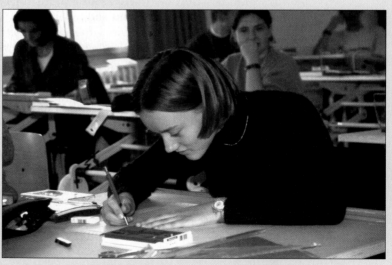

On obtient 30 crédits européens (c.u.) pour chaque semestre validé.

## Compréhension

1. Selon le système de transfert de crédits ECTS, en combien de temps se prépare normalement une licence? Dans votre système universitaire, de quel diplôme est-ce l'équivalent?

2. Quels éléments sont pris en considération lorsque l'université calcule le nombre de crédits européens qui correspondent à une unité d'enseignement?

## Réflexion

Imaginez le cas d'étudiants français qui ont effectué un séjour dans une autre université européenne avant le passage au nouveau système de transfert de crédits. A quelles difficultés administratives et pratiques ces étudiants ont-ils dû faire face?

La faculté de médecine de l'Université de Paris

 *Pour des activités culturelles supplémentaires, rendez-vous sur le site Web d'**Interaction*** www.cengage.com/french/interaction

# Vocabulaire actif

## LES ACTIVITÉS

**apprendre par cœur** to memorize

**assister à** to attend

**échouer** to fail

**faire des études (de)** to study, to major (in)

_____ **supérieures** to go to university

**faire une demande d'inscription** to apply

**former** to educate, to prepare

**s'inscrire** to register, to enroll

**loger** to lodge, to live

**s'orienter** to choose a course of study

**se préinscrire** to preregister

**prendre une décision** to make a decision

**se rattraper** to make up

**recevoir (un diplôme)** to finish a course of study, to graduate

**régler** to settle, to pay

**remplir** to fill out

**retirer** to obtain, to withdraw

**sécher un cours** to cut a class (coll.)

**subir** to undergo

## À LA FAC

**un amphithéâtre (amphi)** lecture hall

**un apprentissage** apprenticeship

**un bachelier / une bachelière** baccalaureate holder

**le BTS (Brevet de Technicien Supérieur)** technical degree obtained at secondary level

**la cité universitaire** residence hall complex

**une classe préparatoire** preparatory class (for the entry exam to the **grandes écoles** or prestigious graduate institutes in France)

**une conférence** lecture

**un conseiller / une conseillère** advisor

**le contrôle continu des connaissances** periodic testing

**une copie d'examen** exam paper

**un cours magistral** lecture by the professor

**un cursus** course of study

**la date limite** deadline

**le deuxième cycle** second level of higher education

**un diplôme** diploma, degree

**un dossier** record, transcript

**le droit** law

**le DUT (Diplôme Universitaire de Technologie)** technical degree obtained at university level

**l'enseignement** (m) teaching, instruction, education

**une épreuve** test

**une étape** stage

**les études** (f pl) course of study

_____ **supérieures** post-**bac** studies

**une fiche** form

**une filière** track

## Exercices de vocabulaire

**A.** Choisissez un mot ou une expression de chaque colonne pour créer des phrases qui décrivent la vie d'étudiant en France.

En France, les étudiants...

| | |
|---|---|
| 1. choisir | a. des épreuves |
| 2. échouer | b. le(s) cours |
| 3. s'inscrire | c. la cité universitaire |
| 4. loger | d. des fiches |
| 5. régler | e. une orientation |
| 6. remplir | f. des travaux pratiques |
| 7. sécher | g. un dossier |
| 8. subir | h. les frais d'inscription |
| 9. assister à | i. des conférences |

**B.** Vous rencontrez quelques étudiants francophones qui passent l'année dans votre université. Ils sont un peu perdus par rapport au système universitaire nord-américain. Complétez les phrases suivantes par une des expressions indiquées afin d'expliquer la vie universitaire nord-américaine à ces étudiants.

une formation education, academic preparation

_____ en alternance alternating work-study

un domaine de _____ field of study

les frais d'inscription (m pl) tuition, registration fees

la gestion management

HEC (Ecole des Hautes Etudes Commerciales) prestigious business school

l'informatique (f) computer science

les inscriptions (f pl) registration

une insertion entry into

un IUT (Institut Universitaire de Technologie) technical institute

la Licence first diploma after the **bac** (bac + 3 years of university study)

une majeure major subject

une manifestation demonstration

le Master second diploma after the **bac** (two years beyond the **Licence**)

une matière subject

une mention honors (on an exam), degree concentration

une mineure minor

le Ministère de l'Education Nationale Department of Education

un module unit

une moyenne average

un niveau level

une note grade

une orientation direction of study

un polycopié reproduced set of lecture notes

un poste job or position in a company

la première next to last year of **lycée**

le repêchage second chance

le Resto U (RU) university restaurant

les sciences des organisations privées et publiques organizational systems

les sciences humaines social sciences

la scolarité schooling

une spécialisation major (field of study)

la terminale last year of **lycée**

les travaux pratiques (m pl) drill, laboratory, or discussion sections

une unité de valeur credit

la vie active work

## LES CARACTÉRISTIQUES

admis(e) accepted

au fur et à mesure bit by bit

déçu(e) disappointed

démodé(e) old-fashioned

facultatif(-ive) optional

gratuit(e) free

provisoire temporary

reçu(e) passed (an exam)

sélectif(-ive) selective

supprimé(e) eliminated, canceled

surpeuplé(e) crowded

**Expressions:** cours obligatoires    cours magistraux    échouer
frais d'inscription    inscriptions    loger
faire des études    obtenir un diplôme    se préinscrire
sécher    notes    crédits

1. Vers la fin de chaque semestre, il faut _____ aux cours du semestre suivant.

2. Les _____ ont lieu juste avant le début de chaque semestre.

3. Si on a une moyenne de «B+», on a de bonnes _____.

4. Si on _____ à un cours, il faut le reprendre.

5. Pendant les deux premières années, il y a des _____ qu'il faut suivre.

6. On paie les _____ au moment de s'inscrire.

7. La plupart des étudiants américains _____ dans des résidences.

8. Assez souvent, on assiste aux _____ pour écouter des conférences faites par les professeurs.

9. Pour chaque cours qu'on réussit, on reçoit un certain nombre de _____.

10. Le vendredi après-midi, au printemps, les étudiants ont tendance à _____ les cours.

11. Un étudiant qui est très fort en français, peut choisir de _____ de français.

12. Aux Etats-Unis, normalement, on peut _____ en quatre ans.

**C.** Olivier est un étudiant très intelligent mais pas toujours très assidu *(industrious)*. Voici une conversation entre Olivier et sa mère. Reproduisez la conversation en choisissant des expressions synonymes dans le **Vocabulaire actif** pour remplacer les éléments soulignés.

MÈRE: Dis, Olivier, j'ai vraiment peur que tu <u>rates</u> cette année à la fac. Tu <u>vas régulièrement aux cours</u>?

OLIVIER: Bien sûr, maman. Et si je <u>manque</u> un cours, je cherche toujours <u>les copies des notes</u> de <u>la conférence du professeur</u>.

MÈRE: Tu sais, tu as déjà été obligé de <u>refaire une deuxième fois la première année</u>. Tu penses toujours <u>terminer tes études</u> à la fin de l'année prochaine?

OLIVIER: Oui, sauf si je décide de changer <u>la direction de mes études</u>. Je pense maintenant <u>me spécialiser en</u> informatique. C'est une spécialisation très pratique pour m'insérer dans <u>le monde du travail</u>.

MÈRE: Oh là là! Choisir une formation <u>pratique</u> va te demander encore des années d'études.

OLIVIER: C'est vrai. Mais je vais pouvoir réaliser mes ambitions, et toi, un jour, tu vas être heureuse que j'aie un poste.

# Lexique personnel

### À LA FAC

**A** Pour chacun des sujets suivants, dressez une liste personnelle de mots.

1. les cours obligatoires que vous avez suivis

2. les cours facultatifs que vous avez suivis

3. les cours que vous suivez ce semestre

4. votre spécialisation (**Je fais des études de...; Je me spécialise en...**)

5. la profession que vous pensez exercer (**Je pense devenir...**)

 **B** En petits groupes, employez le vocabulaire du chapitre et de votre lexique personnel pour poser des questions à vos camarades de classe sur leurs études.

1. Vous êtes étudiant(e) en quelle année à l'université (première, deuxième, troisième, quatrième)?

2. Quels cours obligatoires avez-vous suivis?

3. Quelles études faites-vous à l'université?

4. Quels cours suivez-vous ce semestre? Sont-ils tous obligatoires?

5. Avez-vous un conseiller (une conseillère) pédagogique? Est-ce qu'il / elle vous aide à établir votre programme d'études?

6. Parmi les cours que vous suivez ce semestre, lesquels aimez-vous particulièrement?

# Structures I

## Formation of the Present Subjunctive

The subjunctive is a mood, that is, an entirely different way of talking about the world around us. The subjunctive is not used to report the world as it is (**Je pars**), as it was (**Je suis parti[e]**), or as it will be (**Je vais partir / Je partirai**); such cases call for the indicative. Rather, the subjunctive is used to express the world as one would like it to be (**Vous préférez que je parte**), as seen through the subjective filter of one's emotions (**Tu es surpris[e] que je parte**), or as viewed in one's opinions (**Tu n'es pas sûr[e] que je parte**). Actions are, therefore, presented not as facts but as hypotheses (**Je vais partir pourvu que vous veniez avec moi**), or as events influenced by the subjectivity of the person who is speaking (**Je vais partir, bien que tu viennes avec moi**).

The subjunctive is not prevalent in English today, although some of our common speech patterns may involve its use.

*I wish John **were** here.*

*It is imperative **that you be** here on time.*

*I recommend **that he go** to the doctor.*

Modern French makes more extensive use of the subjunctive than does English. It is an important construction that you will hear often and need to know how to use. There are four tenses of the subjunctive mood: the *present*, the *past*, the *imperfect*, and the *pluperfect* subjunctive. The latter two are literary tenses that have limited use in modern French.[1] There is no future tense of the subjunctive. An action in the future is expressed by the present subjunctive.

## Regular Subjunctive Forms

The formation of the present subjunctive is the same for all regular conjugations (**-er, -ir, -re**). To form the present subjunctive, drop the **-ent** ending of the **ils** form of the present indicative and add the following endings: **-e, -es, -e, -ions, -iez, -ent.**

| **parler** (ils parl~~ent~~) | **finir** (ils finiss~~ent~~) | **répondre** (ils répond~~ent~~) |
|---|---|---|
| que je parle | que je finisse | que je réponde |
| que tu parles | que tu finisses | que tu répondes |
| qu'il / elle / on parle | qu'il / elle / on finisse | qu'il / elle / on réponde |
| que nous parlions | que nous finissions | que nous répondions |
| que vous parliez | que vous finissiez | que vous répondiez |
| qu'ils / elles parlent | qu'ils / elles finissent | qu'ils / elles répondent |

Most irregular verbs in **-ir** and **-re** (**lire, écrire, dormir, partir, mettre,** etc.) follow a regular pattern in the formation of the present subjunctive.

[1]For a discussion of the imperfect and pluperfect subjunctive, see *Appendix A.*

**1** Les parents adorent donner en exemple à leurs enfants ce que font «les autres». Ici, M. et Mme Dumont font allusion *(are referring)* aux amis de leurs enfants. Complétez la réaction des enfants en mettant le verbe en **caractères gras** à la forme appropriée du subjonctif.

1. —Ils **réussissent** au bac.
   —Et bien sûr, vous voulez aussi que nous _____ au bac.

2. —Ils **n'échouent** jamais aux examens.
   —Croyez-vous vraiment que nous _____ aux examens?

3. —Ils **écrivent** d'excellentes dissertations.
   —Mais même au niveau du secondaire, il faut que Bruno _____ de bonnes dissertations.

4. —Ils **s'entendent** bien avec leurs professeurs.
   —Vous ne croyez pas que je _____ bien avec mes profs?

5. —Ils **obéissent** à toutes les règles de l'université.
   —Mais, il est essentiel que tout le monde _____ aux règles de l'université.

6. —Ils **lisent** tous les manuels de cours.
   —Il n'est pas surprenant qu'ils _____ tous les manuels.

7. —Ils **suivent** les cours les plus difficiles.
   —Mais, il est essentiel qu'on _____ quelques cours difficiles.

## Irregular Subjunctive Forms

Certain irregular verbs have regular subjunctive stems but undergo spelling changes in the **nous** and **vous** forms that correspond to similar irregularities in the stem of the present indicative.

| **croire** (ils croient) | **voir** (ils voient) | **prendre** (ils prennent) | **devoir** (ils doivent) |
|---|---|---|---|
| que je croie | que je voie | que je prenne | que je doive |
| que tu croies | que tu voies | que tu prennes | que tu doives |
| qu'il / elle / on croie | qu'il / elle / on voie | qu'il / elle / on prenne | qu'il / elle / on doive |
| que nous **croyions** | que nous **voyions** | que nous **prenions** | que nous **devions** |
| que vous **croyiez** | que vous **voyiez** | que vous **preniez** | que vous **deviez** |
| qu'ils / elles croient | qu'ils / elles voient | qu'ils / elles prennent | qu'ils / elles doivent |

| **venir** (ils viennent) | **tenir** (ils tiennent) | **boire** (ils boivent) |
|---|---|---|
| que je vienne | que je tienne | que je boive |
| que tu viennes | que tu tiennes | que tu boives |
| qu'il / elle / on vienne | qu'il / elle / on tienne | qu'il / elle / on boive |
| que nous **venions** | que nous **tenions** | que nous **buvions** |
| que vous **veniez** | que vous **teniez** | que vous **buviez** |
| qu'ils / elles viennent | qu'ils / elles tiennent | qu'ils / elles boivent |

Stem-changing verbs undergo the same spelling changes in the present subjunctive as in the present indicative.[2]

[2]See *Appendix B.*

A few verbs have totally irregular stems in the present subjunctive.

| avoir | être | aller | faire |
|---|---|---|---|
| que j'aie 'a' | que je sois | que j'aille 'i' | que je fasse |
| que tu aies | que tu sois | que tu ailles | que tu fasses |
| qu'il / elle / on ait | qu'il / elle / on soit | qu'il / elle / on aille | qu'il / elle / on fasse |
| que nous ayons | que nous soyons | que nous allions | que nous fassions |
| que vous ayez | que vous soyez | que vous alliez | que vous fassiez |
| qu'ils / elles aient | qu'ils / elles soient | qu'ils / elles aillent | qu'ils / elles fassent |

| savoir | vouloir | pouvoir |
|---|---|---|
| que je sache | que je veuille | que je puisse |
| que tu saches | que tu veuilles | que tu puisses |
| qu'il / elle / on sache | qu'il / elle / on veuille | qu'il / elle / on puisse |
| que nous sachions | que nous voulions | que nous puissions |
| que vous sachiez | que vous vouliez | que vous puissiez |
| qu'ils / elles sachent | qu'ils / elles veuillent | qu'ils / elles puissent |

**2** Voici des phrases qui résument un désaccord typique entre parents et enfants au sujet des études. Complétez les phrases par la forme appropriée du subjonctif.

1. Mes parents veulent que je _____ des études de commerce. (faire)
2. Ils désirent que j' _____ une belle carrière et que je _____ membre d'une profession libérale. (avoir, être)
3. Pour moi, il faut qu'un individu _____ faire ce qu'il veut faire et qu'il _____ heureux. (pouvoir, être)
4. Mes parents ont peur que je n' _____ pas à l'université et que je ne _____ pas mon avenir au sérieux. (aller, prendre)
5. J'ai peur que mes parents ne _____ pas l'importance du bonheur individuel et ne _____ pas ce que je trouve important. (comprendre, savoir)
6. C'est dommage qu'ils n'_____ pas confiance en moi. (avoir)
7. Je veux que mes parents _____ fiers de moi. (être)
8. Mais, en même temps, je ne crois pas qu'on _____ mener sa vie pour les autres. (pouvoir)

## Formation of the Past Subjunctive

The past subjunctive follows the same pattern of formation as the **passé composé**. It is formed by combining the present subjunctive of the auxiliary verb **avoir** or **être** with the past participle of the main verb.

| parler | finir |
|---|---|
| que j'aie parlé | que j'aie fini |
| que tu aies parlé | que tu aies fini |
| qu'il / elle / on ait parlé | qu'il / elle / on ait fini |
| que nous ayons parlé | que nous ayons fini |
| que vous ayez parlé | que vous ayez fini |
| qu'ils / elles aient parlé | qu'ils / elles aient fini |

| répondre | partir |
|---|---|
| que j'**aie répondu** | que je **sois parti(e)** |
| que tu **aies répondu** | que tu **sois parti(e)** |
| qu'il / elle / on **ait répondu** | qu'il / elle / on **soit parti(e)** |
| que nous **ayons répondu** | que nous **soyons parti(e)s** |
| que vous **ayez répondu** | que vous **soyez parti(e)(s)** |
| qu'ils / elles **aient répondu** | qu'ils / elles **soient parti(e)s** |

| se lever |
|---|
| que je **me sois levé(e)** |
| que tu **te sois levé(e)** |
| qu'il / elle / **on se soit levé(e)** |
| que nous **nous soyons levé(e)s** |
| que vous **vous soyez levé(e)(s)** |
| qu'ils / elles **se soient levé(e)s** |

**3** Vous écrivez à un(e) correspondant(e) en France au sujet de votre premier semestre à l'université. Mettez les verbes entre parenthèses au **passé du subjonctif.**

1. Certains de mes amis sont surpris que je _____ à la fac. (aller)
2. Mais c'est la meilleure décision que j' _____. (prendre)
3. Les cours obligatoires sont les cours les plus difficiles que j' _____. (suivre)
4. Bien qu'on _____ beaucoup en cours d'anglais, ça a été un cours très utile. (écrire)
5. J'étais heureux (heureuse) qu'on _____ des livres si intéressants en cours d'anglais. (lire)
6. Le prof n'était pas content que tant d'étudiants ne _____ pas _____ à sa conférence. (venir)
7. Mes parents étaient contents que j' _____ un si bon travail en première année. (faire)
8. J'ai été surpris(e) qu'un de mes copains _____ à son examen de maths. (échouer)
9. Ma famille était heureuse que j' _____ dans tous mes cours et que je _____ en même temps. (réussir / s'amuser)

# INTERACTIONS

**Le week-end prochain.** En petits groupes, employez les éléments indiqués pour poser des questions sur les projets de vos camarades de classe pour le week-end prochain. Ensuite, comparez les différentes réponses. Qui a le week-end le plus chargé? Qui a les projets les plus intéressants?

1. Il faut que / tu / faire des devoirs?
2. Il est nécessaire que / tu / aller à la bibliothèque?
3. Tu / vouloir que / tes amis / sortir / avec toi en boîte?
4. Tu / désirer que / ta famille / venir / te voir?
5. Tu es content(e) que / ton (ta) camarade de chambre / dormir si tard le matin?
6. Il est important que / tu / envoyer des courriels à tes copains?
7. Tu as peur que / ton (ta) petit(e) ami(e) / être en retard pour votre rendez-vous?
8. Il est surprenant que / tes amis / ne pas avoir des projets pour le week-end?

# Note culturelle

## Pour s'inscrire

Les élèves en année de terminale au lycée préparent non seulement l'examen du bac mais aussi leur vie pour l'automne suivant. S'ils ont l'intention de s'inscrire dans l'enseignement supérieur, il faut prendre certaines décisions. Va-t-on s'orienter vers une formation en faculté, les classes préparatoires aux concours d'entrée des grandes écoles, un Institut Universitaire de Technologie (IUT) pour préparer un Diplôme Universitaire de Technologie (DUT), un Brevet de Technicien Supérieur (BTS)... ? Les inscriptions en première année commencent en juillet, le jour des résultats du bac. Les futurs étudiants doivent se renseigner sur les inscriptions spéciales et les dates limites dans l'établissement où ils veulent aller. Lorsque les résultats du bac sont connus, les nouveaux bacheliers doivent obtenir un dossier d'inscription administrative à l'université. En cas d'admission, l'établissement fixe une date en septembre à laquelle les étudiants doivent se présenter pour l'inscription pédagogique définitive. Tous les bacheliers savent qu'ils vont trouver une place en fin de compte, mais qu'ils devront devenir de plus en plus autonomes au cours de leur première année dans l'enseignement supérieur.

## Compréhension

1. Parmi quelles sortes d'options les nouveaux bacheliers peuvent-ils choisir s'ils veulent continuer leurs études?

2. Que doivent faire les futurs étudiants aussitôt que les résultats du bac sont connus?

3. Expliquez ce qu'est le DUT. Dans quels types d'établissement faut-il préparer ce diplôme?

## Réflexion

Imaginez que vous êtes en terminale au lycée. Vous voulez établir votre calendrier pour cette année importante. Quels choix devez-vous faire en ce qui concerne votre future formation? Si vous choisissez une filière universitaire, que devez-vous faire dès que vous recevez les résultats du bac? A partir du mois d'octobre, que se passe-t-il? En quoi votre parcours est-il semblable ou différent de celui d'un(e) élève nord-américain(e)?

# Structures II

## Uses of the Subjunctive

The usual construction requiring the use of the subjunctive consists of a main clause containing a verbal expression that implies doubt or subjectivity followed by a subordinate clause with a change of subject introduced by **que.**

| | |
|---|---|
| **Il doute que je finisse** à l'heure. | *He doubts that I'll finish on time.* |

The use of the subjunctive in the subordinate clause is caused by an expression in the main clause that requires a shift in the mood of the verb from the indicative (fact) to the subjunctive (doubt or subjectivity).

The two essential elements that call for the use of the subjunctive are implied doubt or subjectivity and change of subject. If either one of these elements is missing, the subjunctive is not used.

- If you remove the element of doubt, the subjunctive is not required.

  **Il est certain que je vais finir** à l'heure.    *It is certain that I'll finish on time.*

- If there is no change of subject, there is no need for a second clause with a verb in the subjunctive. In such cases, the main verb will be followed by an infinitive.

  Je **veux finir** à l'heure.    *I want to finish on time.*

The past subjunctive is used in the same type of construction as the present subjunctive. There is a main clause containing an expression that implies doubt or subjectivity followed by a subordinate clause with a different subject.

The verb in the subordinate clause is in the past subjunctive when the action of that verb has taken place prior to the action of the main verb.

Ses parents **doutent qu'il ait fait** de son mieux l'année dernière.

Le prof **n'était pas sûr qu'elle soit venue** en classe hier.

Nous **sommes contents que vous ayez réussi** à l'examen.

- Note from the preceding examples that the tense of the main verb has no effect on the tense of the subjunctive verb. If the subordinate action has taken place prior to the main action, use the past subjunctive. In all other cases, the present subjunctive is used.

# RAPPEL!

The keys to using the subjunctive are:

1. Learn the specific types of expressions that may require the use of a subjunctive verb in a subordinate clause.

2. Check to see if the element of doubt or subjectivity is present in the main clause.

3. Verify whether the subjects of the two verbs are different or the same. When the two subjects are different, use the subjunctive in the subordinate clause. When the subjects are the same, use a conjugated verb followed by an infinitive.

4. Verify the sequence of the actions in the main clause and the subordinate clause. If the action of the subordinate clause has taken place prior to the action of the main clause, put the verb in the subordinate clause in the past subjunctive.

## Expressions of Doubt, Emotion, Will, and Thought

Expressions of doubt, emotion, will, and thought usually require the subjunctive in the subordinate clause when there is a change of subject and when the context implies doubt or subjectivity.

**A. Doubt:** When used affirmatively or interrogatively, the expressions **douter** and **être douteux** require the subjunctive in a subordinate clause.

**Je doute que le prof comprenne** le problème.

**Doutez-vous que je puisse** réussir?

**Il est douteux qu'il ait fait** des études supérieures.

**Est-il douteux qu'elles reçoivent** leurs diplômes en juin?

When used negatively, however, expressions of doubt require the indicative in the subordinate clause.

**Il n'est pas douteux qu'elles vont recevoir** leurs diplômes en juin.

**Je ne doute pas que M. Dubois est** un très bon professeur.

1  Pour exprimer votre opinion, transformez les phrases suivantes en commençant par **je doute** ou **je ne doute pas.** Utilisez le subjonctif ou l'indicatif selon ce que vous voulez exprimer.

MODELE   Les cours obligatoires sont nécessaires.

*Je doute que les cours obligatoires soient nécessaires.*

*Je ne doute pas que les cours obligatoires sont nécessaires.*

1. Il y a assez de places sur les parkings de l'université.
2. Mes profs sont tous compétents.
3. Nous nous amusons le week-end.
4. La cuisine du restaurant universitaire est toujours excellente.
5. Tous les étudiants reçoivent leurs diplômes en quatre ans.
6. Mon ami peut avoir une bonne note en cours de *(nom d'une matière)*.
7. Nous écrivons beaucoup de compositions en cours de français.
8. ???

**B. Emotion:** Expressions of emotion are considered to be subjective statements and require the subjunctive after a change of subject, whether used affirmatively, negatively, or interrogatively.

Je **suis contente qu'il ait été reçu** au bac.

Elle **est ravie que son ami aille** à la même université qu'elle.

M. Dumont **est triste que Philippe ne fasse pas** d'études de médecine.

Ses parents **étaient fâchés que Monique ait échoué** à un examen important.

Je **suis désolé que tu ne sois pas admis** à l'Institut Universitaire de Technologie.

Etes-vous **vraiment surpris que j'aie** une mauvaise moyenne en maths?

Nous **avons peur qu'il (n')y ait** trop d'examens dans ce cours.[3]

Je **regrette que vous n'ayez pas réussi** à l'examen.

- Note that after expressions of emotion, when there is no change of subject, an infinitive preceded by **de** is used.

  Je **suis content de réussir.**     *I'm happy to succeed.*

  Elle **est heureuse de venir.**     *She's happy to come.*

**2** Quelles sont les réactions des personnes suivantes? Transformez les phrases selon le modèle.

MODELE   Robert ne fait pas d'études. Ses parents sont tristes ou contents?

*Ses parents sont tristes que Robert ne fasse pas d'études.*

1. Ma sœur et moi, nous voyageons en France l'été prochain. Mes amis sont heureux ou jaloux?
2. Je rentre tard quelquefois. Mes camarades de chambre sont contents ou fâchés?
3. Je fais des études de *(spécialisation)*. Mes parents sont surpris ou fiers?
4. Nous ne sortons pas samedi soir. Mon ami est ravi ou désolé?
5. Je recevrai mon diplôme en *(année)*. Mes parents sont contents ou surpris?
6. J'ai une bonne moyenne en français. Mon prof est heureux ou surpris?

# INTERACTIONS

**Ma famille et moi.** En petits groupes, dressez une liste de cinq de vos activités que votre famille approuve. Puis, faites une liste de cinq activités qui surprennent votre famille. Comparez les listes. Est-ce que les attitudes de vos familles sont semblables ou différentes?

---

[3]After **avoir peur** (and other expressions of fear) you may encounter **ne** before a subjunctive verb used in the affirmative. This is a stylistic device that has become optional in spoken French. If the subjunctive verb is used negatively, both **ne** and **pas** (or other negative) are required, as in any other negative construction.

**3** Choisissez un élément dans chaque colonne, puis posez des questions à d'autres étudiants sur les préoccupations de leur famille et de leurs amis.

| | | |
|---|---|---|
| tes parents | être content(e) que | être à la fac |
| ton père | être surpris(e) que | choisir cette université |
| ta mère | être heureux(-euse) que | avoir une spécialisation pratique |
| ta famille | être fâché(e) que | suivre un cours de français |
| tes amis | avoir peur que | avoir une bonne / mauvaise moyenne |
| | | trouver un bon poste |
| | | réussir dans la vie |
| | | faire des études de *(spécialisation)* |

**4** Voici des phrases entendues au cours d'une conversation entre des étudiants français. Combinez-les en suivant le modèle. Utilisez le **subjonctif** ou **l'infinitif**, selon le cas.

MODELES  J'échoue à l'examen. J'ai peur.
*J'ai peur d'échouer à l'examen.*

Tu ne finis pas ta dissertation. J'ai peur.
*J'ai peur que tu ne finisses pas ta dissertation.*

1. Notre copine réussit son bac. Nous sommes heureux.
2. Elle participe à un programme de formation professionnelle. Etes-vous surpris?
3. Elle fait un bon stage. Elle est heureuse.
4. Jean-Robert a raté son examen de physique. Nous sommes désolés.
5. Tu as de bons résultats. N'es-tu pas ravie?
6. Vous ne comprenez pas la difficulté de certaines séries du bac. J'ai peur.
7. Il ne peut pas faire un stage à l'étranger. Mon copain regrette.
8. Je fais un stage aux Etats-Unis. Je vais être content.
9. Je peux faire ce stage. Malheureusement, ma copine est jalouse.
10. Mes parents peuvent venir me voir aux Etats-Unis. Ils sont ravis.

# INTERACTIONS

**Des regrets.** Avec un(e) partenaire, dressez une liste de cinq choses que vous regrettez. Ensuite, comparez votre liste à celles des autres groupes. Avez-vous des regrets semblables ou différents?

# Note culturelle

## Le cursus

La première étape des études comprend généralement trois années de cours qui mènent à un diplôme. Le DUT (Diplôme Universitaire de Technologie) et le BTS (Brevet de Technicien Supérieur), qu'on obtient dans certains lycées ou certaines écoles privées, sont des diplômes professionnels qui mènent directement à la vie active ou, éventuellement, à une licence professionnelle. La Licence est un titre national qui s'obtient dans une faculté universitaire et donne accès à l'enseignement supérieur long (le Master et au-delà [beyond]). Les nouveaux étudiants choisissent immédiatement la Licence qu'ils vont préparer. Neuf domaines sont possibles: droit, lettres et langues, arts, sciences humaines et sociales, sciences, technologie industrielle, économie et gestion, administration économique et sociale et STAPS (sciences et techniques des activités physiques et sportives). Au cours du mois de septembre, on choisit aussi une mention ou spécialité (par exemple, Histoire) et un parcours (par exemple, Histoire / Langue vivante ou Histoire / Géographie). L'accès au Master est automatique pour les étudiants titulaires d'une Licence de la mention correspondante.

Le Ministère de l'Education Nationale, dont dépendent toutes les universités d'Etat, cherche actuellement à rendre les formations universitaires plus souples et plus adaptées aux besoins des étudiants. Il y a plus de 1,5 million d'étudiants français inscrits en fac. Les droits d'inscription sont toujours assez modiques *(modest)* (de 300 € à 500 € par an), mais les étudiants dépensent en moyenne 700 € par mois pour le logement, les loisirs, l'alimentation et le transport.

### Compréhension

1. Quelle décision importante est-ce que chaque étudiant doit prendre en s'inscrivant à l'université?
2. Qu'est-ce qu'on doit choisir au cours de la première année d'études à la fac?
3. Quel diplôme universitaire peut-on obtenir dans une fac à la fin de la troisième année après le bac?
4. Comparez les frais annuels de l'enseignement supérieur dans une fac française et dans votre université (droits d'inscription, logement, alimentation, etc.).

### Réflexion

En ce qui concerne les premières années universitaires, quelles sont les différences principales entre votre propre expérience et celle des étudiants en France? Comparez la sélection des candidats, les décisions qu'il faut prendre en s'inscrivant, la souplesse ou la rigidité du système, etc.

**C. Will:** Expressions of will are considered to be statements of the speaker's personal desire or preference and require the subjunctive when there is a change of subject in the subordinate clause.

**vouloir**
Je **veux que vous finissiez** vos devoirs.
*I **want you to finish** your homework.*

**désirer**
Ils **désirent que j'aille** à l'université.
*They **want me to go** to the university.*

**préférer**

Elle **préfère que son fils soit** médecin.
*She **prefers her son to be** a doctor.*

**souhaiter**

Je **souhaite que tu finisses** tes études cette année.
*I **wish you would finish** your studies this year.*

The following verbs of ordering or forbidding are also expressions of will. In everyday conversation, however, these verbs are not used in ways that require the subjunctive. They are followed by a noun object introduced by **à,** which in turn is followed by an infinitive introduced by **de.** The noun object may be replaced by an indirect object pronoun that precedes the verb.

**demander à** (quelqu'un) **de** (faire quelque chose)
M. Dumont **a demandé à son fils de** faire des études de médecine.

**dire à** (quelqu'un) **de** (faire quelque chose)
On **dit aux étudiants de** s'inscrire.

**permettre à** (quelqu'un) **de** (faire quelque chose)
Le conseiller **permet à l'étudiant de** suivre cinq cours.

**conseiller à** (quelqu'un) **de** (faire quelque chose)
Le prof **me conseille de passer** l'examen en octobre.

# RAPPEL!

To express a construction consisting of a verb of will followed by another verb form, you must determine if both verbs have the same subject. If the subjects are the same, the verb of will is followed by a dependent infinitive.

| | |
|---|---|
| Je **veux finir** en juin. | *I **want to finish** in June.* |
| Il **désire parler** au prof. | *He **wishes to talk** to the professor.* |
| Ils **préfèrent aller** à l'IUT. | *They **prefer to go** to the IUT.* |

However, if the subject of the verb of will and the subject of the second verb are not the same, the action in the subordinate clause must be expressed with the subjunctive.

| | |
|---|---|
| Ses parents **veulent qu'il finisse** en juin. | *His parents **want him to finish** in June.* |
| Il **veut que nous parlions** au prof. | *He **wants us to talk** to the professor.* |

Beware of the verb **vouloir** when the object of this verb is not the same as its subject. Do not confuse English usage *(He wants **me** to leave.)* with correct French usage *(Il veut que **je** parte.)*.

**5** A la terrasse d'un café en France en compagnie d'amis, vous discutez des relations parents-enfants et des études. Faites des phrases en employant les éléments indiqués. Assurez-vous de bien distinguer entre les phrases où il y a un changement de sujet et celles où le sujet reste le même.

1. les parents américains / désirer toujours / les enfants / réussir à l'école
2. beaucoup de familles / vouloir / les enfants / faire des études universitaires
3. par exemple / ma mère / souhaiter / je / devenir / architecte, comme elle
4. ah oui, en France / les parents / désirer / les jeunes / obtenir / leur bac
5. quelquefois / les jeunes / préférer / choisir une formation professionnelle
6. moi, par exemple / je / vouloir / être / informaticien(ne)
7. mais les parents / préférer / on / choisir / des programmes plus traditionnels
8. mais moi, je / vouloir / travailler en informatique

**6** Quelquefois, il y a de vrais malentendus entre parents et enfants. Voici l'histoire d'Olivier. Reconstruisez ces phrases qui expliquent le problème qu'il a avec sa famille.

1. ses parents / lui / dire / aller à l'université
2. il / leur / demander / la permission / faire une formation professionnelle
3. ils / lui / interdire / s'inscrire dans une école privée d'hôtellerie
4. Olivier / demander / à son conseiller / lui / donner son opinion
5. le conseiller / lui / suggérer / commencer ses études dans une faculté de lettres
6. enfin, Olivier / demander / à ses parents / changer d'avis
7. ils / lui / défendre / faire les études qu'il veut
8. pauvre Olivier, / ses parents / l'empêcher / réaliser son rêve

**7** Parlez des goûts des personnes suivantes en complétant chaque phrase par un verbe approprié.

1. Mes parents (ne) veulent (pas) que je...
2. Je désire que mes parents...
3. Mes amis préfèrent que nous...
4. Mes copains (ne) veulent (pas) que je...
5. Mes professeurs souhaitent que les étudiants...
6. Notre prof de français (ne) désire (pas) que nous...
7. Mon ami(e) (ne) veut (pas) que je...
8. Je (ne) veux (pas) que mon ami(e)...

## INTERACTIONS

**Qu'est-ce qu'on veut que vous fassiez?** Faites une liste de cinq objectifs que vos parents (vos amis, votre petit[e] ami[e]) veulent que vous atteigniez. Comparez votre liste aux listes de vos camarades de classe. Quels souhaits sont les mêmes? Lesquels sont différents?

**D. Thought (Opinion):** The verbs **croire, penser,** and **espérer** require the subjunctive in a subordinate clause when used negatively or interrogatively. When used affirmatively, these verbs no longer imply doubt or subjectivity, and the verb in the subordinate clause is in the indicative.

—**Crois**-tu **qu'il comprenne** bien les conséquences de son choix?
—Oui, je **crois qu'il comprend** bien les conséquences de son choix, mais je **ne crois pas qu'il choisisse** bien son orientation.
—**Pensez**-vous **que ce soit** une bonne chose à faire?
—Je **ne pense pas qu'il soit** nécessaire de faire des études supérieures et je **pense qu'on peut** réussir dans la vie sans diplôme universitaire.

When used negatively or interrogatively, the expressions **être certain(e)(s)** and **être sûr(e)(s)** require the subjunctive in a subordinate clause.

| | |
|---|---|
| Elle **n'est pas certaine que vous vous rattrapiez.** | *She **isn't certain that you'll make it up.*** |
| **Sommes**-nous **certains qu'elle fasse** de son mieux? | *Are we **certain that she's doing her best?*** |
| Nous **ne sommes pas sûrs qu'il parte.** | *We **are not sure that he's leaving.*** |
| **Etes**-vous **sûr que je réponde** bien? | *Are you **sure that I'm answering** well?* |

BUT:

| | |
|---|---|
| Elle **est sûre qu'il fait** son travail. | *She **is sure that he's doing** his work.* |
| Je **suis certain qu'il dit** la vérité. | *I **am certain that he's telling** the truth.* |

# RAPPEL!

Pay special attention to the patterns in the uses of the subjunctive that you have studied to this point.

| EXPRESSION | SUBJUNCTIVE | INDICATIVE |
|---|---|---|
| Doubt | Affirmatively<br>Interrogatively | Negatively |
| Emotion | Affirmatively<br>Negatively<br>Interrogatively | |
| Will | Affirmatively<br>Negatively<br>Interrogatively | |
| Thought / Opinion | Negatively<br>Interrogatively | Affirmatively |

 **8** Pour exprimer votre opinion, mettez **je pense** (**je crois**) ou **je ne pense pas** (**je ne crois pas**) devant les éléments indiqués. En comparant vos opinions à celles de vos camarades de classe, ajoutez une idée supplémentaire pour expliquer votre opinion.

MODELE  la réussite financière / être la chose la plus importante dans la vie

*Je ne crois pas que la réussite financière soit la chose la plus importante dans la vie. L'amitié est aussi très importante.*

1. l'argent / faire le bonheur
2. les femmes / avoir les mêmes chances que les hommes
3. une formation professionnelle / être aussi bonne qu'un diplôme universitaire
4. tout le monde / devoir faire des études universitaires
5. il / être important de suivre un programme d'études générales
6. les cours de langue / être nécessaires
7. certaines spécialisations / garantir un bon poste
8. la réussite / dépendre des études qu'on a faites
9. tous les étudiants / pouvoir facilement trouver des bons postes
10. tous les étudiants / devoir faire du travail bénévole dans leur communauté

 # INTERACTIONS

**Un sondage sur la vie à l'université.** Vous voulez faire un sondage pour découvrir les principaux problèmes dans votre université. Préparez quatre questions à poser aux autres étudiants de la classe. Au sujet de quels problèmes est-ce que tout le monde est d'accord?

MODELE  *Penses-tu qu'il y ait assez de parcs de stationnement sur le campus?*

# L'héritage culturel

## L'Université d'Etat

Au douzième siècle, l'Eglise décide que toute cathédrale doit maintenir une école pour assurer l'instruction de ses clercs. A Paris, c'est de l'une de ces écoles que va naître l'Université de Paris.

- Fondée en 1192, l'Université de Paris a gardé son importance mondiale pendant plusieurs siècles. En province, d'autres universités ont été créées sur le modèle de Paris (par exemple, en 1229 à Toulouse et en 1289 à Montpellier, où se trouve l'école de médecine la plus ancienne d'Europe).
- A la suite de la Révolution française de 1789, les universités ont été supprimées.
- En 1806, Napoléon I$^{er}$ va donc pouvoir créer sa propre université impériale qu'il place sous le contrôle immédiat du Gouvernement. Le principe des universités d'Etat, administrées par le pouvoir central, a donc été formellement établi en France à partir de l'époque napoléonienne. Ce principe est toujours en vigueur.

### Compréhension

1. Depuis combien de temps existe l'Université de Paris?
2. A partir de l'époque de Napoléon, qui administre les universités en France?

### Réflexion

Retracez rapidement l'histoire des universités françaises. De quelle institution (l'Eglise ou l'Etat) dépendent-elles au Moyen Age, pendant le Premier Empire et à partir du dix-neuvième siècle? La tradition des universités dans votre pays ressemble-t-elle à celle-ci?

## La Sorbonne

Le dôme de la Sorbonne: un excellent exemple du classicisme en architecture

La Sorbonne, symbole de l'université française, a longtemps été la Faculté de théologie, de philosophie et de lettres de Paris. En plus de son importance historique, cette université parisienne présente aussi un intérêt architectural.

- En 1257, Robert de Sorbon, confesseur et chapelain du roi Saint Louis, fonde un établissement pour faciliter l'étude de la théologie chez les étudiants (appelés écoliers) pauvres. A partir de la Renaissance (seizième siècle), cette faculté de théologie a été connue sous le nom de Sorbonne.
- Au dix-septième siècle, le cardinal Richelieu, Ministre du roi, demande à l'architecte Lemercier de reconstruire la Sorbonne. La magnifique chapelle de la Sorbonne, avec son dôme néo-classique de style Louis XIII, date de cette époque. Les bâtiments de la Sorbonne que nous admirons aujourd'hui ont été rénovés ou modifiés vers 1900.

## Compréhension

1. Qui a fondé la Sorbonne? En quelle année? Pour quelle raison?

2. Qui a fait reconstruire la Sorbonne au dix-septième siècle? De quel style architectural s'agit-il?

## Réflexion

Quelles raisons historiques, géographiques, esthétiques, etc., les étudiants actuels des universités de la Sorbonne peuvent-ils donner pour justifier leur inscription dans leur université?

# Jules Ferry et l'école républicaine

Sous la Troisième République (1870–1940), la France a connu des progrès impressionnants en matière d'éducation. Certaines de ses «valeurs républicaines» exercent encore leur influence sur l'enseignement français contemporain.

- Jules Ferry (1832–1893) était Ministre de l'Instruction Publique lorsque la France a voté la «loi Jules Ferry» de 1882 par laquelle l'école primaire publique est devenue gratuite pour tous, laïque (c'est-à-dire neutre en matière de religion et de politique) et obligatoire de 7 à 13 ans.

- A partir de 1889, les instituteurs deviennent des fonctionnaires d'Etat et une instruction morale et civique remplace l'enseignement religieux.

- Au début, seule l'école primaire n'est pas payante. En 1932, les études secondaires deviennent également gratuites. A partir de 1924, l'enseignement dans les lycées de jeunes filles, institués par la loi de 1880, va s'aligner sur le modèle masculin.

## Compréhension

1. Qui était Jules Ferry? Qu'est-ce qu'il a établi par la loi de 1882?

2. Depuis 1889, pour qui travaille tout éducateur de l'enseignement public?

3. Quand est-ce que l'enseignement secondaire est devenu complètement gratuit en France?

4. A quel moment l'enseignement secondaire des filles est-il devenu l'égal de celui des garçons?

## Réflexion

Que veut dire le mot «république»? Dans quel sens un système éducatif peut-il avoir les valeurs républicaines dont Jules Ferry a été, en grande partie, responsable?

## The Subjunctive after Impersonal Expressions

An impersonal expression is any verbal expression that exists only in the third-person singular form and has **il** or **ce** (meaning *it*) as its subject. Impersonal expressions normally require the subjunctive in a subordinate clause because such generalizations imply that the statement being made is open to doubt or is the subjective opinion of the speaker.

The following is a list of some impersonal expressions that require the subjunctive.

| Impersonal Expressions with *être* | | |
|---|---|---|
| il est nécessaire | *it is necessary* | Il est nécessaire que vous fassiez des études. |
| il est essentiel | *it is essential* | Il est essentiel qu'il aille en classe. |
| il est important | *it is important* | Il est important que je choisisse mes cours. |
| il est possible | *it is possible* | Il est possible que vous n'ayez pas compris. |
| c'est dommage | *it's a pity* | C'est dommage qu'il ne réussisse pas. |
| c'est triste | *it is sad* | C'est triste qu'elle ait échoué à l'examen. |
| il est surprenant | *it is surprising* | Il est surprenant que ce cours soit mauvais. |
| ce n'est pas la peine | *it's not worth the trouble* | Ce n'est pas la peine qu'il vienne me voir. |

| Impersonal Verbs | | |
|---|---|---|
| il faut | *it is necessary* | Il faut que vous vous inscriviez. |
| il vaut mieux | *it's better* | Il vaut mieux que nous assistions aux cours. |
| il semble | *it seems* | Il semble que le cours finisse en juin. |
| il se peut | *it's possible* | Il se peut que vous ayez tort. |

The following impersonal expressions require the indicative in the subordinate clause when used affirmatively.

| | |
|---|---|
| il est certain | *it's certain* |
| il est sûr | *it's sure* |
| il est probable | *it's probable* |
| il est évident | *it's evident* |
| il est clair | *it's clear* |
| il est vrai | *it's true* |
| il paraît | *it seems* |
| il me semble[4] | *it seems to me* |

Il est certain que vous avez raison.
Il est vrai qu'il connaît l'université.
Il me semble que vous séchez trop de cours.

[4]Note that the expression **il semble** always requires the subjunctive, whereas **il me semble** requires the subjunctive only when used negatively or interrogatively.

If these expressions are used in the negative or interrogative, the subordinate clause is in the subjunctive.

**Il n'est pas sûr que je réussisse** à cet examen.
**Il n'est pas probable qu'elles aillent** à l'université.
**Est-il clair qu'elle ait compris?**

# RAPPEL!

In using impersonal expressions, if you are making a broad general statement rather than addressing a specific person, there is no need for a subordinate clause. In such cases, the impersonal expression is followed by an infinitive. The expressions involving **être** take the preposition **de** before the infinitive.

**Il faut s'inscrire** en août.

**Il faut que vous vous inscriviez** avant de partir en vacances.

**Il vaut mieux assister** à toutes les conférences.

**Il vaut mieux qu'il assiste** au cours de maths.

**Il est nécessaire de remplir** certains formulaires.

**Il est nécessaire**, monsieur, **que vous remplissiez** certains formulaires.

**Il est important d'établir** un bon programme.

**Il est important qu'elles établissent** un bon programme.

**9** Après une soirée, il faut tout ranger. Transformez les phrases en utilisant **Il faut que** pour indiquer la distribution des tâches nécessaires.

1. Tu ranges la cuisine.
2. Nous lavons tous les verres.
3. On remet toutes les chaises à leurs places.
4. Quelqu'un fait la vaisselle.
5. Je rends ses CD à ma copine.
6. Mon copain reprend son lecteur de CD.
7. Nous nous couchons!
8. ???

**10** Votre ami du Sénégal va venir passer l'année dans votre université. Vous lui écrivez pour lui donner des conseils. Complétez chaque phrase en mettant les verbes entre parenthèses à la forme appropriée du **subjonctif** ou de **l'indicatif**.

1. D'abord, il est possible que les frais d'inscription _____ soient plus élevés pour l'année prochaine. (être)
2. Il faut que tu _____ écrives au bureau des inscriptions pour savoir s'il va y avoir une augmentation. (écrire)
3. Il est essentiel que tu _____ t'inscrives tout de suite aux cours que tu veux suivre. (s'inscrire)
4. Il est toujours possible que certains cours _____ soient complets. (être)
5. Il est important que tous les étudiants _____ viennent à la première séance d'orientation. (venir)
6. Il est probable que tu _____ as au moins un camarade de chambre. (avoir)
7. Il n'est pas sûr que nous _____ habitions la même résidence. (habiter)
8. Il est important que ton conseiller _____ comprenne ta situation en tant qu'étudiant étranger. (comprendre)
9. C'est dommage que tu ne _____ puisses pas arriver plut tôt. (pouvoir)
10. Il est certain que je _____ viens te chercher à l'aéroport. (venir)

## INTERACTIONS

**Un programme d'échange.** Puisque vous parlez français, on vous demande d'accueillir deux Martiniquaises qui vont passer l'année dans votre université. Travaillez en groupes où quelqu'un joue le rôle d'une des étudiantes de la Martinique. Les autres membres du groupe lui donnent des conseils et la Martiniquaise pose des questions sur les conseils du groupe.

MODELE CONSEIL D'UN ÉTUDIANT: *Il faut que tu t'inscrives tôt pour choisir tes cours.*

QUESTION DE LA MARTINIQUAISE: *Combien de cours faut-il que je suive?*

## SYNTHESE

**A.** Voici des phrases entendues au cours d'une soirée entre étudiants au moment de la rentrée. Composez une seule phrase en liant les deux propositions indiquées.

MODELES  j'ai peur / Yves vient
*J'ai peur qu'Yves (ne) vienne.*

j'ai peur / je pars si tôt
*J'ai peur de partir si tôt.*

1. n'es-tu pas content / on vient chez toi ce soir

2. elle veut / on est à l'heure pour la soirée

3. nous sommes désolés / Jean-Luc ne peut pas venir

4. tout le monde souhaite / elle se rattrape

5. je crois / il va revenir cette année

6. penses-tu / il est arrivé avant la rentrée

7. mon prof de français a exprimé le désir / je suis un cours avancé

8. ma mère est triste / je veux quitter l'université avant d'avoir obtenu mon diplôme

9. mais j'ai peur / je ne réussis pas à ce cours

10. désires-tu / tu pars si tôt

11. je n'ai aucun doute / ce prof est sévère

12. elle préfère / on va au cinéma demain soir

13. je suis étonné(e) / il a changé de spécialisation

14. j'espère / il va me demander de sortir avec lui cette semaine

15. je souhaite / je finis mes études l'année prochaine

**B.** Complétez les phrases suivantes en exprimant vos opinions personnelles sur votre université.

1. Il me semble que les étudiants ici...

2. Je pense que les livres qu'on achète à la librairie...

3. Je suis certain(e) que les profs...

4. Je voudrais que la bibliothèque...

5. Je doute que les étudiants...

6. Il paraît que notre restaurant universitaire...

7. Il est important que ma spécialisation...

8. Je crois que les cours obligatoires...

9. Je voudrais que ma résidence...

10. Il me semble que le plus gros problème à l'université...

# INTERACTIONS

**Quelle formation choisir?** Pour plusieurs jeunes en France, une formation professionnelle est plus intéressante et plus pratique qu'une formation traditionnelle à l'université. Discutez du portrait suivant.

*Apprentie en CAP doreur à la feuille ornemaniste au CFA parisien de l'ameublement, Alice est salariée à l'atelier Mariotti d'Etréchy (Essonne).*

## Alice, 22 ans
« Lycée professionnel et CFA, les deux établissements m'ont été utiles »

« Mes années de collège sont plutôt un mauvais souvenir, car ayant redoublé ma quatrième, j'ai surtout cherché à éviter la voie générale. Par chance, je me suis rendue aux journées portes ouvertes de plusieurs lycées professionnels, et c'est en visitant la salle de dessin de l'atelier des ébénistes que j'ai flashé. J'ai ainsi enchaîné un CAP et un bac pro par la voie scolaire, en sachant profiter des avantages de cette filière. L'un de mes stages a eu lieu chez mon actuel patron, qui fait également de la dorure. Grâce à cette expérience, j'ai pu faire mon deuxième stage en dorure à Florence en bénéficiant du programme Leonardo. Au début de l'année dernière, mon patron m'a rappelée pour travailler sur un chantier très intéressant au Louvre : la restauration de l'une des salles, la galerie d'Apollon. Ce projet m'a décidée à commencer un CAP doreur à la feuille ornemaniste, mais cette fois-ci en apprentissage. Au CFA les rapports avec les profs sont plus humains, et comme on applique immédiatement chez l'employeur les techniques qu'on nous enseigne, on prend plus rapidement confiance en soi. »

1. Décrivez l'expérience d'Alice au collège.
2. Comment a-t-elle découvert la filière professionnelle qu'elle veut suivre?
3. Comment a-t-elle appris l'art de la dorure *(gilding)*? (N.B.: *ornemaniste* veut dire graveur / dessinateur de meubles ou d'objets d'art)
4. Où a-t-elle travaillé récemment? Qu'est-ce qu'elle y faisait?
5. Pourquoi aime-t-elle la formation professionnelle?

Parmi vos amis, est-ce que la formation professionnelle est aussi bien vue que la formation traditionnelle? Avez-vous des amis qui ont choisi une formation professionnelle? Si oui, laquelle? Comment avez-vous réagi à ce choix? Que pensez-vous de la formation professionnelle en général?

# POUR S'EXPRIMER
## A l'écoute
### Mise en scène

CD2, Track 9

Ecoutez la conversation entre Jim et Sébastien au sujet du système éducatif français.
**Contexte:** Jim passe sa troisième année universitaire dans une fac française. Sébastien vient d'arriver à la même université où il sympathise bientôt avec Jim. Chacun est curieux d'en savoir plus sur le système éducatif de l'autre. Il y a tant à apprendre sur les règlements, c'est-à-dire la partie officielle de l'enseignement supérieur, mais aussi sur son fonctionnement officieux *(unofficial)*, qui est souvent surprenant.

## Avant d'écouter

1. Faut-il passer un examen national pour entrer à l'université aux Etats-Unis?
2. Est-ce qu'un mauvais résultat à un seul examen peut empêcher un(e) étudiant(e) d'être admis(e) à l'université?
3. Qu'est-ce qu'il faut faire pour s'inscrire aux cours dans votre université? Est-ce que le procédé des inscriptions est difficile?
4. Quels sont les frais d'inscription annuels?
5. Décrivez un peu la vie universitaire sur votre campus. Par exemple, expliquez où les étudiants habitent, où ils prennent leurs repas, s'il y a des confréries *(fraternities and sororities)*, s'il y a des équipes sportives, etc.

## Compréhension

**A.** Sébastien décrit les cours qu'il a dû suivre pendant son année de terminale au lycée. En quoi consiste le programme qu'il a suivi? Est-ce très différent de ce que vous avez fait en dernière année? Quels résultats a-t-il obtenus à la fin de l'année?

**B.** Comme beaucoup de Français, Sébastien emploie des abréviations, comme «amphi» pour amphithéâtre, dans la conversation. Combien de ces formes abrégées pouvez-vous trouver dans le dialogue? Faites une liste de toutes celles que vous ne comprenez pas du premier coup. Le contexte vous permet-il d'en deviner au moins le sens général?

**C.** Imaginez que c'est Sébastien qui vous demande: «Et ça coûte cher, tout ça?», en parlant des études universitaires chez vous. Répondez-lui. Employez, si possible, le vocabulaire du dialogue.

**D.** D'après l'explication donnée par Sébastien sur la vie sociale dans les universités françaises, en quoi celle-ci ressemble-t-elle à la vie associative dans votre propre université? Quelles sont les différences?

 ## A vous la parole

Voici une liste d'expressions souvent employées pour présenter une opinion personnelle ou pour discuter d'idées abstraites.

| | |
|---|---|
| A mon avis, il est évident que... | Moi, je crois que... |
| Ah non, je ne crois pas que... | Personnellement, je regrette que... |
| A vrai dire, je ne suis pas sûr(e) que... | Pour ma part, je suis certain(e) que... |
| Franchement, je suis désolé(e) que... | Quant à moi, je doute que... |
| Je ne pense pas que... | Vraiment, je suis surpris(e) que... |
| Je pense que... | |

Voici certains sujets de discussion souvent abordés par les étudiants. Utilisez les expressions précédentes pour formuler vos propres opinions sur les déclarations suivantes. Faites tous les changements nécessaires. Un(e) camarade de classe doit ensuite donner sa propre opinion.

1. Pour réussir dans la vie, tout le monde a besoin de faire des études universitaires.
2. Les études universitaires doivent être plus orientées vers une formation professionnelle.
3. Les frais d'inscription coûtent trop cher.
4. L'énergie nucléaire est trop dangereuse.
5. Les manipulations génétiques vont beaucoup apporter à l'humanité.
6. L'union libre mène à des mariages plus durables.
7. Le Gouvernement doit avoir un droit de censure sur les paroles des chansons de rock.
8. Il est nécessaire d'augmenter les impôts pour garantir une assurance maladie à tous les citoyens des Etats-Unis.

**Situations orales**

**A.** Plusieurs membres de la classe donnent leur avis sur ce qu'il est nécessaire (important, essentiel, bon, etc.) qu'une personne fasse (possède, soit, etc.) pour être heureuse dans la vie. Les autres étudiants vont donner leurs opinions. Selon l'ensemble des réponses, qu'est-ce qui constitue le bonheur dans la société d'aujourd'hui?

**B.** L'organisation internationale de l'OTAN *(NATO)* offre un stage rémunéré pour travailler dans ses bureaux de Bruxelles pendant l'été. Les candidats intéressés doivent se présenter pour un entretien avec le comité de sélection aux Etats-Unis. Travaillez en groupes. Une personne joue le rôle du candidat (de la candidate) et donne un bref résumé de son expérience académique et professionnelle. Les autres membres du groupe représentent le comité et posent des questions sur l'expérience et les projets professionnels du candidat (de la candidate).

# Structures III

## The Subjunctive after Certain Conjunctions

The following conjunctions are followed by a subordinate clause with a verb in the subjunctive when there is a change of subject. If there is no change of subject, these conjunctions are followed by an infinitive. Note that in such cases, **que** is dropped, and some of the conjunctions take **de** to introduce the infinitive.

|  | Change of Subject | Single Subject |
|---|---|---|
| **(que / de)** *before* | **Mon conseiller** me parle **avant que je (ne)**[5] **m'inscrive.** | **Je** parle à mon conseiller **avant de m'inscrire.** |
| **sans (que)** *without* | **Il** quitte l'école **sans que ses parents** le **sachent.** | **Il** quitte l'école **sans l'annoncer.** |
| **à moins (que / de)** *unless* | **Il** va quitter l'école **à moins que ses parents (ne)** le **laissent** vivre à la résidence universitaire. | **Il** va quitter l'école **à moins de changer** d'avis. |
| **afin (que / de)** *so that* | **Je** me spécialise en biologie **afin que mes parents soient** heureux. | **Je** me spécialise en biologie **afin de trouver** un bon poste. |
| **pour (que)** *in order that / to* | **Vous** venez **pour que nous** vous **passions** des polycopiés. | **Vous** venez nous voir **pour avoir** des polycopiés. |
| **de peur (que / de)** *for fear that / of* | **Il** a bien étudié **de peur que le prof (ne) donne** un examen. | **Il** a bien étudié **de peur d'échouer.** |

[5]These expressions may be followed by the pleonastic **ne** before the subjunctive verb.

The following conjunctions must always be followed by a verb in the subjunctive, even when there is no change of subject.

|  | Change of Subject | Single Subject |
|---|---|---|
| **bien que** *although* | **Il** aime le cours **bien que le sujet soit** difficile à comprendre. | **Il** aime le cours **bien qu'il n'y aille pas** souvent. |
| **quoique** *although* | **Vous** séchez des cours **quoique vos notes soient** mauvaises. | **Vous** séchez des cours **quoique vous ayez** de mauvaises notes. |
| **pourvu que** *provided that* | **Je** vais suivre ce cours **pourvu que la classe soit** peu nombreuse. | **Je** vais suivre ce cours **pourvu que j'aie** le temps. |
| **jusqu'à ce que** *until* | **Nous** allons travailler **jusqu'à ce que vous arriviez.** | **Nous** allons travailler **jusqu'à ce que nous comprenions** ce problème. |

## RAPPEL!

The conjunctions **après que, pendant que, parce que, aussitôt que,** and **dès que** are not followed by the subjunctive because they introduce a clause that is factual rather than hypothetical.

Il m'a parlé **après que vous êtes partie**.     *He spoke to me **after you left**.*

Je vais travailler **pendant qu'elle est** à l'école.     *I'm going to work **while she's at school**.*

D'habitude, ils partaient **aussitôt que j'avais fini**.     *They usually left **as soon as I had finished**.*

---

**1** Il y a toujours beaucoup de choses à faire avant de quitter le campus à la fin de l'année universitaire. Reliez les deux phrases indiquées en employant **avant que.**

MODELE   Je rends mes livres à la bibliothèque. Elle ferme.
> *Je rends mes livres à la bibliothèque avant qu'elle ferme.*

1. Nous devons dire au revoir aux amis. Ils s'en vont.

2. Je dois téléphoner à ma famille. Elle vient me chercher à la fac.

3. Il faut ranger notre chambre. Nous partons.

4. Tous les étudiants vont revendre leurs manuels de cours. La librairie est fermée.

5. Il est nécessaire de bien organiser mes affaires. Nous les mettons dans la voiture.

6. Il faut se mettre en route. Il fait nuit.

7. ???

**2** Votre amie Emma vient passer une année aux Etats-Unis. Elle doit s'incrire dans votre université et vous lui envoyez un e-mail avec des conseils pratiques. Complétez la liste par la forme appropriée des verbes entre parenthèses.

1. Je vais t'envoyer de la documentation avant que tu ne _____ de Montpellier. (partir)

2. Bien que les inscriptions ne _____ pas très compliquées, tu as besoin de t'inscrire tôt. (être)

3. Je vais t'envoyer une des brochures que l'université a préparées pour qu'on _____ quels cours sont au programme. (savoir)

4. Tu peux suivre n'importe quels cours, pourvu qu'il y _____ de la place. (avoir)

5. Tu dois te préinscrire avant d'_____ sur le campus. (arriver)

6. On peut attendre jusqu'à ce que tu _____ sur le campus pour t'inscrire définitivement. (être)

7. Tu vas pouvoir avoir les cours que tu veux, pourvu que tu n'_____ pas trop longtemps pour envoyer ton dossier. (attendre)

8. Tu ne dois pas aller plus loin sans _____ un dossier. (préparer)

9. Je vais t'envoyer le nom d'un conseiller pour que tu lui _____ avant d'_____ aux Etats-Unis. (écrire / arriver)

10. Nous pouvons nous retrouver dès ton arrivée pour _____ ensemble de ta vie à l'université américaine. (parler)

**3** Maintenant, c'est à vous d'exprimer quelques-unes de vos opinions sur la vie d'étudiant chez vous. Complétez chaque phrase logiquement.

1. Je fais de mon mieux pour que mes parents...

2. Je ne m'inscris jamais à un cours sans...

3. J'aime bien le professeur pourvu qu'il / elle...

4. Je ne sèche jamais mon cours de *(nom d'une matière)* de peur...

5. J'ai choisi de faire des études universitaires pour...

6. J'étudie le français bien que...

7. J'ai réussi quoique...

8. J'accepte l'opinion de mon conseiller (ma conseillère) pourvu que...

## INTERACTIONS

**Un voyage en Belgique.** Vous faites partie d'un groupe qui va passer quinze jours à Bruxelles pour visiter quelques-unes des organisations de l'Union européenne. Avec un(e) partenaire, dressez une liste des préparatifs pour ce voyage.

MODELE —*Il faut prendre nos billets d'avion bien à l'avance pour obtenir les meilleurs tarifs.*

—*Je vais prendre un taxi pour me rendre à l'aéroport pourvu que ça ne coûte pas trop cher.*

# Note culturelle

## *Etablissements privés et apprentissage*

La formation en alternance associe une formation dans un établissement d'enseignement à un stage pratique en entreprise.

Dans la tradition française, l'université forme des penseurs, des étudiants sélectionnés sur la base de l'intelligence conceptuelle. Mais de plus en plus de Français cherchent une réconciliation entre la théorie et la pratique. C'est la mission que se donnent actuellement beaucoup d'établissements privés, surtout ceux qui sont orientés vers le monde de l'entreprise.

- La préparation par un enseignement commercial se fait très souvent dans des établissements d'enseignement supérieur technique privés. Beaucoup de ces instituts et écoles offrent à leurs élèves des possibilités d'insertion professionnelle rapide «dès la sortie» de l'école.

- La formation par apprentissage offre un excellent moyen de préparer un diplôme de l'enseignement technique reconnu et offre, en même temps, une expérience professionnelle.

- La formation en alternance, c'est partager son temps entre les bancs de l'école et un poste en entreprise tout en touchant un salaire pour le travail en contrat à durée déterminée et, parfois, indéterminée.

### Compréhension

1. Est-ce que l'intelligence conceptuelle, favorisée par les universités, s'associe plutôt à la théorie ou à la pratique?

2. Quelle sorte d'enseignement reçoit-on souvent dans les établissements d'enseignement privés?

3. Quelle sorte de préparation et d'opportunités la formation par apprentissage et la formation en alternance offrent-elles?

### Réflexion

La plupart des universités françaises sont publiques et fonctionnent sous l'administration de l'Etat. Dans le secteur privé, les écoles ou instituts qui assurent un enseignement supérieur sont de caractère essentiellement différent des établissements publics. Quel est le profil des étudiants qui s'inscrivent dans le privé? S'agit-il de la même motivation chez vous et en France? Expliquez les différences.

## The Subjunctive after Indefinite Antecedents

When a subordinate clause refers to a concept (or antecedent) in the main clause that is indefinite, the subordinate verb is in the subjunctive. The context of the sentence will indicate that the existence or nature of the antecedent is doubtful or open to question.

Je cherche **une voiture qui soit** économique.

*I'm looking for **a car that is** economical.*

| Il veut trouver **une chambre qui ait** une belle vue. | *He's looking for **a room that has** a good view.* |
| Nous voulons **une spécialisation qui nous permette** de réussir. | *We're looking for **a major that will permit us** to succeed.* |
| Elles cherchent **des amis qui fassent** aussi des études. | *They're looking for **friends who are** also going to school.* |

When the context of the sentence indicates that the subordinate clause refers to a definite person or thing, the verb is in the indicative.

J'ai acheté **une voiture qui est** très économique. *(You know the car exists.)*

Il a loué **une chambre qui a** une belle vue. *(He knows the room has a view.)*

Nous avons choisi **une spécialisation qui nous permet** de réussir. *(We know that the major will help us succeed.)*

Elle a **des amis qui font** aussi des études. *(She has these friends already.)*

If the antecedent is preceded by a definite article, this is normally a good indication that the verb in the subordinate clause should be in the indicative.

Voilà **la voiture qui est** si chère.

Nous voulons voir **la chambre qu'il a louée.**

4 Au moment de la rentrée, des copains parlent de différents aspects de la vie d'étudiant. Complétez leurs phrases par la forme appropriée du verbe entre parenthèses.

1. J'espère trouver une chambre qui ne _____ pas trop chère. (être)
2. Nous cherchons une librairie qui _____ des livres bon marché. (vendre)
3. Moi, je veux trouver une spécialisation qui _____ utile. (être)
4. Connaissez-vous quelqu'un qui _____ la date des inscriptions? (savoir)
5. J'ai déjà suivi des cours qui _____ obligatoires. (être)
6. Il faut trouver un prof qui _____ les problèmes des étudiants. (comprendre)
7. J'ai un colocataire qui _____ des études de commerce. (faire)
8. Je ne veux pas suivre un de ces cours où il y _____ une centaine d'étudiants. (avoir)
9. J'ai un conseiller qui _____ bien m'aider à choisir mes cours. (savoir)
10. Nous voulons trouver une colocataire qui _____ le même horaire que nous. (avoir)

5 Vous parlez de votre vie à l'université avec un(e) ami(e). Complétez les phrases suivantes par la forme appropriée des verbes entre parenthèses.

1. Moi, je cherche des copains qui _____ intéressants. (être)
2. Ma copine a des amis qui _____ marrants *(amusing)*. (être)
3. Je voudrais trouver une spécialisation qui _____ des débouchés *(career options)* intéressants. (offrir)
4. Il me faut trouver un poste qui _____ bien. (payer)
5. Toi, tu as choisi des cours qui _____ difficiles. (être)
6. Nous avons trouvé des filières que nous _____ bien. (aimer)
7. Je dois chercher un(e) colocataire qui ne _____ pas jusqu'à deux heures du matin. (sortir)
8. Pour le semestre prochain, pouvez-vous m'aider à choisir un emploi du temps qui ne _____ pas si chargé? (être)

**6** Avec un(e) ami(e), vous parlez de votre vie à l'université. Complétez les phrases suivantes pour indiquer votre point de vue.

1. Moi, je cherche des copains qui...
2. Toi, tu choisis des cours qui...
3. Notre université cherche des étudiants qui...
4. Je voudrais trouver une spécialisation qui...
5. Je suis spécialiste de *(spécialisation)* et il me faut trouver un poste qui...

# INTERACTIONS

**Projets d'été.** En petits groupes, posez des questions à vos camarades de classe sur leurs projets pour l'été et pour l'année prochaine. Ensuite, comparez les réponses.

MODELE　—*Quelle sorte de job cherches-tu pour l'été?*

　　　　　—*Je cherche un job qui ne soit pas situé trop loin de chez moi.*

## The Subjunctive in Superlative Statements

When a superlative is followed by a subordinate clause, the verb in the subordinate clause is normally in the subjunctive because most superlatives are subjective statements of opinion.

| | |
|---|---|
| La chimie, c'est **le cours le plus difficile qu'on puisse** suivre ici. | *Chemistry is **the hardest course you can** take here.* |
| Mme Roland est **le meilleur prof qui soit** à l'université. | *Mme Roland is **the best professor who is** at this university.* |

Remember that **personne, rien,** and **le seul** may be used as superlatives and require the subjunctive in a following subordinate clause.

| | |
|---|---|
| Il n'y a **personne qui puisse** réussir à ce cours. | *There is **no one who can** pass this course.* |
| Je ne vois **rien qui soit** intéressant dans le cursus du semestre. | *I don't see **anything that is** interesting in the course offerings this semester.* |
| Une mauvaise moyenne en maths n'est pas **le seul problème qu'il ait** ce semestre. | *A bad average in math isn't **the only problem** he has this semester.* |

The subjunctive is not used following a superlative that is a statement of fact rather than an expression of opinion.

| | |
|---|---|
| C'est **le plus avancé des cours qu'elle suit** ce semestre. | *It is **the most advanced course that she is taking** this semester.* |

**7** Voici plusieurs affirmations superlatives entendues parmi les étudiants. Complétez les phrases ci-dessous par la forme appropriée du verbe entre parenthèses.

1. C'est l'examen le plus difficile qu'on _____ imaginer. (pouvoir)
2. Il n'y a personne qui ne _____ pas de soucis avant un examen important. (se faire)
3. Tu vois ces hommes là-bas? C'est le plus grand qui _____ mon prof de biologie. (être)

4. C'est le meilleur cours que je _____ ce semestre. (suivre)

5. Le prof nous a dit que la note la plus basse _____ de soixante pour cent. (être)

6. J'ai donné la seule réponse que je _____. (savoir)

7. Il n'y a pas un seul étudiant qui _____ tout le temps, pas vrai? (réussir)

8. Un D en maths? Ce n'est pas la plus mauvaise note qu'on _____ avoir. (pouvoir)

9. Les étudiants en quatrième année sont les seules personnes qui _____ la possibilité de s'inscrire avant les autres. (avoir)

## INTERACTIONS

**Selon toi...** Posez des questions à votre partenaire en utilisant le superlatif pour déterminer quelques-unes de ses opinions. Partagez-vous les mêmes idées?

MODELE   *Quel est le meilleur film que tu aies vu?*
         *Quel est le cours le plus difficile que tu suives ce semestre?*

## SYNTHESE

**A.** Vous écoutez une conversation entre plusieurs jeunes Bruxellois qui parlent de leur année universitaire. Complétez chaque phrase par la forme convenable des verbes entre parenthèses.

1. Oh là là! Ce cours de maths est le cours le plus difficile que je _____. (suivre)

2. L'année prochaine, je vais essayer de trouver des cours qui ne _____ pas si durs. (être)

3. Tu cherches un appartement que tu _____ partager avec d'autres étudiants? (pouvoir)

4. Oui, et j'ai bien trouvé un petit appart qui _____ situé très près de la faculté. (être)

5. Il faut que vous _____ certaines décisions avant de _____ en vacances. (prendre, partir)

6. Il est certain que je _____ travailler pendant l'été pour payer mes frais de scolarité. (devoir)

7. Dans mon cours de Science Po, la note la plus mauvaise à l'examen _____ un huit sur vingt. (être)

8. Il est probable que nous ne _____ pas nous revoir pendant les vacances. (pouvoir)

9. Mes parents sont très contents que je _____ un stage aux Etats-Unis cet été. (faire)

10. Je veux que vous m'_____ tous des e-mails pendant les vacances. (écrire)

**B. Interview: la vie d'étudiant.** Posez les questions suivantes à un(e) camarade de classe.

1. Est-ce que tes professeurs te demandent de faire trop de travaux pratiques?

2. Penses-tu que certains professeurs soient trop indulgents? Lesquels? Y en a-t-il d'autres qui sont trop sévères? Lesquels?

3. Crois-tu que les étudiants américains doivent apprendre beaucoup de choses par cœur? Si oui, pour quels cours?

4. Penses-tu qu'il faille apprendre une langue étrangère pour acquérir une bonne instruction? Pourquoi?

5. Au mois de septembre, avant le premier examen, est-ce que tu as peur que certains professeurs soient trop exigeants? En quoi sont-ils parfois exigeants?

6. Penses-tu que les rapports entre la plupart des étudiants et leurs professeurs soient bons? Peux-tu en donner des exemples?

7. Es-tu surpris(e) que bien des étudiants aient des problèmes d'argent? Qu'est-ce qu'ils font pour trouver des solutions à ces problèmes?

8. Quel est le cours le plus intéressant que tu aies jamais suivi? Pourquoi?

9. Quels avantages ou inconvénients y a-t-il à habiter dans une résidence universitaire? Crois-tu qu'on soit plus heureux dans un appartement que dans une chambre en résidence universitaire?

10. Penses-tu que les étudiants américains soient suffisamment sérieux en ce qui concerne leurs études? Pourquoi?

# RAPPEL!

Occasionally for stylistic reasons, it is possible to avoid a subjunctive construction by choosing an alternative means of expression such as:

1. two independent sentences or a compound sentence containing two independent clauses rather than a single complex sentence containing a subordinate clause (It may be necessary to invert the order in which the ideas are expressed.)

   Ma copine est désolée **que je n'aie pas été reçu.**
   **Je n'ai pas été reçu,** et ma copine (en) est désolée.

2. a conjunction that does not trigger the subjunctive

   Je suis quatre cours actuellement **bien que (quoique) cela soit** difficile.
   Je suis quatre cours actuellement **même si cela est** difficile.

## Situations écrites

Comme candidat(e) à la bourse de l'OTAN (voir la page 297), vous devez rédiger un CV accompagné d'une lettre de motivation. En utilisant les documents suivants comme modèles, rédigez votre propre CV, puis écrivez une lettre de motivation pour le stage rémunéré de l'OTAN à Bruxelles.

### ••• Bien rédiger son CV
Le curriculum vitae est votre carte de visite. Il doit être concis, c'est-à-dire tenir sur une seule page, et développer un certain nombre de rubriques.

Le CV de Linda est dans l'ensemble bien présenté, et sans faute d'orthographe. Les rubriques sont claires et concises. La jeune fille a su retenir l'essentiel de son parcours. Quand on rédige son CV, il faut prendre soin de ne pas « lasser » le lecteur et toujours penser qu'il doit pouvoir intégrer les informations en un coup d'œil.

Linda Durand
28, rue Lamennais, 75010 Paris
Tél. 00.00.00.00.00
Née le 12/03/1984
Célibataire

**Formation visée**
2002/2003 – Préparation d'un BTS assistant de direction en alternance.

**Diplômes obtenus**
2002 – Baccalauréat professionnel secrétariat.
2000 – BEP métiers du secrétariat.

**Expérience professionnelle/Stages**
Septembre 2002 – Secrétaire commerciale chez Alcatel.
Standard, accueil, fax, saisie des factures, planning, prise de commandes, photocopies, classement.
Septembre/octobre 2001 – Secrétaire au service formation de l'hôpital Saint-Antoine.
Relations téléphoniques, classement, saisie et envoi du courrier, dispatching du courrier, télécopie.
Février/avril 2001 – Secrétaire au service communication de la Fédération professionnelle du bâtiment.
Standard, fax, archivage, saisie de courrier, mise en page de revues de presse, travaux administratifs liés à la préparation d'une grande opération de communication.

**Connaissances informatiques**
WORD
SAP, CIEL, QUALIAC
EXCEL
ACCESS

**Connaissances linguistiques**
Anglais : bonnes notions.
Espagnol : lu, parlé, écrit couramment.
Portugais : bonnes notions.

### Soigner sa lettre de motivation
La lettre de motivation est le complément indispensable du CV. Là encore, il n'existe pas de modèle type, puisque la lettre reflète votre personnalité. Pensez-y, la lettre de motivation n'est pas faite pour répéter le CV, mais pour susciter l'intérêt du lecteur. Il ne faut pas perdre de vue que l'objectif est de décrocher un rendez-vous pour proposer ses services et ses compétences.

Mademoiselle Linda Durand
28, rue Lamennais
75010 Paris

A l'attention de Mme Veille

Paris, le 5 octobre 2006

Objet : demande de candidature.

Madame,
Je vous remercie vivement pour l'entretien téléphonique que vous m'avez accordé hier après-midi.
Je vous envoie ci-joint, comme convenu, mon curriculum vitae qui vous apportera les informations me concernant.
Titulaire d'un baccalauréat professionnel des métiers du secrétariat, je souhaite préparer un BTS assistant de direction en contrat de qualification.
Je peux être pour vous une employée polyvalente, maîtrisant les outils informatiques essentiels, pour un coût avantageux.
Sur deux ans, les trois quarts de mon temps seraient accordés à travailler dans votre entreprise, le quart restant à ma formation au Centre européen de formation professionnelle.

L'école de formation où je suis inscrite me demande d'intégrer une entreprise d'ici à fin octobre 2006.
Merci de bien vouloir prendre en considération au plus vite ma candidature.
Je reste à votre disposition pour un entretien et vous prie d'agréer mes salutations distinguées.

(Signature)

# A lire

## Texte de culture contemporaine

### Sujets de réflexion

Il y a plusieurs types de baccalauréat: le bac général donne accès aux études supérieures; le bac professionnel se prépare dans un lycée d'enseignement professionnel et mène à la vie active ou aux études professionnelles, c'est-à-dire de métier; le bac technologique permet une inscription dans les formations courtes des études supérieures, plus particulièrement dans les secteurs industriels ou les services. Pour beaucoup de jeunes bacheliers et bachelières, et surtout ceux ou celles qui désirent préparer un certificat de qualification professionnelle, le contrat d'apprentissage avec un employeur offre la possibilité de partager son temps entre un travail salarié en entreprise et une formation.

1.   Quels avantages ou inconvénients peut-il y avoir à ce type de formation?
2.   Votre propre formation vous permet-elle de poursuivre un emploi en même temps que vos études?

### Guide de lecture

Le mot **formation** veut souvent dire apprentissage ou études préparant à l'exercice d'un métier ou d'une profession. Imaginez que vous vous destinez à une carrière dans les transports aériens.

1.   A quel secteur de l'industrie vous intéressez-vous? En quoi consiste le travail que vous désirez obtenir?
2.   Que faites-vous pour commencer votre recherche d'un emploi dans ce domaine?
3.   Avez-vous les qualifications nécessaires pour être engagé(e) en vue de ce travail? Quelles sont-elles?
4.   Comparez le parcours que vous devez suivre avec celui de Maï dans le texte suivant.

## Les Centres de Formation des Apprentis (CFA)

*aviation industry*

Dans l'aérien°, les principaux besoins portent sur les services commerciaux (vente, réservation, accueil) et sur les métiers de la maintenance aéronautique. Trois CFA

*domain*
*formation au travail*
*et à l'école*

sont d'ailleurs spécialisés dans ce créneau°. Air France, principale entreprise du secteur à investir dans l'alternance°, a recruté près de quatre cent cinquante jeunes en
5  alternance en 2003.

Renseignements sur le site www.airfrance.fr, rubrique Emploi, espace jeunes

**Mécanicienne aéronautique: Maï, 21 ans**

*metal workers*
*to bustle*

Aérogare Orly-Nord. Dans un vaste hangar, mécaniciens, chaudronniers°, chefs d'équipes... ils sont une centaine à s'affairer° autour d'un Airbus A340. Dans cet
10 univers, essentiellement masculin, Maï appartient à une équipe en charge de toute la maintenance électrique des instruments de bord et de la radio des avions d'Air

France. Respecter les procédures et les règles de sécurité est son premier souci...

*landing light* «Quelle que soit notre intervention (révision de certains circuits, phare° cassé, nou-
*tests* veau câblage à installer...), on doit systématiquement effectuer des essais° pour véri-
15 fier que rien n'a été altéré par nos opérations.»

*horaires... : staggered* <u>*Ses conditions de travail*</u>: sur une base de 35 heures, Maï travaille en horaires
*hours / forms a part of* décalés°, car des équipes interviennent nuit et jour sur les avions. Elle intègre° le
plus souvent une équipe de deux ou trois personnes.

*hired* <u>*Ses projets d'avenir*</u>: être embauchée° par Air France.

20 <u>*Sa formation*</u>: BEP électrotechnique, bac professionnel aéronautique (option mé-
canicien systèmes-avionique).

<u>*Salaire débutant*</u>: 1 200 € et des prix préférentiels sur les billets d'avion.

Source: *L'Etudiant*, édition 2004–2005 hors-série, «Le guide de l'alternance et
des formations rémunérées»

## Après la lecture

1. Quel secteur d'Air France a recruté Maï? Où travaille-t-elle?

2. Quelle sorte de métier exerce Maï? Qui exerce traditionnellement ce métier?

3. En quoi consiste la journée de travail typique de Maï? Dans quelle mesure
   peut-on dire que ce travail demande une certaine vigilance, selon Maï?

4. Faites le portrait de Maï: son âge, la région où elle travaille, sa formation, son
   salaire, ses attentes professionnelles, etc.

5. Si vous étiez à la place de Maï, quel type de formation en apprentissage
   pourriez-vous envisager pour vous-même? Préparez une fiche qui représente
   vos propres qualifications personnelles et professionnelles.

# Texte littéraire

## Sujets de réflexion

1. D'où vient le mot «civilisé», d'après vous? On dit parfois que les gens qui
   habitent la campagne ont des mentalités sensiblement différentes de celles
   des gens qui habitent la ville. Il y a même une fable qui met en scène le «rat
   de ville» et le «rat des champs» (en anglais: *city mouse* et *country mouse*).
   Dans quels domaines est-ce vrai, à votre avis? En quoi les «campagnards» se
   distinguent-ils eux-mêmes des «citadins»?

2. Tout le monde est d'accord que l'on apprend beaucoup dans les livres.
   Mais il y a aussi d'autres façons d'apprendre. Quelles sont d'autres sources
   d'enseignement en dehors de l'école?

## A propos de l'auteur...

Guy Tirolien

**Guy Tirolien (1917–1988)** *est né à Pointe-à-Pitre (Guadeloupe). Il a fait ses études primaires et secondaires dans les écoles de langue française en Guadeloupe avant de partir en France où il a fait carrière dans le domaine littéraire aussi bien que dans l'Administration des colonies. Pendant son enfance, Guy Tirolien a connu certaines conditions communes à beaucoup d'autres jeunes gens dans les pays colonisés: l'apprentissage d'une langue étrangère qu'on devait utiliser obligatoirement, du moins à l'école, et un enseignement fondé sur des bases très différentes des traditions présentes dans le milieu familial. Prière d'un petit enfant nègre, un poème publié en 1948, raconte la douleur et le mécontentement ressentis par un enfant noir à qui l'on impose cette école étrangère.*

## Guide de lecture

1. Si un enfant fait une prière au Seigneur à propos de l'école, qu'est-ce que l'enfant demande d'habitude?
2. Les vers 1–20 forment une première unité. Lesquels contiennent la prière du petit enfant? Quels vers nous montrent ce que l'enfant veut faire?
3. Quelles réponses donnent souvent les adultes lorsqu'un enfant leur demande pourquoi il faut aller à l'école? Quelle réponse contiennent les vers 21–28?

Pointe-à-Pitre

# Prière d'un petit enfant nègre (1943)

Seigneur je suis très fatigué.
Je suis né fatigué.
Et j'ai beaucoup marché depuis le chant du coq
*small mountain* et le morne° est bien haut qui mène à leur école.
*(creole expression)* 5 Seigneur, je ne veux plus aller à leur école,
Faites, je vous en prie, que je n'y aille plus.
Je veux suivre mon père dans les ravines fraîches
Quand la nuit flotte encore dans le mystère des bois
*glide / dawn* Où glissent° les esprits que l'aube° vient chasser.
*paths* 10 Je veux aller pieds nus par les rouges sentiers°
Que cuisent les flammes de midi,
*mango trees* Je veux dormir ma sieste au pied des lourds manguiers°,
Je veux me réveiller
*roars* Lorsque là-bas mugit° la sirène des Blancs
*factory* 15 Et que l'Usine°
*sugar cane* Sur l'océan des cannes°
Comme un bateau ancré
*crew* Vomit dans la campagne son équipage° nègre...

Seigneur, je ne veux plus aller à leur école,
20 Faites, je vous en prie, que je n'y aille plus.
Ils racontent qu'il faut qu'un petit nègre y aille

*pareil... : just like the*    Pour qu'il devienne pareil
Aux° messieurs de la ville

*comme... : proper*    Aux messieurs comme il faut°.
25 Mais moi je ne veux pas
Devenir, comme ils disent,
Un monsieur de la ville,
Un monsieur comme il faut.

*dawdle / sugar factories*    Je préfère flâner° le long des sucreries°
*full* 30    Où sont les sacs repus°
*swells*    Que gonfle° un sucre brun autant que ma peau brune.
Je préfère vers l'heure où la lune amoureuse

*coconut trees*    Parle bas à l'oreille des cocotiers° penchés
Ecouter ce que dit dans la nuit
35 La voix cassée d'un vieux qui raconte en fumant

*compère... : equivalent*    Les histoires de Zamba et de compère Lapin°
*of Brer Rabbit*    Et bien d'autres choses encore
Qui ne sont pas dans les livres.
Les nègres, vous le savez, n'ont que trop travaillé.
40 Pourquoi faut-il de plus apprendre dans des livres
Qui nous parlent de choses qui ne sont point d'ici?
Et puis elle est vraiment trop triste leur école,
Triste comme
Ces messieurs de la ville,
45 Ces messieurs comme il faut

*flesh*    Qui ne savent plus danser le soir au clair de lune
Qui ne savent plus marcher sur la chair° de leurs pieds
*tales / evening gatherings*    Qui ne savent plus conter les contes° aux veillées°.
Seigneur, je ne veux plus aller à leur école.

Source: *Anthologie de la nouvelle poésie nègre et malgache de langue française*,
L.S. Senghor, Ed. P.U.F., 1948.

## Après la lecture

1. Imaginez la journée typique de ce «petit enfant nègre», c'est-à-dire la journée qu'il désire ne pas passer. A quelle heure se lève-t-il? Quel chemin doit-il suivre? Que fait-il à l'école? Faites une liste des vers où vous trouvez les réponses à ces questions.

2. Comment l'enfant imagine-t-il sa vie idéale? Faites une liste d'au moins dix activités préférables selon l'enfant.

3. Les vers 34, 35, 36 et 48 font allusion à des histoires. Peut-être s'agit-il de fables? Quelles histoires de ce genre avez-vous écoutées quand vous aviez l'âge du petit garçon? Quelle est leur importance dans le contexte de ce poème?

4. Lorsque l'enfant répète la phrase *Seigneur, je ne veux plus aller à leur école*, de quelle école parle-t-il? «Leur» se réfère à qui, à votre avis?

## Pour mieux lire

1. Dans les vers 20, 21 et 22, nous relevons plusieurs exemples de l'emploi du subjonctif. Expliquez pour quelles raisons cet emploi grammatical est nécessaire dans ces vers.

2. La répétition de certaines images est souvent utilisée par les poètes pour souligner une idée ou un élément important. Comment peut-on justifier cet emploi poétique de la répétition dans les vers suivants?

    a. *Seigneur, je ne veux plus aller à leur école* (vers 5, 19, 49)

    b. *Aux messieurs de la ville*          *Un monsieur de la ville*
       *Aux messieurs comme il faut.*        *Un monsieur comme il faut.*
       (vers 23–24)                          (vers 27–28)

    c. *Qui ne savent plus danser le soir au clair de lune*
       *Qui ne savent plus marcher sur la chair de leurs pieds*
       *Qui ne savent plus conter les contes aux veillées.* (vers 46, 47, 48)

3. La métaphore est un procédé de langage qui consiste à modifier le sens d'un mot par une substitution. On emploie, par exemple, un terme concret dans un contexte abstrait (au vers 8: *la nuit* <u>*flotte*</u>). Trouvez, dans le poème, au moins trois autres exemples de métaphores.

4. Quelles images du poème préférez-vous? Expliquez pourquoi.

## LIENS CULTURELS

1. Entre 1192—date de sa fondation—et 1970—quand elle a donné naissance à treize universités—l'Université de Paris a subi plusieurs transformations au sujet desquelles vous possédez maintenant certains détails. Quelle est votre impression du système universitaire français?

2. L'école en question dans le poème de Guy Tirolien est l'école coloniale française. Que savez-vous au sujet de l'enseignement primaire public en France (la loi Jules Ferry, par exemple)? Pourquoi l'éducation dans une école de langue française à la Guadeloupe semble-t-elle si étrangère à l'enfant du poème?

## EXPANSION

Dans beaucoup de pays, y compris la France, l'enseignement primaire et secondaire public dépend du Ministère de l'Education Nationale. Quel est le système pratiqué dans votre pays? A votre avis, est-ce un avantage ou un inconvénient d'avoir un système d'éducation uniforme? Quels sont les points forts et les points faibles d'une éducation nationale?

# Chapitre 9

# La francophonie

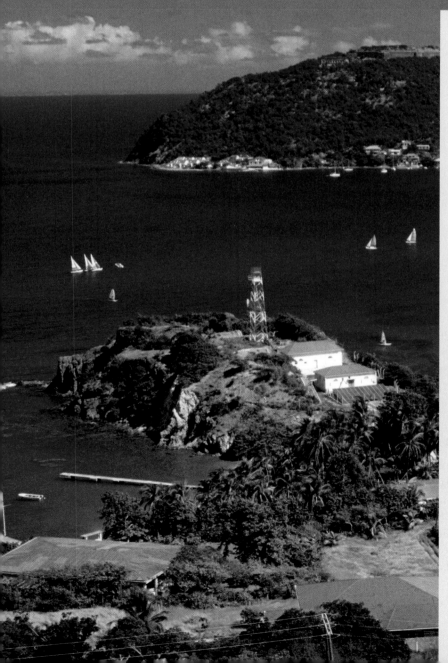

Le phare du port des Saintes, sur l'île de Terre-de-Haut à la Guadeloupe

# Un peu de culture contemporaine

## *Qui parle français actuellement?*

Il y a 200 millions de francophones dans le monde entier. Où peut-on les trouver? Dans cinq continents et de nombreuses îles de langue française. Soixante-dix millions de personnes parlent français...

**en Europe:**

- cinquante-huit millions d'habitants en France métropolitaine;
- neuf millions dans le reste de l'Europe (première langue de 4,5 millions en Belgique, 1,2 million en Suisse, 300 000 au Luxembourg et 27 000 à Monaco)

**outre-mer:**

- dans les départements et régions d'outre-mer (DOM-ROM) où les habitants ont la nationalité française: la Martinique, la Guadeloupe, la Guyane, l'île de La Réunion
- dans les territoires d'outre-mer (TOM): les Terres australes et antarctiques françaises
- dans les collectivités d'outre-mer (COM): l'île de Mayotte (départementale), les îles St-Pierre-et-Miquelon (territoriale) et les îles de Saint Barthélemy et de Saint-Martin
- dans les pays d'outre-mer (POM): la Polynésie française et la Nouvelle Calédonie

**en Afrique:**

- en Afrique du Nord (le Maghreb: l'Algérie, le Maroc, la Tunisie)—l'arabe y est la langue officielle, mais le français est souvent une langue d'enseignement à statut privilégié, employée dans les milieux diplomatiques et administratifs

- dans le sud du Sahara (le Burundi, le Cameroun, la République centrafricaine, les Comores, le Congo, la Côte d'Ivoire, la République de Djibouti, le Gabon, la Guinée, Madagascar, le Mali, l'île Maurice, la Mauritanie, le Ruanda, le Sénégal, les Seychelles, le Tchad, le Togo)—le français y est une langue officielle ou administrative

**en Amérique:**

- au Canada (le Québec et le Nouveau-Brunswick)
- en Louisiane
- en Haïti

## Compréhension

1. Donnez quelques indications du nombre de personnes qui parlent français dans divers endroits du monde. Structurez votre réponse en suivant une répartition par continent.

2. Sur quel continent y a-t-il le plus de francophones?

3. Expliquez les sigles *(acronyms)* DOM-ROM, TOM, COM et POM. Où se trouvent ces régions et pays?

## Réflexion

A. Dans plusieurs pays d'Afrique, le français est soit une langue officielle, soit une langue privilégiée. (Cherchez sur Internet un site qui vous donne plus de précisions sur l'un de ces pays.) Pourquoi est-il logique que la langue française soit actuellement employée comme langue de communication entre tant de pays africains?

B. Pour certains pays, comme l'Algérie, le français a perdu son statut de langue officielle ou administrative. Quelles raisons politiques et culturelles pouvez-vous suggérer pour expliquer ces circonstances particulières?

# La Francophonie et le statut de la langue française

L'emblème de la Francophonie

La Francophonie est une organisation internationale composée de 56 pays membres et 14 pays observateurs. Liés par une langue commune, les pays membres partagent le but de promouvoir la langue française et aussi d'encourager la diplomatie, la paix et les droits humains dans le monde. La désignation Francophonie (avec un **F** majuscule) porte des connotations politiques, car elle représente l'ensemble de pays membres de l'Organisation Internationale de la Francophonie (l'OIF). L'appellation francophone (avec un **f** minuscule) est moins formelle et désigne la communauté mondiale de locuteurs de langue française. La Francophonie est donc limitée aux pays membres de l'organisation officielle. Par contre, l'appartenance à la francophonie est ouverte à tout le monde et comprend 200 millions de personnes dans le monde. Pour comprendre la vaste étendue de la langue française dans le monde, il faut d'abord expliquer les différents statuts de la langue et comment ils fonctionnent dans le monde francophone.

**Langue maternelle:**

Environ 100 millions de personnes parlent français comme *première langue* ou *langue maternelle*. Pour la plupart, ces locuteurs habitent en France, au Canada, en Belgique et en Suisse, mais ils se trouvent ailleurs aussi—en Afrique, en Asie, en Europe et dans les Amériques.

**Langue officielle ou co-officielle:**

Le français est *langue officielle* ou *co-officielle* dans 32 pays membres de l'OIF. Comme langue officielle, le français est langue administrative et juridique et souvent celle de la diplomatie, de l'enseignement, du commerce et des médias. Mais la situation linguistique peut varier d'un pays à l'autre. Dans la plupart des pays francophones d'Afrique, le gouvernement désigne les *langues nationales*. Typiquement les langues nationales sont identifiées comme importantes aussi sur le plan local. Elles sont promues par les systèmes éducatifs et les manifestations culturelles régionales. De plus, elles font partie de la vie quotidienne, au marché ou à la gare routière, par exemple, où les langues nationales sont des *langues véhiculaires* qui permettent aux personnes de langues maternelles différentes de pouvoir communiquer.

**D'autres statuts:**

Dans d'autres pays et régions francophones, le français profite d'un statut privilégié. Là, on l'utilise comme langue d'enseignement, des médias, de la diplomatie et du commerce. Parfois, le français est aussi enseigné comme *langue seconde* dans des pays n'ayant aucune affiliation avec l'OIF malgré la présence de locuteurs maternels, comme aux Etats-Unis et au Royaume Uni.

## Compréhension

1. Etes-vous membre de la Francophonie ou de la francophonie? Expliquez votre réponse.
2. Que veulent dire les termes suivants: langue maternelle, langue officielle, langue nationale, langue véhiculaire, langue seconde?

## Réflexion

A. Dans quelles circonstances pouvez-vous envisager le besoin de parler la langue française? Avec quels types de locuteurs? Pourquoi la connaissance de la langue française vous est-elle désirable?

B. Dans quel sens peut-on dire que le français est toujours une langue universelle?

## TV5 monde

TV5 est la première chaîne mondiale de télévision en français.
Plus de 160 millions de foyers peuvent recevoir TV5 par
câble ou satellite dans plus de 200 pays et territoires.

- Sept des huit signaux de TV5 sont diffusés de Paris à destination de l'Afrique,
de l'Amérique latine, de l'Asie-Pacifique, des Etats-Unis, de l'Europe, de la
France / Belgique / Suisse et de l'Orient; le huitième signal, Québec-Canada,
est diffusé de Montréal.

- Un réseau formé de dix partenaires internationaux offre à TV5 une programmation qui fait connaître au monde le pluralisme des cultures et la diversité
des points de vue.

- Actuellement, 3 millions de chambres d'hôtels et 9 compagnies aériennes
diffusent les programmes de TV5 aux voyageurs francophones, et plus de
30 000 enseignants s'en servent dans leurs méthodes pour apprendre
et enseigner.

### Compréhension

1. Environ combien d'abonnés y a-t-il à TV5? Où se trouvent-ils?

2. Les dix partenaires qui forment le réseau de TV5 sont de provenance internationale. Comment cela assure-t-il une programmation pluriculturelle?

3. Où peut-on regarder les émissions de TV5 quand on est en voyage?

### Réflexion

A. Visitez le site TV5.org sur Internet. Si l'on compare TV5 à d'autres chaînes
(CNN, Telemundo, BBC, etc.) qui ont également une diffusion internationale,
quelles différences peut-on constater?

B. En plus de sa mission d'informer et de divertir le grand public, TV5 peut aussi être
utile dans l'apprentissage du français langue étrangère. Que pensez-vous de la télé
comme instrument pédagogique? Avez-vous déjà suivi des émissions télévisées en
français? Quelles ont été vos impressions de ces émissions?

 *Pour des activités culturelles supplémentaires,
rendez-vous sur le site Web d'**Interaction**
www.cengage.com/french/interaction*

# Vocabulaire actif  CD2, Track 8

## LES ACTIVITÉS

**conserver** to preserve
**élargir** to broaden
**établir** to establish
**s'étendre** to extend
**naviguer** to sail

## LA FRANCOPHONIE

**un(e) anglophone** English-speaking person
**le carnaval d'hiver** winter carnival
**un colon** colonist
**des communautés** *(f pl)* communities

**la conquête** conquest
**le créole** language spoken in several territories and formed by a mixture of indigenous languages, with French, Spanish, and Portuguese influences
**un département** administrative division of France

**un divertissement** recreation, entertainment
**la douceur de vivre** pleasant lifestyle
**une fête** festival
**un(e) francophone** French-speaking person
**la francophonie** French-speaking world

## Exercice de vocabulaire

**Questions pour un champion *(Jeopardy)*.** Complétez les questions qui correspondent aux réponses indiquées.

1. Un autre nom pour la France.
   Qu'est-ce que c'est que l'_____?

2. Un festival d'hiver.
   Qu'est-ce que c'est que le _____ de Québec?

3. Une division administrative en France.
   Qu'est-ce que c'est qu'un _____?

4. La Guadeloupe et la Martinique.
   Quelles îles sont des départements _____?

5. Une langue que parlent tous les Guadeloupéens.
   Qu'est-ce que c'est que le _____?

6. La France pour les Français.
   Qu'est-ce que c'est que la _____?

7. Les pays de l'Afrique du Nord.
   Qu'est-ce que c'est que le _____?

8. Pour les Français et les Belges.
   Pour qui est-ce que le français est une langue _____?

9. Une personne d'Afrique du Nord.
   Qu'est-ce que c'est qu'un _____?

10. Les pays où le français est une langue unique ou officielle.
    Qu'est-ce que c'est que la _____?

11. Toutes les personnes qui habitent en France.
    Qui habite en France _____?

12. Les pays comme la Lybie, la Syrie et l'Egypte.
    Quels sont quelques pays du _____?

**l'Hexagone** *(m)* the Hexagon (term for France stemming from its six-sided shape)
**un lien** link
**le Maghreb** geographic term for North African countries
**un(e) Maghrébin(e)** person from North Africa

**la mer des Antilles (ou des Caraïbes)** Caribbean Sea
**la métropole** mainland France
**le Moyen-Orient** Middle East
**un palmier** palm tree
**la patrie** homeland
**un pays** country
**la peau** skin

**la plage** beach
**le sable** sand
**un sport d'hiver** winter sport

## LES CARACTÉRISTIQUES

**destiné(e) (à)** intended (for)
**d'outre-mer** from overseas

**fier (fière)** proud
**francophone** French-speaking
**indigène** native
**maternel(le)** native (language)
**métropolitain(e)** of / from continental France

# Lexique personnel

### QU'EST-CE QUE JE SAIS DU MONDE FRANCOPHONE?

**A** Pour chacun des sujets suivants, dressez une liste personnelle de mots.
1. les pays francophones que vous avez visités (indiquez les articles)
2. les pays francophones que vous voulez visiter (indiquez les articles)
3. les noms (de famille ou d'endroits) d'origine française que vous connaissez aux Etats-Unis

 **B** On vous offre vos vacances idéales. En petits groupes, faites une description des vacances idéales dans un (ou plusieurs) pays francophone(s). Comparez votre composition à celles des autres groupes.

Le Grand Palais à Bruxelles, Belgique

## Prepositions with Infinitives

When a conjugated verb in French is followed by another verb in the same clause, the second verb will be in the infinitive form.

The equivalent English construction may often involve the *-ing* form of the verb, but in French this second verb *always* takes the infinitive form.

| | |
|---|---|
| Je **veux travailler.** | *I want to work.* |
| Je **continue à travailler.** | *I continue working.* |
| J'**ai fini de travailler.** | *I have finished working.* |

Note in the preceding models that some verbs require no preposition to introduce a dependent infinitive. Other verbs take **à** and still others use **de** before the dependent infinitive. This usage is not determined by the infinitive, but rather by whether the conjugated verb takes a preposition to introduce the infinitive form. English usage often gives no clue as to when a French verb requires a preposition; you must learn this for each verb. Following are lists of some common verbs requiring no preposition and others requiring **à** or **de** before a dependent infinitive.

### Conjugated Verb + Infinitive

| | |
|---|---|
| aimer | Anne **aime voyager.** |
| aller | Nous **allons visiter** la Martinique. |
| croire | Ils **ont cru entendre** un mot de créole. |
| désirer | Elle **désire** m'**accompagner.** |
| devoir | Il **doit prendre** les billets à l'avance. |
| espérer | Nous **espérons arriver** à l'heure. |
| faire | Elles vont **faire réserver** des places. |
| falloir | Il **faut visiter** le marché de Rabat. |
| penser | Je **pense rentrer** en mars. |
| pouvoir | Est-ce qu'on **peut prendre** l'avion? |
| préférer | Elles **préfèrent rester** ici. |
| savoir | A La Réunion, on **sait danser** le séga. |
| souhaiter | Le groupe **souhaite voir** Tahiti. |
| vouloir | Moi, je **veux descendre** en ville. |

### Conjugated Verb + *à* + Infinitive

| | |
|---|---|
| aider à | Le guide **aide** les touristes **à commander** au restaurant. |
| s'amuser à | Il **s'amuse à parler** aux visiteurs. |
| apprendre à | On va **apprendre à apprécier** la cuisine créole. |
| arriver à | Avec beaucoup d'efforts, on **arrive à comprendre** ce dialecte. |
| commencer à | Nous **commençons à comprendre** la langue. |
| continuer à | Ils **continuent à voyager** après Noël. |
| enseigner à | On **enseigne** aux touristes **à danser** le séga. |
| s'habituer à | Je m'**habitue à voyager** en avion. |
| hésiter à | Nous **hésitons à traverser** l'Atlantique. |
| inviter à | Mes amis m'**invitent à voyager** avec eux. |
| se mettre à | Elle **s'est mise à rire.** |
| réussir à | J'**ai réussi à prendre** un billet. |
| tenir à[1] | Mes parents **tiennent à voyager** en été. |

[1]The verb **tenir** means *to hold*. **Tenir à** means *to insist (on)*.

## Conjugated Verb + *de* + Infinitive

| | |
|---|---|
| accepter de | J'ai **accepté de venir**. |
| s'arrêter de | Le guide **s'est arrêté de parler**. |
| avoir envie de | J'ai **envie de rester** ici. |
| avoir peur de | Elle **a peur de voyager**. |
| choisir de | Nous **avons choisi de partir** en mars. |
| décider de | Il **a décidé de quitter** son pays. |
| essayer de | Il **essaie de gagner** de l'argent. |
| finir de | Il **finit de préparer** son voyage. |
| manquer (de) | Elle **a manqué de tomber** dans l'avion. |
| oublier de | J'ai **oublié de consulter** l'agent. |
| refuser de | Ils **refusent de partir** en avril. |
| regretter de | Nous **regrettons de ne pas rester** plus longtemps ici. |
| risquer de | Ils **risquent d'être** en retard. |
| venir de[2] | Elle **vient de visiter** La Réunion. |

[2]Remember that **venir de +** infinitive means *to have just*.

## *Après* + Past Infinitive

With the preposition **après**, use the past infinitive form, which is the infinitive **avoir** or **être** followed by the past participle of the main verb.

**Après avoir voyagé**, ils sont retournés chez eux.　　*After having traveled, they returned home.*

**Après être allés** en ville, ils sont rentrés.　　*After having gone downtown, they went home.*

Note: As opposed to the use of **après** + past infinitive, **avant** is followed by **de** when it introduces an infinitive or a past infinitive.

**Avant de voyager** en Europe, ils ont consulté Internet.
Nous avions fait des recherches **avant d'avoir** pris nos billets.

**1** Employez les éléments indiqués pour poser des questions à un(e) camarade de classe. Utilisez la préposition appropriée, si nécessaire.

1. tu / aimer / voyager?
2. tu / tenir / voyager / dans des pays exotiques?
3. dans quels pays / tu / désirer / aller?
4. dans quels pays / tu / ne pas vouloir / aller?
5. tu / espérer / faire un voyage en Europe?
6. tu / commencer / économiser de l'argent pour un voyage?
7. tu / hésiter / quelquefois / prendre l'avion?
8. tu / avoir peur / prendre l'avion?

**2** Voici l'histoire de Kandioura, un Sénégalais qui a fait des études supérieures en France. Complétez le récit (ci-dessous et à la page 320) en mettant les verbes entre parenthèses au **passé composé**. Ajoutez la préposition appropriée, si nécessaire.

Kandioura est né dans un village du Sénégal. A l'école, il (apprendre) _____ parler français. Il (se mettre) _____ parler français tous les jours, mais il (essayer) _____ conserver sa langue maternelle, le wolof, en même temps. Kandioura (arriver) _____ obtenir son bac sans difficulté, et il (décider) _____ aller à Paris. Fidèle à ses origines sénégalaises, il (refuser) _____ abandonner sa propre culture, même s'il (choisir) _____ faire ses études universitaires en France. Là, il (s'habituer) _____ travailler beaucoup et la vie n'était pas toujours facile. A un moment, il (regretter) _____ avoir quitté son pays et il (penser) _____ y retourner. Mais il (décider) _____ rester en France pour devenir professeur de français. Quelques années plus tard, il (réussir) _____ obtenir un poste de professeur dans une université américaine. Cependant, il (vouloir) n' _____ pas _____ renoncer à sa nationalité et il retourne souvent au Sénégal pour les vacances.

Au Sénégal

**3** Employez les verbes et les expressions des listes suivantes pour poser des questions à un(e) camarade de classe.

MODELE *Tu vas regarder la télé ce soir?*

**Verbes:** aimer   aller s'amuser   apprendre   s'arrêter   commencer   décider
essayer   hésiter   pouvoir   regretter   savoir   vouloir

**Activités:**
aller à des concerts de rock   aller au cinéma
apprendre le français   choisir une spécialisation
faire des projets pour l'été   faire du ski
fumer   parler français en cours
réfléchir à ton avenir   regarder la télé
retrouver tes amis en ville   travailler
voyager pendant les week-ends   ???

Plage martiniquaise

Famille marocaine

# INTERACTIONS

**Activité 1: Projets de voyage.** Choisissez un pays que vous voulez visiter et répondez aux questions suivantes. Ensuite, les autres étudiants de la classe vont vous poser des questions supplémentaires.

1. Où voulez-vous aller?
2. Comment allez-vous vous y rendre et comment allez-vous voyager à l'intérieur du pays?
3. Quels sites touristiques souhaitez-vous visiter?
4. Qu'est-ce que vous espérez faire pendant votre séjour à l'étranger?

**Activité 2: Ma journée.** Racontez en huit ou dix phrases ce que vous avez fait vendredi dernier. Indiquez l'ordre chronologique des événements en faisant l'enchaînement par l'emploi des termes suivants: **alors, avant de** + infinitif, **après** + nom, **après** + infinitif passé, **ensuite.**

# Structures II

## Other Uses of Prepositions

**A. It is + Adjective + Preposition + Verb:** A frequent problem for the English speaker is expressing the idea *it is* followed by an adjective that in turn introduces an infinitive: *It is difficult to solve this problem.*

Do *not* rely on English structure to determine whether **c'est** or **il est** should be used to introduce the infinitive. Instead, look for the object of the infinitive in French. If the object of the infinitive is in its normal position—immediately after the infinitive—use **il est** and the preposition **de** to introduce the infinitive.[3]

**Il est difficile de résoudre** *ce problème.*

**Il est impossible d'acheter** *nos billets.*

If the object of the infinitive is in any other position, or if it is omitted, use **c'est** and the preposition **à** to introduce the infinitive.

**C'est** *un problème* (object of **résoudre**) **difficile à résoudre.**

**C'est difficile à résoudre.**

[3] In conversational French, one often hears **C'est** rather than **Il est** + adjective + **de...**

**1** Un(e) camarade de classe raconte un voyage qu'il / elle a fait. Complétez ses déclarations par **c'est... à** ou **il est... de.**

Je suis allé(e) en Guadeloupe et je peux dire que _____ une île _____ voir. On y parle créole, et _____ possible _____ comprendre au moins quelques mots de cette langue. Mais _____ difficile _____ prononcer.

_____ facile _____ visiter toute l'île de la Guadeloupe car elle n'est pas grande. Mais _____ important _____ avoir un bon guide, car _____ possible _____ se tromper de route. Et _____ une situation _____ éviter.

_____ amusant _____ passer la soirée à danser et à bavarder avec les autres membres du groupe. En somme, _____ agréable _____ passer des vacances en Guadeloupe.

**B. Prepositional Phrases Describing Nouns:** Prepositional phrases are frequently used in French to describe or qualify a noun.

- The preposition **à** denotes purpose, function, or nature.

| | |
|---|---|
| une machine **à laver** | *a washing machine* |
| une glace **à la vanille** | *vanilla ice cream* |
| un verre **à vin** | *a wine glass* |
| une maison **à un étage** | *a two-story house* |

- The preposition **de** denotes contents or composition.

| | |
|---|---|
| une robe **de coton** | *a cotton dress* |
| un problème **de maths** | *a math problem* |
| un verre **de vin** | *a glass of wine* |
| une boîte **de haricots** | *a can of beans* |

- The preposition **en** denotes substance.

| | |
|---|---|
| une maison **en brique** | *a brick house* |
| une montre **en or** | *a gold watch* |
| une pièce **en vers** | *a play in verse* |

**C. Prepositions Referring to a Location:** When referring to a location, **à** is used in a general sense to mean *at*, **dans** is used to mean *in* (in the physical sense) or *inside of*, and **par** is used to mean *through*.

| | |
|---|---|
| Je travaille **à la bibliothèque.** | Elles sont **au Resto U** maintenant. |
| Le laboratoire est **dans ce bâtiment.** | Allez **dans la salle de classe.** |
| Ils regardent **par la fenêtre.** | Passez **par la porte principale.** |

**D. Prepositions with Expressions of Time:** To refer to a period of time, **à** is used with hours of the day and **en** is used with months, years, and all seasons except **au printemps.**

Le groupe est parti
{
**à trois heures.**
**en mars.**
**en 2009.**
**en hiver.**
}

- To denote the duration of time, **en** means within a certain time frame and **dans** denotes a specified time in the future.

Je travaille vite et je peux finir **en une heure.**
Le concert va se terminer **dans deux heures.**

- The concept *for* is expressed by **pendant** when referring to actual duration and by **pour** when referring to intended duration.

Il a vécu à Paris **pendant deux ans.**
Je vais rester à Paris **pour une semaine.**
Elle est allée à Paris **pour une semaine,** mais elle y est restée **pendant six mois.**

**E. Prepositions with Modes of Transportation:** To describe modes of transportation the preposition **en** is often used, except when referring to train travel, in which case **par le** is often used.

Ils ont voyagé
{
**en voiture.**
**en avion et en bateau.**
**par le train.**
}

**F. The Preposition *pour* Used to Express Intention:** The preposition **pour** introduces an infinitive to denote the intention of an action. In English, the idea of *in order to* is often replaced by *to*, but this idea must be expressed in French whenever the infinitive conveys intention.

Je travaille **pour gagner de l'argent.**

**Pour faire un gâteau,** il faut du sucre.

**G. The Preposition *chez*:** The preposition **chez** has a variety of meanings in French.

Nous allons dîner **chez Pierre.** *(at someone's home)*

Il est **chez le médecin.** *(at someone's business)*

**Chez les Martiniquais,** le français est une langue commune. *(within a group)*

C'est une attitude bien connue **chez le président.** *(within the nature of a person)*

**Chez Camus,** il y a beaucoup de descriptions du désert. *(within the work of an author or artist)*

**H. Prepositions with Geographical Locations:** Most names of geographical locations that end in **e** in French are feminine and are preceded by **en** to mean *to, at,* or *in*.

*[handwritten: to: à + art., mas.]*

| | | | |
|---|---|---|---|
| **en** France | **en** Asie | **en** Angleterre | **en** Australie |
| **en** Provence | **en** Colombie-Britannique | **en** Bourgogne | **en** Californie |

**Exceptions: au** Mexique; **au** Cambodge; **au** Mozambique; **au** Zimbabwe

Names of geographical locations that end in any other letter in French are masculine and are preceded by **à** + definite article to mean *to, at,* or *in*.

| | | |
|---|---|---|
| **au** Portugal | **aux** Etats-Unis | **au** Colorado |
| **au** Texas | **au** Canada | |

Other masculine names beginning with a vowel are preceded by **en.**

| | | |
|---|---|---|
| **en** Israël | **en** Afghanistan | **en** Irak |
| **en** Iran | **en** Illinois | |

It is possible to use dans **l'état de** or **dans le** with states of the United States, especially the masculine ones.

**dans l'état de** Washington          **dans le** Colorado

With names of cities, the preposition **à** is always used to mean *to, at,* or *in*. No article is used unless the name of the city itself contains an article, such as **Le Havre (*au* Havre).**

| | | |
|---|---|---|
| **à** Paris | **au** Havre | **à** La Nouvelle-Orléans |
| **à** Chicago | **au** Caire | |

To express the concept of *coming from* or *originating in*, use **de** before feminine nouns and **de** + definite article before masculine nouns.

Ce sont des vins **de** France.          Je viens **des** Etats-Unis.

Note the following elision:
Ce sont des oranges **d'**Israël.          Je viens **d'**Israël.

**I. Prepositions with Noun Objects:** Most verbs in French do not require a preposition when they are followed by a noun object. The following is a list of some of these verbs.

| | |
|---|---|
| **apprendre** | Elle **apprend le français.** |
| **comprendre** | Maintenant, il peut **comprendre le français.** |
| **écouter** | Elle **écoute Radio France Internationale.** |
| **essayer** | Ils **essaient la cuisine créole.** |
| **étudier** | On **étudie les pays francophones.** |
| **parler** | Son ami haïtien **parle créole.** |
| **payer** | Ses parents **paient son voyage** en France. |
| **prendre** | Elle **prend l'avion** pour y aller. |
| **recevoir** | Nous **recevons des cartes** de nos amis. |
| **savoir** | Nous **savons la date** de leur retour. |
| **visiter** | Ils **visitent la Martinique.** |
| **voir** | Ils **voient les sites touristiques** de l'île. |

A few verbs require the preposition **de** before a noun object.

| | |
|---|---|
| **s'agir de** | Il **s'agit d'un voyage** au Canada. |
| **avoir besoin de** | J'**ai besoin d'argent** pour voyager. |
| **parler de** | Nous **parlons du Canada** en cours. |

Other verbs take the preposition **à** before a noun object.

| | |
|---|---|
| **dire à** | Le prof **dit à la classe** d'étudier le monde francophone. |
| **s'intéresser à** | Elles **s'intéressent à la culture francophone.** |
| **penser à** | Elles **pensent à leurs amis martiniquais.** |
| **permettre à** | Les parents vont **permettre à leurs filles** de visiter la Martinique. |

**2** François Nzabi, un étudiant du Gabon, vient passer l'année dans votre université. Vous voulez lui donner des renseignements sur la vie universitaire. Complétez les phrases par les prépositions appropriées.

1. D'abord, si vous n'habitez pas une chambre _____ une des résidences, vous devez venir au campus _____ voiture.

2. Dans chacune des résidences, il y a des machines _____ laver. J'ai vécu _____ une résidence _____ toute ma première année à l'université.

3. _____ faire toutes les dissertations, il faut souvent travailler _____ la bibliothèque.

4. La bibliothèque, c'est le bâtiment _____ brique là-bas, _____ deux étages.

5. C'est bien de manger _____ Resto U, mais c'est mieux d'être invité _____ des amis.

6. _____ trois heures, il y a un cours de cinéma francophone.

7. _____ hiver, il fait assez froid ici, mais _____ printemps, il fait un temps splendide.

8. Si, _____ l'année, vous voulez visiter les principaux sites touristiques de la région, vous pouvez y arriver _____ moins de deux heures, surtout si vous voyagez _____ le train.

9. Vous allez souvent dîner _____ vos nouveaux amis américains? On a l'habitude d'inviter les étrangers _____ pouvoir mieux connaître leur culture.

10. Si vous voulez, je vous retrouve ce soir _____ six heures _____ restaurant universitaire _____ vous aider à choisir vos cours.

**3** Vous parlez toujours avec François Nzabi. Il raconte un peu sa vie. Complétez chaque phrase par la préposition appropriée.

1. Bien sûr, je suis né _____ Gabon, mais très jeune, je suis allé habiter _____ des cousins _____ Brazzaville, _____ Congo.

2. Après avoir réussi mon bac, j'ai décidé de faire des études _____ Montpellier, _____ France.

3. Là, j'ai fait la connaissance de Sylvia qui est originaire _____ Virginie, _____ Etats-Unis.

4. Quand j'ai terminé mon doctorat, j'avais le choix entre retourner _____ Gabon, aller _____ Canada où j'ai des amis qui viennent _____ Gabon ou m'installer _____ Etats-Unis.

5. J'ai été admis dans des universités _____ Nouvelle-Orléans et _____ Chicago, mais j'ai voulu rester près de Sylvia. J'ai donc choisi de venir _____ Virginie pour faire des études.

6. Sylvia et moi, nous allons nous marier _____ printemps, et je viens de recevoir l'offre d'un poste comme professeur _____ l'université _____ New York. Nous allons passer l'été _____ les parents de Sylvia et puis partir pour arriver _____ New York avant la rentrée.

**4** Posez les questions suivantes à des camarades de classe en ajoutant la préposition appropriée.

1. Tu viens à l'université _____ voiture ou _____ train?

2. Tu habites _____ une résidence universitaire?

3. Tu travailles souvent _____ la bibliothèque ou _____ ta chambre?

4. Qu'est-ce que tu fais _____ gagner de l'argent?

5. Tu retrouves quelquefois tes amis _____ restaurant universitaire?

6. Tu travailles beaucoup _____ tes cours?

7. Tu passes les vacances _____ tes parents?

8. Tu vas obtenir ton diplôme _____ 20 _____ *(année)*?

## INTERACTIONS

**Mettez-vous en petits groupes.** Posez les questions suivantes aux membres du groupe pour déterminer quelques-uns des endroits qui sont importants pour eux.

1. Où habite votre famille?

2. Où habite votre meilleur(e) ami(e)?

3. Où est-ce que vos copains vont à l'université?

4. Quels pays ou villes avez-vous visités?

5. Où est-ce que vous voudriez voyager?

6. Où est-ce que vous voudriez habiter un jour?

# SYNTHESE

**A.** Un(e) de vos ami(e)s, qui a été coopérant(e) *(Peace Corps volunteer)*, vous raconte ses expériences en Afrique. Complétez ses commentaires à l'aide des prépositions appropriées ou par **il est... de / c'est... à.**

1. _____ avoir une bonne idée de l'immensité de l'Afrique, il faut traverser le continent _____ voiture, mais _____ est difficile _____ faire.

2. _____ 2008, j'ai passé un an _____ Togo. J'ai habité _____ un petit village où toutes les maisons étaient fabriquées _____ bois. J'étais au village _____ aider à construire une école. _____ les gens du village, il y avait souvent des fêtes.

3. Un jour, je suis allé(e) _____ la cafétéria de l'ambassade américaine _____ Lomé et j'ai pris un sandwich _____ fromage et _____ jambon, un verre _____ thé glacé, une salade _____ tomates et une glace _____ la vanille. Quelle joie de retrouver la cuisine américaine!

4. Puis nous sommes rentrés _____ Etats-Unis. Notre groupe est parti _____ hiver, _____ janvier plus précisément, _____ trois heures de l'après-midi. Nous nous sommes rendus à l'aéroport _____ voiture et puis nous avons fait le voyage transatlantique _____ avion. J'étais très triste de quitter le Togo parce que j'y avais vécu _____ toute une année.

**B.** Vous êtes coopérant(e) et vous travaillez en Afrique. Un jeune Africain du Togo vous pose des questions. Répondez à ses questions.

1. De quel pays venez-vous?
2. Dans quel état habitez-vous?
3. Quels autres pays avez-vous visités?
4. Où pouvez-vous aller pour entendre parler français en Amérique du Nord? Et pour entendre parler espagnol?
5. Dans quels états se trouvent les villes de Dallas, de Chicago et de Miami?
6. Dans quels états américains est-ce qu'on produit du vin?
7. Quels pays étrangers voulez-vous visiter?
8. Quels autres pays ou régions francophones voulez-vous visiter?

# INTERACTIONS

**Le tour du monde.** On vous a demandé d'arranger un voyage autour du monde. Il y a douze pays à visiter. En groupes de trois ou quatre personnes, organisez une partie de l'itinéraire de ce voyage. Chaque groupe doit choisir un pays et expliquer aux autres étudiants de la classe pourquoi le pays choisi fait partie de l'itinéraire.

MODELE  *Nous allons partir des Etats-Unis pour aller en Angleterre.*
*En Angleterre, on peut visiter le palais de la reine.*

# L'héritage culturel

## Histoire de l'expansion de la langue française dans le monde

Pour comprendre l'histoire de l'expansion de la langue française dans le monde, il faut d'abord parler de l'histoire de la colonisation.

Le monde

### Le Nouveau Monde

| | |
|---|---|
| 1534 | Le Français Jacques Cartier prend possession du Canada sous le roi François Ier. |
| 1604–08 | Samuel de Champlain fonde l'Acadie (Nouvelle-Écosse actuelle) et la ville de Québec. |
| 1635 | La Compagnie des Iles d'Amérique occupe la Guadeloupe et la Martinique. |
| 1682 | Cavelier de La Salle colonise la Louisiane. |

Les descendants des colons français au Canada forment une partie des 6,8 millions de Franco-Canadiens concentrés aujourd'hui au Québec où l'on a conservé le français comme langue maternelle. Aux États-Unis, à partir des années 1840 jusqu'en 1930, de nombreux immigrants canadiens se sont installés en Nouvelle-Angleterre où ils ont fondé des communautés ayant leurs propres églises et écoles francophones. En Louisiane, l'héritage des Acadiens (expulsés d'Acadie par les Britanniques) et des Français est toujours évident dans la cuisine, les danses folkloriques et la musique aussi bien que dans le nom de beaucoup de villes.

## Afrique, Inde, Asie, Océanie

| | |
|---|---|
| 1659 | Au Sénégal, la France établit une installation commerciale à St. Louis. (La conquête du Sénégal date de 1854.) |
| 1830 | Les troupes françaises prennent Alger. |
| 1832–47 | C'est l'époque des établissements en Côte d'Ivoire, au Gabon, à Madagascar, à Mayotte et à Tahiti. |
| 1842–67 | La France s'implante en Nouvelle-Calédonie, en Cochinchine et au Cambodge. |
| 1881 | C'est le début du protectorat français en Tunisie. |
| 1912 | La France occupe le Maroc. |

Entre 1880 et 1934, la France établit de nombreux mandats, protectorats et colonies en Afrique, au Moyen-Orient (Syrie, Liban), en Polynésie et en Indochine. Cette période marque aussi l'apogée de l'influence politique et linguistique de la France dans le monde. A la suite de la Seconde Guerre mondiale, et surtout pendant les années 1960, la grande majorité de ces pays ont gagné leur indépendance, mais le français y est souvent resté l'une des langues officielles.

## Compréhension

1. A quelle époque les Français ont-ils commencé à explorer le monde?

2. Quels navigateurs sont associés aux premières explorations françaises outre-atlantique?

3. Dans quelles parties des Etats-Unis reste-t-il une présence française?

4. Quels pays d'Afrique du Nord ont connu un régime colonial français?

5. Consultez la carte à la page 313 et indiquez au moins trois pays au sud du Sahara où il y a eu une présence française. Dites avec précision où ils se trouvent.

6. A quelle époque beaucoup de pays africains ont-ils obtenu leur indépendance?

## Réflexion

A. Sur la carte géographique à la page 327, tracez l'expansion coloniale de la France et indiquez l'année de chaque colonisation. Quelles motivations peut-on suggérer pour expliquer une politique de colonisation?

B. Mettez-vous à la place des francophones du Canada. Vous êtes entourés de concitoyens parlant une autre langue maternelle et dont les origines culturelles diffèrent des vôtres. Au sud, il y a le puissant grand voisin américain, les Etats-Unis. Dans quel sens vous sentez-vous menacés?

C. Quel est l'héritage français sur le territoire des Etats-Unis? Quels événements historiques pouvez-vous citer pour expliquer cette présence, surtout en Louisiane et en Nouvelle-Angleterre?

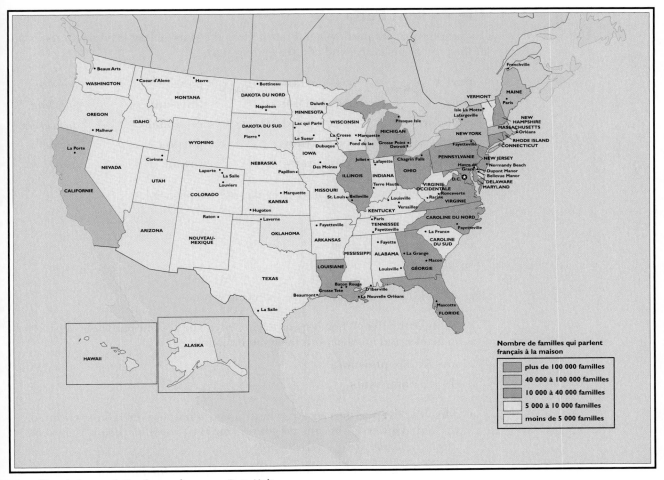

Répartition de la population francophone aux Etats-Unis

La Nouvelle-Orléans

## The Present Participle

To form the present participle in French, drop the -ons ending from the **nous** form of the present indicative and add the ending -**ant.**

| parler | nous **parl~~ons~~** | **parlant** | *speaking* |
|--------|------------------|-------------|------------|
| finir | nous **finiss~~ons~~** | **finissant** | *finishing* |
| répondre | nous **répond~~ons~~** | **répondant** | *answering* |
| partir | nous **part~~ons~~** | **partant** | *leaving* |
| voir | nous **voy~~ons~~** | **voyant** | *seeing* |

Only **avoir, être,** and **savoir** have irregular present participles.

| avoir | **ayant** |
|-------|-----------|
| être | **étant** |
| savoir | **sachant** |

The present participle is used in the following ways.

- **As an Adjective.** When used as an adjective, the present participle must agree in gender and number with the noun it modifies.

  une histoire **plaisante**

  des jeux **amusants**

- **After the Preposition** *en.* After most prepositions, use the infinitive form of the verb. However, after the preposition **en,** the present participle is used to mean *by, while, upon* + verb + -*ing*.

| **En voyageant,** j'ai beaucoup appris. | ***By traveling,** I learned a lot.* |
|------------------------------------------|---------------------------------------|
| **En visitant** le Maroc, nous avons vu le Sahara. | ***While visiting** Morocco, we saw the Sahara.* |
| **En arrivant** à La Nouvelle-Orléans, il a cherché un hôtel. | ***Upon arriving** in New Orleans, he looked for a hotel.* |

**5** Vous venez de faire un voyage à Québec et vous en parlez à un(e) ami(e). Complétez chaque phrase par la forme appropriée du verbe entre parenthèses.

1. J'avais envie de _____ une ville francophone près de chez moi. (voir)

2. En _____ par le train, j'ai économisé de l'argent. (voyager)

3. En _____ à la gare, je suis allé(e) directement à l'hôtel. (arriver)

4. J'ai eu la chance de _____ des excursions magnifiques. (faire)

5. En _____ des visites guidées, je n'ai eu aucune difficulté à _____ la ville de Québec en trois jours. (faire / voir)

6. En _____ par le train, j'ai passé mon temps à _____ les paysages québécois. (rentrer / regarder)

# POUR S'EXPRIMER

CD2, Track 9

## A l'écoute

### Mise en scène

Avant de faire les activités qui suivent, écoutez la conversation entre Héla et Amruta qui expliquent comment il se fait qu'elles parlent français.

**Contexte:** Nous sommes à Washington et Héla et Amruta, deux francophones, sont très heureuses de se parler en français dans cette ville universitaire des Etats-Unis. En échangeant des idées, Héla et Amruta vont découvrir que, malgré leurs différences, elles ont beaucoup en commun. Ecoutons-les.

### Avant d'écouter

1. Imaginez un scénario où vous étudiez dans une université francophone. Un jour, au restaurant universitaire, vous entendez quelqu'un qui parle anglais. Vous vous approchez de cette personne. Qu'est-ce que vous lui dites?

2. Quelles sortes de personnes parlent français même si ce n'est pas leur langue maternelle?

### Compréhension

**A.** Héla et Amruta viennent de quels pays? Où sont-elles lorsqu'elles se rencontrent? Que font-elles?

**B.** Comment Héla explique-t-elle le fait qu'elle parle français? Comment a-t-elle appris à le parler? Et Amruta? Qui parle français dans son pays?

**C.** Quelle est la langue maternelle de Héla? Quels exemples donne-t-elle de l'influence du français sur sa propre langue?

**D.** Que savez-vous de l'expansion coloniale de la France en Afrique du Nord? Quelle est l'attitude de Héla vis-à-vis de ce passé?

**E.** Amruta mentionne les villes indiennes de Pondichéry, Mahé et Yanam comme étant d'anciens comptoirs *(trading posts)* français. Situez ces villes sur une carte. Expliquez en quoi leur situation géographique est stratégique pour le commerce. Quels exemples Amruta donne-t-elle de la présence française actuelle dans ces régions?

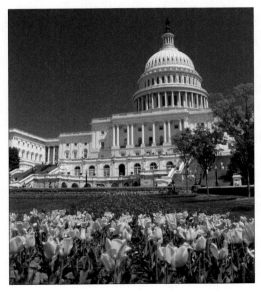

Le capitole à Washington

## A vous la parole

Trouvez dans la liste suivante un élément de liaison qui facilite le passage de la phrase (a) à la phrase (b). Il y a souvent plus d'un choix possible.

| | |
|---|---|
| alors là... | *on that point . . .* |
| attends... | *wait a minute . . .* |
| bref... | *to make a long story short . . .* |
| d'ailleurs... | *what's more . . .* |
| écoute... | *listen . . .* |
| en fait... | *in fact . . .* |
| regarde... | *look . . .* |
| tu sais... | *you know . . .* |
| tu comprends... | *you understand . . .* |

1.  a. C'est une histoire longue et compliquée.
    b. Kandioura a fini par trouver un poste en France.

2.  a. Ma copine va bientôt faire un stage au Sénégal.
    b. Elle part ce mois-ci.

3.  a. Tu crois que l'anglais doit être la seule langue internationale.
    b. Je ne suis pas d'accord avec toi.

4.  a. Où va notre groupe après le séjour à Québec?
    b. Je vais consulter l'itinéraire.

5.  a. Tu ne vas pas demander de bourse pour étudier en Suisse?
    b. Ce n'est pas une bonne idée.

6.  a. Tu as besoin de renseignements sur la culture maghrébine.
    b. Maryse peut peut-être t'aider.

7.  a. Je vais visiter la Martinique au mois de mai.
    b. Il fait très beau là-bas au printemps.

8.  a. Son séjour chez les Cantin a été très agréable.
    b. Ils l'ont invitée à revenir cet été.

## Situations orales

**A.** Avez-vous déjà visité un pays de langue française? Racontez votre voyage à la classe. OU: La classe peut vous poser des questions pour essayer de deviner où vous êtes allé(e).

**B.** Au cours d'un trajet en taxi à Paris, le chauffeur se met à décrire les problèmes posés par l'immigration en France. Il vous demande de lui expliquer la situation de l'immigration chez vous. Qu'est-ce que vous lui répondez?

# Note culturelle

## La francophonie et la littérature

La francophonie se fonde sur le partage de la langue française pour l'enrichissement de tous les pays qui la composent. Or, une langue trouve son accomplissement dans l'activité littéraire, qui mobilise toutes ses ressources, qui la célèbre dans toutes ses beautés, qui l'oblige parfois à se renouveler ou à inventer des formes d'expression innovatrices. Une langue ne vit et ne prospère que parce que des écrivains, des conteurs, des poètes—tous ouvriers du mot—la plient à leur volonté créatrice, la montrent dans tous ses états, la font penser, rire, rêver, agir... Les écrivains figurent donc au premier rang des artisans de la francophonie.

Les littératures francophones procèdent toutes d'un désir parallèle de manifester une présence au monde. Se développant dans des situations de contacts, et même de déséquilibres culturels, la production littéraire d'expression française devient le moyen de définir et de proclamer une identité, qui peut être problématique.

Beaucoup de textes disent l'urgence d'une parole longtemps empêchée, qui s'épanouit enfin dans l'expression littéraire: ce sont les littératures des peuples colonisés, des communautés autrefois dominées, des minorités toujours menacées. L'objectif premier est alors de «prendre la parole», dans toute la force du terme—comme ailleurs on a pris la Bastille. Littératures où les écrivains se font la voix de ceux qui n'avaient pas de voix.

## Compréhension

1. Donnez au moins trois raisons qui nous permettent de dire que c'est dans la littérature qu'une langue trouve son accomplissement.
2. Quelles sortes de libertés les littératures francophones donnent-elles aux peuples qui les produisent?

## Réflexion

A. A une époque dite post-coloniale, quelles justifications peut-on suggérer pour le maintien des littératures francophones dans le monde?
B. Etes-vous d'accord avec l'idée que la littérature peut servir de moteur à l'esprit révolutionnaire? Pouvez-vous envisager des situations réelles ou imaginaires où l'écrivain a inspiré un peuple à la révolte?
C. Quels thèmes peut-on s'attendre à découvrir en lisant ces littératures francophones?

# Structures III

## Relative Pronouns

Relative pronouns are used to join two thought groups by relating one clause to a word or concept in another clause. The word or concept referred to by the subordinate clause is called the antecedent.

| | |
|---|---|
| Le garçon **qui nous accompagne** est le frère de Marie. | *The boy **who is coming with us** is Marie's brother.* |

The relative pronoun is often omitted in English but must always be used in French.

| | |
|---|---|
| L'endroit **que** nous avons visité est un territoire d'outre-mer. | *The place **(that)** we visited is an overseas territory.* |

A single French form may have several possible English meanings. For example, **qui** may mean *who, whom, which, what,* or *that.* Choosing the correct relative pronoun in French depends on the pronoun's function in the sentence (subject, direct object, object of a preposition) and on whether the verb following the relative pronoun requires a preposition.

### Subject of the Clause

It is easy to recognize when a relative pronoun is the subject of the clause it introduces because there will be no other subject in the clause. **Qui** as subject may refer to either persons or things.

Le garçon **qui vient à la fête** est le frère de Marie.

Ce pays **qui se trouve dans le Pacifique** est une ancienne colonie.

When there is no specific word or definite antecedent for the relative pronoun to refer to, an antecedent must be provided by adding **ce.**

Il raconte **ce qui se passe actuellement en Algérie.**

Ils indiquent **ce qui est intéressant en Belgique.**

Relative pronoun constructions that include **ce** are often translated as *what* and refer to a situation or idea rather than to a specific object or person.

### Object of the Clause

When the clause introduced by a relative pronoun already has a subject, the relative pronoun is the object of the verb of the clause it introduces. **Que** also refers to either persons or things.

Le garçon **que vous avez invité** vient à la fête.

Les pays **que nous visitons** sont en Asie.

Again, if there is no definite antecedent for the relative pronoun, you must provide one by adding **ce.**

Voilà **ce que vous avez demandé.**

Je ne sais pas **ce qu'il veut.**

**1** Vous rédigez *(are composing)* vos notes pour un exposé sur le monde franco-phone. Complétez chacune de vos phrases en utilisant **qui, que, ce qui** ou **ce que.**

1. Un francophone est une personne _____ parle français.
2. Le français est une langue _____ ils emploient assez souvent.
3. Ils savent peut-être _____ se passe dans l'Hexagone.
4. L'Hexagone est un nom _____ l'on donne à la France.
5. Quelquefois, ils ignorent _____ les Français font chez eux.
6. La langue et la culture franco-canadiennes sont très importantes pour les personnes _____ habitent le Québec.
7. Un Martiniquais est une personne _____ habite la Martinique.
8. Le créole est une des langues _____ l'on parle à la Martinique.

**2** Vous êtes allé(e) au Canada où vous avez fait la connaissance de plusieurs personnes. Vous montrez vos photos à vos camarades de classe. Combinez les deux phrases en utilisant **qui** ou **que.**

MODELES   Voilà Marc. (Il habite à Montréal).
          *Marc est un garçon qui habite à Montréal.*

          Voilà Rachèle. (Je la connais depuis longtemps.)
          *Rachèle est une fille que je connais depuis longtemps.*

1. Voilà Jean-Pierre. (C'était mon camarade de classe.)
2. Voilà Marie-Claire. (Elle était dans mon cours de français.)
3. Voilà Simone. (Je l'ai rencontrée à l'université.)
4. Voilà Nathalie. (Elle m'a invité[e] à une soirée.)
5. Voilà Robert. (Il a des parents au Vermont.)
6. Voilà Antoine. (Je l'ai accompagné pour faire du ski.)
7. Voilà Nicole. (Elle a assisté au carnaval avec moi.)
8. Voilà Thomas. (Je l'ai vu tous les week-ends.)

## Object of a Preposition

In French, if the verb following the relative pronoun requires a preposition, this preposition is incorporated into the body of the sentence in one of the following ways.

**A. *Dont* and *ce dont*:** The preposition **de** is absorbed into the forms **dont** and **ce dont,** which refer to both persons and things.

| | |
|---|---|
| Voici le livre **dont vous avez besoin.** | *Here is the book **that you need.** (to need = **avoir besoin de**)* |
| Voilà le guide **dont je parlais.** | *There's the guide **that I was talking about.** (to talk about = **parler de**)* |

If there is no definite antecedent for **dont,** you must add **ce.**

| | |
|---|---|
| **Ce dont elle a peur** n'est pas clair. | *It's not clear **what she's afraid of.** (**avoir peur de**)* |
| Apportez **ce dont vous avez besoin** pour le voyage. | *Bring **what you need for the trip.** (**avoir besoin de**)* |

**Dont** is used to express *whose, of whom,* and *of which.* After **dont** meaning *whose,* the word order in French is always subject + verb + object. This may be the reverse of the English order.

Voilà le guide **dont le frère est français.**

*That's the guide **whose brother is French.***

Voilà le touriste **dont vous avez réparé la voiture.**

*There's the tourist **whose car you repaired.***

**3** Votre ami(e) et vous préparez un voyage au Maroc. Complétez les phrases suivantes avec **ce qui, ce que (ce qu')** ou **ce dont.**

1. Tu as acheté...

   _____ était sur notre liste?

   _____ nous avons besoin?

   _____ j'ai indiqué?

2. Notre professeur nous a expliqué...

   _____ il faut faire au Maroc.

   _____ est intéressant au Maroc.

   _____ il a parlé au sujet du Maroc.

3. Il faut faire tout...

   _____ on a envie de faire au Maroc.

   _____ est nécessaire pour préparer notre départ.

   _____ nous avons prévu pour le voyage.

4. A notre retour, nous pouvons parler à nos camarades de classe de...

   _____ est arrivé pendant le voyage.

   _____ nous avons vu au Maroc.

   _____ on se souvient le mieux du voyage.

**B.** *Qui and lequel:* If the verb following the relative pronoun requires any preposition other than **de,** this preposition must be placed before the appropriate relative pronoun. In such cases, **qui** is usually used to refer to people and the appropriate form of **lequel (laquelle, lesquels, lesquelles)** to refer to things.

Voilà mon ami **pour qui** j'ai acheté le cadeau.

C'est l'école **dans laquelle** on étudie les langues.

Allez chercher les chèques **avec lesquels** nous allons payer les billets.

When **lequel, lesquels, lesquelles** are preceded by the preposition **à** or **de,** the appropriate contractions must be made.

Voilà le livre **auquel** notre professeur a fait allusion.

**Duquel** parlez-vous?

# RAPPEL!

Remember that in both spoken and written French, you may not place a preposition at the end of the sentence. In English, you might hear *There's my friend I bought the present for* or *That's the course I went to.* In French you would have to say:

Voilà mon amie **pour qui** j'ai acheté le cadeau.

C'est le cours **auquel** j'ai assisté.

### The Relative Pronoun *où*

If the antecedent is a period of time, **où** is used as the relative pronoun in all cases.

J'étais préoccupée le jour **où** j'ai passé l'examen.

Il est venu au moment **où** je partais.

If the antecedent is a location and you want to convey the meaning of **dans, de, à, sur, vers,** etc., use **où.**

Voilà l'école **où** (= **dans laquelle**) on étudie les langues.

Voilà l'endroit **où** (= **vers lequel**) il faut aller.

If the antecedent is a location and the verb does not require a preposition before a noun object, use the relative pronoun **que** or **qui.**

Voilà le musée **que** nous avons visité.

C'est un musée **qui** possède une excellente collection.

# RAPPEL!

The following steps will help in choosing the correct relative pronoun to use in French.

1. Identify the relative clause and remember that in French you must use a relative pronoun, even if it can be omitted in English.

2. Find the subject of the relative clause. If there is none, use **qui** or **ce qui** as the relative pronoun.

3. Verify whether the verb of the relative clause requires a preposition. If the verb requires **de,** use **dont** or **ce dont** as the relative pronoun. If the verb requires any other preposition, use **qui** for persons or a form of **lequel** for things (preceded by the preposition).

4. If the relative clause has a subject and the verb requires no preposition, use **que** or **ce que** as the relative pronoun or **où** if the antecedent is a period of time. If the antecedent is a location, use **où** if the verb requires a preposition before a noun object and **que** or **qui** if no preposition is involved.

**4** Vous avez passé l'année au Canada pour faire un stage. Vous montrez des photos à votre ami(e). Complétez les phrases suivantes.

MODELE  Voici le bâtiment dans *lequel j'ai travaillé.*

1. Voici la compagnie pour _____.
2. Voici les collègues avec _____.
3. Voici le bureau dans _____.
4. Voici la femme pour _____.
5. Voici l'ordinateur portable sur _____.
6. Voici le technicien avec _____.

**5** Pour accompagner votre exposé, vous montrez les photos d'un voyage que vous avez fait dans un pays francophone. Voici vos commentaires sur les photos. Complétez chaque phrase ci-dessous et à la page suivante à l'aide du pronom relatif approprié, précédé d'une préposition, si nécessaire.

1. C'étaient des vacances _____ j'avais besoin pour apprendre le français.
2. Voilà l'Airbus dans _____ j'ai voyagé.
3. Et voilà l'île _____ je vais vous parler.
4. C'est l'endroit _____ j'ai passé quinze jours.
5. Il s'agit ici d'un Club Med, et voilà les petits jetons *(tokens)* avec _____ on paie toutes les activités.

6. Voilà des gens à _____ je parlais souvent.

7. Regardez la pendule. C'est l'heure _____ l'on dîne dans ce pays.

8. Ici, le guide nous dit _____ on a besoin pour faire des promenades autour de l'île.

9. Nous sommes en décembre et c'est un mois _____ l'on peut nager et se promener sur la plage.

10. Me voici de retour! Ce sont des vacances _____ je vais me souvenir toute ma vie.

Club Med La Caravelle, en Guadeloupe

6 Décrivez quelques aspects de votre vie en complétant les phrases suivantes à l'aide des pronoms **qui** et **que**.

MODELE  Ce semestre, j'ai des cours *qui me plaisent beaucoup.*
Ce semestre, j'ai des cours *que je trouve un peu difficiles.*

1. J'ai des amis...

2. Mes colocataires sont des personnes...

3. J'ai des profs...

4. Mon cours de français, c'est un cours...

5. Mon copain / Ma copine est une personne...

## INTERACTIONS

**Les qualités d'un bon professeur.** En petits groupes, composez cinq ou six phrases à ce sujet. Comparez vos réponses à celles des autres groupes et faites le portrait du professeur idéal.

MODELE  *Je préfère les professeurs qui ont de la patience.*
*Je préfère les professeurs avec qui on peut discuter.*

## SYNTHESE

**A.** **Des projets pour un week-end intéressant.** Complétez les phrases avec le pronom relatif convenable.

1. Je vais sortir avec des amis...
_____ je t'ai parlé.
_____ j'ai rencontrés le week-end dernier.
_____ sont amusants.
avec _____ je m'entends très bien.

2. Nous allons dîner dans un restaurant...
_____ ma copine a recommandé.
_____ n'est pas trop cher.
dans _____ on mange très bien pour peu d'argent.
_____ tout le monde parle.

**3.** Tu veux voir le film...

_____ Spielberg est le metteur en scène?

_____ passe actuellement en ville?

_____ nos amis ont déjà vu?

dans _____ il y a plusieurs acteurs célèbres?

**4.** Tu veux aller dans une boîte...

_____ est très à la mode actuellement?

_____ on parle beaucoup?

_____ tout le monde fréquente ces temps-ci?

dans _____ on s'amuse bien?

**5.** On va à une soirée...

_____ on fait pour l'anniversaire de notre ami Robert.

pour _____ tout le monde va apporter quelque chose.

_____ a lieu dans l'appartement de nos copains.

_____ tout le monde va se souvenir longtemps.

**6.** Il y a des copains...

_____ nous n'allons pas voir ce week-end.

pour _____ le week-end ne va pas être intéressant.

_____ vont rester à la résidence.

_____ les parents vont venir au campus ce week-end.

**B. Ce qui est important à l'université.** Quelques étudiants sont en train de parler de leurs études. Complétez leurs remarques à l'aide du pronom relatif approprié.

1. Je veux une formation _____ me permette de réussir dans la vie.
2. Ce sont les cours obligatoires _____ on doit suivre pendant les deux premières années.
3. Des cours plus pratiques? Voilà _____ nous avons besoin.
4. Nous avons vraiment besoin d'un endroit _____ l'on puisse se réunir pour étudier en groupe.
5. M. Duval est un prof avec _____ on apprend beaucoup.
6. La faculté de lettres est la partie de l'université dans _____ on étudie les langues vivantes.
7. Je n'ai pas eu de bons résultats à ce cours. J'étais très préoccupé(e) le jour _____ j'ai passé cet examen.
8. _____ m'intéresse vraiment, c'est l'informatique.
9. M. Roche? C'est le prof d'histoire _____ la femme est médecin.
10. _____ je ne comprends pas, c'est qu'il faut payer les droits d'inscription avant la fin des inscriptions.

**C. Les avantages du voyage.** Transformez chaque phrase en employant **en** + participe présent. Attention à la logique de la phrase.

MODELE  Elle apprend quand elle voyage.
_Elle apprend en voyageant._

1. Quand on fait un effort, on apprend beaucoup de choses au sujet des étrangers.
2. On rencontre des gens sympathiques quand on visite des pays étrangers.
3. Si on prend le train, on voit le paysage.
4. Quand vous allez dans un autre pays, vous découvrez une autre façon de vivre.
5. Si vous restez quelque temps dans un pays étranger, vous pouvez souvent apprendre un peu la langue de ce pays.

# Note culturelle

## L'écrivain et sa langue

Le problème de la relation de l'écrivain d'expression française avec sa langue d'écriture alimente des débats toujours renouvelés. La revue *La Quinzaine littéraire* avait adressé un questionnaire à un ensemble d'écrivains représentatifs des littératures francophones. La première question était: «L'utilisation du français comme moyen d'expression et de création a-t-elle été pour vous un choix naturel ou vous a-t-elle été imposée pour des raisons institutionnelles, d'enseignement ou de pression sociale? Dans la nécessité de vous faire entendre, avez-vous choisi le français par opportunité ou par obligation?»

Les réponses reçues se rassemblent sur quelques options fondamentales:

- Il n'est plus possible de présenter le français comme la langue de toutes les supériorités.
- Il n'est pas pensable non plus d'en réserver la propriété aux seuls Français.
- C'est la langue qui s'impose à l'écrivain et non l'écrivain qui choisit arbitrairement sa langue d'écriture.
- Si la langue d'écriture est le lieu d'affirmation de l'identité, elle invite aussi à l'expérience de l'exil et de l'étrangeté; c'est l'impureté fondatrice du français des francophones qui lui permet d'atteindre à l'universel.

### Qui choisit qui?

- «Non, il ne s'agit pas de choix. Imposée ou pas, la langue française était là toute séduction dehors, m'environnant. L'école et l'avenir. Comme le petit Breton, le petit Alsacien. En plus pour moi, la civilisation passait par le français, c'était dit. Mon père (instituteur) aidant, je me suis appliqué à apprendre, parler, écrire, penser, regarder..., vivre.»

Tchicaya U Tam'Si (Congo)

- «Francophonie, yes. Je n'ai pas choisi la langue française, elle m'a choisi. Et j'en suis très content. Je veux la garder. [...] Je veux pouvoir mélanger en elle ma raison et ma folie, mon présent difficile et ma mémoire, prolonger ma vie autant que possible [...], lui organiser d'autres fêtes, inviter d'autres mots à partager ses merveilles [...], lui dire que je n'aime qu'elle parce que c'est vrai, la tromper avec d'autres langues parce que ça fait partie de la vérité, de l'Histoire qui m'a été donnée et dans laquelle je me débats comme je peux.»

Jean-Claude Charles (Haïti)

### La langue et l'identité

- «Le français est ma langue maternelle. J'écris dans ma langue maternelle. Ma langue paternelle est aussi le français. J'écris aussi dans ma langue paternelle. La langue du Québec est aussi le français. J'écris aussi dans la langue du Québec. [...] C'est ma langue et je n'en ai pas d'autre.»

Suzanne Jacob (Québec)

- «La grande leçon que donne l'écrivain africain [de langue française]: faire du français, langue de l'Ancien Maître, le lieu d'assomption de sa propre identité.»

Mukala Kadima-Nzuji (République démocratique du Congo [ex-Zaïre])

- «C'est cette langue [l'arabe, langue de mon père] qui m'est familière et inconnue, que je veux présenter dans les livres que j'écris en français, ma langue maternelle, à travers les personnages romanesques en exil comme moi, déplacés, dispersés, coupés de la terre familiale et de la langue maternelle. A la croisée, pour toujours, dans le jeu avec la vie, la folie, la mort.»

Leïla Sebbar (France / Algérie)

### En guise de conclusion

- «Pour clore définitivement la question, parce que je ne vais pas passer ma vie à m'expliquer, encore moins à me justifier pourquoi j'écris en français, j'emprunte une phrase à Henry James, cité par Maurice Blanchot dans *Le Livre à venir:*

  "Nous travaillons dans les ténèbres—nous faisons ce que nous pouvons—nous donnons ce que nous avons. Notre doute est notre passion, et notre passion notre tâche. Le reste est folie de l'art."»

Tahar Ben Jelloun (Maroc)

## Compréhension

En groupes de trois ou quatre personnes, composez un résumé (d'une ou deux phrases) de chacune des citations précédentes pour indiquer ce que l'idée de la «francophonie» représente pour chacun des auteurs cités.

## Réflexion

**A.** En quoi les écrivains francophones contribuent-ils au développement et à l'évolution de la langue française?

**B.** Qu'est-ce que les écrivains francophones essaient de définir en se servant de la langue française comme moyen de production littéraire?

# INTERACTIONS

**Qui est-ce?** Faites le portrait d'un personnage célèbre sans dire son nom. Les autres étudiants de la classe vont essayer de deviner de qui vous parlez.

MODELE *Je pense à une personne qui est morte il y a quelques années: une grande vedette. Elle était très amusante. C'était une actrice comique que tout le monde aimait et respectait. Elle avait les cheveux roux et elle a été la vedette de plusieurs séries à la télévision. Elle était mariée à un musicien cubain. Qui est-ce?*

## Situations écrites

**A.** Un ami guadeloupéen vous demande s'il y a une présence francophone aux Etats-Unis. Composez une réponse à sa question.

**B.** Vous cherchez un poste dans une société ayant beaucoup de contacts dans les pays francophones. On vous demande de composer une biographie et de décrire vos études. On vous demande aussi dans quels pays francophones vous aimeriez bien travailler.

# A lire

## Texte de culture contemporaine

Le Château Frontenac et le quartier Petit Champlain à Québec

La mascotte du Carnaval de Québec, le Bonhomme Carnaval

## Sujets de réflexion

1. Quelles impressions avez-vous du Canada francophone? Croyez-vous que la vie culturelle des francophones du Canada soit sensiblement différente de celle des anglophones? A partir de quelles expériences pouvez-vous expliquer vos constatations?

2. Quelles régions bilingues ou multiculturelles connaissez-vous ailleurs en Amérique du Nord ou dans le monde? Y a-t-il des lois qui existent pour garantir leur indépendance ou leur existence? Quelles sortes d'éléments menacent les populations minoritaires?

## Guide de lecture

1. Dans chaque paragraphe de la lecture nous trouvons des dates importantes pour la compréhension de l'histoire de la francophonie canadienne. Faites une liste des dates principales et de leur importance.

2. Quelle est l'importance de la phrase: «Définir l'identité canadienne relève de la gageure.» (dernier paragraphe)? Quelles sont les dates que vous avez relevées (question 1) qui vous permettent de mieux comprendre cette phrase? Donnez deux ou trois exemples dans le texte pour appuyer votre réponse.

# Le Canada: La francophonie

On peut dire que, par différence avec les anglophones, les francophones [du Canada] retirent de leur situation culturelle et linguistique le sentiment de constituer une éternelle minorité, dont aucune loi ne parviendra jamais à assurer l'avenir. Le Québec même a, pour une large part, trouvé son identité dans la conviction qu'il formait, en Amérique du Nord, une communauté coupée très tôt de ses racines culturelles européennes, et minoritaire, à la fois par sa démographie et par sa culture. Pourtant il sera la première communauté de langue à résister à ce que Blair Neatby appelle «l'anglo-homogénéisation» [*Nos deux langues officielles au fil des ans*, 1991] et que proposait Lord Durham dans son plan d'assimilation des populations francophones d'une Nouvelle-France vaincue° et rattachée à l'Empire britannique. Se raccrocher° à sa langue était la meilleure façon de s'opposer en marquant sa différence. En 1867, la Confédération qui prend pour pivot central la province à majorité anglophone et celle où sont regroupés la plupart des francophones, l'Ontario et le Québec, s'oblige à énoncer° le principe d'égalité des deux langues devant la loi fédérale, au parlement, devant les tribunaux et dans les deux chambres de la Législature du Québec (art. 133). La survie° du français s'en trouvait officiellement confortée, en même temps que se trouvait esquissée° la reconnaissance du statut° bilingue et biculturel du pays. Les francophones étaient désormais° reconnus comme l'un des deux peuples fondateurs du Canada. [...] Or, dans les faits, la bataille linguistique était loin d'être gagnée, et les francophones peu susceptibles de pouvoir vivre en français.

Le français devra se réfugier pendant longtemps encore dans des écoles primaires bilingues qui accueillent avec réticence les enfants ne parlant pas encore la langue nationale, l'anglais. [...] La loi de 1969 [sur les langues officielles...] va non seulement confirmer l'égalité du français vis-à-vis de l'anglais dans le Canada fédéral, c'est-à-dire dans les institutions, dans ses sociétés et auprès de leurs personnels, mais encore provoquer (grâce à d'importants renforts financiers fédéraux transférés au terme de l'entente fédérale-provinciale de 1970 sur l'enseignement de la langue de la minorité et de la langue seconde) un mouvement de soutien° à la langue française dans les provinces où sont installées les minorités francophones. Ce soutien s'exercera essentiellement dans le domaine de l'éducation et dans ceux des services à rendre à ces communautés dans leur langue (santé, logement, emploi, etc.). [...] Pour aussi volontariste° et active qu'ait été la politique du bilinguisme, elle ne semble cependant pas avoir modifié le poids du français vis-à-vis des autres langues et singulièrement de l'anglais.

A l'extérieur du Québec (province où le français langue maternelle [légalement, «la langue apprise dès l'enfance et toujours comprise»] représente 82,1% de la population) la francophonie canadienne (au total 24,3% de la population en 1991, 24,3% en 1986, 25,2% en 1981 et 29% en 1951) est inégalement dispersée dans toutes les provinces et partout en recul. [...] Or, par le jeu° de l'immigration et des migrations internes, seul le Québec parviendra° à conserver un pourcentage de francophones à peu près constant entre 1941 et 1991.

Mais derrière ces chiffres, se profile une réalité sociale, celles des minorités francophones dites «hors Québec», terme qui prend tout son sens lorsque l'on sait que
45 ces minorités ont poursuivi leur combat pour la reconnaissance de leurs différences,
*aid* souvent sans l'appui° de la Vieille capitale [Québec], avec le sentiment d'en être
abandonnées et livrées à elles-mêmes depuis l'émergence d'un Québec national. [...]
Les Acadiens ont prouvé récemment leur retour en force sur la scène constitu-
tionnelle en se faisant reconnaître comme «peuple fondateur» du Canada et en
50 organisant en 1994 à Moncton (Nouveau-Brunswick) leur premier rassemblement
mondial. [...]

*seemingly impossible*      Définir l'identité canadienne relève de la gageure°. Loin d'être monolithique, la
*task* culture qui la sous-tend ne repose sur aucune idéologie bien définie et s'exprime
plutôt à travers des diversités régionales. Néanmoins, cette identité, difficile à
*define* 55 cerner° et à réduire à des schémas simples, s'est lentement modelée en s'imprégnant
de l'évolution prudente et patiente de l'espace-temps de cet immense et jeune pays.
*understanding* Elle fut d'abord faite d'une tentative d'entente° et de réconciliation entre deux
nations fondatrices, période plutôt mal vécue par les deux partenaires qui furent
unis au bout d'un siècle par une politique de bilinguisme et de biculturalisme offi-
*blurred* 60 ciels. Ces rapports ont récemment été rendus plus flous° et plus ambigus, voire plus
*contradictory /* **de... :** antinomiques°, par les impératifs d'une multiculture de circonstance°, mettant en
*of convenience /* avant le caractère allogène° de la nouvelle société canadienne.
*non-native*

Source: Jean-Claude Redonnet, *Le Canada*, Presses Universitaires de France, 1996

## Après la lecture

1. La population francophone du Canada, et surtout du Québec, a très tôt compris qu'elle allait marquer sa différence culturelle en s'opposant à tout projet
   d'assimilation. Expliquez cette politique en évoquant les origines coloniales
   du Canada et les événements historiques qui expliquent la présence de deux
   langues officielles sur le territoire et de leurs statuts respectifs.

2. Qu'est-ce qu'on entend par le principe de «l'anglo-homogénéisation» au
   Canada? Comment ce principe devait-il encourager l'assimilation des fran-
   cophones au sein de la Confédération? Le projet a-t-il réussi à votre avis?
   Pourquoi?

3. Quel effet important la loi de 1969 sur les langues officielles a-t-elle eu
   sur les minorités francophones? La langue française est-elle devenue, dans
   la réalité, aussi importante que l'anglais? Sur quels faits appuyez-vous
   votre réponse?

4. A l'extérieur du Québec, la population francophone est-elle restée plutôt stable
   au cours du vingtième siècle? Quel autre groupe francophone non-québécois
   a manifesté son importance dernièrement? En quoi ce phénomène met-il en
   relief la conclusion du texte, à savoir qu'il est difficile de définir l'identité
   canadienne?

# Texte littéraire

## Sujets de réflexion

1. A votre avis, quels sont les aspects d'une culture qui donnent à ses membres une «identité»? Pensez aux cultures hispanique, afro-américaine, japonaise, par exemple.

2. Actuellement la question de l'identité sexuelle repose de moins en moins sur des stéréotypes. Pourtant, y a-t-il toujours des traits qui sont considérés comme «typiques» des hommes et des femmes?

3. Il y a beaucoup de films où des hommes se déguisent en femmes et des femmes en hommes, comme *Victor / Victoria, Mrs. Doubtfire, Tootsie, Mr. Headmistress, La Cage aux folles (Bird Cage)*, pour n'en mentionner que quelques-uns. Pourquoi, à votre avis, le public semble-t-il s'intéresser tellement à ce thème?

## A propos de l'auteur...

**Tahar Ben Jelloun** est né à Fez, au Maroc, en 1944. Quand il est âgé de dix ans, ses parents s'installent à Tanger. Ces deux villes vont laisser une forte empreinte sur l'imaginaire de son œuvre littéraire. Après avoir été élève au lycée français de Tanger, il étudie la philosophie à l'université de Rabat. Il commence à enseigner à Tétouan, puis à Casablanca. En 1971, il part à Paris étudier la sociologie et la psychiatrie sociale. Sa thèse et son activité professionnelle dans ce domaine le familiarisent avec les problèmes d'adaptation des immigrés maghrébins en France. Plusieurs de ses livres posent le problème du déracinement et de la position de l'individu face à l'hégémonie du groupe, et ils dénoncent sans complaisance tout ce qui porte atteinte aux droits ou à la dignité de l'homme.

Tahar Ben Jelloun

# Interview avec Tahar Ben Jelloun:
## «*Tahar Ben Jelloun—Raconteur d'histoires de notre temps*»

Romancier, nouvelliste, poète, prix Goncourt 1987 pour *La Nuit sacrée*, intervenant au journal *Le Monde* et à la télévision française sur des questions autant littéraires que politiques, Tahar Ben Jelloun, non, n'a pas réponse à tout. S'il est si demandé, c'est justement parce qu'il est capable de penser plus loin que le bout de son stylo, de
5 faire réfléchir, d'être et de rendre les autres conscients des mouvements du monde.

### *Qu'est-ce qui vous fait courir, Tahar Ben Jelloun?*

*obsession*

(**1**) **TBJ:** J'ai une hantise°, c'est l'injustice! Témoigner est ma passion. Je suis un justicier! Et puis ensuite, j'aime raconter des histoires. Pas pour s'endormir, pas pour passer le temps, mais pour se réveiller. J'ai une fille de 9 ans, je lui raconte des
10 histoires sur le chemin de l'école. Les histoires, ça sert à penser, à être conscient de ce qui se passe autour de soi. Pour cela, il y a l'école, bien sûr, mais les histoires, ça rajoute de la vie.

### *Pourquoi écrivez-vous en français?*

*old section of a* 15 *Moroccan town*

(**2**) **TBJ:** Je suis né à Fez, au Maroc. C'est une très belle ville, très traditionnelle, pleine de petites ruelles, la médina°. Puis à 10 ans, ma famille est allée s'installer à Tanger. Là, je suis allé au lycée. On étudiait davantage le français que l'arabe. J'ai été formé par les deux langues. L'arabe est ma langue maternelle, mais j'ai pensé que j'avais quelque chose à gagner si je maîtrisais le français. Je m'investissais beaucoup dans la langue française. Puis, j'ai continué. Je n'ai jamais écrit en arabe.
20 Le français était un défi, une richesse de plus.

### *Quand écrivez-vous? Vous servez-vous de l'ordinateur?*

*literary characters*

(**3**) **TBJ:** J'écris le matin. Je n'utilise pas d'ordinateur. J'ouvre mon cahier et j'attends. Parfois rien n'arrive. Il faut que l'esprit et le corps s'habituent. Un livre est quelque chose de très vivant. J'y pense tout le temps. Il est très excitant de créer des personnages°, de les
25 faire vivre. Je m'habitue à eux, et tous les matins je les retrouve. On vit ensemble dans le même espace mental. Je crée un univers à côté de l'univers réel.

### *Comment avez-vous décidé de devenir écrivain?*

(**4**) **TBJ:** Je ne l'ai jamais décidé. Mais c'est quelque chose de très fort. Vous sentez que c'est là que vous êtes le mieux, quand vous racontez des histoires. A 20 ans, j'ai
30 écrit des poèmes, contre l'injustice, contre des choses horribles et inadmissibles dans la société.

### *Vous évoquez beaucoup dans vos livres la condition des femmes. Pourquoi?*

(**5**) **TBJ:** Je suis quelqu'un qui témoigne et qui dénonce. Une des grandes injustices est la condition qui est faite aux femmes dans le monde arabe. Je suis très sensible
35 à la manière dont on les traite. Il y a eu une évolution qui est due aux femmes elles-mêmes, pas au gouvernement. Bien sûr, il y a le code de la famille qui est

*backward*

rétrograde°, pas à l'honneur du pays, mais la société est en avance. Les mœurs se sont libéralisées, les femmes se battent, 33% d'entre elles travaillent. L'avenir leur appartient. Les hommes ont le pouvoir politique, les femmes le pouvoir social,
40 même si ce n'est inscrit nulle part dans les textes.

*Dans vos conversations courantes, quand vous êtes en France, vous dites «ils» en parlant des Français, ou «nous»?*

(6) **TBJ:** Je dis rarement «nous». J'établis une distance entre ce que je suis et ce que je vois, mais j'établis cette distance partout, même au Maroc, où je dis «les
45 Marocains». Mon parti pris est celui de l'objectivité, je suis un observateur. J'ai une relation d'équilibre entre les deux pays, et j'ai la même exigence critique. Il est dur de devoir choisir. Nulle part il n'y a de satisfactions garanties.

*Vous ne vous sentez pas apatride?*

*roots*    (7) **TBJ:** Non, pas du tout. J'ai des racines° claires, précises. Je suis marocain, de
50 culture musulmane humaniste et modérée. Je me sens marocain partout où je vais, culturellement et psychologiquement. Je suis aussi adepte des valeurs des droits de l'homme, de la Révolution française, de l'état de droit. En même temps, je suis fasciné par la générosité, l'hospitalité, la convivialité et la largesse d'esprit des Marocains. Ce sont des choses qui se sont un peu perdues en Europe.

Source: *Le Journal Français*, 1996

## Compréhension

1. Cet entretien semble assez facile à lire parce que les questions posées à Tahar Ben Jelloun par le journaliste servent à établir le contexte des réponses. En considérant les questions du journaliste, faites une liste des sujets dont Ben Jelloun va parler.

2. Pourquoi Tahar Ben Jelloun aime-t-il raconter des histoires?

3. A quelle époque de sa vie Tahar Ben Jelloun a-t-il commencé à étudier le français? Pourquoi a-t-il choisi d'écrire en français?

4. Comment voit-il les personnages qu'il a créés?

5. Pourquoi Tahar Ben Jelloun parle-t-il si souvent de la condition des femmes dans ses livres?

## Réflexion

**A.** Quelle est la passion de Tahar Ben Jelloun? Dans quel sens pourrait-on comparer ses motivations à celles des auteurs afro-américains comme Toni Morrison, par exemple?

**B.** Quel contraste la dernière réponse de Tahar Ben Jelloun offre-t-elle entre les valeurs françaises et marocaines?

## Guide de lecture

1. Dans le premier paragraphe de l'extrait suivant de *L'Enfant de sable*, dégagez les mots qui indiquent qu'Ahmed veut aborder avec son père le sujet de son apparence physique.

2. Lisez rapidement le cinquième paragraphe de l'extrait et dégagez-en les mots qui expriment le conflit intérieur d'Ahmed par rapport à sa situation.

3. A la fin de cet extrait, il y a une idée surprenante qui souligne le paradoxe que le père d'Ahmed a créé. A la fin du cinquième paragraphe, que demande Ahmed?

# L'Enfant de sable (extrait)

Avec son livre, *L'Enfant de sable* (1986) Tahar Ben Jelloun a séduit un large
public en recourant à la forme du conte° pour poser le problème de l'identité
aléatoire°: la huitième fille de Hadj Ahmed est déclarée de sexe masculin, mais
comment vivre cette identité impossible?... Toute l'œuvre de Tahar Ben Jelloun est
5 écrite pour conjurer l'enfermement dans cette impossibilité.

*tale*
*problematic*

Humilié de ne pas avoir de fils, d'héritier° mâle, mais «seulement» des filles, un
riche commerçant avait décidé de faire passer sa dernière-née pour un garçon.
Ainsi, la petite fille fut appelée Ahmed. Habillée et éduquée comme un vrai garçon,
elle devait mener une étrange existence, privée de sa vie de jeune fille, mêlée aux
10 hommes, prise par tous pour un homme.

*heir*

(1) Un jour Ahmed alla voir son père dans son atelier et lui dit:
— Père, comment trouves-tu ma voix?
— Elle est bien, ni trop grave ni trop aiguë.
— Bien, répondit Ahmed. Et ma peau°, comment tu la trouves?
15 — Ta peau? Rien de spécial.
— As-tu remarqué que je ne me rase pas tous les jours?
— Oui, pourquoi?
— Que penses-tu de mes muscles?
— Quels muscles?
20 — Ceux par exemple de la poitrine°... [...] Père, je vais me laisser pousser la
moustache.
— Si cela te fait plaisir!
— Dorénavant, je m'habillerai en costume, cravate...
— Comme tu veux, Ahmed.
25 — Père! Je voudrais me marier...
— Quoi? Tu es trop jeune encore...
— Ne t'es-tu pas marié jeune?
— Oui, c'était un autre temps...
— Et mon temps, c'est quoi?
30 — Je ne sais pas. Tu m'embarrasses.

*skin*

*chest*

(2) — N'est-ce pas le temps du mensonge°, de la mystification? Suis-je un être ou
une image, un corps ou une autorité, une pierre dans un jardin fané° ou un arbre
rigide? Dis-moi, qui suis-je?

*lie*
*faded*

(3) — Mais pourquoi toutes ces questions?

35 (4) — Je te les pose pour que toi et moi nous regardions les choses en face. Ni toi ni
moi ne sommes dupes.

(5) Ma condition, non seulement je l'accepte et je la vis, mais je l'aime. Elle
m'intéresse. Elle me permet d'avoir les privilèges que je n'aurais jamais pu connaître. Elle m'ouvre des portes et j'aime cela, même si elle m'enferme ensuite dans
40 une cage de vitres. Il m'arrive d'étouffer° dans mon sommeil. Je me noie° dans ma
propre salive. Je me cramponne° à la terre mobile.
J'approche ainsi du néant°. Mais, quand je me réveille, je suis malgré tout heureux
d'être ce que je suis. J'ai lu les livres d'anatomie, de biologie, de psychologie et

*suffocate / drown*
*hold on to*
*void*

même d'astrologie. J'ai beaucoup lu et j'ai opté pour le bonheur. La souffrance, le malheur de la solitude, je m'en débarrasse° dans un grand cahier°. En optant pour la vie, j'ai accepté l'aventure. Et je voudrais aller jusqu'au bout de cette histoire. Je suis homme. Je m'appelle Ahmed selon la tradition de notre Prophète. Et je demande une épouse. [...] Père, tu m'as fait un homme, je dois le rester. Et, comme dit notre Prophète bien-aimé, «un musulman complet est un homme marié».

°**m'en...** : *rid myself of / notebook*

(6) Le père était dans un grand désarroi°. Il ne savait quoi répondre à son fils ni à qui demander conseil. Après tout, Ahmed poussait la logique jusqu'au bout. Il n'avait pas tout dit à son père, car il avait un plan. Un grand silence chargé de malaise. Ahmed était devenu autoritaire. [...]

*disarray* 50

Source: Tahar Ben Jelloun, *L'Enfant de sable* © Editions du Seuil, 1985

## Après la lecture

1. Quelle est la réaction du père d'Ahmed aux premières questions de son «fils»? Qu'est-ce que cette réaction indique sur les motivations et les attitudes du père?

2. Au quatrième paragraphe, Ahmed indique pourquoi il (elle) décide d'avoir cette conversation avec son père. Quelle était sa motivation?

3. Pourquoi Ahmed dit-il (elle): «Ma condition... je l'aime»? En quoi cette attitude de la part d'Ahmed est-elle ironique?

4. A la fin de l'extrait, quelle attitude d'Ahmed le père critique-t-il? Est-ce que cette attitude est habituellement considérée comme un trait masculin ou féminin? Expliquez l'ironie de cette réaction du père d'Ahmed.

5. Expliquez le titre de cette œuvre de Tahar Ben Jelloun. En quoi ce titre évoque-t-il l'univers marocain de l'auteur? Quelles seraient les caractéristiques d'un enfant fait «de sable»?

## Pour mieux lire

1. Associez les mots anglais de la colonne de droite aux prépositions en caractères gras trouvées dans les extraits de l'interview avec Tahar Ben Jelloun.

1. «Romancier [...] intervenant au journal *Le Monde* [...] **sur** des questions aussi bien littéraires que politiques...»
2. «Pas pour s'endormir, pas **pour** passer le temps...»
3. «... je lui raconte des histoires **sur** le chemin de l'école.»
4. «J'ai été formé **par** les deux langues.»
5. «Je n'ai jamais écrit **en** arabe.»
6. «Je crée un univers **à côté de** l'univers réel.»
7. «... j'ai écrit des poèmes **contre** l'injustice...»
8. «J'établis une distance **entre** ce que je suis et ce que je vois...»
9. «Je suis né **à** Fez, **au** Maroc.»

a. *by*
b. *in opposition to, against*
c. *in / in*
d. *parallel to*
e. *in order to / for the purpose of*
f. *on (au sens physique)*
g. *between*
h. *on (au sujet de)*
i. *in*

2. Ben Jelloun emploie souvent des mots qui vont par paires. Quelquefois ces mots constituent une suite logique, d'autres fois ils représentent un contraste. Dans les deux cas, si vous connaissez la signification de l'un de ces mots, vous pouvez assez facilement deviner le sens de l'autre. Dans les phrases suivantes, tirées de *L'Enfant de sable*, indiquez la signification des mots en italique.

   1. «Elle [ta voix] est bien, ni trop *grave* ni trop *aiguë*.»
   2. «... je m'habillerai en costume, *cravate*...»
   3. «Suis-je un *être* ou une *image*?»
   4. «La *souffrance*, le *malheur* de la solitude...»
   5. «Je suis *homme* [...] Et je demande une *épouse*...»

# LIENS CULTURELS

1. Dans l'interview, Tahar Ben Jelloun dit: «J'ai une hantise, c'est l'injustice!» Dans quel sens peut-on dire qu'il parle de deux sortes d'injustices à la fois dans *L'Enfant de sable*? Cette œuvre de Tahar Ben Jelloun constitue aussi une parabole culturelle. En quoi cet auteur francophone pratique-t-il, lui aussi, une sorte de déguisement? Dans le monde d'aujourd'hui y a-t-il des personnes (femmes, minorités, etc.) qui «se déguisent» quelquefois pour plaire aux autres ou pour mieux réussir? Donnez-en quelques exemples.

2. A partir des renseignements que vous avez obtenus en lisant les textes **Un peu de culture contemporaine** (pages 312–315) et **L'héritage culturel** (pages 327–329), avez-vous l'impression que la politique coloniale de la France a eu des résultats positifs aussi bien que négatifs dans les pays colonisés? Expliquez votre point de vue.

# EXPANSION

**A.** Pour beaucoup d'habitants de pays francophones, il y a souvent un problème d'identité qui se pose. Quels avantages y a-t-il à être francophone de nos jours?

**B.** Comment pourriez-vous expliquer à un(e) francophone le problème de l'identité culturelle qui se manifeste actuellement aux Etats-Unis? Possédez-vous, vous-même, deux cultures (hispanique, japonaise, afro-américaine, vietnamienne, coréenne, par exemple)? Comment est-ce que vous vous voyez en tant qu'«Américain(e)»?

# Chapitre 10

# Découvrir et se découvrir

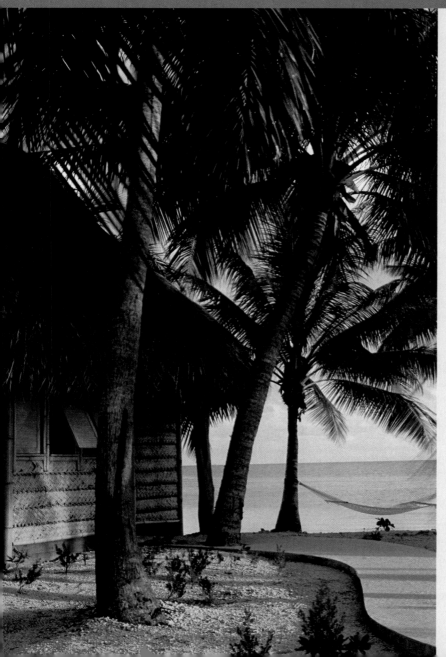

(iLrn

Un bungalow sur une plage de Tahiti, en Polynésie française

# Un peu de culture contemporaine

Club Med: l'exotisme démocratisé

## *Les vacances et le voyage*

Le voyage a toujours fait rêver le monde comme étant un moyen d'échapper au quotidien.

- Au 19$^e$ siècle en France, à l'époque du romantisme, on aime se rapprocher de la nature. Le chemin de fer va peu à peu réduire les distances et modifier les destinations en vogue.

- Au 20$^e$ siècle, la Provence et la Côte d'Azur attirent d'abord une clientèle privilégiée puis, après la Seconde Guerre mondiale, un public plus large qui fréquente les festivals, comme ceux d'Avignon, d'Aix, d'Orange, ou les stations balnéaires le long de la Méditerranée, comme Saint-Tropez. Tous les moyens de transport sont à la disposition du public, mais l'utilisation de la voiture, surtout lorsque plusieurs personnes voyagent ensemble, rend le voyage moins cher et permet une plus grande autonomie.

- Au 21$^e$ siècle, les vacances de luxe ne sont plus réservées aux personnes ayant un pouvoir d'achat élevé. Tout le monde semble prêt à faire des sacrifices sur d'autres dépenses pour pouvoir s'offrir des vacances exceptionnelles. Par ailleurs, le développement d'Internet, avec ses «forfaits à la carte», où la somme est fixée d'avance, permet aux voyageurs de personnaliser leurs vacances tout en conservant un certain contrôle des dépenses.

### Compréhension

1. Quelles innovations dans les transports vont permettre aux gens des 19$^e$ et 20$^e$ siècles de mieux connaître la nature?

2. Au 20$^e$ siècle, dans quelles régions de la France passe-t-on souvent des vacances de luxe?

3. Quelles nouvelles possibilités offre Internet en ce qui concerne la planification des vacances?

### Réflexion

A. A votre avis, en quoi consiste la notion de vacances de luxe? Quelle est la première fonction de telles vacances? Pensez-vous que ces vacances ne sont plus réservées aux riches? Expliquez votre point de vue.

B. Dans quelle mesure les vacances se sont-elles démocratisées depuis le 19$^e$ siècle? Quels éléments socio-économiques ont facilité cette démocratisation?

# L'écotourisme dans le monde francophone

L'écotourisme, un mouvement de tourisme responsable, équitable et écologique, devient de plus en plus populaire en France et dans le monde francophone. Quelquefois appelé (abusivement) le tourisme vert, l'écotourisme cherche surtout à promouvoir la préservation des animaux et de la nature tout en soutenant les besoins financiers des habitants des communautés rurales. De plus, l'écotourisme vise à protéger les cultures et les traditions qui sont actuellement menacées par les influences de l'urbanisation et de la mondialisation. Le niveau d'engagement dépend de la destination sélectionnée, de l'organisation coordinatrice et des souhaits des voyageurs. Les itinéraires varient entre des visites aux sites écotouristiques et des projets bénévoles dans les chantiers et les écoles des communautés locales.

Le Maroc offre un grand nombre de sites intéressants aux écotouristes, particulièrement dans les régions montagnardes du Moyen et du Haut Atlas qui proposent des activités d'immersion dans la culture berbère. Dans les camps écotouristiques de ces régions, les activités culturelles sont souvent organisées en coordination avec des villageois et donnent un aperçu des habitudes alimentaires et linguistiques, des traditions musicales et folkloriques et des produits textiles et artisanaux de la région. Grâce aux activités culturelles, les touristes profitent d'une expérience riche et individualisée qui les met en contact avec le peuple, la nature, les traditions et les coutumes locales. Par exemple, ils peuvent savourer les plats régionaux comme le couscous, le bourjeje (les crêpes salées) et le méchoui (un plat de mouton rôti au beurre naturel dans un four artisanal) ou goûter la boisson nationale du Maroc, le nana (un thé à la menthe et un symbole de l'hospitalité marocaine), chez les villageois. Ils peuvent également écouter de la musique berbère traditionnelle qui est souvent chantée ou jouée à la flûte de bambou, au tambour et à la tambourine ou contempler les tapis berbères qui sont embellis de décorations aux formes de diamants, de triangles et de chevrons. D'autres activités peuvent comprendre une visite au souk (un marché où une variété de produits alimentaires, textiles et artisanaux est disponible) ou au hammam (des bains traditionnels de vapeur humide) pour prendre part aux expériences quotidiennes des villageois.

En général, ces projets écotouristiques marocains partagent une mission écologique qui vise à protéger l'environnement et la culture de la région. Ils promeuvent la conservation de l'eau et de l'énergie et la protection des animaux et des plantes. Les activités proposées préservent l'intégrité et la beauté naturelle de l'environnement. De plus, les villageois bénéficient de dons et de l'argent que les écotouristes leur apportent. Grâce aux revenus des projets touristiques, les villageois font beaucoup d'améliorations dans leurs communautés, surtout pour subvenir aux besoins des initiatives éducatives.

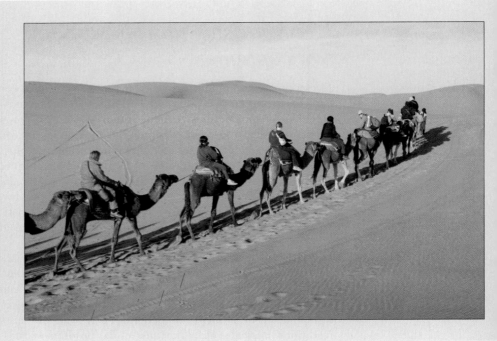

## Compréhension

1. Qu'est-ce que c'est, l'écotourisme? Quels en sont les buts principaux?

2. Identifiez les aspects écotouristiques que les régions montagnardes du Moyen et du Haut Atlas au Maroc offrent à leurs visiteurs. En quoi les touristes aussi bien que les villageois bénéficient-ils de ces vacances écotouristiques?

## Réflexion

A. Est-ce que l'écotourisme vous intéresse? Pourquoi ou pourquoi pas? A votre avis, quels sont les avantages et les désavantages de l'écotourisme?

B. Imaginez que vous visitez un camp écotouristique au Maroc. Racontez vos expériences dans une carte postale que vous envoyez à un(e) ami(e) francophone.

C. En petits groupes, discutez du sujet de l'écotourisme proposé par le site Web The Green Family Tour à la page suivante: Quels sont les inconvénients du tourisme de masse traditionnel? Ces tours proposent d'intégrer les participants à la vie des villages de Provence. Cette formule vous intéresse-t-elle? Quel aspect de ces tours les rend financièrement intéressants? Seriez-vous tenté(e) de faire un tel séjour? Pourquoi ou pourquoi pas?

 *Pour des activités culturelles supplémentaires, rendez-vous sur le site Web d'**Interaction** www.cengage.com/french/interaction*

eco-tourisme en Provence

the green family tour

www.thegreenfamilytour.eu

# Eco-tourisme en Provence pour grands et petits...

### Concept

The Green Family Tour s'évertue à concevoir des voyages à thématique naturaliste permettant la connaissance, la compréhension et la découverte.

### Région

Dans la région Provence-Alpes-Côte-d'Azur.
Des calanques méditerranéennes aux sources du Verdon en passant par le canyon des Gorges.

### Le but

Nous souhaitons mettre l'accent sur la nécessité d'innover et d'inventer le tourisme de demain. Le tourisme de masse, tel qu'il est organisé aujourd'hui, est plus un facteur de séparation, presque de conflit, plutôt qu'un moyen de se rencontrer entre humains. La préservation de l'environnement et la mise en tourisme des espaces naturels deviennent donc une condition sine qua non d'un développement touristique durable. The Green Family Tour permet aux familles la rencontre des populations de village tout en étant sensibilisées aux richesses patrimoniales et culturelles.

### Les moyens

En intégrant un milieu à travers un accueil local sélectionné selon des critères humains et environnementaux et des activités choisies pour l'éveil et la compréhension.

### Pour qui

Nous vous proposons des séjours en semi-autonomie afin que nos voyages soient financièrement accessibles au plus grand nombre tout en facilitant l'échange et la rencontre.

The Green Family Tour propose des séjours d'écotourisme en semi-autonomie.

# Vocabulaire actif  CD2, Track 10

## LES ACTIVITÉS

**se baigner** to swim
**bénéficier (de)** to benefit (from)
**bricoler** to putter
**se faire bronzer** to get a suntan
**faire des économies** to save money
**flâner** to loaf around

**s'occuper de** to take care of
**profiter de** to take advantage of
**se renseigner** to obtain information

## LES POSSIBILITÉS DE VACANCES

**la Côte (d'Azur)** the French Riviera

**un dépliant** brochure, flyer
**une escale** stopover
**un forfait vacances** vacation package deal
**les moyens** *(m pl)* (financial) means
**un rabais** discount
**une randonnée** hike

**une résidence secondaire** vacation home
**une station balnéaire** seaside resort
**des vacances vertes** *(f pl)* ecotourism
**des vols-vacances** *(m pl)* reduced airfares for vacation travel

## Exercices de vocabulaire

**A.** Vous étudiez pendant l'année en France et vous préparez un voyage pour les grandes vacances. Voici une liste de questions que vous désirez poser à votre agent de voyages. Complétez chaque question à l'aide d'un terme approprié de la liste suivante.

**Termes:** un dépliant    faire des économies    un forfait    une escale
           intéressant    un rabais    le séjour    un tarif réduit

1. Pour aller au Maroc, avez-vous _____ vacances à me proposer?

2. Y a-t-il un vol direct ou faut-il faire _____?

3. Est-ce que les étudiants bénéficient d'_____?

4. C'est-à-dire, y a-t-il _____ pour les étudiants?

5. Combien coûtent le vol et _____ à l'hôtel, petit déjeuner compris?

6. Avez-vous _____ qui explique les détails du voyage?

7. C'est le prix le plus _____ que vous puissiez proposer?

8. Pour me permettre ce voyage, il va me falloir _____, n'est-ce pas?

 **B.** Voici une conversation entre Julie et Jean-Claude au sujet de leurs projets de vacances. Substituez une expression de la liste suivante à chacune des expressions en caractères gras.

**Expressions:** un séjour, me renseigner, un gîte, compris, se baigner, des randonnées, un tarif réduit, intéressants

JULIE: Jean-Claude, moi, je voudrais aller à la plage où on peut **aller dans l'eau.**

JEAN-CLAUDE: Mais tu sais, Julie, moi, j'aime plutôt faire **des promenades** en montagne.

## POUR VOYAGER EN VOITURE

**l'autoroute** *(f)* superhighway
**la batterie** battery
**faire le graissage** to lubricate (the car)
**faire le plein** to fill the gas tank
**faire la vidange** to change the oil

**les freins** *(m pl)* brakes
**un(e) garagiste** garage operator
**le *Guide Michelin*** popular French travel guide
**la mise au point** tune-up
**un pneu** tire
**la pression** pressure
**rouler** to drive
**signaler** to indicate

## A L'HÔTEL

**un acompte** deposit
**une auberge** hostel, inn
**un gîte rural** country lodging with cooking facilities
**l'hébergement** *(m)* housing
**un hôtelier / une hôtelière** hotel manager
**la réception** front desk
**le séjour** stay

**un tarif (réduit)** a (reduced) rate

## LES CARACTÉRISTIQUES

**casanier(-ière)** stay-at-home
**compris(e)** included
**forfaitaire** all-inclusive
**intéressant(e)** (financially) advantageous

JULIE: Je viens de **demander des renseignements** dans une agence de voyages. En allant vers Nice, on pourrait peut-être faire les deux.

JEAN-CLAUDE: Si on fait des recherches sur Internet, nous pourrons peut-être trouver des prix **pas chers,** non?

JULIE: On pourrait aussi trouver des hôtels où il y a **une réduction** sur les prix des chambres. Quelquefois, le petit déjeuner est aussi **inclus dans le prix de la chambre.**

JEAN-CLAUDE: Ou bien on pourrait prendre **un logement rural de location.** Comme ça, nous aurons **une période de vacances** qui ne nous coûtera pas trop cher. Allons-y!

**C.** Vous faites un voyage en voiture et vous arrivez dans une station-service près de Strasbourg où vous demandez à la garagiste de jeter un coup d'œil à votre voiture. Complétez les phrases en utilisant les mots suivants.

**Mots:** la batterie     les freins     le graissage
        le plein       la pression     la vidange

1. Vérifiez _____ des pneus, s'il vous plaît.

2. J'ai besoin d'huile aussi. Faites _____.

3. Ma voiture est un peu lente à démarrer *(start up)* le matin. Vérifiez le niveau d'eau dans _____.

4. Il y a un grincement *(squeaking noise)* bizarre sous la voiture. Faites _____ aussi.

5. J'ai un peu de difficulté à arrêter la voiture. Vérifiez _____.

6. Enfin, faites _____ d'essence, s'il vous plaît. Merci, madame.

# Lexique personnel

**VOYAGEZ-VOUS SOUVENT?**

**A** Pour chacun des sujets suivants, dressez une liste personnelle de mots.

1. les endroits où vous avez passé des vacances

2. les endroits où vous voudriez passer des vacances

3. les moyens de transport que vous employez le plus souvent pour voyager

4. vos projets de vacances pour l'été prochain

**B** Employez les éléments indiqués pour poser des questions à un(e) camarade de classe.

1. que / tu / faire / pendant les grandes vacances?

2. tu / faire / souvent / des voyages?

3. comment / tu / voyager / normalement?

4. tu / préférer / voyager / en voiture, en avion ou par le train?

5. quel / être / ton voyage / le plus intéressant?

6. tu / faire / déjà / un voyage organisé?

7. tu / profiter / déjà / d'un voyage à prix forfaitaire?

8. combien / on / payer / le vol, le séjour à l'hôtel et les repas quand on va en Floride?

Un train Eurostar en gare

# Structures I

## Formation of the Future and the Future Perfect

### Formation of the Future

The future tense indicates that an action *will* be performed at a future time. To form the future tense, use the infinitive as the stem and add the appropriate endings: **-ai, -as, -a, -ons, -ez, -ont.** For **-re** verbs, drop the **e** from the infinitive.

*avoir*

| voyager | partir | prendre |
|---------|--------|---------|
| je voyager**ai** | je partir**ai** | je prendr**ai** |
| tu voyager**as** | tu partir**as** | tu prendr**as** |
| il / elle / on voyager**a** | il / elle / on partir**a** | il / elle / on prendr**a** |
| nous voyager**ons** | nous partir**ons** | nous prendr**ons** |
| vous voyager**ez** | vous partir**ez** | vous prendr**ez** |
| ils / elles voyager**ont** | ils / elles partir**ont** | ils / elles prendr**ont** |

A list of the most important verbs with irregular future stems follows.

| aller | **ir-** | faire | **fer-** | savoir | **saur-** |
|-------|---------|-------|----------|--------|-----------|
| avoir | **aur-** | falloir | **faudr-** | valoir | **vaudr-** |
| devoir | **devr-** | pleuvoir | **pleuvr-** | venir | **viendr-** |
| envoyer | **enverr-** | pouvoir | **pourr-** | voir | **verr-** |
| être | **ser-** | recevoir | **recevr-** | vouloir | **voudr-** |

[1] For the future of stem-changing verbs, see *Appendix B.*

Unless a verb has an irregular future stem, its future is formed regularly, even if the verb is irregular in the present tense.[1]

**1** Votre correspondante française vous invite à passer l'été en France. Vous lui écrivez pour parler de vos projets d'été. Complétez les phrases suivantes en mettant au futur les verbes entre parenthèses.

1. Le semestre _____ en mai. (finir)
2. Je _____ en France début juin. (arriver)
3. Est-ce que nous _____ faire une excursion en Bretagne? (pouvoir)
4. Mon meilleur ami / Ma meilleure amie _____ certainement m'accompagner. (vouloir)
5. Tu _____ de ton mieux pour lui trouver un logement à Paris, n'est-ce pas? (faire)
6. Par exemple, tes parents le / la _____ pendant quelques jours? (recevoir)
7. Mon prof de français _____ à Paris aussi. (être)
8. Nous _____ au théâtre un soir. (aller)
9. Après trois ou quatre jours, _____ -nous dans le Midi? (descendre)
10. On _____ le train ou la voiture? (prendre)
11. Où est-ce que nous _____? (habiter)
12. Je sais que je _____ beaucoup cet été. (s'amuser)

**2** Vous voulez savoir ce que vos camarades de classe feront la semaine prochaine. Complétez les questions suivantes par le futur des verbes entre parenthèses.

1. Tu _____ à la bibliothèque après les cours? (aller)

2. Tu _____ un examen? (avoir)

3. Tu _____ tes devoirs? (faire)

4. Tu _____ te détendre un peu le soir? (pouvoir)

5. Tu _____ un repas au restaurant universitaire? (prendre)

6. Tu _____ dur? (travailler)

7. A quelle heure est-ce que tu _____? (rentrer)

8. A quelle heure est-ce que tu _____? (se coucher)

## Formation of the Future Perfect

The future perfect tense (**futur antérieur**) indicates that an action will have been performed prior to another action at a future time. The future perfect is formed with the future of the auxiliary **avoir** or **être** and the past participle of the main verb. The future perfect of all verbs is formed this way.

Au mois de septembre, quand vous serez prêts pour la rentrée, Sylvie et Dominique **seront** déjà **parties** pour la Côte. Elles **auront pris** la voiture, elles **auront roulé** pendant quelques heures et elles **seront arrivées** à Fréjus. Sylvie **aura** beaucoup **conduit** et Dominique **aura fait** des excursions en montagne. Elles **se seront** beaucoup **amusées,** et vous, vous **aurez beaucoup** travaillé. Ce n'est pas juste.

# INTERACTIONS

**Des projets de week-end.** Mettez-vous en petits groupes. Posez des questions aux membres de votre groupe en employant les expressions suivantes afin de connaître leurs projets pour le week-end. Décidez qui a les projets les plus intéressants, le week-end le plus chargé ou le week-end le plus ennuyeux.

**Expressions:**   aller à la bibliothèque      arriver en cours de français

avoir un examen      se coucher

déjeuner au Resto-U      faire des devoirs

faire du sport      se lever

prendre la voiture      regarder la télé

rentrer      retrouver des amis

travailler      venir au campus

# L'héritage culturel

## Exploration et utopie

17ᵉ siècle: Les Français commencent à connaître l'Asie et les Amériques grâce aux récits des explorateurs et des missionnaires.

- L'Orient, connu depuis les Croisades et les voyages de Marco Polo, devient plus accessible aux Français dans ses structures politiques, sociales et économiques. Le médecin et philosophe François Bernier publie ses *Voyages* (1699) sur la civilisation musulmane aux Indes. Les religieux, surtout les missionnaires jésuites, font connaître l'Inde, la Chine et le Japon dans leurs *Lettres édifiantes*.

Toutes ces régions inspireront à la littérature contemporaine un certain exotisme, quelquefois comique, comme dans la parodie des Turcs du *Bourgeois gentilhomme* de Molière.

- Les Amériques (de la Nouvelle France jusqu'au Brésil) donnent aux navigateurs et aux missionnaires l'occasion de rapporter à leurs lecteurs francophones des observations sur la nature, les populations, la végétation et les bêtes du Nouveau Monde.

Ces récits de voyage contribuent à la création d'un mythe, celui du «bon sauvage» dont nous trouvons une description chez le Père Du Tertre, missionnaire aux Antilles: «Les sauvages de ces îles sont... tels que la nature les a produits, c'est-à-dire dans une grande simplicité et naïveté naturelle; ils sont tous égaux, sans que l'on connaisse presque aucune sorte de supériorité ni de servitude.» (*Histoire générale des Antilles*, 1667)

### Compréhension

1. Grâce à quelles personnes les Français ont-ils commencé à connaître les Amériques et l'Asie? Citez quelques exemples de récits de voyage publiés au 17ᵉ siècle.
2. Quelles sortes de descriptions se trouvent d'habitude dans les textes dits «exotiques»?
3. Vers quels pays les premiers explorateurs se sont-ils dirigés?

### Réflexion

A. Donnez une définition du terme «exotisme» en utilisant vos propres mots.
B. Mettez-vous à la place des Européens du 17ᵉ siècle. Que pensez-vous du récit du Père Du Tertre? Est-il objectif ou bien s'agit-il d'une sorte de propagande? Expliquez votre point de vue.

*Joyeuseté (Arearea)* de Paul Gauguin

## Gauguin et l'exotisme océanien
### Paul Gauguin (1848–1903)

- Vers 1890, Gauguin s'enfuit vers la Polynésie pour vivre dans l'univers calme de son art.
- A Tahiti, il découvre une peinture primitive: teintes plates et intenses, volumes simplifiés d'une nature pure et sauvage.
- La couleur permet à Gauguin de dessiner son sujet et de construire son tableau en attribuant aux couleurs une fonction psychique.
- Au contact des peuples de la Polynésie, Gauguin produit un art authentique, simple et naïf.

### Compréhension

1. Où le peintre Gauguin est-il allé poursuivre l'élaboration de son art? Situez cet endroit sur une carte géographique.

2. Donnez trois caractéristiques de l'art de Gauguin.

### Réflexion

A. En quoi le tableau de Gauguin vous paraît-il simple et naïf? A votre avis, pourquoi Gauguin a-t-il éprouvé le besoin de quitter l'Europe pour pouvoir peindre?

B. Faites une recherche sur Internet au sujet de Gauguin. L'exotisme de cet artiste est-il aussi surprenant pour vous que pour le public de son époque? Quels sont les éléments universels de son art qui n'ont pas vieilli? Y a-t-il encore de la place pour l'exotisme à la Gauguin dans notre vie?

La Clef des champs de René Magritte

## Magritte et l'art surréaliste
### René Magritte (1898–1967)

- Peintre belge, Magritte se considère comme un penseur plutôt qu'un peintre au sens usuel du terme. Selon lui, la peinture sert à évoquer ce qui nous importe le plus, c'est-à-dire le mystère du monde.

- Surréaliste, Magritte représente presque toujours des objets ou des éléments familiers mais dans un assemblage qui incite les spectateurs à s'interroger sur les énigmes d'un monde mystérieux. Tout se passe dans notre univers mental, nous dit-il. Il suffit quelquefois du choc visuel produit par une de ses œuvres pour que nous pénétrions un peu plus loin dans le nôtre.

### Compréhension

1. A quel mouvement artistique Magritte est-il associé? Faites une description de son tableau *La Clef des champs.* Notez bien que l'expression «la clef des champs» veut dire «la liberté».

2. Quel univers Magritte cherche-t-il à évoquer dans ses peintures?

### Réflexion

A. Qu'est-ce qui se passe dans votre «univers mental» quand vous regardez ce tableau de Magritte? En quoi consiste le choc mental que Magritte cherche à provoquer ici?

B. Faites une recherche sur Internet pour découvrir d'autres tableaux de Magritte. Expliquez en quoi ces œuvres vous semblent «*sur*-réelles».

# Structures II

## Uses of the Future and the Future Perfect

### Uses of the Future

The simple future tense expresses an action that will take place at a future time. It is the equivalent of the English *will (shall)* . . .[2]

| | |
|---|---|
| Je **vais partir** tout de suite. | *I **am going to leave** right now.* |
| Je **partirai** peut-être un jour. | *I **will** perhaps **leave** one day.* |
| Je **partirai** en juillet. | *I'**ll leave** in July.* |
| Ils **prendront** le train. | *They **will take** the train.* |

The future tense can also be used to express a command in the second person singular and plural (**tu, vous**).

| | |
|---|---|
| Tu **fermeras** la porte à clé avant de partir. | ***Lock** the door before you leave.* |

In conversation, the present tense is sometimes used instead of the future.

—Quand est-ce que vous **partez**?

—Je pars demain.

The verb **devoir** used in the future expresses the idea *will have to* . . . **Devoir** in the present tense followed by the infinitive is also used to express an action that is probable in the future.

| | |
|---|---|
| On **devra prendre** le bateau. | *We **will have to take** the boat.* |
| Il **doit arriver** bientôt. | *He **must be arriving** soon.* |

**1** Vous quittez votre chambre le matin et vous désirez laisser un petit mot à vos colocataires pour les informer de vos activités de la journée. Complétez chaque phrase par un verbe approprié au **futur.**

1. A neuf heures...
2. Après mon premier cours...
3. Pour le déjeuner...
4. Pendant l'après-midi...
5. Vers six heures...
6. Avant de me coucher...

### Uses of the Future Perfect

The future perfect tense is used to express the idea that one action in the future will take place and be completed before another action in the future takes place. It expresses the English *will have* + past participle.

| | |
|---|---|
| Quand il ira à l'université en septembre, il **aura** déjà **fait** son voyage en France. | *When he goes to college in September, he **will have** already **taken** his trip to France.* |
| Nous **serons parties** à trois heures demain. | *We **will have left** by three o'clock tomorrow.* |

---

[2]The future formed with **aller** + infinitive expresses an action that is more certain and immediate and is equivalent to the English *to be going to* + infinitive. Although these two future constructions are technically not interchangeable, the distinction between them is very fine, and in conversation a strict distinction is not always observed. Note that in the negative, the future would be used instead of the immediate future: **Je *vais partir* demain. Je ne *partirai* pas demain.**

### The Future after *après que, aussitôt que, dès que, lorsque, quand*

As shown in the following table of tense sequences, after the expressions **après que, aussitôt que, dès que, lorsque,** and **quand** you must use a future tense in French where English uses the present.

**Quand il viendra,** nous pourrons partir.

***When he comes,*** *we will be able to leave.*

|  | | subordinate clause | main clause |
|---|---|---|---|
| **si** | | + present tense | future<br>+ imperative<br>present |
| **aussitôt que**<br>**dès que**<br>**lorsque**<br>**quand** | | + future<br>future perfect | + future<br>imperative[3] |
| **après que** | | + future perfect | + future imperative |

*(handwritten annotations: "as soon as", "once (when)", "after")*

**Si** tu **arrives** à l'hôtel avant minuit, **téléphone**-moi.

**S'il fait** beau, nous **ferons** un voyage.

BUT:

**Quand (Lorsque)** tu **téléphoneras** à l'hôtel, tu **pourras** réserver une chambre.

**Lorsque** vous **serez** en France, **venez** me voir.

**Dès que (Aussitôt que)** j'**aurai réglé** mes affaires, je **partirai**.

**Après que** j'**aurai fait** le plein, vous **devrez** vérifier les freins.

[3]With **quand** and **lorsque** the future perfect may also be used in the main clause. See *Rappel* below. This principle may be easier to remember if you realize that French structure is actually more logical than English on this point, given that *when* (**quand, lorsque**), *as soon as* (**dès que, aussitôt que**), and *after* (**après que**) all refer to actions that have not yet taken place.

# RAPPEL!

Note that if you use the simple future in the subordinate clause, you are implying that the actions of both clauses will take place in the same time frame.

The future perfect in the subordinate clause implies that the action of that clause must take place and be completed before the main action can take place.

This distinction is sometimes up to the speaker, and both the simple future and the future perfect are used following the conjunctions in question.

| | | |
|---|---|---|
| **Quand** il | **partira,**<br>**sera parti,** | nous irons en vacances. |
| **Dès que** vous | **achèterez**<br>**aurez acheté** | les billets, nous partirons. |

BUT:

**Après que** j'**aurai consulté** une agence de voyages, nous prendrons une décision.

2. Après avoir passé quelques mois dans une famille à Paris, vous pensez faire une excursion avec la fille de vos hôtes pendant les grandes vacances. Vous parlez de ces projets d'été à la mère de la jeune fille. Complétez la conversation suivante par le **futur,** le **futur antérieur** ou le **présent** des verbes entre parenthèses selon le contexte.

VOUS:      Donc, j'_aurai_ besoin de louer une voiture pour faire ce voyage. (avoir)

LA MÈRE:   Si tu _fais_ des économies, tu pourras avoir assez d'argent pour louer la voiture et payer l'essence. (faire)

VOUS:      D'accord, mais je _devrai_ réserver la voiture bien avant notre départ. Après que je _____ la voiture, il faudra aussi retenir une chambre dans un hôtel du Midi. (devoir, réserver) _j'aurai reservé_

LA MÈRE:   Quand tu _____ à l'hôtel, tu pourras leur donner le numéro de ta carte bancaire pour retenir la chambre. (téléphoner) _téléphoneras_

VOUS:      Vous _pourrez_ nous prêter une carte Michelin? (pouvoir)

LA MÈRE:   Oui, bien sûr. Comme ça, si tu _te perds_, tu pourras la consulter. D'ailleurs, vous _roulerez_ peut-être plus vite si tu prends les routes nationales au lieu de prendre l'autoroute. Au début des grandes vacances, il _y aura_ énormément de circulation sur les autoroutes. (se perdre, rouler, y avoir) _traffic_

VOUS:      Vous avez raison. En plus, les petites routes _____ plus agréables. Nous _____ souvent pour regarder le paysage et visiter les endroits intéressants. (être, s'arrêter)

LA MÈRE:   Quand tu _____ là-bas, mets la voiture dans un garage. Comme ça, tu n'_____ pas d'ennuis. Et quand tu _____ le voyage de retour, téléphone-moi. (arriver, avoir, commencer)

VOUS:      Oui, oui, d'accord. Nous vous _____ connaître nos projets après que nous _____. (faire, tout organiser)

3. Vous parlez de votre avenir avec des amis. Complétez logiquement chaque phrase.
   1. Quand j'aurai terminé mes études...
   2. Si je trouve un bon poste...
   3. Lorsque je gagnerai un salaire intéressant...
   4. Avant l'âge de trente ans...
   5. Je me marierai quand...
   6. J'aurai des enfants si...
   7. Je voyagerai si...
   8. Je serai heureux(-euse) quand...

# INTERACTIONS

**Projets d'été.** Quels sont vos projets pour l'été qui suivra la fin de vos études universitaires? Quand vous aurez obtenu votre diplôme, que ferez-vous pour fêter cet événement? Travaillerez-vous? Voyagerez-vous? Racontez vos projets à la classe. Les autres étudiants vous poseront des questions.

# SYNTHESE

**A.** Vous partez en voyage avec des amis et vous faites une liste de préparatifs avant de partir. Complétez chacune des phrases suivantes par la forme appropriée du **futur** des verbes entre parenthèses.

1. D'abord, nous _____ une agence de voyages. (consulter)
2. Avec l'agent de voyages, on _____ un itinéraire. (choisir)
3. Un de mes copains _____ des chambres. (réserver)
4. J'_____ acheter des chèques de voyage. (aller)
5. Nous _____ les billets. (acheter)
6. Mes colocataires _____ la maison et _____ la lessive. (ranger, faire)
7. Je _____ mes valises. (faire)
8. Enfin, nous _____! (partir)

**B.** Des amis parlent d'un voyage qu'ils vont faire ensemble à Paris. Complétez leurs phrases en mettant les verbes entre parenthèses aux temps qui conviennent.

1. Quand nous _____ à Paris, je ferai du lèche-vitrines sur les Champs-Elysées. (être)
2. Si Beth en a l'occasion, elle _____ au marché aux puces de Saint-Ouen. (aller)
3. Après que tu _____ le Louvre, tu pourras voir la collection des impression-nistes au musée d'Orsay. (visiter)
4. Si nous _____ de la chance, nous trouverons un bon petit hôtel. (avoir)
5. Dès que nous aurons trouvé un hôtel, Paul _____ réserver des billets pour un concert. (pouvoir)

**C.** Monique écrit un petit mot à une amie au sujet d'un voyage qu'elle va faire. Mettez les verbes entre parenthèses aux temps qui conviennent.

*Chère Sandrine,*

*Je (partir) _____ ce soir. Demain (être) _____ le premier jour de mes vacances et je (aller) _____ chez mes cousins à Toulouse. Je (prendre) _____ l'autoroute pour y aller, mais quand je (rentrer) _____, je (revenir) _____ par les routes départe-mentales. Il (falloir) _____ sûrement faire beaucoup de détours, mais je (pouvoir) _____ ainsi mieux apprécier le paysage. Quand je (être) _____ de retour, je (devoir) _____ me remettre au travail.*

*Bisous,*

*Monique*

**D. Interview.** Posez des questions logiques au **futur** en employant les éléments suivants. Quand votre partenaire aura répondu, posez-lui une question supplémentaire.

1. partir de la fac aujourd'hui
2. aller après tes cours
3. faire des courses cet après-midi
4. rentrer tôt ou tard
5. regarder la télé
6. faire pendant le week-end
7. aller voir un film
8. sortir avec tes amis
9. dîner au restaurant
10. se coucher tôt ou tard

# INTERACTIONS

**Vous allez en vacances.** Vous passez l'année universitaire en France et vous voyez cette annonce pour des excursions pendant les week-ends. En groupes, discutez des différents forfaits voyages offerts. Chaque groupe doit décider laquelle des excursions le groupe veut faire. Expliquez votre choix.

## Infos et promos

### ⊃ 110 €* FRANCE
**3 JOURS / 2 NUITS**

**VOSGES**

Séjour dans le Haut-Rhin, à la station du lac Blanc située dans le superbe environnement du Parc Naturel des Ballons des Vosges. Cette station familiale propose un panel d'activités comme des randonnées sur les crêtes grâce aux nombreux sentiers balisés par le Club Vosgiens, possibilité de découvrir les vastes espaces du domaine en VTT, à moins que vous souhaitiez vous initier à la course d'orientation avec des parcours permanents. Le Lac Blanc Parc d'Aventure avec ses 6 parcours de tous niveaux (bleu, vert, rouge et noir) ouvert aux enfants dès 8 ans, les petits dès 4 ans pouvant s'initier au parcours Ourson en toute sécurité sous le regard des parents. Après les activités de nature, venez déguster les spécialités culinaires et les produits du terroir que la nature offre ici pour séduire les papilles des plus gourmands. Votre séjour se déroulera en ferme auberge dans la vallée de Kaysersberg, entre vignoble et montagne.
**Ce prix comprend :** 2 nuits en ferme auberge en demi-pension, un panier du terroir, une visite de cave avec dégustation et remise de bouteille, une carte de randonnée, une entrée pour les 4 parcours du Lac Blanc parc d'aventures.
**Juin / Juillet : 110 €***

✔ OT de la vallée de Kaysersberg :
   03 89 78 22 78

### ⊃ 150 €* FRANCE
**3 JOURS / 2 NUITS**

**AUVERGNE**

Week-end attelage ou équitation en forêt de Tronçais dans le cadre majestueux de la plus belle chênaie d'Europe. Découvrez le domaine de Bellevue à Meaulne. 50 ha de parc au cœur de la forêt de Tronçais formant l'écrin d'un château style renaissance, époque Napoléon III, équipé d'écuries d'attelages et d'une ferme équestre à l'ancienne. Balades inoubliables en forêt au rythme de l'attelage ou initiation à l'équitation sur des pistes cavalières privées. Table et chambres d'hôtes au château ajoutent au charme confortable de l'escapade.
**Ce prix comprend :** l'hébergement en chambre d'hôtes, la pension complète, l'encadrement par un accompagnateur.
**Juin / Juillet : 150 €***

✔ Loisirs Accueil Allier : 04 70 46 81 60

## NOUS AIMONS !

### ⊃ 155 €* ANGLETERRE
**2 JOURS / 1 NUIT**

**LONDRES**

Londres est une ville passionnante historique et culturelle. Découvrez 2000 ans d'histoire et d'apparats, visitez 300 musées et galeries d'art, goûtez les délices du monde dans l'un de ses 6000 restaurants. Assistez à la cérémonie du changement de la garde qui se tient tous les deux jours à Buckingham Palace. Adeptes du shopping, vous n'aurez pas l'embarras du choix. De Bond Street aux ruelles foisonnantes du marché aux puces de Camden, Notting Hill ou Brick Lane, Londres possède plus de 3000 boutiques et magasins de mode mondialement réputés qui feront le bonheur des fashion victim. L'hôtel est flambant neuf. Il est situé à proximité du stade de Chelsea, dans un quartier calme à 10 mn à pied de la station de métro Fulham Broadway et à moins de 20 mn de Piccadilly Circus, haut lieu de la nuit londonienne. Un hôtel idéal si vous êtes à la recherche du meilleur rapport qualité/prix.
**Ce prix comprend :** le transport en train Eurostar 2ème classe Paris / Londres, la chambre double, les petits-déjeuners continentaux.
**Juin / Juillet : 155 €***

Hôtel Jury's Inn Chelsea 3*

✔ Partirpascher.com : 01 53 14 60 00

### ⊃ 160 €* FRANCE
**3 JOURS / 2 NUITS**

**BORDEAUX**

Venez découvrir l'ambiance conviviale de la fête du vin à Bordeaux le vendredi soir. La journée du samedi 3 juillet débutera par la visite du château de Cadillac. Déjeuner au restaurant gastronomique l'"Entrée Jardin" à Cadillac, puis vous poursuivrez par une randonnée pédestre dans le vignoble. Vous aurez alors tout le loisir de flâner le long des coteaux bercés par les rayons du soleil et de sillonner le vignoble. Le dimanche 4 juillet, vous visiterez le Château du Grand Branet où une dégustation des Premières Côtes de Bordeaux vous attend. Déjeuner sur place avec un panier du terroir. Dans l'après-midi, vous visiterez l'abbaye de la Sauve Majeure, chef d'œuvre de l'art roman du XIIème siècle. Week-end des 2, 3 et 4 juillet 2004.
**Ce prix comprend :** la chambre double, la demi-pension, un dîner, un déjeuner et un casse croûte, les visites, le livret de randonnée pédestre.
**Juin / Juillet : 160 €***

Chambre d'hôtes Bacchus 3 épis

✔ OT de Cadillac : 05 56 62 12 92

**Super PROMOS sur www.vol-sec.com**

### ⊃ 166 €* FRANCE
**3 JOURS / 2 NUITS**

**BRETAGNE**

Les îles, proches et lointaines, d'une beauté rare vous offrent le plus merveilleux des dépaysements en toute saison. Laissez-vous bercer par le grand bleu à Belle-Ile en Mer. Ile des couleurs où la lumière habille les paysages à son gré : criques encaissées baignées d'eau turquoise, vastes plages de sable doré, falaises déchiquetées, petits villages de maisons blanches et fleuries, vallons boisés, ciels changeants... Fasciné par le caractère sauvage de Belle-Ile, nombreux sont ceux qui y ont posé le chevalet pour saisir la beauté de l'instant présent : Claude Monet, Henri Matisse, Charles Cottet, Maxime Maufra, Marcel Gromaire... A ne pas manquer : la citadelle Vauban et son musée, un ensemble unique mis en valeur de façon exemplaire par un couple de Mécènes.
**Ce prix comprend :** chambre double, petits-déjeuners, un dîner, la location d'un vélo pour 2 jours, l'entrée à la Citadelle Vauban, la traversée Aller / Retour en bateau au départ de Quiberon.
**Juin / Juillet : 166 €***

Hôtel 2*

✔ Formule Bretagne : 01 53 63 11 53

### ⊃ 199 €* FRANCE
**4 JOURS / 4 NUITS**

**POITOU-CHARENTES**

Circuit régional pour découvrir le Futuroscope, le Marais poitevin, la Rochelle et Cognac. Escapade entre océan et campagne. Au programme : Lundi : arrivée dans le département de la Vienne. Le Futuroscope vous ouvre les portes du sensationnel dans un fabuleux voyage à travers le temps et l'espace. Chaque pavillon est un apprentissage. Une vingtaine d'attractions sont réparties sur 60 ha. La grande nouveauté de cette année, c'est le magnifique film "les

# Note culturelle

## *Les congés et la semaine de 35 heures*

Pour les Français, les vacances sont sacrées et, parmi les Européens, ils sont particulièrement avantagés pour en profiter. Comparée aux autres pays développés, la France arrive en première position pour le nombre de jours de congés payés.

- Depuis 1936, année où les salariés *(wage earners)* français sous le gouvernement de gauche du Front Populaire ont obtenu le droit à deux semaines de congés payés par an, les vacances annuelles sont devenues de plus en plus longues.

- Une cinquième semaine a été accordée en 1982. Le phénomène des congés payés a eu une influence considérable sur la conception des loisirs en France. Aujourd'hui, beaucoup se demandent s'il est préférable de diviser leur année en onze mois de dur labeur avec, en perspective, un mois de détente, ou s'il ne vaudrait pas mieux concevoir un meilleur équilibre en fractionnant les congés tout au long de l'année.

Depuis 2001, année de la mise en place de la loi sur la Réduction du Temps de Travail (RTT), les salariés en France bénéficient d'une semaine de travail de trente-cinq heures. De ce fait, le temps libre de beaucoup de Français s'est accru de façon spectaculaire.

- Dans beaucoup de pays, la notion de «week-end», c'est-à-dire deux jours consécutifs sans travail en fin de semaine, existe depuis longtemps. En France, le dimanche est jour de repos, mais le samedi (ou le lundi pour les commerçants) ne l'a pas toujours été. L'idée de pouvoir disposer de deux jours pour se promener, flâner à la maison, bricoler ou se détendre est une conquête assez récente et a été confirmée dans les familles par la suppression de l'école élémentaire le samedi. L'arrivée de la semaine de trente-cinq heures a aussi modifié pour beaucoup de salariés la notion des week-ends qu'ils prolongent jusqu'à trois jours, souvent pour les passer chez eux ou pour faire un déplacement de courte durée.

- On estime qu'il y a environ 2,5 millions de résidences secondaires en France, ce qui expliquerait pourquoi tant de gens passent si souvent un week-end prolongé chez des parents ou des amis au cours de l'année. Et le repas du dimanche midi, en famille, reste bien enraciné dans les mœurs des Français, qu'on reste chez soi ou qu'on se retrouve chez d'autres.

## Compréhension

**1.** A quelle époque les salariés français ont-ils bénéficié des premiers congés payés? Quelle a été l'importance historique de la décision du gouvernement du Front Populaire en 1936 par rapport aux congés payés des Français? Les habitudes de vacances des Français ont-elles évolué? Combien de semaines de vacances leur sont assurées actuellement?

**2.** La semaine de travail typique en France est-elle la même que dans votre pays?

**3.** Quelle a été l'évolution de la notion de «week-end» en France? Que font la plupart des gens le week-end?

## Réflexion

**A.** A quelle idéologie attribuez-vous la décision du gouvernement français d'accorder à tous les salariés cinq semaines de vacances par an?

**B.** Que pensez-vous de la semaine de trente-cinq heures? Plus de la moitié des Français pensent que les trente-cinq heures disparaîtront prochainement. Quelles raisons pouvez-vous suggérer pour expliquer leur attitude?

# POUR S'EXPRIMER

CD2, Track 11

## A l'écoute

### Mise en scène

Avant de faire les activités qui suivent, écoutez la conversation de ce jeune couple qui se demande où aller en vacances cet été.

**Contexte:** L'été approche. Sophie et Thomas, des jeunes mariés, commencent à préparer leurs vacances. Elle voudrait rendre visite à ses parents dans le Sud; lui aimerait aller voir les siens en Bretagne, dans le Nord.

### Avant d'écouter

Imaginez que vous êtes en couple et que vous préparez vos vacances d'été. Quelles questions vous posez-vous avant de décider de l'endroit où vous allez les passer? Prenez-vous en considération le climat, la distance à parcourir, les endroits ou les gens que vous voulez voir?

### Compréhension

**A.** On entend mentionner dans le dialogue quatre noms de lieux: une région et trois villes. Quels sont ces noms? Quels renseignements dans le texte vous permettent de les situer en France?

**B.** L'homme et la femme ont des idées bien arrêtées en ce qui concerne leurs grandes vacances! Combien d'arguments la femme donne-t-elle pour convaincre son mari qu'elle a raison? Pourquoi le mari veut-il aller ailleurs?

**C.** Qui propose le compromis? Y a-t-il, à votre avis, une autre solution? Qu'auriez-vous fait à la place de la femme ou du mari dans une situation pareille?

**D.** Quel moyen de transport sera utilisé pour partir en vacances? Quels préparatifs faudra-t-il faire avant de se mettre en route?

## A vous la parole

On emploie aussi le verbe **aller + infinitif** pour parler des actions à venir. Il y a une distinction entre cette forme et une action exprimée au **futur simple,** par exemple, **je vais travailler / je travaillerai.** Normalement, on utilise **aller + infinitif** pour exprimer un futur proche et le verbe au **futur simple** pour parler d'actions qui sont plus éloignées dans le temps. Il s'agit d'une distinction qui ne se fait pas rigoureusement, mais qu'on a tendance à faire, même dans la conversation.

Posez les questions suivantes à vos camarades de classe. Il faut choisir entre la forme **aller + infinitif** ou le **futur simple,** selon le contexte.

1. Après ce cours, est-ce que tu _____ à la bibliothèque? (travailler)
2. Quand est-ce que tu _____ ton diplôme? (recevoir)
3. Le week-end prochain, tu _____ au restaurant? (dîner)
4. A quelle heure est-ce que tu _____ ce soir? (rentrer)
5. Dans cinq ans, tu _____ la même ville? (habiter)
6. Quand est-ce que tu _____ tes études? (finir)
7. Pendant la semaine, est-ce que tu _____ au cinéma? (aller)
8. Où est-ce que tu _____ tes vacances d'été? (passer)
9. Où est-ce que tu _____ habiter dans cinq ans? (vouloir)
10. Tu _____ au restaurant universitaire aujourd'hui? (déjeuner)

## Situations orales

**A.** Vous êtes déjà à Paris et vous voulez continuer votre voyage en Europe par le train. Allez à l'agence de voyages et demandez les renseignements nécessaires.

**B.** Vous avez loué une voiture pour faire une excursion en France. Maintenant, vous vous trouvez à Orléans et votre voiture ne démarre pas. Imaginez la conversation avec le (la) garagiste. Un(e) autre étudiant(e) jouera le rôle du (de la) garagiste.

Il faut appeler un garagiste!

# Structures III

## Formation of the Conditional and the Past Conditional

### Formation of the Conditional

To form the conditional, use the infinitive as the stem and add the appropriate endings: **-ais, -ais, -ait, -ions, -iez, -aient.** For **-re** verbs, drop the **e** from the infinitive.

| voyager | partir | prendre |
|---|---|---|
| je voyager**ais** | je partir**ais** | je prendr**ais** |
| tu voyager**ais** | tu partir**ais** | tu prendr**ais** |
| il / elle / on voyager**ait** | il / elle / on partir**ait** | il / elle / on prendr**ait** |
| nous voyager**ions** | nous partir**ions** | nous prendr**ions** |
| vous voyager**iez** | vous partir**iez** | vous prendr**iez** |
| ils / elles voyager**aient** | ils / elles partir**aient** | ils / elles prendr**aient** |

Note that the stem for the conditional is the same as for the future and that the endings are the same as for the imperfect.

The verbs that have irregular future stems use the same stems for the formation of the conditional.[4]

| aller | **ir-** | faire | **fer-** | savoir | **saur-** |
|---|---|---|---|---|---|
| avoir | **aur-** | falloir | **faudr-** | valoir | **vaudr-** |
| devoir | **devr-** | pleuvoir | **pleuvr-** | venir | **viendr-** |
| envoyer | **enverr-** | pouvoir | **pourr-** | voir | **verr-** |
| être | **ser-** | recevoir | **recevr-** | vouloir | **voudr-** |

**1** Les différents membres du Club de français parlent avec Sophie, une étudiante française qui passe l'année dans votre université, de ce qu'ils aimeraient faire pendant les grandes vacances. Complétez les phrases en y mettant les verbes entre parenthèses au **présent du conditionnel.**

1. Je _____ bien un voyage en France. (faire)
2. Nous _____ au Canada si nous avions assez d'argent. (aller)
3. Il _____ que je travaille beaucoup pour me payer un voyage. (falloir)
4. Je _____ content(e) d'aller à la plage. (être)
5. Mes copains _____ aussi pour la plage. (partir)
6. Ma copine _____ aux Etats-Unis pour me rendre visite. (venir)
7. Sophie, tu _____ rester ici pendant l'été? (vouloir)
8. Je _____ d'abord pour gagner de l'argent. (travailler)
9. Et j'_____ le mois de juillet pour prendre mes vacances. (attendre)
10. Tes copains et toi, où _____-vous vos vacances? (prendre)

[4]For the conditional forms of stem-changing verbs, see *Appendix B.*

## Formation of the Past Conditional

The past conditional is formed with the conditional of the auxiliary **avoir** or **être** and the past participle of the main verb. All verbs form the past conditional in this way.

| | |
|---|---|
| j'**aurais voyagé** | nous **serions parti(e)s** |
| il **aurait pris** | elle **serait arrivée** |
| vous **auriez fait** | ils **seraient allés** |
| elles **auraient fini** | tu **te serais levé(e)** |

**2** Nous regrettons quelquefois de ne pas avoir fait certaines choses. Composez des phrases au **passé du conditionnel** pour dire ce que vous auriez fait l'été dernier, si vous aviez pu.

MODELE   *L'été dernier, j'aurais travaillé davantage pour gagner plus d'argent.*

# RAPPEL!

Be careful not to confuse the English *would* used hypothetically with *would* meaning *used to.*

| | |
|---|---|
| J'**irais** en France l'été prochain si c'était possible. | *I would go to France next summer if possible.* |
| J'**allais** à la plage tous les jours quand j'étais plus jeune. | *I would go to the beach every day when I was younger.* |

In the first example, the action in question has not yet taken place and depends on other circumstances.

In the second example, you can recognize that *would* means *used to* because the context is in the past.

## Uses of the Conditional and the Past Conditional

The conditional tense expresses an action that is hypothetical or subject to some condition before it can take place. It has the English equivalent *would . . .*

| | |
|---|---|
| Je **voudrais** visiter la Bretagne. | *I would like to visit Brittany.* |
| Ils **voyageraient** en voiture. | *They would travel by car.* |

The past conditional tense expresses an action in the past that was dependent on certain conditions before it could take place. It expresses the English idea *would have* + past participle.

L'année dernière, Sylvie et Dominique ont fait le tour de la France en quinze jours. Mais elles n'ont pas tout vu. Si elles avaient eu le temps, elles **se seraient** aussi **rendues** en Bretagne et elles **seraient** aussi **allées** en Corse.

The conditional tenses are used following the expression **au cas où,** meaning *in case.*

Je viendrai de bonne heure **au cas où** vous **arriveriez** avant midi.

J'étais venu(e) de bonne heure **au cas où** vous **seriez arrivés** avant midi.

Verbs such as **vouloir, pouvoir, être,** and **aimer** are often used in the conditional to indicate a more polite tone for a request.

> —Dis, Sylvie, tu **voudrais** me rendre un petit service? **Pourrais**-tu aller à l'agence de voyages pour demander des plans de Fréjus et des Alpes-Maritimes?

> —Ah, j'**aimerais** bien t'aider, mais je ne peux pas y aller aujourd'hui. Est-ce que je **pourrais** faire cette commission demain?

> —Bien sûr. Demain **serait** parfait.

The past conditional of **devoir** is sometimes called the tense of regret.

| | |
|---|---|
| Cet après-midi, je **devrais** faire les courses. | *This afternoon, **I ought to (should)** do the shopping.* |
| J'**aurais dû** les faire hier, mais je n'ai pas pu. | *I **ought to have (should have)** done it yesterday, but I wasn't able to.* |

**3** Quelques-unes des personnes avec qui vous voyagez en France ne sont pas aussi au courant de la culture française que vous. Aidez-les à s'exprimer plus poliment en mettant leurs verbes au **présent du conditionnel**.

1. Monsieur, je veux de l'eau, s'il vous plaît.
2. Et moi, je prends volontiers le coq au vin avec des légumes.
3. Pardon, madame, pouvez-vous m'indiquer l'heure, s'il vous plaît?
4. Monsieur, avez-vous la monnaie de vingt euros?
5. Mademoiselle, savez-vous par hasard à quelle heure ouvre le Louvre?
6. Marie-Laure, peux-tu m'aider à déchiffrer ce plan de métro?

# RAPPEL!

The conditional tenses are often used in the main clause in conditional *(if . . ., then)* statements *(If I had the time, I would love to visit Brittany)*.

The English speaker must choose the correct tenses to use in both the *if* clause and the main clause. (See the following table.)

The key to the tense sequences outlined in the table is that they never vary, although there may be several possible translations in English for the verb in the *if* clause.

| **si j'avais le temps** | *if I had the time* |
|---|---|
| | *if I were to have the time* |

| si | Subordinate Clause | Main Clause |
|---|---|---|
| si | imperfect<br>pluperfect[5] | conditional<br>past conditional |

**Si** j'**avais** le temps, j'**aimerais** visiter la Belgique.

**S'**ils **trouvaient** un hôtel, ils **iraient** sur la Côte d'Azur.

**Si** j'**avais eu** l'argent, je **serais allée** en Tunisie.

**Si** nous **étions arrivés** en juin, nous **aurions pu** assiter au festival.

[5]Remember that the pluperfect is formed with the imperfect of **avoir** or **être** and the past participle.

**4** Vous parlez de vos projets d'avenir, pour le moment hypothétiques. Complétez chaque phrase par le **présent du conditionnel** ou l'**imparfait** des verbes entre parenthèses selon le contexte.

1. Si je _____ mon diplôme en mai, je ferais d'abord un long voyage. (recevoir)

2. Si je trouvais un emploi tout de suite, j'_____ une nouvelle voiture. (acheter)

3. Si mon meilleur ami / ma meilleure amie avait le temps, il / elle _____ me rendre visite. (venir)

4. Ma famille et moi, nous _____ en vacances ensemble, si tout le monde était libre. (partir)

5. Mes copains français viendraient me voir, si j'_____ mon propre appartement. (avoir)

6. Si ma famille me donnait un peu d'argent, je _____ chercher un appartement. (pouvoir)

7. Mes amis feraient des économies, s'ils _____ partager un logement pendant un an ou deux. (pouvoir)

8. Si je ne trouvais pas de poste tout de suite, je _____ des demandes d'admission dans les universités pour faire des études supérieures. (faire)

9. Si, en septembre, ma copine n'avait pas de poste, elle _____ en Californie. (aller)

10. Et moi, si je ne trouvais pas de travail, mes frères et sœurs _____ m'aider un peu. (pouvoir)

**5** Posez les questions suivantes à vos camarades de classe. Complétez chaque question par la forme appropriée du verbe entre parenthèses.

1. Si tu étais riche, qu'est-ce que tu _____? (acheter)

2. Si tu _____ en France, qu'est-ce que tu voudrais voir? (aller)

3. Si tu faisais le tour du monde, où est-ce que tu _____? (aller)

4. Si tu _____ de l'argent, que ferais-tu? (avoir)

5. Si tu pouvais réformer notre université, qu'est-ce que tu _____? (changer)

6. Si tu pouvais changer ta vie, qu'est-ce que tu _____ de différent? (faire)

7. ???

**6** Le passé du conditionnel est le temps de ce qui n'a pas eu lieu. Complétez les phrases suivantes par un verbe au **passé du conditionnel** pour exprimer ce que vous auriez fait.

1. Si j'avais eu plus d'argent,...

2. Si j'avais eu plus de temps,...

3. Si je n'étais pas allé(e) à cette université,...

4. Si j'avais pu parler plus franchement à mes parents,...

5. Si j'avais pu dire la vérité à mon prof,...

6. Si j'avais choisi d'autres colocataires,...

# RAPPEL!

Contrast the following tense sequences involving the future and the conditional tenses.

|  |  | future |
|---|---|---|
| si | + present | + present |
|  |  | imperative |
| si | + imperfect | + conditional |
|  | pluperfect | past conditional |
| quand |  |  |
| lorsque | + future | + future |
| dès que | future perfect | imperative |
| aussitôt que |  |  |
| après que | + future perfect | + future |
|  |  | imperative |

The key to manipulating these tense sequences is to concentrate on the tense of the main verb, which will be easily identified as the imperative, present, future, conditional, or past conditional. Then determine the tense of the verb in the subordinate clause according to the conjunction in question.

# INTERACTIONS

**Voyage en francophonie.** A la fin d'un séjour en France, des amis et vous décidez de profiter de tarifs intéressants pour passer quinze jours dans une région francophone. En petits groupes, lisez les brochures à la page 376 et décidez lequel des voyages vous voudriez faire. Ensuite, comparez les réponses des différents groupes. Y a-t-il un voyage particulier qui est très populaire?

# NOUS AIMONS !

## ⟳ 320 € MAROC

**8 JOURS / 7 NUITS**

### MARRAKECH

Marrakech souvent appelée "Ville Impériale" ou encore "Perle du Sud", vous surprendra avec ses palais, ses mosquées, ses jardins et ses palmeraies. A l'ombre du célèbre minaret de la Koutoubia se trouve la mythique place Jemaa-El-Fna, lieu incontournable où règne l'essentiel de l'animation et où se côtoient les artisans, les charmeurs de serpents conteurs, les jongleurs, les vendeurs d'eau aux costumes multicolores dignes des Contes des Mille et Une Nuits. L'immense souk coloré de la Médina regorge de toutes sortes de trésors que ce soient des épices, des souvenirs en tout genre, des bijoux étincellants, de magnifiques tableaux, etc... L'hôtel se situe à cinq minutes en taxi de cette place, dans le quartier calme et résidentiel de Semlalia du Guéliz. L'avenue Mohamed V, bordée de commerces et cafés est à quinze minutes à pied. Il faut savoir que Marrakech est une ville idéale pour les amateurs de lieux "cosy" pour boire un verre dans un décor agréable en fin de journée. Vous pourrez notamment vous arrêter au "Paris-Marrakech", bar où la décoration est faite de coussins aux couleurs chatoyantes, de bougies parfumées, de pétales de roses. Idéal pour vos soirées détente.
**Ce prix comprend :** les vols A/R, les transferts, la chambre double, la demi-pension.
**Juin : 320 €***
**Juillet : 440 €***

*Hôtel Ayoub 3\**

✔ *Partirpascher.com : 01 53 14 60 00*

---

## ⟳ 1025 €* SEYCHELLES

**9 JOURS / 7 NUITS**

### VICTORIA

Petit bout de paradis au cœur de l'océan Indien, les Seychelles, c'est une destination paradisiaque pour les amoureux de plages immaculées. L'hôtel est situé sur la côte ouest de la plus grande des îles, Mahé. Il est à 15 km de la capitale Victoria, au bord de la plage de sable blanc de Barbarons, au cœur d'un jardin exotique. Depuis la piscine, vous avez un accès direct à la magnifique plage de sable blanc. Pour vos loisirs, gymnastique aquatique, tennis, pétanque, ping-pong, volley-ball, mini-golf, promenade en forêt ou sur les plages. Vos soirées seront animées par des orchestres et groupes musicaux de 20 h 30 à 23 h 00. Un superbe hôtel de la chaîne Méridien qui vous garantit la qualité de ses prestations. N'hésitez pas à vous rendre sur les principales îles telles que La Digue et Praslin, vous y découvrirez des plages et des paysages uniques au monde.
**Ce prix comprend :** le vol Paris / Mahé A/R, les transferts A/R, le logement en chambre double, les petits-déjeuners.

**Juin : 1025 €***
**Juillet : 1325 €***

*Hôtel Méridien Barbarons 4\**

✔ *Partirpascher.com : 01 53 14 60 00*

---

## ⟳ 950 €* ILE MAURICE

**9 JOURS / 7 NUITS**

### POINTE AUX PIMENTS

L'Ile Maurice est le symbole de la gentillesse et de la joie de vivre. Les paysages majestueux sont composés de plaines sucrières verdoyantes qui contrastent avec le lagon turquoise aux eaux toujours chaudes de cette île de rêve. Découvrez les lacs volcaniques dans le nord et la terre aux 7 couleurs, à Chamarel, dans le sud. Vous ne pouvez venir à Maurice sans visiter Port-Louis, sa capitale et ses nombreuses boutiques, le fameux jardin botanique de Pamplemousse, le lagon de la côte Est, Trou aux Cerfs, Grand Bassin, le lac sacré des Hindous... Petite unité conviviale entourée d'un jardin tropical, l'hôtel ne comprend que 52 chambres réparties en petits bungalows sur deux étages, simplement décorées et équipées de toutes les commodités nécessaires. Pour vos moments de détente, une piscine avec bassin pour enfants est à votre disposition. Elle donne directement sur l'océan et sa plage de sable blanc bordée de palmiers. Activités : tennis, ping-pong, billard, pétanque, beach-volley, jeux de société, water-polo, kayak et pédalo. 4 fois par semaine, l'hôtel organise des soirées musicales avec orchestre ou DJ.
**Ce prix comprend :** le vol Paris / Port-Louis A/R, les transferts A/R, le logement en chambre double, la pension complète "All Inclusive".
**Juin : 950 €***
**Juillet : 1090 €***

*Hôtel Pointe aux Bîches 3\**

✔ *Partirpascher.com : 01 53 14 60 00*

---

## ⟳ 590 €* LA REUNION

**9 JOURS / 7 NUITS**

### SAINT GILLES LES BAINS

Volcan jailli des profondeurs de l'océan Indien, île-jardin aux parfums suaves de fleurs et d'épices, La Réunion s'adresse aux amateurs de paysages sauvages et de randonnées. La nature lui a légué des montagnes fabuleuses, lunaires comme le piton de la Fournaise, luxuriantes comme le cirque de Salazie, mystérieuses comme le cirque de Mafate, où l'on ne pénètre qu'à pied ou en hélicoptère. L'hôtel La Rocaille se situe à Saint Gilles les Bains, petite ville de pêcheurs dotée de belles plages. Dans un cadre sympathique au cœur d'un quartier typiquement créole, l'hôtel est entouré de jardins tropicaux. Convivial, il dispose de 18 chambres de 2 à 4 personnes, salle de bains, climatisation, télévision et téléphone. Toutes ont un balcon ou une terrasse donnant sur la piscine. Au cœur du jardin se trouve une piscine équipée de transats et parasols.
**Ce prix comprend :** le vol Paris/Saint Gilles Les Bains A/R, le logement en chambre double pour 7 nuits, les petits-déjeuners.
**Juin : 590 €***

*Hôtel La Rocaille 2\**

✔ *Partirpascher.com : 01 53 14 60 00*

---

**Super PROMOS sur www.vol-sec.com**

# Note culturelle

## Les vacances d'hiver

Depuis quelques années, une nouvelle pratique s'est aussi ajoutée aux habitudes des Français: celle des vacances d'hiver.

- Ce sont surtout les jeunes, les cadres *(management)* ou directeurs d'entreprise et les membres des professions libérales qui en profitent pour partir aux sports d'hiver ou pour séjourner à la campagne.

- Les vacances scolaires, quinze jours en décembre-janvier, puis quinze jours en février-mars, ont également encouragé l'élargissement des types de loisirs d'hiver offerts aux jeunes ainsi qu'aux parents qui les accompagnent parfois pour profiter des activités sportives d'hiver.

- Les vacances d'hiver sont restées, malgré tout, un phénomène d'élite, et concernent surtout les Parisiens ainsi que les familles de cadres et de membres des professions libérales.

### Compréhension

1. Dans quelles catégories sociales y a-t-il le plus grand nombre de personnes qui partent pendant les vacances d'hiver?

2. Qu'est-ce qui permet aux élèves du primaire et du secondaire de faire un séjour aux sports d'hiver?

### Réflexion

A l'époque où vous étiez encore à l'école, partiez-vous quelquefois aux sports d'hiver? De quels facteurs faut-il tenir compte lorsqu'on envisage de partir faire du sport en hiver (hébergement, transport, équipement, etc.)?

## INTERACTIONS

**Autrement.** Mettez-vous en petits groupes, puis posez les questions suivantes aux membres du groupe. Si vous n'étiez pas venu(e) faire des études ici, qu'est-ce que vous auriez fait? Seriez-vous allé(e) à une autre université? Auriez-vous habité à l'étranger? Où auriez-vous travaillé? En quoi est-ce que votre vie aurait pu être différente? Comparez les différentes réponses du groupe. Qui aurait le plus changé de vie?

# SYNTHESE

**A.** En attendant votre train, vous entendez d'autres voyageurs qui parlent de vacances et de voyages. Complétez chaque phrase par le **présent du conditionnel** ou le **passé du conditionnel** du verbe entre parenthèses.

1. Si le temps n'était pas désagréable, je _____ à la plage. (aller)
2. Si j'avais le temps, je _____ aller en Belgique. (aimer)
3. Si j'avais eu les moyens, je _____ du côté de Saint-Tropez. (aller)
4. Elle _____ la bonne route si elle regardait la carte. (voir)
5. Je _____ si j'avais eu le temps. (se renseigner)
6. Il _____ écouter les prévisions météorologiques si vous faisiez un voyage dans les Alpes. (falloir)
7. Je _____ savoir s'il avait déjà réglé ses affaires. (vouloir)
8. Nous _____ compter sur du beau temps, si nous voyagions en été. (pouvoir)
9. S'il avait fait du soleil, vous _____ le voyage si désagréable. (ne pas trouver)
10. Tu _____ pour les Alpes-Maritimes si tu aimais la montagne. (partir)

**B. Interview: les études.** Posez les questions suivantes à un(e) camarade de classe.

1. Si tu avais l'argent, à quelle université irais-tu?
2. Qu'est-ce que tu aurais fait de différent dans tes études?
3. Si tu avais su que les études étaient si difficiles, les aurais-tu commencées?
4. Quelle autre ville universitaire aurais-tu choisie si tu n'étais pas venu(e) dans celle-ci?
5. Quels autres cours suivrais-tu si tu avais le temps?
6. Est-ce que tu t'achèterais un meilleur ordinateur pour t'aider dans tes études si tu en avais les moyens?

**C.** Plusieurs étudiants francophones parlent de leurs vacances. Qu'est-ce qu'ils ont fait? Que vont-ils faire? Que feraient-ils s'ils avaient le temps ou l'argent nécessaire? Complétez leurs déclarations par le temps approprié des verbes entre parenthèses.

1. Aussitôt qu'il y _____ de la neige, j'irai à la montagne pour faire du ski. (avoir)
2. S'il _____ demain, je ferai de la planche à voile. (ne pas pleuvoir)
3. S'il avait fait beau hier, je _____ à la plage. (aller)
4. Si j'_____ les moyens, je ferais des excursions. (avoir)
5. S'ils _____ un voyage dans les Alpes, ils auraient vu de la neige en été. (faire)
6. Je travaillerai cet été si je _____ trouver un poste. (pouvoir)
7. Si nous descendons vers le sud, nous _____ sûrement du beau temps. (avoir)
8. Demain, nous partirons plus tôt que prévu au cas où il y _____ de la pluie. (avoir)
9. S'il _____ chaud à Paris, il fera encore plus chaud à Nice. (faire)
10. Si vous aviez su que la pluie allait arriver, est-ce que vous _____ à Paris ce week-end-là? (aller)

**D. Mes projets de vacances.** Vous écrivez un e-mail à votre copine au Canada. Complétez le message en mettant les verbes aux temps appropriés.

*Salut, Véro!*

*Cet été, je _____ (travailler) bien sûr parce que j'_____ (avoir) besoin d'argent quand le semestre prochain _____ (commencer). Quand j'_____ (avoir) l'argent, je _____ (venir) te voir à Montréal. Si je _____ (pouvoir), je _____ (aller) aussi à la plage, mais je doute que deux voyages soient possibles pour moi cet été. Après que j'_____ (finir) de travailler, mes parents et moi, nous _____ (rendre visite) à mes grands-parents. Si tu _____ (pouvoir), viens me voir en automne. Je _____ (être) très content(e) si tu _____ (passer) un week-end chez moi à l'université.*

*A bientôt, j'espère.*

**E.** Voici des expressions qui s'emploient souvent avec le conditionnel. Réagissez à chacune des phrases suivantes en utilisant une de ces expressions dans une phrase au **conditionnel.**

**Expressions:** à ta place     au cas où     pendant les vacances qui viennent
si c'était moi     si j'étais toi

1. Je vais suivre des cours d'été.

2. Je vais travailler pour ma mère.

3. Je voyagerai en Egypte.

4. Je ferai un stage dans une entreprise internationale en Afrique.

5. Je serai moniteur / monitrice de colonie de vacances.

6. Je trouverai un emploi à Disney World.

7. Je vais assister à une grande réunion de famille.

8. ???

# INTERACTIONS

**Le rêve et la réalité.** Mettez-vous en petits groupes. Chaque membre du groupe doit composer quatre phrases au **conditionnel** pour exprimer ce qu'il / elle voudrait à l'avenir et quatre phrases au **futur** pour dire ce qui arrivera probablement. Comparez les réponses du groupe.

# Note culturelle

**Des vacances de rêve à la mer!**

## Les grandes vacances

Les Français sont assez nombreux à partir en vacances plusieurs fois pendant l'année. Mais depuis 1936, ce sont encore les mois de juillet et d'août qui constituent la période des «grandes vacances». Le fait de prendre des vacances à cette époque de l'année s'est généralisé dans la population. La façon dont on passe son temps libre dépend, cependant, de la catégorie sociale à laquelle on appartient.

- La moitié des vacanciers restent chez eux pendant les vacances d'été, soit pour travailler dans la maison, soit parce qu'ils n'ont pas les moyens de faire autre chose.

- Parmi ceux qui partent, la plupart, surtout les plus de 30 ans, restent en France. On pourrait suggérer deux hypothèses pour expliquer ce phénomène (qui est nettement moins marqué dans les autres pays européens): d'une part, la France est un pays dont les attraits touristiques sont suffisamment variés (climat, diversité des paysages et des sites à visiter, etc.) pour encourager les Français à y rester; d'autre part, beaucoup de Français se sentent mieux et plus en sécurité dans leur propre pays.

- Chez les jeunes de moins de 30 ans, si on pratique des sports, c'est surtout le tennis et le cyclisme ou, à la mer, la planche à voile et d'autres sports nautiques qui attirent les vacanciers. Où qu'ils aillent, les gens de tout âge semblent aussi profiter de ce temps libre pour lire. Et où pratiquent-ils la lecture? La moitié d'entre eux partent à la mer et à la recherche du soleil, malgré la foule, les prix élevés et les difficultés de circulation dans les stations balnéaires. Les autres voyagent vers l'intérieur du pays, à la campagne ou à la montagne.

Peut-être les Français ont-ils raison d'être casaniers? Certes, les images télévisées de la campagne française pendant le Tour de France les incitent à mieux connaître leur propre pays. Mais la France est aussi la destination européenne la plus souvent choisie par les touristes étrangers. Il n'y a pas de fumée sans feu!

## Compréhension

1. A quel moment le concept des «grandes vacances» est-il entré dans les habitudes des Français?

2. Quel serait un élément contribuant à la décision de passer son temps libre de telle ou telle manière?

3. Quels mois constituent la période des «grandes vacances» en France?

4. Où est-ce que la moitié des Français passent leurs grandes vacances?

5. Où vont la majorité des Français qui partent en vacances? Pourquoi?

6. Quels sports sont pratiqués par beaucoup de jeunes en vacances?

7. Pourquoi de nombreux Français choisissent-ils de rester chez eux pendant leurs vacances d'été?

8. Quelle est la destination européenne la plus souvent choisie par les touristes étrangers?

## Réflexion

**A.** Dans le milieu social que vous connaissez le mieux (chez vous, vos parents, vos voisins, etc.), combien de semaines de vacances annuelles prend-on? Est-ce comparable à la moyenne nationale? Quels facteurs déterminent le nombre de jours de vacances et la durée des vacances que l'on prend au cours de l'année? Les vacances des Français ressemblent-elles à celles que l'on prend dans votre milieu social?

**B.** Relisez les renseignements que la **Note culturelle** vous donne sur les vacances en France. Planifiez des vacances pour une famille française typique. Expliquez vos choix.

# INTERACTIONS

**Le mythe du voyage.** Le mot «voyage» a un fort contenu symbolique. Un voyage, au sens propre, permet de changer de lieu, d'identité, d'activité, d'habitudes, bref, de vie. Mais on peut aussi «voyager» au sens figuré, s'évader de soi-même. Pour chacun des «voyages» suivants, décrivez ce qu'on voudrait trouver.

Disneyland Paris

1. Une croisière *(cruise)* en Méditerranée offre un confort, une qualité de vie et une sécurité supérieurs à ceux que l'on trouve localement.
2. Disneyland Paris a pour vocation de faire entrer les visiteurs dans un monde magique, plus beau que la réalité.
3. Les jeux vidéo et les techniques de «réalité virtuelle» sont d'autres exemples, plus élaborés, de cette volonté de simuler la vie.

## Situations écrites

**A.** Une question que l'on pose souvent aux candidats lors d'un entretien d'embauche est la suivante: «Où voudriez-vous en être dans cinq ans?» Imaginez que vous cherchez un poste à IBM France. Composez une réponse à cette question.

**B.** Au cours d'une conversation avec des étudiants français, on commence à parler de sujets comme l'avenir de la société nord-américaine, l'état de l'économie, la drogue, la violence et le terrorisme. Composez une description de la société de l'Amérique du Nord du futur. Comparez vos réponses à celles de vos camarades de classe afin de faire le portrait complet de la société nord-américaine de l'avenir.

# A lire

## Texte de culture contemporaine

### Sujets de réflexion

1. De combien de semaines de vacances l'Américain typique bénéficie-t-il? Est-ce suffisant à votre avis?
2. En général, où les Américains préfèrent-ils passer leurs vacances? Y a-t-il des endroits qui sont favorisés par les gens riches pour passer leurs vacances? Et par les moins riches?
3. Aux Etats-Unis, quelles catégories socio-professionnelles peuvent se payer une résidence secondaire ou même un deuxième domicile?

### Guide de lecture

1. Chacun des cinq premiers paragraphes de la lecture commence par une phrase d'introduction. A partir de chacune de ces phrases, dites ce dont, à votre avis, il s'agira dans le texte qui les suit.
2. Les trois derniers paragraphes font, en quelque sorte, l'historique des grandes vacances en France. Pour chacune des dates principales qui sont mentionnées dans cette partie du texte, indiquez le fait historique auquel cette année est associée.

## Les tribus° des Français en vacances

## Etes-vous plutôt Saint-Tropez ou île de Ré?

Rien ne les aura empêchés de partir. [...] Ni la hausse du prix de l'essence, ni la baisse du pouvoir d'achat [...]. Entre le 14 juillet et le 15 août, les Français sont mus° par un instinct de survie. Répondant à l'impérieux appel du soleil, [...] et du plaisir, ils se ressaisissent°, bouclent leurs valises et s'échappent vers la mer, la campagne, la mon-
5 tagne. [...] Ils sont les rois. Ils sont en vacances. [...] «*Les vacances estivales° ne sont pas négociables, elles font partie de la norme. Les Français sont très attachés à cette trève°, à cette liberté...*» explique Jean Viard, sociologue des loisirs.

Bien sûr, il y a ceux qui ne partent jamais et qu'on oublie trop vite: quatre Français sur dix proscrits° des vacances, dont la moitié pour raisons économiques, qui ne
10 pourront pas raconter à leur voisin, à leur collègue, à leur prof ce qu'ils ont fait de cette parenthèse forcément enchantée. Et pour les autres—ceux qui ont les moyens de s'évader—, il ne s'agit sûrement pas, cet été, de faire chauffer la carte de crédit.

Partir en France est donc plus tendance que jamais. 85% de nos compatriotes choisissent l'Hexagone pour passer leurs congés estivaux. [...] Nos compatriotes pla-
15 cent encore et toujours la mer et le soleil en tête de leurs priorités. [...] Les Français sont nombreux à se faire inviter pour limiter les frais: plus de quatre estivants° sur six dégotent° un hébergement° gratuit en famille ou chez des amis. [...]

Dis-moi où tu pars, je te dirai qui tu es... Sous des apparences démocratiques, les vacances reproduisent les distinctions sociales. Pour nos élites, généralement
20 propriétaires dans les lieux mythiques, il s'agit de faire savoir qui l'on est en se

**Glossary (left margin):**
- *tribes*
- *moved*
- *get a hold of themselves / summer*
- *break*
- *deprived of*
- *summer vacationers*
- *scrounge / lodging*

singularisant. A chacun sa villa, son petit coin de paradis. [...] Les maîtres du monde vont à Saint-Tropez. Le petit port du bout du monde découvert par Colette et Sagan, et popularisé par Bardot allie «people attitude» et culte du business. [...] La «saint-tropization», voilà le danger pour beaucoup de stations mythiques. La
25 gauche-caviar qui a fait l'île de Ré souffre de la popularisation d'un site dont elle se sent un peu propriétaire. [...] Pour les célébrités, il est de bon ton de s'intéresser au peuple, même si l'on vit à l'abri derrière les murs d'une villa. [...]

*have a eye on*     Elitiste, la frénésie vacancière? Et comment! Tout le monde guigne° la même
*motor boats*     plage, mais les riches y vont en hors-bord° ou en yacht. Sur le port de Saint-Trop',
*lounge* 30 la jet-set se prélasse° sur des palais flottants et se laisse scruter à distance par la foule de touristes moyens, ceux qu'elle surnomme les «suceurs de glace». [...]

Nos vacances, il est vrai, ont une origine aristocratique. L'été, la noblesse se mettait au vert dans les châteaux et les manoirs. Un rythme saisonnier imité, dès les an-
*of independent means*     nées 1820, par la noblesse rentière° et la bourgeoisie industrielle. Les Britanniques
35 les plus fortunés passent alors leurs hivers à Nice, sur la fameuse Promenade des Anglais. On invente les agences de voyages en même temps que le chemin de fer,
*seaside*     les bains de mer et les stations touristiques, des villes d'eaux et des cités balnéaires° comme Deauville. Progressivement, ce mode de vie se répand à la moyenne bourgeoisie de l'entre-deux-guerres.

40 Le peuple, lui, n'accède aux congés payés qu'en 1936. [...] Après la grande grève de juin 1936, le Front Populaire de Léon Blum donne le signal du grand départ: quinze jours de liberté. [...] Bientôt étendus à trois semaines (1956), puis quatre (1969) et cinq (1981) et accompagnés par des aides sociales, les congés payés per-
*thirty-year boom period*     mettent l'apparition d'un tourisme de masse pendant les Trente Glorieuses°. Les
*after World War II* 45 Français refont le chemin de l'exode rural à l'envers: les campagnes—à deux heures de transport des villes—deviennent l'eldorado des résidences secondaires. La civilisation des loisirs est née, symbolisée par l'essor du Club Méditerranée. Avec mai
*protest*     68 [...], un vent de contestation° se lève. Désormais, l'avant-garde des vacanciers recherche l'authenticité. [...] C'est aussi l'heure du retour à la nature, [...] le grand
*preserving nature* 50 départ des randonneurs, la vogue du naturalisme°. [...]

L'individualisme triomphe dans les années 1980. On prend ses vacances pour soi. [...] Où en est-on aujourd'hui? Comme dans d'autres domaines, les Français, devenus consommateurs et donc zappeurs, se composent des programmes à la carte: quelques jours en famille, une escapade culturelle, une visite à des amis. Très mo-
55 biles, les Parisiens se distinguent: ils sont 75% à partir et n'hésitent pas à fractionner leurs congés pour effectuer plusieurs séjours au cours de l'été. [...]

Une chose est sûre, le triomphe des valeurs vacancières a enclenché une profonde mutation du territoire. Devenues très désirables, les régions d'accueil voient affluer les nouveaux habitants en quête de qualité de vie. *«La population française autour de*
60 *la Méditerranée a doublé en trente ans. Les Alpes sont en plein boom et l'on assiste à l'explosion de la région de Nantes, La Rochelle et Bordeaux»*, note le sociologue Jean Viard. Déclin de l'industrie, économie du service et des nouvelles technologies et réduction du temps de travail accompagnent ce mouvement vers le «modèle cali-
*superior, upper-level*     fornien» qui fait rêver les élites. Certains cadres sup° des professions intellectuelles ou
*executives* 65 libérales se partagent ainsi entre deux domiciles. D'autres s'installent définitivement au soleil ou au vert. Ainsi, l'espace-temps du travail devient celui des vacances. [...]

Source: Sylvain Courage, «Etes-vous plutôt Saint-Tropez ou île de Ré?», *Le Nouvel Observateur*, No 2282, du 31 juillet au 6 août 2008, pp. 42–45

## Après la lecture

1. Pourquoi la période des grandes vacances est-elle si importante pour les Français? Combien de Français ne peuvent pas partir en vacances? Pourquoi?

2. Quel pourcentage des Français restent en France pendant leurs vacances? Préfèrent-ils la mer ou la campagne pour passer leurs vacances?

3. Quelle est l'attitude des célébrités envers les gens qui séjournent dans les mêmes villes balnéaires qu'elles?

4. Résumez l'évolution des congés payés en France.

5. On dit que les Français sont devenus des «zappeurs» dans la façon dont ils composent leurs vacances. Qu'est-ce que cela veut dire?

6. Expliquez l'idée du «modèle californien» qui se substitue aux vacances traditionnelles pour certains Français. En quoi le phénomène du télé-travail pourra-t-il changer la notion des grandes vacances?

# Texte littéraire

## Sujets de réflexion

1. Où allez-vous et que faites-vous pour échapper aux problèmes et aux ennuis de la vie de tous les jours?

2. Faites la description de ce qui serait pour vous un endroit idéal où vous auriez la possibilité de vous évader de la réalité quotidienne.

## A propos de l'auteur...

Autoportrait de Baudelaire

**Charles Baudelaire,** *poète du 19ᵉ siècle, est connu comme l'auteur qui a su introduire le modernisme dans le domaine de la poésie. En 1857, il a publié* Les Fleurs du mal, *un recueil de poèmes qui approfondissent principalement deux thèmes: la dualité de la nature humaine et l'ennui de l'homme face aux limitations intellectuelles et spirituelles de la vie. En 1861, Baudelaire reprendra une forme déjà expérimentée par d'autres écrivains, le poème en prose. Dans ses* Petits poèmes en prose, *il développe à nouveau certains des thèmes qu'il avait déjà abordés dans* Les Fleurs du mal.

## Guide de lecture

1. Faites une liste d'images tirées du poème *L'Invitation au voyage* (à la page 385) qui représentent les éléments fondamentaux de cette vision de l'idéal de Baudelaire.

2. Ce poème évoque-t-il la ville ou la campagne? De quelle sorte de climat s'agit-il? Ce poème s'inspire d'un endroit réel. Où se trouve cet endroit?

3. Le refrain du poème est composé de cinq éléments: l'ordre, la beauté, le luxe, le calme et la volupté. Dans ce poème, dégagez les images qui illustrent ces différents éléments.

# L'Invitation au voyage (poème)

Mon enfant, ma sœur,
Songe à la douceur
D'aller là-bas vivre ensemble!
Aimer à loisir,
5 Aimer et mourir
Au pays qui te ressemble!
*dampened* Les soleils mouillés°
*murky* De ces ciels brouillés°
Pour mon esprit ont les charmes
10 Si mystérieux
De tes traîtres yeux
Brillant à travers leurs larmes.
Là, tout n'est qu'ordre et beauté,
Luxe, calme et volupté.
*lustrous* 15 Des meubles luisants°,
Polis par les ans,
Décoreraient notre chambre;
Les plus rares fleurs
Mêlant leurs odeurs
20 Aux vagues senteurs de l'ambre,
Les riches plafonds,
Les miroirs profonds,
La splendeur orientale,
Tout y parlerait
25 A l'âme en secret
Sa douce langue natale.
Là, tout n'est qu'ordre et beauté
Luxe, calme et volupté.
Vois sur ces canaux
30 Dormir ces vaisseaux
Dont l'humeur est vagabonde;
*satisfy* C'est pour assouvir°
Ton moindre désir
Qu'ils viennent du bout du monde.
35 Les soleils couchants
Revêtent les champs,
Les canaux, la ville entière,
D'hyacinthe et d'or;
Le monde s'endort
40 Dans une chaude lumière.
Là, tout n'est qu'ordre et beauté,
Luxe, calme et volupté.

Source: Baudelaire, *L'Invitation au voyage*

# L'Invitation au voyage (poème en prose)

pays... : *land of peace and plenty*

(1) Il est un pays superbe, un pays de Cocagne°, dit-on, que je rêve de visiter avec une vieille amie. Pays singulier, noyé dans les brumes de notre Nord, et qu'on pourrait appeler l'Orient de l'Occident, la Chine de l'Europe, [...] tant elle l'a patiemment et opiniâtrement° illustré de ses savantes et délicates végétations.

*obstinately*

5 (2) Un vrai pays de Cocagne, où tout est beau, riche, tranquille, honnête; où le luxe a plaisir à se mirer dans l'ordre; où la vie est grasse et douce à respirer; d'où le désordre, la turbulence et l'imprévu° sont exclus; où le bonheur est marié au silence; où la cuisine elle-même est poétique, grasse et excitante à la fois; où tout vous ressemble, mon cher ange°.

*unexpected*

*angel*

10 (3) Tu connais cette maladie fiévreuse qui s'empare de nous dans les froides misères, cette nostalgie du pays qu'on ignore, cette angoisse de la curiosité? Il est une contrée qui te ressemble, où tout est beau, riche, tranquille et honnête, où la fantaisie a bâti et décoré une Chine occidentale, où la vie est douce à respirer, où le bonheur est marié au silence. C'est là qu'il faut aller vivre, c'est là qu'il faut aller mourir!

15 (4) Oui, c'est là qu'il faut aller respirer, rêver et allonger les heures par l'infini des sensations. Un musicien a écrit l'*Invitation à la valse*; quel est celui qui composera l'*Invitation au voyage*, qu'on puisse offrir à la femme aimée, à la sœur d'élection?

(5) Oui, c'est dans cette atmosphère qu'il ferait bon vivre,—là-bas, où les heures plus lentes contiennent plus de pensées, où les horloges° sonnent le bonheur avec une plus profonde et plus significative solennité.

*clocks*

20

(6) Sur des panneaux luisants, ou sur des cuirs dorés et d'une richesse sombre, vivent discrètement des peintures béates°, calmes et profondes, comme les âmes des artistes qui les créèrent. Les soleils couchants, qui colorent si richement la salle à manger ou le salon, sont tamisés° par de belles étoffes° ou par ces hautes fenêtres ouvragées que le plomb° divise en nombreux compartiments. Les meubles sont vastes, curieux, bizarres, armés de serrures° et de secrets comme des âmes raffinées. Les miroirs, les métaux, les étoffes, l'orfèvrerie et la faïence° y jouent pour les yeux une symphonie muette et mystérieuse; et de toutes choses, de tous les coins, des fissures des tiroirs et des plis des étoffes s'échappe un parfum singulier, un *revenez-y* de Sumatra, qui est comme l'âme de l'appartement.

*blissful*

*filtered / fabrics*
*lead*
*locks*
*decorated*
*earthenware*

25

30

(7) Un vrai pays de Cocagne, te dis-je, où tout est riche, propre et luisant, comme une belle conscience, comme une magnifique batterie de cuisine, comme une splendide orfèvrerie, comme une bijouterie bariolée°! Les trésors du monde y affluent, comme dans la maison d'un homme laborieux et qui a bien mérité du monde entier. Pays singulier, supérieur aux autres, comme l'Art l'est à la Nature, où celle-ci est réformée par le rêve, où elle est corrigée, embellie, refondue.

*striped, rainbow-colored*

35

(8) Qu'ils cherchent, qu'ils cherchent encore, qu'ils reculent sans cesse les limites de leur bonheur, ces alchimistes de l'horticulture! Qu'ils proposent des prix de soixante et de cent mille florins° pour qui résoudra leurs ambitieux problèmes! Moi, j'ai trouvé ma *tulipe noire* et mon *dahlia bleu*!

*former coins*

40

(9) Fleur incomparable, tulipe retrouvée, allégorique dahlia, c'est là, n'est-ce pas, dans ce beau pays si calme et si rêveur, qu'il faudrait aller vivre et fleurir? Ne serais-tu pas encadrée° dans ton analogie, et ne pourrais-tu pas te mirer, pour parler comme les mystiques, dans ta propre correspondance?

*framed*

45

(10) Des rêves! toujours des rêves! et plus l'âme est ambitieuse et délicate, plus les rêves l'éloignent du possible. Chaque homme porte en lui sa dose d'opium naturel, incessamment sécrétée et renouvelée, et, de la naissance à la mort, combien comptons-nous d'heures remplies par la jouissance positive, par l'action réussie et
50 décidée? Vivrons-nous jamais, passerons-nous jamais dans ce tableau qu'a peint mon esprit, ce tableau qui te ressemble?

(11) Ces trésors, ces meubles, ce luxe, cet ordre, ces parfums, ces fleurs miraculeuses, c'est toi. C'est encore toi, ces grands fleuves et ces canaux tranquilles. Ces énormes navires qu'ils charrient, tout chargés de richesses, et d'où montent
55 les chants monotones de la manœuvre, ce sont mes pensées qui dorment ou qui roulent sur ton sein. Tu les conduis doucement vers la mer qui est l'Infini, tout en réfléchissant les profondeurs du ciel dans la limpidité de ta belle âme;—et quand,

*sea / laden* fatigués par la houle° et gorgés° des produits de l'Orient, ils rentrent au port natal, ce sont encore mes pensées enrichies qui reviennent de l'Infini vers toi.

Source: Baudelaire, *L'Invitation au voyage*

## Après la lecture

1. Dans chaque paragraphe du poème en prose:
   a. Soulignez l'idée principale.
   b. Soulignez les images qui se rapportent à l'idée centrale du paragraphe.
   c. Indiquez les idées ou les images qu'on ne trouverait pas normalement dans un texte en prose.

2. Dégagez du poème les images qui se rapportent à cette «vieille amie» que le poète mentionne au premier paragraphe. Quelle relation y a-t-il, selon vous, entre le poète et cette personne?

3. Composez une liste d'images qui sont les mêmes dans les deux textes de Baudelaire.

4. Quels sont les mots du poème en prose qui illustrent le refrain du poème en vers? Quels mots, dans le reste du poème, reflètent les mots du refrain?

5. Est-ce que le portrait de l'«amie» du poète est semblable dans les deux poèmes? Pourquoi?

6. Au dernier paragraphe du poème en prose, le poète indique de façon assez directe les clés des symboles fondamentaux du poème en vers. Que symbolise ce pays? Et les bateaux qui le traversent? Que cherche le poète? Avez-vous l'impression qu'il cherche la même chose dans les deux textes? Expliquez.

## Pour mieux lire

Une des grandes contributions de Baudelaire à la poésie moderne est sa théorie des correspondances. Pour montrer l'association entre le monde réel et le monde de l'imagination et pour créer des images nouvelles et frappantes, Baudelaire associe souvent deux concepts qui n'ont aucun lien logique entre eux (par exemple, un son et une odeur). Il ne s'agit pas de traduire ces images, mais de les interpréter. Dans les deux textes, trouvez et interprétez au moins trois exemples des correspondances de Baudelaire.

❖ ❖ ❖ ❖ ❖ ❖ ❖ ❖ ❖ ❖ ❖ ❖ ❖ ❖ ❖

# LIENS CULTURELS

1. *L'Invitation au voyage* de Baudelaire (poème en vers et poème en prose) nous incite, en tant que lecteurs, à imaginer un ailleurs, un lieu autre que celui où nous sommes. Gauguin et Magritte, dans le domaine de la peinture, nous invitent eux aussi à nous servir de notre imagination. En vous rappelant votre définition de l'exotisme ainsi que la notion de correspondances chez Baudelaire (le rapprochement de deux éléments appartenant à des registres différents), dites si vous trouvez plus de similarités entre Baudelaire et Gauguin ou entre Baudelaire et Magritte.

2. Quelles sortes de «voyages imaginaires» sont à la mode dans notre culture actuelle? Par exemple, quels livres et quels films ont comme but de nous transporter dans le monde de l'imagination? Pourquoi croyez-vous que de tels films et de tels livres sont toujours à la mode? Expliquez votre point de vue.

# EXPANSION

**A.** Vous avez sans doute déjà utilisé le mot «exotique» dans vos conversations. Que veut dire ce mot quand vous l'employez? Dressez une courte liste d'exemples de situations, de lieux et de circonstances exotiques.

**B.** Quel rôle joue «le fantastique» dans les réactions du public du 19e siècle devant les récits des explorateurs et dans celles du public d'aujourd'hui devant les récits de science-fiction? Y a-t-il des similarités à relever entre ces deux époques?

**C.** Aux pages 361–362, lequel des deux tableaux préférez-vous, celui de Gauguin ou celui de Magritte? Faites une petite analyse de vos réactions personnelles devant chacun de ces tableaux. Aimez-vous le réalisme en art ou êtes-vous attiré(e) par d'autres genres? Expliquez votre point de vue.

# Appendice A

This appendix contains a discussion of the passive voice, indirect discourse, the literary tenses, and special uses of the definite article.

## The Passive Voice

### Formation of the Passive Voice

The passive voice is limited to transitive verbs that take a direct object, i.e., verbs not used with a preposition preceding the object of the verb. In a passive construction, the word receiving the action of the verb becomes the subject of the sentence. All verbs in the passive voice are formed by conjugating the verb **être** in the appropriate person and tense, followed by the past participle of the action verb. The past participle always agrees in gender and number with the subject of **être**.

An active voice construction becomes passive when transformed according to the following model:

| | | | |
|---|---|---|---|
| Active Construction | subject ↓ | transitive verb ↓ | direct object ↓ |
| Passive Construction | agent | **être** (conjugated) followed by past participle of action verb | subject |

Note that if the agent (person or thing) performing the action is expressed in the sentence, it is preceded by the preposition **par** *(by)* and sometimes **de.**

| ACTIVE VOICE | PASSIVE VOICE |
|---|---|
| Les supermarchés attirent la clientèle *Supermarkets attract customers.* | **La clientèle est attirée par** les supermarchés. ***Customers are attracted by** supermarkets.* |
| Tout le monde l'aimait. *Everyone loved her.* | **Elle était aimée de** tout le monde. ***She was loved by** all.* |
| Tout le groupe a fait l'excursion. *The whole group made the trip.* | **L'excursion a été faite par** tout le groupe. ***The trip was made by** the whole group.* |
| Un metteur en scène tournera le film. *A director will make the film.* | **Le film sera tourné par** un metteur en scène. ***The film will be made by** a director.* |
| Un vin léger accompagne le poisson. *A light wine accompanies the fish.* | **Le poisson fut accompagné d'**un vin léger. ***The fish was accompanied by** a light wine.* |
| Beaucoup de touristes visiteraient ces pays. *Many tourists would visit these countries.* | **Ces pays seraient visités par** beaucoup de touristes. ***These countries would be visited by** many tourists.* |

The past tenses of **être** (**passé composé,** imperfect, pluperfect) when used in the passive voice follow the normal uses of the past tenses (description / completed action).

La ville **était protégée** par les montagnes.
La population **a été surprise** par les nouvelles.

## Avoiding the Passive Voice

French usage tends to avoid the passive voice, especially when the agent performing the action is a person.

If the subject of the passive sentence is not a person, you may replace the true passive construction either by using **on** as the subject of the active verb or by making the active verb reflexive.

**On vend des légumes** au marché.
**Des légumes se vendent** au marché. $\Big\}$ *Vegetables are sold in the market.*

**On ouvrira les portes** à 20 heures.
**Les portes s'ouvriront** à 20 heures. $\Big\}$ *The doors will be opened at 8 P.M.*

If the subject of the passive sentence is a person, you must use **on** + the active verb construction to replace the passive voice.

**On a invité mon ami** à la soirée.     *My friend was invited to the party.*
**On choisira les meilleurs candidats.**     *The best candidates will be chosen.*

Remember that **on** always takes a third-person singular verb even though the corresponding passive construction may have a plural subject and verb.

In English, the indirect object of a verb may be the subject of a sentence in the passive voice.

*Marcel was sent the money by his parents.*
*Hélène was promised a promotion.*

However, in French, the object of the preposition **à** can never become the subject of a passive sentence. If the agent of the action is expressed, you may use the passive voice with the direct object of the verb as the subject.

**L'argent a été envoyé à Marcel par ses parents.**

If the agent is not expressed, you may substitute **on** + the active verb for the true passive construction.

**On a promis une promotion à Hélène.**

The following verbs are often followed by **à**:

| | | |
|---|---|---|
| **dire** | **On lui a dit de partir.** | *He was told to leave.* |
| **demander** | **On leur demande de chanter.** | *They are being asked to sing.* |
| **donner** | **Cette lettre nous a été donnée par nos amis.** | *We were given this letter by our friends.* |
| **envoyer** | **On m'a envoyé des fleurs.** | *I was sent some flowers.* |
| **expliquer** | **Le film lui sera expliqué par le metteur en scène.** | *The film will be explained to her by the director.* |
| **promettre** | **On a promis une voiture à Sophie.** | *Sophie was promised a car.* |
| **offrir** | **On a offert à Robert un poste en Europe.** | *Robert was offered a position in Europe.* |

# RAPPEL !

You must be aware of when to use the passive voice rather than the active voice. English usage will clearly indicate when the passive voice is required. The unique construction involving a form of the verb *to be* followed by a past participle cannot be confused with the translations of any other verb forms in French. Compare the following examples based on some of the more commonly used tenses.

|  | ACTIVE VOICE | PASSIVE VOICE |
|---|---|---|
| PRESENT | **Les étudiants projettent** généralement **le film** à 8 heures.<br><br>*The students normally show the film at 8 o'clock.* | Le film est généralement **projeté par les étudiants** à 8 heures.<br><br>*The film is normally shown by the students at 8 o'clock.* |
| PASSÉ COMPOSÉ | **La vedette a interprété le rôle.**<br><br>*The star played the part.* | Le rôle a été interprété par la vedette<br><br>*The part was played by the star.* |
| IMPERFECT | **Les grèves perturbaient** souvent **le service du métro.**<br><br>*Strikes often disrupted metro service.* | Le service du métro était souvent perturbé par les grèves.<br><br>*Metro service was often disrupted by strikes.* |
| PLUPERFECT | **Son père avait vendu la voiture.**<br><br>*Her father had sold the car.* | La voiture avait été vendue par son père.<br><br>*The car had been sold by her father.* |
| FUTURE | **Le professeur corrigera l'examen** demain.<br><br>*The professor will correct the test tomorrow.* | L'examen sera corrigé par le professeur demain.<br><br>*The test will be corrected by the professor tomorrow.* |

**A.** Ecrivez les phrases suivantes en utilisant la voix passive et en exprimant l'agent dans les phrases.

1. Ce nouvel auteur a écrit un livre.
2. Les étudiants subiront beaucoup d'examens.
3. Les marchands avaient déjà vendu tous les produits.
4. L'agence de voyages propose cette excursion magnifique.
5. Mes parents m'ont offert ce voyage.

**B.** Ecrivez les phrases suivantes à la voix active. Utilisez le pronom **on** comme sujet de vos phrases.

1. Les touristes sont bien accueillis en Martinique.
2. De nouveaux supermarchés seront construits.
3. L'émission a été présentée à cinq heures.
4. Les paquets vous seront envoyés par avion.
5. Les copains étaient invités à une soirée.

**C.** Ecrivez les phrases suivantes à la voix active. Utilisez un verbe pronominal *(reflexive verb)* dans vos phrases.

1. Les pâtisseries sont vendues dans une boulangerie.
2. Le français est parlé au Canada.
3. Le train est employé plus souvent en France qu'aux Etats-Unis.
4. Les portes du musée seront ouvertes à dix heures.
5. Cela n'est pas fait ici.

# Indirect Discourse

If one relates exactly what another person has said, putting his or her words in quotation marks and not changing any of the original wording, this is called *direct discourse.*

> **Roger a dit: «Je viendrai ce soir».**

If one does not directly quote another person's words but simply relates his or her statement indirectly in a clause, this is called *indirect discourse.*

> **Roger a dit qu'il viendrait ce soir.**

To use indirect discourse in French, you must be aware of the proper sequence of tenses between the introductory statement and the indirect quotation. If the introductory verb is in the present or future, there will be no change in the tenses of the verbs that recount what the person has said.

| | |
|---|---|
| **Marie dit: «Je viendrai».** | **Elle dit qu'elle viendra.** |
| **Marie dira: «Je suis venue».** | **Elle dira qu'elle est venue.** |
| **Marie dit: «Je viendrais».** | **Elle dit qu'elle viendrait.** |
| **Marie dira: «Je venais».** | **Elle dira qu'elle venait.** |

However, if the introductory verb is in a past tense, there will be certain changes in the tenses of the verbs in the subordinate clause. These tense sequences are summarized below. Note that the tense sequences used in indirect discourse in French correspond in all cases to the tense sequences normally used in indirect discourse in English.

| TENSE OF ORIGINAL STATEMENT | INTRODUCTORY VERB IN PAST TENSE | TENSE OF SUBORDINATE VERB |
|---|---|---|
| PRESENT<br>**J'arrive** à 2 heures. | Il a dit qu'... | IMPERFECT<br>il **arrivait** à 2 heures. |
| FUTURE<br>On **aura** un examen demain. | Mon ami avait déjà dit qu'... | CONDITIONAL<br>on **aurait** un examen demain. |
| FUTURE PERFECT<br>Elle **sera** déjà **partie** avant le déjeuner. | J'expliquais qu'... | PAST CONDITIONAL<br>elle **serait** déjà **partie** avant le déjeuner. |
| PASSÉ COMPOSÉ<br>Nous **avons fait** nos devoirs. | Le prof a demandé si... | PLUPERFECT<br>nous **avions fait** nos devoirs. |

The imperfect, pluperfect, conditional, and past conditional tenses remain unchanged in indirect discourse.

| | |
|---|---|
| Il **allait faire** les provisions. | Il a dit qu'il **allait faire** les provisions. |
| Nous **avions** déjà **fait** nos devoirs. | Nous expliquions que nous **avions** déjà **fait** nos devoirs. |
| Ils **viendraient** si possible. | Elle avait déjà expliqué qu'ils **viendraient** si possible. |
| J'**aurais** peut-être **trouvé** le numéro. | Il a répondu qu'il **aurait** peut-être **trouvé** le numéro. |

If there is more than one verb in the subordinate clause, each verb must be considered separately according to the sequence of tenses outlined above.

Je **suis arrivée** à 3 heures et j'**allais** partir après le dîner.

Elle a dit qu'elle **était arrivée** à 3 heures et qu'elle **allait** partir après le dîner.

A. Complétez les phrases suivantes en employant le temps convenable du verbe original.

1. Le prof annonce: «Il y aura un examen mercredi». Il a annoncé qu'il y _____ un examen mercredi.

2. La présentatrice déclare: «Il fera beau demain». Elle déclare qu'il _____ beau demain.

3. Les étudiants suggèrent: «Nous aurions dû travailler davantage». Ils ont suggéré qu'ils _____ travailler davantage.

4. Nous disons: «Nous avons froid dans cette chambre». Nous lui avons dit que nous _____ froid dans cette chambre.

5. Mes copains annoncent: «On ira ensemble». Ils annoncent qu'on _____ ensemble.

6. Nos parents répondent: «Vous avez eu des problèmes, mais vous réussirez bientôt». Ils ont répondu que nous _____ des problèmes mais que nous _____ bientôt.

7. Ma sœur déclare: «Je viendrai si j'ai les moyens». Elle a déclaré qu'elle _____ si elle _____ les moyens.

8. Je vous l'assure: «Ils arriveront avant nous». Je vous assure qu'ils _____ avant nous.

9. J'ai écrit à mon professeur: «Vous recevrez mon devoir quand je retournerai à l'école». Je lui ai écrit qu'il _____ mon devoir quand je _____ à l'école.

10. Nous demandons: «Vous voulez descendre au café?» Nous avons demandé s'ils _____ descendre au café.

B. Répondez à chaque question en employant le discours indirect.

1. —Il fait du vent.
   —Pardon? Qu'est-ce que vous avez dit?
   —J'ai dit qu'...

2. —Il neigera cet après-midi.
   —Qu'est-ce que vous annoncez?
   —J'annonce qu'...

3. —Nous aurions voulu quitter Paris plus tôt.
   —Qu'est-ce que vous avez déclaré?
   —J'ai déclaré que...

4. —Il y a eu un accident sur l'autoroute ce matin.
   —Qu'est-ce qu'il a annoncé?
   —Il a annoncé qu'...

5. —L'inflation augmentera l'année prochaine.
   —Qu'est-ce qu'on a prédit?
   —On a prédit que...

6. —Nous avions déjà acheté nos billets.
   —Qu'est-ce que vous me dites?
   —Je vous dis que...

7. —Je pourrai vous accompagner.
   —Qu'est-ce qu'elle vous a assuré?
   —Elle m'a assuré qu'...

8. —Cette voiture marche bien.
   —Qu'est-ce qu'il a garanti?
   —Il a garanti que...

9. —Je n'ai pas touché à ses affaires.
   —Qu'est-ce que ton petit frère a juré?
   —Il a juré qu'...

10. —C'est ma place.
    —Pardon? Qu'est-ce que vous dites?
    —Je dis que...

**C.** Roger et Pierre, qui étudient à l'Université de Bordeaux, partent demain pour passer les vacances de Noël chez Roger en Normandie. Racontez au passé leur conversation en employant le discours indirect.

PIERRRE: As-tu entendu les informations à la radio?

ROGER: Oui, et les nouvelles ne sont pas bonnes.

PIERRRE: Eh bien, qu'est-ce qu'on annonce?

ROGER: Le temps sera encore mauvais, et les autoroutes seront bondées.

PIERRRE: J'espère qu'on n'aura pas de neige en plus.

ROGER: On signale qu'il va tout simplement pleuvoir. Peut-être que nous ferions mieux de prendre les routes secondaires.

PIERRRE: Je me demande si elles seront glissantes.

ROGER: Non, non, il ne fait pas assez froid pour cela. Nous allons faire un bon voyage. Tu vas voir.

PIERRRE: Je l'espère.

## Literary Tenses

There are four literary verb tenses in French. Their use is usually limited to written contexts; they are almost never heard in conversation.

It is unlikely that you will be called upon to produce these tenses, but you should be able to recognize them. They appear in classical and much of the contemporary literature that you will read, especially in the **je** and **il** forms. Passive recognition of these tenses is not difficult because the verb endings are usually easy to identify.

The **passé simple** and the **passé antérieur** belong to the indicative mood; the two other tenses are the imperfect subjunctive and the pluperfect subjunctive.

### The *passé simple*

As its name indicates, this is a simple past tense, involving no auxiliary verb. You will find the **passé simple** easiest to recognize if you become familiar with the endings of the three regular conjugations and certain irregular forms.

| parler | |
|---|---|
| je parl**ai** | nous parl**âmes** |
| tu parl**as** | vous parl**âtes** |
| il / elle / on parl**a** | ils / elles parl**èrent** |

1. **Regular Forms.** To form the **passé simple** of regular **-er** verbs, take the stem of the infinitive and add the appropriate endings: **-ai, -as, -a, -âmes, -âtes, -èrent.**

| réfléchir | |
|---|---|
| je réfléch**is** | nous réfléch**îmes** |
| tu réfléch**is** | vous réfléch**îtes** |
| il / elle / on réfléch**it** | ils / elles réfléch**irent** |

| rendre | |
|---|---|
| je rend**is** | nous rend**îmes** |
| tu rend**is** | vous rend**îtes** |
| il / elle / on rend**it** | ils / elles rend**irent** |

To form the **passé simple** of regular **-ir** and **-re** verbs, add the appropriate endings to the stem of the infinitive: **-is, -is, -it, -îmes, -îtes, -irent.**

| -is | -îmes | | -us | -ûmes |
|---|---|---|---|---|
| -is | -îtes | | -us | -ûtes |
| -it | -irent | | -ut | -urent |

2. **Irregular Forms.** Most verbs with an irregularly formed **passé simple** have an irregular stem to which you add one of the following groups of endings.

Following is a partial list of the most common verbs in each of the above categories.

| -is | | -us | |
|---|---|---|---|
| faire | je fis | boire* | je bus |
| mettre* | je mis | croire* | je crus |
| prendre* | je pris | devoir* | je dus |
| rire* | je ris | plaire* | je plus |
| voir | je vis | pleuvoir* | il plut |
| écrire | j'écrivis | pouvoir* | je pus |
| conduire | je conduisis | savoir* | je sus |
| craindre | je craignis | falloir* | il fallut |
| naître | il naquit | valoir* | il valut |
| peindre | je peignis | vouloir* | je voulus |
| vaincre | je vainquis | vivre* | je vécus |
| | | connaître* | je connus |
| | | mourir | il mourut |

**Avoir** and **être,** which are frequently seen in the **passé simple,** have completely irregular forms.

| avoir | | être | |
|---|---|---|---|
| j'**eus** | nous **eûmes** | je **fus** | nous **fûmes** |
| tu **eus** | vous **eûtes** | tu **fus** | vous **fûtes** |
| il / elle / on **eut** | ils / elles **eurent** | il / elle / on **fut** | ils / elles **furent** |

Two additional common verbs with irregular forms in the **passé simple** are **venir** and **tenir.**

| venir | | tenir | |
|---|---|---|---|
| je **vins** | nous **vînmes** | je **tins** | nous **tînmes** |
| tu **vins** | vous **vîntes** | tu **tins** | vous **tîntes** |
| il / elle / on **vint** | ils / elles **vinrent** | il / elle / on **tint** | ils / elles **tinrent** |

* Note that the past participles of these verbs may be helpful in remembering the irregular **passé simple** stems.

3. **Use of the *passé simple*.** The **passé simple** is often thought of as the literary equivalent of the **passé composé.** To an extent this is true. Both tenses are used to refer to specific past actions that are limited in time.

> Victor Hugo **est né en** 1802. (**passé composé**)
> Victor Hugo **naquit** en 1802. (**passé simple**)

The fundamental difference between these two tenses is that the **passé simple** can never be used to refer to a time frame that has not yet come to an end. There is no such limitation on the **passé composé.**

Consider the sentence, **J'ai écrit deux lettres aujourd'hui.** This thought can be expressed only by the **passé composé** because **aujourd'hui** is a time frame that is not yet terminated. In contrast, the statement, **Robert Burns a écrit des lettres célèbres à sa femme** could also be expressed in the **passé simple—Robert Burns écrivit des lettres célèbres à sa femme**—because the time frame has come to an end.

Descriptions in the past that are normally expressed by the imperfect indicative are still expressed in the imperfect, even in a literary context.

## The *passé antérieur*

1. **Formation.** The **passé antérieur** is a compound tense that is formed with the **passé simple** of the auxiliary verb **avoir** or **être** and a past participle.

| | |
|---|---|
| parler | j'**eus parlé,** etc. |
| sortir | je **fus sorti(e),** etc. |
| se lever | je me **fus levé(e),** etc. |

2. **Use of the *passé antérieur*.** The passé antérieur is used to refer to a past action that occurred prior to another past action. It is most frequently found in a subordinate clause following a temporal conjunction such as **quand, lorsque, après que, dès que, aussitôt que.** The conjunction indicates that the action in question immediately preceded another action in the past. The latter action will generally be expressed in the **passé simple.**

> Hier soir, après qu'il **eut fini** de manger, il **sortit.**

## The Imperfect Subjunctive

1. **Formation.** The imperfect subjunctive is most often encountered in the third-person singular. The imperfect subjunctive is formed by taking the **tu** form of the **passé simple,** doubling its final consonant, and adding the endings of the present subjunctive. The third-person singular (**il / elle / on**) does not follow the regular formation. To form it, drop the consonant, place a circumflex accent (^) over the final vowel, and add a **t.**

| aller (tu allas → allass-) | |
|---|---|
| que j'all**asse** | que nous all**assions** |
| que tu all**asses** | que vous all**assiez** |
| qu'il / elle / on all**ât** | qu'ils / elles all**assent** |

2. **Use of the Imperfect Subjunctive.** Like the other tenses of the subjunctive, the imperfect subjunctive is most often found in a subordinate clause governed by a verb in the main clause that requires the use of the subjunctive. The verb of

the main clause is either in a past tense or in the conditional. For the imperfect subjunctive to be used in the subordinate clause, the action expressed in this clause must occur at the same time as the action of the main verb or later.

> Je **voulais qu'**elle me **répondît.**
> Elle **voudrait qu'**on l'**écoutât.**

## The Pluperfect Subjunctive

1. **Formation.** The pluperfect subjunctive is formed with the imperfect subjunctive of the auxiliary verb **avoir** or **être** and a past participle. Like the imperfect subjunctive, this tense is mostly used in the third-person singular.

> **que j'eusse parlé, qu'il eût parlé,** etc.
> **que je fusse sorti(e), qu'il fût sorti,** etc.
> **que je me fusse lavé(e), qu'elle se fût lavée,** etc.

2. **Use of the Pluperfect Subjunctive.** The pluperfect subjunctive, like the imperfect subjunctive, is usually found in a subordinate clause. It is used when the main verb is either in a past tense or in the conditional and the action expressed in the subordinate clause has occurred prior to the action of the main clause.

> Il **déplora qu'**elle **fût** déjà **partie.**

In reading, you may occasionally encounter a verb form identical to the pluperfect subjunctive that does not follow the usage outlined above. In such cases, you will be dealing with an alternate literary form of the past conditional, and you should interpret it as such.

> Ce n'était pas un baba au rhum qu'il m'**eût fallu,** mais un vrai rhum, celui des condamnés.

In lighter prose and conversation, the imperfect subjunctive is replaced by the present subjunctive, and the pluperfect subjunctive is replaced by the past subjunctive.

> Bien qu'elle **eût** beaucoup **voyagé,** j'insistai pour qu'elle m'**accompagnât.**
> (Bien qu'elle **ait** beaucoup **voyagé,** j'insistai pour qu'elle m'**accompagne.**)

The following excerpt is taken from a twentieth-century French novel by Raymond Radiguet. Here, the author makes liberal use of the **passé simple** and the imperfect subjunctive. Locate and identify these tenses in the passage.

> Jusqu'à douze ans, je ne me vois aucune amourette, sauf pour une petite fille nommée Carmen à qui je fis tenir, par un gamin plus jeune que moi, une lettre dans laquelle je lui exprimais mon amour. Je m'autorisais de cet amour pour solliciter un rendez-vous. Ma lettre lui avait été remise le matin avant qu'elle se rendît en classe. J'avais distingué la seule fillette qui me ressemblât, parce qu'elle était propre, et allait à l'école accompagnée d'une petite sœur, comme moi de mon petit frère. Afin que ces deux témoins se tussent, j'imaginai de les marier, en quelque sorte. A ma lettre, j'en joignis donc une de la part de mon frère, qui ne savait pas écrire, pour Mlle Fauvette. J'expliquai à mon frère mon entremise, et notre chance de tomber juste sur deux sœurs de nos âges et douées de noms de baptême aussi exceptionnels. J'eus la tristesse de voir que je ne m'étais pas mépris sur le bon genre de Carmen, lorsque, après avoir déjeuné avec mes parents qui me gâtaient et ne me grondaient jamais, je rentrai en classe.

> (Raymond Radiguet, *Le Diable au corps*, Grasset)

## Special Uses of the Definite Article

In addition to the uses of the definite article presented in *Chapitre 1* (pp. 17–18, 20–21), the articles **le, la, l'**, and **les** are also found in grammatical constructions that differ radically from English usage.

- **TITLES**
  The definite article is used before titles when referring indirectly to people. The article is not used when addressing a person directly.

  | | |
  |---|---|
  | **La reine Elisabeth** habite à Londres. | *Queen Elizabeth lives in London.* |
  | Je suis dans le cours **du professeur Dupont.** | *I'm in Professor Dupont's class.* |

- **LANGUAGES**
  The definite article is used before the names of languages, except after the verb **parler** (unmodified) and after the prepositions **en** and **de**.

  | | |
  |---|---|
  | Nous étudions **le français.** | *We're studying French.* |
  | Il désire enseigner **le russe.** | *He wants to teach Russian.* |
  | BUT: | |
  | Vous parlez **français.** (Vous parlez bien **le français.**) | *You speak French. (You speak French well.)* |
  | Le livre est **en italien.** | *The book is in Italian.* |
  | C'est un professeur d'**allemand.** | *He's a German teacher.* |

- **PARTS OF THE BODY AND CLOTHING**
  The definite article is used with parts of the body and clothing to indicate possession. If the noun is modified, the possessive adjective is used as in English.

  | | |
  |---|---|
  | Elle ferme **les yeux.** | *She shuts her eyes.* |
  | Il a **les mains** dans **les poches.** | *He has his hands in his pockets.* |
  | BUT: | |
  | Elle ferme ses **yeux bleus.** | *She shuts her blue eyes.* |
  | Il a ses **deux mains** dans ses **poches vides.** | *He has both his hands in his empty pockets.* |

A. Complétez les phrases suivantes par l'article défini convenable quand il est nécessaire.

1.  Nous étudions _____ français.

2.  En classe nous parlons _____ français.

3.  Je veux apprendre à parler couramment _____ français.

4.  Notre texte est écrit en _____ anglais.

5.  Pour le cours de français j'ai _____ professeur (nom de votre professeur).
    Il / Elle est prof de _____ français depuis longtemps.

B. Complétez le paragraphe suivant par les articles convenables.

_____ empereur Napoléon était un homme intéressant mais curieux. Il est né en Corse et parlait _____ italien et _____ français. Il avait _____ yeux verts, _____ cheveux clairsemés, et il n'était pas grand. Il a fait beaucoup de conquêtes et faisait peur (à) _____ roi Georges d'Angleterre et (à) _____ tsar Nicolas de Russie. Mais pendant une grande bataille, Napoléon fermait _____ yeux et gardait toujours _____ main droite dans sa veste. Tous les grands hommes ont des habitudes particulières.

# Appendice B

This appendix contains complete sample conjugations of regular verbs (**-er, -ir,** and **-re**), irregular verbs, and stem-changing verbs.

## Regular Verbs

### Regular *-er* verb: donner

**INDICATIF**

| PRESENT | IMPARFAIT | FUTUR | PASSE SIMPLE (littéraire) |
|---|---|---|---|
| je donne | je donnais | je donnerai | je donnai |
| tu donnes | tu donnais | tu donneras | tu donnas |
| il donne | il donnait | il donnera | il donna |
| nous donnons | nous donnions | nous donnerons | nous donnâmes |
| vous donnez | vous donniez | vous donnerez | vous donnâtes |
| ils donnent | ils donnaient | ils donneront | ils donnèrent |
| | | | |
| PASSE COMPOSE | PLUS-QUE-PARFAIT | FUTUR ANTERIERUR | PASSE ANTERIERUR (littéraire) |
| j'ai donné | j'avais donné | j'aurai donné | j'eus donné |

| CONDITIONNEL | | IMPÉRATIF | PARTICIPE PRÉSENT |
|---|---|---|---|
| PRESENT | PASSE | donne | donnant |
| je donnerais | j'aurais donné | donnons | |
| tu donnerais | | donnez | |
| il donnerait | | | |
| nous donnerions | | | |
| vous donneriez | | | |
| ils donneraient | | | |

**SUBJONCTIF**

| PRESENT | PASSE | IMPARFAIT (littéraire) | PLUS-QUE-PARFAIT (littéraire) |
|---|---|---|---|
| que je donne | que j'aie donné | que je donnasse | que j'eusse donné |
| que tu donnes | | que tu donnasses | |
| qu'il donne | | qu'il donnât | |
| que nous donnions | | que nous donnassions | |
| que vous donniez | | que vous donnassiez | |
| qu'ils donnent | | qu'ils donnassent | |

### Regular *-ir* verb: finir

**INDICATIF**

| PRESENT | IMPARFAIT | FUTUR | PASSE SIMPLE (littéraire) |
|---|---|---|---|
| je finis | je finissais | je finirai | je finis |
| tu finis | tu finissais | tu finiras | tu finis |
| il finit | il finissait | il finira | il finit |
| nous finissons | nous finissions | nous finirons | nous finîmes |
| vous finissez | vous finissiez | vous finirez | vous finîtes |
| ils finissent | ils finissaient | ils finiront | ils finirent |
| | | | |
| PASSE COMPOSE | PLUS-QUE PARFAIT | FUTUR ANTERIEUR | PASSE ANTERIEUR (littéraire) |
| j'ai fini | j'avais fini | j'aurai fini | j'eus fini |

| CONDITIONNEL | | IMPÉRATIF | PARTICIPE PRÉSENT |
|---|---|---|---|
| PRESENT | PASSE | finis | finissant |
| je finirais | j'aurais fini | finissons | |
| tu finirais | | finissez | |
| il finirait | | | |
| nous finirions | | | |
| vous finiriez | | | |
| ils finiraient | | | |

| SUBJONCTIF | | | |
|---|---|---|---|
| PRESENT | PASSE | IMPARFAIT (littéraire) | PLUS-QUE-PARFAIT (littéraire) |
| que je finisse | que j'aie fini | que je finisse | que j'eusse fini |
| que tu finisses | | que tu finisses | |
| qu'il finisse | | qu'il finît | |
| que nous finissions | | que nous finissions | |
| que vous finissiez | | que vous finissiez | |
| qu'ils finissent | | qu'ils finissent | |

## ▶ Regular -re verb: attendre

| INDICATIF | | | |
|---|---|---|---|
| PRESENT | IMPARFAIT | FUTUR | PASSE SIMPLE (littéraire) |
| j'attends | j'attendais | j'attendrai | j'attendis |
| tu attends | tu attendais | tu attendras | tu attendis |
| il attend | il attendait | il attendra | il attendit |
| nous attendons | nous attendions | nous attendrons | nous attendîmes |
| vous attendez | vous attendiez | vous attendrez | vous attendîtes |
| ils attendent | ils attendaient | ils attendront | ils attendirent |
| | | | |
| PASSE COMPOSE | PLUS-QUE-PARFAIT | FUTUR ANTERIEUR | PASSE ANTERIEUR (littéraire) |
| j'ai attendu | j'avais attendu | j'aurai attendu | j'eus attendu |

| CONDITIONNEL | | IMPÉRATIF | PARTICIPE PRÉSENT |
|---|---|---|---|
| PRESENT | PASSE | attends | attendant |
| j'attendrais | j'aurais attendu | attendons | |
| tu attendrais | | attendez | |
| il attendrait | | | |
| nous attendrions | | | |
| vous attendriez | | | |
| ils attendraient | | | |

| SUBJONCTIF | | | |
|---|---|---|---|
| PRESENT | PASSE | IMPARFAIT (littéraire) | PLUS-QUE-PARFAIT (littéraire) |
| que j'attende | que j'aie attendu | que j'attendisse | que j'eusse attendu |
| que tu attendes | | que tu attendisses | |
| qu'il attende | | qu'il attendît | |
| que nous attendions | | que nous attendissions | |
| que vous attendiez | | que vous attendissiez | |
| qu'ils attendent | | qu'ils attendissent | |

## Irregular Verbs

acquérir, p. 404
aller, p. 402
apprendre, p. 413
asseoir, s'asseoir, p. 415
avoir, p. 401
boire, p. 407
comprendre, p. 413
conduire, p. 408
connaître, p. 408
construire, p. 408
conquérir, p. 404
courir, p. 407
couvrir, p. 406
craindre, p. 409
croire, p. 409
cuire, p. 408
découvrir, p. 406
décrire, p. 406

détruire, p. 408
devenir, p. 407
devoir, p. 416
dire, p. 410
dormir, p. 403
écrire, p. 410
endormir, s'endormir,
  p. 403
s'enfuir, p. 405
envoyer, p. 403
être, p. 402
faire, p. 411
falloir, p. 416
fuir, p. 405
lire, p. 411
maintenir, p. 407
mettre, p. 412
mourir, p. 406
naître, p. 412

obtenir, p. 407
offrir, p. 406
ouvrir, p. 406
paraître, p. 408
partir, p. 404
peindre, p. 409
permettre, p. 412
plaindre, p. 409
plaire, p. 413
pleuvoir, p. 417
pouvoir, p. 417
prendre, p. 413
produire, p. 408
promettre, p. 412
recevoir, p. 417
reconnaître, p. 408
renvoyer, p. 403
retenir, p. 407

revenir, p. 407
rire, p. 414
savoir, p. 418
sentir, p. 404
servir, p. 404
sortir, p. 404
souffrir, p. 408
sourire, p. 414
soutenir, p. 407
suivre, p. 414
surprendre, p. 413
tenir, p. 407
traduire, p. 408
valoir, p. 418
venir, p. 407
vivre, p. 415
voir, p. 419
vouloir, p. 419

## *Avoir* and *être*

### avoir

**INDICATIF**

| PRESENT | IMPARFAIT | FUTUR | PASSE SIMPLE (littéraire) |
|---|---|---|---|
| j'ai | j'avais | j'aurai | j'eus |
| tu as | tu avais | tu auras | tu eus |
| il a | il avait | il aura | il eut |
| nous avons | nous avions | nous aurons | nous eûmes |
| vous avez | vous aviez | vous aurez | vous eûtes |
| ils ont | ils avaient | ils auront | ils eurent |

| PASSE COMPOSE | PLUS-QUE-PARFAIT | FUTUR ANTERIEUR | PASSE ANTERIEUR (littéraire) |
|---|---|---|---|
| j'ai eu | j'avais eu | j'aurai eu | j'eus eu |

**CONDITIONNEL** / **IMPÉRATIF** / **PARTICIPE PRÉSENT**

| PRESENT | PASSE | | |
|---|---|---|---|
| j'aurais | j'aurais eu | | ayant |
| tu aurais | | aie | |
| il aurait | | ayons | |
| nous aurions | | ayez | |
| vous auriez | | | |
| ils auraient | | | |

**SUBJONCTIF**

| PRESENT | PASSE | IMPARFAIT (littéraire) | PLUS-QUE-PARFAIT (littéraire) |
|---|---|---|---|
| que j'aie | que j'aie eu | que j'eusse | que j'eusse eu |
| que tu aies | | que tu eusses | |
| qu'il ait | | qu'il eût | |
| que nous ayons | | que nous eussions | |
| que vous ayez | | que vous eussiez | |
| qu'ils aient | | qu'ils eussent | |

## ► être

**INDICATIF**

| PRESENT | IMPARFAIT | FUTUR | PASSE SIMPLE (littéraire) |
|---|---|---|---|
| je suis | j'étais | je serai | je fus |
| tu es | tu étais | tu seras | tu fus |
| il est | il était | il sera | il fut |
| nous sommes | nous étions | nous serons | nous fûmes |
| vous êtes | vous étiez | vous serez | vous fûtes |
| ils sont | ils étaient | ils seront | ils furent |

| PASSE COMPOSE | PLUS-QUE-PARFAIT | FUTUR ANTERIEUR | PASSE ANTERIEUR (littéraire) |
|---|---|---|---|
| j'ai été | j'avais été | j'aurai été | j'eus été |

**CONDITIONNEL** — **IMPÉRATIF** — **PARTICIPE PRÉSENT**

| PRESENT | PASSE | | |
|---|---|---|---|
| je serais | j'aurais été | sois | étant |
| tu serais | | soyons | |
| il serait | | soyez | |
| nous serions | | | |
| vous seriez | | | |
| ils seraient | | | |

**SUBJONCTIF**

| PRESENT | PASSE | IMPARFAIT (littéraire) | PLUS-QUE-PARFAIT (littéraire) |
|---|---|---|---|
| que je sois | que j'aie été | que je fusse | que j'eusse été |
| que tu sois | | que tu fusses | |
| qu'il soit | | qu'il fût | |
| que nous soyons | | que nous fussions | |
| que vous soyez | | que vous fussiez | |
| qu'ils soient | | qu'ils fussent | |

## Verbs in *-er*

## ► aller

**INDICATIF**

| PRESENT | PASSE COMPOSE | PASSE SIMPLE (littéraire) | |
|---|---|---|---|
| je vais | je suis allé(e) | j'allai | |
| tu vas | tu es allé(e) | tu allas | |
| il va | il est allé | il alla | |
| nous allons | nous sommes allé(e)s | nous allâmes | |
| vous allez | vous êtes allé(e)(s) | vous allâtes | |
| ils vont | ils sont allés | ils allèrent | |

| IMPARFAIT | PLUS-QUE-PARFAIT | FUTUR | FUTUR ANTERIEUR |
|---|---|---|---|
| j'allais | j'étais allé(e) | j'irai | je serai allé(e) |

**CONDITIONNEL** — **IMPÉRATIF** — **PARTICIPE PRÉSENT**

| PRESENT | PASSE | | |
|---|---|---|---|
| j'irais | je serais allé(e) | va | allant |
| | | allons | |
| | | allez | |

## SUBJONCTIF

**PRESENT**
que j'aille
que tu ailles
qu'il aille
que nous allions
que vous alliez
qu'ils aillent

**IMPARFAIT** (littéraire)
que j'allasse
que tu allasses
qu'il allât
que nous allassions
que vous allassiez
qu'ils allassent

# envoyer

## INDICATIF

| **PRESENT** | **PASSE COMPOSE** | **PASSE SIMPLE** (littéraire) | |
|---|---|---|---|
| j'envoie | j'ai envoyé | j'envoyai | |
| tu envoies | | tu envoyas | |
| il envoie | | il envoya | |
| nous envoyons | | nous envoyâmes | |
| vous envoyez | | vous envoyâtes | |
| ils envoient | | ils envoyèrent | |
| | | | |
| **IMPARFAIT** | **PLUS-QUE-PARFAIT** | **FUTUR** | **FUTUR ANTERIEUR** |
| j'envoyais | j'avais envoyé | j'enverrai | j'aurai envoyé |

| **CONDITIONNEL** | | **IMPÉRATIF** | **PARTICIPE PRÉSENT** |
|---|---|---|---|
| **PRESENT** | **PASSE** | envoie | envoyant |
| j'enverrais | j'aurais envoyé | envoyons | |
| | | envoyez | |

## SUBJONCTIF

**PRESENT**
que j'envoie
que tu envoies
qu'il envoie
que nous envoyions
que vous envoyiez
qu'ils envoient

**IMPARFAIT** (littéraire)
que j'envoyasse
que tu envoyasses
qu'il envoyât
que nous envoyassions
que vous envoyassiez
qu'ils envoyassent

**Renvoyer** is conjugated like **envoyer.**

# Verbs in -*ir*

# dormir

## INDICATIF

| **PRESENT** | **PASSE COMPOSE** | **PASSE SIMPLE** (littéraire) | |
|---|---|---|---|
| je dors | j'ai dormi | je dormis | |
| tu dors | | tu dormis | |
| il dort | | il dormit | |
| nous dormons | | nous dormîmes | |
| vous dormez | | vous dormîtes | |
| ils dorment | | ils dormirent | |
| | | | |
| **IMPARFAIT** | **PLUS-QUE-PARFAIT** | **FUTUR** | **FUTUR ANTERIEUR** |
| je dormais | j'avais dormi | je dormirai | j'aurai dormi |

| CONDITIONNEL | | IMPÉRATIF | PARTICIPE PRÉSENT |
|---|---|---|---|
| PRESENT | PASSE | dors | dormant |
| je dormirais | j'aurais dormi | dormons | |
| | | dormez | |

| SUBJONCTIF | |
|---|---|
| PRESENT | IMPARFAIT (littéraire) |
| que je dorme | que je dormisse |
| que tu dormes | que tu dormisses |
| qu'il dorme | qu'il dormît |
| que nous dormions | que nous dormissions |
| que vous dormiez | que vous dormissiez |
| qu'ils dorment | qu'ils dormissent |

Other verbs conjugated like **dormir** include **endormir, s'endormir, partir, servir, sentir,** and **sortir.**

PRESENT

| **partir** | **servir** | **sentir** | **sortir** |
|---|---|---|---|
| je pars | je sers | je sens | je sors |
| tu pars | tu sers | tu sens | tu sors |
| il part | il sert | il sent | il sort |
| nous partons | nous servons | nous sentons | nous sortons |
| vous partez | vous servez | vous sentez | vous sortez |
| ils partent | ils servent | ils sentent | ils sortent |

PASSE COMPOSE

| je suis parti(e) | j'ai servi | j'ai senti | je suis sorti(e) |
|---|---|---|---|

## ► conquérir

| INDICATIF | | | |
|---|---|---|---|
| PRESENT | PASSE COMPOSE | PASSE SIMPLE (littéraire) | |
| je conquiers | j'ai conquis | je conquis | |
| tu conquiers | | tu conquis | |
| il conquiert | | il conquit | |
| nous conquérons | | nous conquîmes | |
| vous conquérez | | vous conquîtes | |
| ils conquièrent | | ils conquirent | |
| | | | |
| IMPARFAIT | PLUS-QUE-PARFAIT | FUTUR | FUTUR ANTERIEUR |
| je conquérais | j'avais conquis | je conquerrai | j'aurai conquis |

| CONDITIONNEL | | IMPÉRATIF | PARTICIPE PRÉSENT |
|---|---|---|---|
| PRESENT | PASSE | conquiers | conquérant |
| je conquerrais | j'aurais conquis | conquérons | |
| | | conquérez | |

| SUBJONCTIF | |
|---|---|
| PRESENT | IMPARFAIT (littéraire) |
| que je conquière | que je conquisse |
| que tu conquières | que je conquisses |
| qu'il conquière | qu'il conquît |
| que nous conquérions | que nous conquissions |
| que vous conquériez | que vous conquissiez |
| qu'ils conquièrent | qu'ils conquissent |

**Acquérir** is conjugated like **conquérir.**

# courir

| PRESENT | PASSE COMPOSE | PASSE SIMPLE (littéraire) | |
|---|---|---|---|
| je cours | j'ai couru | je courus | |
| tu cours | | tu courus | |
| il court | | il courut | |
| nous courons | | nous courûmes | |
| vous courez | | vous courûtes | |
| ils courent | | ils coururent | |

| IMPARFAIT | PLUS-QUE-PARFAIT | FUTUR | FUTUR ANTERIEUR |
|---|---|---|---|
| je courais | j'avais couru | je courrai | j'aurai couru |

**CONDITIONNEL** | | **IMPÉRATIF** | **PARTICIPE PRÉSENT**

| PRESENT | PASSE | |
|---|---|---|
| je courrais | j'aurais couru | cours |
| | | courons |
| | | courez |

courant

**SUBJONCTIF**

| PRESENT | IMPARFAIT (littéraire) |
|---|---|
| que je coure | que je courusse |
| que tu coures | que tu courusses |
| qu'il coure | qu'il courût |
| que nous courions | que nous courussions |
| que vous couriez | que vous courussiez |
| qu'ils courent | qu'ils courussent |

# fuir

**INDICATIF**

| PRESENT | PASSE COMPOSE | PASSE SIMPLE (littéraire) | |
|---|---|---|---|
| je fuis | j'ai fui | je fuis | |
| tu fuis | | tu fuis | |
| il fuit | | il fuit | |
| nous fuyons | | nous fuîmes | |
| vous fuyez | | vous fuîtes | |
| ils fuient | | ils fuirent | |

| IMPARFAIT | PLUS-QUE-PARFAIT | FUTUR | FUTUR ANTERIEUR |
|---|---|---|---|
| je fuyais | j'avais fui | je fuirai | j'aurai fui |

**CONDITIONNEL** | | **IMPÉRATIF** | **PARTICIPE PRÉSENT**

| PRESENT | PASSE | |
|---|---|---|
| je fuirais | j'aurais fui | fuis |
| | | fuyons |
| | | fuyez |

fuyant

**SUBJONCTIF**

| PRESENT | IMPARFAIT (littéraire) |
|---|---|
| que je fuie | que je fuisse |
| que tu fuies | que tu fuisses |
| qu'il fuie | qu'il fuît |
| que nous fuyions | que nous fuissions |
| que vous fuyiez | que vous fuissiez |
| qu'ils fuient | qu'ils fuissent |

**S'enfuir** is conjugated like **fuir.**

## ► mourir

| PRESENT | PASSE COMPOSE | PASSE SIMPLE (littéraire) |
|---------|---------------|---------------------------|
| je meurs | je suis mort(e) | je mourus |
| tu meurs | | tu mourus |
| il meurt | | il mourut |
| nous mourons | | nous mourûmes |
| vous mourez | | vous mourûtes |
| ils meurent | | ils moururent |

| IMPARFAIT | PLUS-QUE-PARFAIT | FUTUR | FUTUR ANTERIEUR |
|-----------|------------------|-------|-----------------|
| je mourais | j'étais mort(e) | je mourrai | je serai mort(e) |

**CONDITIONNEL** **IMPÉRATIF** **PARTICIPE PRÉSENT**

| PRESENT | PASSE | | |
|---------|-------|---|---|
| je mourrais | je serais mort(e) | meurs | mourant |
| | | mourons | |
| | | mourez | |

**SUBJONCTIF**

| PRESENT | IMPARFAIT (littéraire) |
|---------|------------------------|
| que je meure | que je mourusse |
| que tu meures | que tu mourusses |
| qu'il meure | qu'il mourût |
| que nous mourions | que nous mourussions |
| que vous mouriez | que vous mourussiez |
| qu'ils meurent | qu'ils mourussent |

## ► ouvrir

**INDICATIF**

| PRESENT | PASSE COMPOSE | PASSE SIMPLE (littéraire) |
|---------|---------------|---------------------------|
| j'ouvre | j'ai ouvert | j'ouvris |
| tu ouvres | | tu ouvris |
| il ouvre | | il ouvrit |
| nous ouvrons | | nous ouvrîmes |
| vous ouvrez | | vous ouvrîtes |
| ils ouvrent | | ils ouvrirent |

| IMPARFAIT | PLUS-QUE-PARFAIT | FUTUR | FUTUR ANTERIEUR |
|-----------|------------------|-------|-----------------|
| j'ouvrais | j'avais ouvert | j'ouvrirai | j'aurai ouvert |

**CONDITIONNEL** **IMPÉRATIF** **PARTICIPE PRÉSENT**

| PRESENT | PASSE | | |
|---------|-------|---|---|
| j'ouvrirais | j'aurais ouvert | ouvre | ouvrant |
| | | ouvrons | |
| | | ouvrez | |

**SUBJONCTIF**

| PRESENT | IMPARFAIT (littéraire) |
|---------|------------------------|
| que j'ouvre | que j'ouvrisse |
| que tu ouvres | que tu ouvrisses |
| qu'il ouvre | qu'il ouvrît |
| que nous ouvrions | que nous ouvrissions |
| que vous ouvriez | que vous ouvrissiez |
| qu'ils ouvrent | qu'ils ouvrissent |

Other verbs conjugated like **ouvrir** include **couvrir, découvrir, offrir,** and **souffrir.**

## venir

| PRESENT | PASSE COMPOSE | PASSE SIMPLE (littéraire) | |
|---|---|---|---|
| je viens | je suis venu(e) | je vins | |
| tu viens | | tu vins | |
| il vient | | il vint | |
| nous venons | | nous vînmes | |
| vous venez | | vous vîntes | |
| ils viennent | | ils vinrent | |

| IMPARFAIT | PLUS-QUE-PARFAIT | FUTUR | FUTUR ANTERIEUR |
|---|---|---|---|
| je venais | j'étais venu(e) | je viendrai | je serai venu(e) |

### CONDITIONNEL / IMPÉRATIF / PARTICIPE PRÉSENT

| PRESENT | PASSE | IMPÉRATIF | PARTICIPE PRÉSENT |
|---|---|---|---|
| je viendrais | je serais venu(e) | viens | venant |
| | | venons | |
| | | venez | |

### SUBJONCTIF

| PRESENT | IMPARFAIT (littéraire) |
|---|---|
| que je vienne | que je vinsse |
| que tu viennes | que tu vinsses |
| qu'il vienne | qu'il vînt |
| que nous venions | que nous vinssions |
| que vous veniez | que vous vinssiez |
| qu'ils viennent | qu'ils vinssent |

Other verbs conjugated like **venir** include **devenir, revenir, tenir, maintenir, soutenir, obtenir,** and **retenir.**

# Verbs in -re

## boire

### INDICATIF

| PRESENT | PASSE COMPOSE | PASSE SIMPLE (littéraire) | |
|---|---|---|---|
| je bois | j'ai bu | je bus | |
| tu bois | | tu bus | |
| il boit | | il but | |
| nous buvons | | nous bûmes | |
| vous buvez | | vous bûtes | |
| ils boivent | | ils burent | |

| IMPARFAIT | PLUS-QUE-PARFAIT | FUTUR | FUTUR ANTERIEUR |
|---|---|---|---|
| je buvais | j'avais bu | je boirai | j'aurai bu |

### CONDITIONNEL / IMPÉRATIF / PARTICIPE PRÉSENT

| PRESENT | PASSE | IMPÉRATIF | PARTICIPE PRÉSENT |
|---|---|---|---|
| je boirais | j'aurais bu | bois | buvant |
| | | buvons | |
| | | buvez | |

### SUBJONCTIF

| PRESENT | IMPARFAIT (littéraire) |
|---|---|
| que je boive | que je busse |
| que tu boives | que tu busses |
| qu'il boive | qu'il bût |
| que nous buvions | que nous bussions |
| que vous buviez | que vous bussiez |
| qu'ils boivent | qu'ils bussent |

## ► conduire

### INDICATIF

| PRESENT | PASSE COMPOSE | PASSE SIMPLE (littéraire) |
|---|---|---|
| je conduis | j'ai conduit | je conduisis |
| tu conduis | | tu conduisis |
| il conduit | | il conduisit |
| nous conduisons | | nous conduisîmes |
| vous conduisez | | vous conduisîtes |
| ils conduisent | | ils conduisirent |

| IMPARFAIT | PLUS-QUE-PARFAIT | FUTUR | FUTUR ANTERIEUR |
|---|---|---|---|
| je conduisais | j'avais conduit | je conduirai | j'aurai conduit |

### CONDITIONNEL | IMPÉRATIF | PARTICIPE PRÉSENT

| PRESENT | PASSE | | |
|---|---|---|---|
| je conduirais | j'aurais conduit | conduis | conduisant |
| | | conduisons | |
| | | conduisez | |

### SUBJONCTIF

| PRESENT | IMPARFAIT (littéraire) |
|---|---|
| que je conduise | que je conduisisse |
| que tu conduises | que tu conduisisses |
| qu'il conduise | qu'il conduisît |
| que nous conduisions | que nous conduisissions |
| que vous conduisiez | que vous conduisissiez |
| qu'ils conduisent | qu'ils conduisissent |

Other verbs conjugated like **conduire** include **construire, cuire, détruire, produire,** and **traduire.**

## ► connaître

### INDICATIF

| PRESENT | PASSE COMPOSE | PASSE SIMPLE (littéraire) |
|---|---|---|
| je connais | j'ai connu | je connus |
| tu connais | | tu connus |
| il connaît | | il connut |
| nous connaissons | | nous connûmes |
| vous connaissez | | vous connûtes |
| ils connaissent | | ils connurent |

| IMPARFAIT | PLUS-QUE-PARFAIT | FUTUR | FUTUR ANTERIEUR |
|---|---|---|---|
| je connaissais | j'avais connu | je connaîtrai | j'aurai connu |

### CONDITIONNEL | IMPÉRATIF | PARTICIPE PRÉSENT

| PRESENT | PASSE | | |
|---|---|---|---|
| je connaîtrais | j'aurais connu | connais | connaissant |
| | | connaissons | |
| | | connaissez | |

### SUBJONCTIF

| PRESENT | IMPARFAIT (littéraire) |
|---|---|
| que je connaisse | que je connusse |
| que tu connaisses | que tu connusses |
| qu'il connaisse | qu'il connût |
| que nous connaissions | que nous connussions |
| que vous connaissiez | que vous connussiez |
| qu'ils connaissent | qu'ils connussent |

**Reconnaître** and **paraître** are conjugated like **connaître.**

# craindre

| PRESENT | PASSE COMPOSE | PASSE SIMPLE (littéraire) | |
|---|---|---|---|
| je crains | j'ai craint | je craignis | |
| tu crains | | tu craignis | |
| il craint | | il craignit | |
| nous craignons | | nous craignîmes | |
| vous craignez | | vous craignîtes | |
| ils craignent | | ils craignirent | |

| IMPARFAIT | PLUS-QUE-PARFAIT | FUTUR | FUTUR ANTERIEUR |
|---|---|---|---|
| je craignais | j'avais craint | je craindrai | j'aurai craint |

| CONDITIONNEL | | IMPÉRATIF | PARTICIPE PRÉSENT |
|---|---|---|---|

| PRESENT | PASSE | crains | craignant |
|---|---|---|---|
| je craindrais | j'aurais craint | craignons | |
| | | craignez | |

**SUBJONCTIF**

| PRESENT | IMPARFAIT (littéraire) |
|---|---|
| que je craigne | que je craignisse |
| que tu craignes | que tu craignisses |
| qu'ils craigne | qu'il craignît |
| que nous craignions | que nous craignissions |
| que vous craigniez | que vous craignissiez |
| qu'ils craignent | qu'ils craignissent |

**Peindre** and **plaindre** are conjugated like **craindre**.

# croire

**INDICATIF**

| PRESENT | PASSE COMPOSE | PASSE SIMPLE (littéraire) | |
|---|---|---|---|
| je crois | j'ai cru | je crus | |
| tu crois | | tu crus | |
| il croit | | il crut | |
| nous croyons | | nous crûmes | |
| vous croyez | | vous crûtes | |
| ils croient | | ils crurent | |

| IMPARFAIT | PLUS-QUE-PARFAIT | FUTUR | FUTUR ANTERIEUR |
|---|---|---|---|
| je croyais | j'avais cru | je croirai | j'aurai cru |

| CONDITIONNEL | | IMPÉRATIF | PARTICIPE PRÉSENT |
|---|---|---|---|

| PRESENT | PASSE | crois | croyant |
|---|---|---|---|
| je croirais | j'aurais cru | croyons | |
| | | croyez | |

**SUBJONCTIF**

| PRESENT | IMPARFAIT (littéraire) |
|---|---|
| que je croie | que je crusse |
| que tu croies | que tu crusses |
| qu'il croie | qu'il crût |
| que nous croyions | que nous crussions |
| que vous croyiez | que vous crussiez |
| qu'ils croient | qu'ils crussent |

## ▶ dire

### INDICATIF

| PRESENT | PASSE COMPOSE | PASSE SIMPLE (littéraire) | |
|---|---|---|---|
| je dis | j'ai dit | je dis | |
| tu dis | | tu dis | |
| il dit | | il dit | |
| nous disons | | nous dîmes | |
| vous dites | | vous dîtes | |
| ils disent | | ils dirent | |

| IMPARFAIT | PLUS-QUE-PARFAIT | FUTUR | FUTUR ANTERIEUR |
|---|---|---|---|
| je disais | j'avais dit | je dirai | j'aurai dit |

### CONDITIONNEL  |  IMPÉRATIF  |  PARTICIPE PRÉSENT

| PRESENT | PASSE | dis | disant |
|---|---|---|---|
| je dirais | j'aurais dit | disons | |
| | | dites | |

### SUBJONCTIF

| PRESENT | IMPARFAIT (littéraire) |
|---|---|
| que je dise | que je disse |
| que tu dises | que tu disses |
| qu'il dise | qu'il dît |
| que nous disions | que nous dissions |
| que vous disiez | que vous dissiez |
| qu'ils disent | qu'ils dissent |

## ▶ écrire

### INDICATIF

| PRESENT | PASSE COMPOSE | PASSE SIMPLE (littéraire) | |
|---|---|---|---|
| j'écris | j'ai écrit | j'écrivis | |
| tu écris | | tu écrivis | |
| il écrit | | il écrivit | |
| nous écrivons | | nous écrivîmes | |
| vous écrivez | | vous écrivîtes | |
| ils écrivent | | ils écrivirent | |

| IMPARFAIT | PLUS-QUE-PARFAIT | FUTUR | FUTUR ANTERIEUR |
|---|---|---|---|
| j'écrivais | j'avais écrit | j'écrirai | j'aurai écrit |

### CONDITIONNEL  |  IMPÉRATIF  |  PARTICIPE PRÉSENT

| PRESENT | PASSE | écris | écrivant |
|---|---|---|---|
| j'écrirais | j'aurais écrit | écrivons | |
| | | écrivez | |

### SUBJONCTIF

| PRESENT | IMPARFAIT (littéraire) |
|---|---|
| que j'écrive | que j'écrivisse |
| que tu écrives | que tu écrivisses |
| qu'il écrive | qu'il écrivît |
| que nous écrivions | que nous écrivissions |
| que vous écriviez | que vous écrivissiez |
| qu'ils écrivent | qu'ils écrivissent |

**Décrire** is conjugated like **écrire**.

# faire

## INDICATIF

| PRESENT | PASSE COMPOSE | PASSE SIMPLE (littéraire) | |
|---|---|---|---|
| je fais | j'ai fait | je fis | |
| tu fais | | tu fis | |
| il fait | | il fit | |
| nous faisons | | nous fîmes | |
| vous faites | | vous fîtes | |
| ils font | | ils firent | |

| IMPARFAIT | PLUS-QUE-PARFAIT | FUTUR | FUTUR ANTERIEUR |
|---|---|---|---|
| je faisais | j'avais fait | je ferai | j'aurai fait |

## CONDITIONNEL | IMPÉRATIF | PARTICIPE PRÉSENT

| PRESENT | PASSE | IMPÉRATIF | PARTICIPE PRÉSENT |
|---|---|---|---|
| je ferais | j'aurais fait | fais | faisant |
| | | faisons | |
| | | faites | |

## SUBJONCTIF

| PRESENT | IMPARFAIT (littéraire) |
|---|---|
| que je fasse | que je fisse |
| que tu fasses | que tu fisses |
| qu'il fasse | qu'il fît |
| que nous fassions | que fissions |
| que vous fassions | que vous fissiez |
| qu'ils fassent | qu'ils fissent |

# lire

## INDICATIF

| PRESENT | PASSE COMPOSE | PASSE SIMPLE (littéraire) | |
|---|---|---|---|
| je lis | j'ai lu | je lus | |
| tu lis | | tu lus | |
| il lit | | il lut | |
| nous lisons | | nous lûmes | |
| vous lisez | | vous lûtes | |
| ils lisent | | ils lurent | |

| IMPARFAIT | PLUS-QUE-PARFAIT | FUTUR | FUTUR ANTERIEUR |
|---|---|---|---|
| je lisais | j'avais lu | je lirai | j'aurai lu |

## CONDITIONNEL | IMPÉRATIF | PARTICIPE PRÉSENT

| PRESENT | PASSE | IMPÉRATIF | PARTICIPE PRÉSENT |
|---|---|---|---|
| je lirais | j'aurais lu | lis | lisant |
| | | lisons | |
| | | lisez | |

## SUBJONCTIF

| PRESENT | IMPARFAIT (littéraire) |
|---|---|
| que je lise | que je lusse |
| que tu lises | que tu lusses |
| qu'il lise | qu'il lût |
| que nous lisions | que nous lussions |
| que vous lisiez | que vous lussiez |
| qu'ils lisent | qu'ils lussent |

## ► mettre

**INDICATIF**

| PRESENT | PASSE COMPOSE | PASSE SIMPLE (littéraire) | |
|---|---|---|---|
| je mets | j'ai mis | je mis | |
| tu mets | | tu mis | |
| il met | | il mit | |
| nous mettons | | nous mîmes | |
| vous mettez | | vous mîtes | |
| ils mettent | | ils mirent | |

| IMPARFAIT | PLUS-QUE-PARFAIT | FUTUR | FUTUR ANTERIEUR |
|---|---|---|---|
| je mettais | j'avais mis | je mettrai | j'aurai mis |

**CONDITIONNEL** | | **IMPÉRATIF** | **PARTICIPE PRÉSENT**

| PRESENT | PASSE | mets | mettant |
|---|---|---|---|
| je mettrais | j'aurais mis | mettons | |
| | | mettez | |

**SUBJONCTIF**

| PRESENT | IMPARFAIT (littéraire) |
|---|---|
| que je mette | que je misse |
| que tu mettes | que tu misses |
| qu'il mette | qu'il mît |
| que nous mettions | que nous missions |
| que vous mettiez | que vous missiez |
| qu'ils mettent | qu'ils missent |

**Permettre** and **promettre** are conjugated like **mettre**.

## ► naître

**INDICATIF**

| PRESENT | PASSE COMPOSE | PASSE SIMPLE (littéraire) | |
|---|---|---|---|
| je nais | je suis né(e) | je naquis | |
| tu nais | | tu naquis | |
| il nait | | il naquit | |
| nous naissons | | nous naquîmes | |
| vous naissez | | vous naquîtes | |
| ils naissent | | ils naquirent | |

| IMPARFAIT | PLUS-QUE-PARFAIT | FUTUR | FUTUR ANTERIEUR |
|---|---|---|---|
| je naissais | j'étais né(e) | je naîtrai | je serai né(e) |

**CONDITIONNEL** | | **IMPÉRATIF** | **PARTICIPE PRÉSENT**

| PRESENT | PASSE | nais | naissant |
|---|---|---|---|
| je naîtrais | je serais né(e) | naissons | |
| | | naissez | |

**SUBJONCTIF**

| PRESENT | IMPARFAIT (littéraire) |
|---|---|
| que je naisse | que je naquisse |
| que tu naisses | que tu naquisses |
| qu'il naisse | qu'il naquît |
| que nous naissions | que nous naquissions |
| que vous naissiez | que vous naquissiez |
| qu'ils naissent | qu'ils naquissent |

# plaire

## INDICATIF

| PRESENT | PASSE COMPOSE | PASSE SIMPLE (littéraire) | |
|---|---|---|---|
| je plais | j'ai plu | je plus | |
| tu plais | | tu plus | |
| il plaît | | il plut | |
| nous plaisons | | nous plûmes | |
| vous plaisez | | vous plûtes | |
| ils plaisent | | ils plurent | |

| IMPARFAIT | PLUS-QUE-PARFAIT | FUTUR | FUTUR ANTERIEUR |
|---|---|---|---|
| je plaisais | j'avais plu | je plairai | j'aurai plu |

## CONDITIONNEL | IMPÉRATIF | PARTICIPE PRÉSENT

| PRESENT | PASSE | | |
|---|---|---|---|
| je plairais | j'aurais plu | plais | plaisant |
| | | plaisons | |
| | | plaisez | |

## SUBJONCTIF

| PRESENT | IMPARFAIT (littéraire) |
|---|---|
| que je plaise | que je plusse |
| que tu plaises | que tu plusses |
| qu'il plaise | qu'il plût |
| que nous plaisions | que nous plussions |
| que vous plaisiez | que vous plussiez |
| qu'ils plaisent | qu'ils plussent |

# prendre

## INDICATIF

| PRESENT | PASSE COMPOSE | PASSE SIMPLE (littéraire) | |
|---|---|---|---|
| je prends | j'ai pris | je pris | |
| tu prends | | tu pris | |
| il prend | | il prit | |
| nous prenons | | nous prîmes | |
| vous prenez | | vous prîtes | |
| ils prennent | | ils prirent | |

| IMPARFAIT | PLUS-QUE-PARFAIT | FUTUR | FUTUR ANTERIEUR |
|---|---|---|---|
| je prenais | j'avais pris | je prendrai | j'aurai pris |

## CONDITIONNEL | IMPÉRATIF | PARTICIPE PRÉSENT

| PRESENT | PASSE | | |
|---|---|---|---|
| je prendrais | j'aurais pris | prends | prenant |
| | | prenons | |
| | | prenez | |

## SUBJONCTIF

| PRESENT | IMPARFAIT (littéraire) |
|---|---|
| que je prenne | que je prisse |
| que tu prennes | que tu prisses |
| qu'il prenne | qu'il prît |
| que nous prenions | que nous prissions |
| que vous preniez | que vous prissiez |
| qu'ils prennent | qu'ils prissent |

Other verbs conjugated like **prendre** include **apprendre, comprendre,** and **surprendre.**

## ▶ rire

| PRESENT | PASSE COMPOSE | PASSE SIMPLE (littéraire) | |
|---|---|---|---|
| je ris | j'ai ri | je ris | |
| tu ris | | tu ris | |
| il rit | | il rit | |
| nous rions | | nous rîmes | |
| vous riez | | vous rîtes | |
| ils rient | | ils rirent | |

| IMPARFAIT | PLUS-QUE-PARFAIT | FUTUR | FUTUR ANTERIEUR |
|---|---|---|---|
| je riais | j'avais ri | je rirai | j'aurai ri |

| CONDITIONNEL | | IMPÉRATIF | PARTICIPE PRÉSENT |
|---|---|---|---|

| PRESENT | PASSE | ris | riant |
|---|---|---|---|
| je rirais | j'aurais ri | rions | |
| | | riez | |

SUBJONCTIF

| PRESENT | IMPARFAIT (littéraire) |
|---|---|
| que je rie | que je risse |
| que tu ries | que tu risses |
| qu'il rie | qu'il rît |
| que nous riions | que nous rissions |
| que vous riiez | que vous rissiez |
| qu'ils rient | qu'ils rissent |

**Sourire** is conjugated like **rire.**

## ▶ suivre

INDICATIF

| PRESENT | PASSE COMPOSE | PASSE SIMPLE (littéraire) | |
|---|---|---|---|
| je suis | j'ai suivi | je suivis | |
| tu suis | | tu suivis | |
| il suit | | il suivit | |
| nous suivons | | nous suivîmes | |
| vous suivez | | vous suivîtes | |
| ils suivent | | ils suivirent | |

| IMPARFAIT | PLUS-QUE-PARFAIT | FUTUR | FUTUR ANTERIEUR |
|---|---|---|---|
| je suivais | j'avais suivi | je suivrai | j'aurai suivi |

| CONDITIONNEL | | IMPÉRATIF | PARTICIPE PRÉSENT |
|---|---|---|---|

| PRESENT | PASSE | suis | suivant |
|---|---|---|---|
| je suivrais | j'aurais suivi | suivons | |
| | | suivez | |

SUBJONCTIF

| PRESENT | IMPARFAIT (littéraire) |
|---|---|
| que je suive | que je suivisse |
| que tu suives | que tu suivisses |
| qu'il suive | qu'il suivît |
| que nous suivions | que nous suivissions |
| que vous suiviez | que vous suivissiez |
| qu'ils suivent | qu'ils suivissent |

## vivre

| PRESENT | PASSE COMPOSE | PASSE SIMPLE (littéraire) | |
|---|---|---|---|
| je vis | j'ai vécu | je vécus | |
| tu vis | | tu vécus | |
| il vit | | il vécut | |
| nous vivons | | nous vécûmes | |
| vous vivez | | vous vécûtes | |
| ils vivent | | ils vécurent | |
| | | | |
| IMPARFAIT | PLUS-QUE-PARFAIT | FUTUR | FUTUR ANTERIEUR |
| je vivais | j'avais vécu | je vivrai | j'aurai vécu |

| CONDITIONNEL | | IMPÉRATIF | PARTICIPE PRÉSENT |
|---|---|---|---|
| PRESENT | PASSE | vis | vivant |
| je vivrais | j'aurais vécu | vivons | |
| | | vivez | |

**SUBJONCTIF**

| PRESENT | IMPARFAIT (littéraire) |
|---|---|
| que je vive | que je vécusse |
| que tu vives | que tu vécusses |
| qu'il vive | qu'il vécût |
| que nous vivions | que nous vécussions |
| que vous viviez | que vous vécussiez |
| qu'ils vivent | qu'ils vécussent |

## Verbs in -oir

## asseoir

**INDICATIF**

| PRESENT | PASSE COMPOSE | PASSE SIMPLE (littéraire) | |
|---|---|---|---|
| j'assieds | j'ai assis | j'assis | |
| tu assieds | | tu assis | |
| il assied | | il assit | |
| nous asseyons | | nous assîmes | |
| vous asseyez | | vous assîtes | |
| ils asseyent | | ils assirent | |
| | | | |
| IMPARFAIT | PLUS-QUE-PARFAIT | FUTUR | FUTUR ANTERIEUR |
| j'asseyais | j'avais assis | j'assiérai | j'aurai assis |

| CONDITIONNEL | | IMPÉRATIF | PARTICIPE PRÉSENT |
|---|---|---|---|
| PRESENT | PASSE | assieds | asseyant |
| j'assiérais | j'aurais assis | asseyons | |
| | | asseyez | |

**SUBJONCTIF**

| PRESENT | IMPARFAIT (littéraire) |
|---|---|
| que j'asseye | que j'assisse |
| que tu asseyes | que tu assisses |
| qu'il asseye | qu'il assît |
| que nous asseyions | que nous assissions |
| que vous asseyiez | que vous assissiez |
| qu'ils asseyent | qu'ils assissent |

**S'asseoir** is conjugated like **asseoir**.

## ▶ devoir

| INDICATIF | | | |
|---|---|---|---|
| PRESENT | PASSE COMPOSE | PASSE SIMPLE (littéraire) | |
| je dois | j'ai dû | je dus | |
| tu dois | | tu dus | |
| il doit | | il dut | |
| nous devons | | nous dûmes | |
| vous devez | | vous dûtes | |
| ils doivent | | ils durent | |
| IMPARFAIT | PLUS-QUE-PARFAIT | FUTUR | FUTUR ANTERIEUR |
| je devais | j'avais dû | je devrai | j'aurai dû |

| CONDITIONNEL | | IMPÉRATIF | PARTICIPE PRÉSENT |
|---|---|---|---|
| PRESENT | PASSE | dois | devant |
| je devrais | j'aurais dû | devons | |
| | | devez | |

| SUBJONCTIF | |
|---|---|
| PRESENT | IMPARFAIT (littéraire) |
| que je doive | que je dusse |
| que tu doives | que tu dusses |
| qu'il doive | qu'il dût |
| que nous devions | que nous dussions |
| que vous deviez | que vous dussiez |
| qu'ils doivent | qu'ils dussent |

## ▶ falloir

| INDICATIF | | | |
|---|---|---|---|
| PRESENT | PASSE COMPOSE | PASSE SIMPLE (littéraire) | |
| il faut | il a fallu | il fallut | |
| IMPARFAIT | PLUS-QUE-PARFAIT | FUTUR | FUTUR ANTERIEUR |
| il fallait | il avait fallu | il faudra | il aura fallu |

| CONDITIONNEL | | SUBJONCTIF | |
|---|---|---|---|
| PRESENT | PASSE | PRESENT | IMPARFAIT (littéraire) |
| il faudrait | il aurait fallu | qu'il faille | qu'il fallût |

## ▶ pleuvoir

| INDICATIF | | | |
|---|---|---|---|
| PRESENT | PASSE COMPOSE | PASSE SIMPLE (littéraire) | |
| il pleut | il a plu | il plut | |
| IMPARFAIT | PLUS-QUE-PARFAIT | FUTUR | FUTUR ANTERIEUR |
| il pleuvait | il avait plu | il pleuvra | il aura plu |

| CONDITIONNEL | | PARTICIPE PRÉSENT | |
|---|---|---|---|
| PRESENT | PASSE | pleuvant | |
| il pleuvrait | il aurait plu | | |

| SUBJONCTIF | |
|---|---|
| PRESENT | IMPARFAIT (littéraire) |
| qu'il pleuve | qu'il plût |

## pouvoir

### INDICATIF

| PRESENT | PASSE COMPOSE | PASSE SIMPLE (littéraire) | |
|---|---|---|---|
| je peux | j'ai pu | je pus | |
| tu peux | | tu pus | |
| il peut | | il put | |
| nous pouvons | | nous pûmes | |
| vous pouvez | | vous pûtes | |
| ils peuvent | | ils purent | |

| IMPARFAIT | PLUS-QUE-PARFAIT | FUTUR | FUTUR ANTERIEUR |
|---|---|---|---|
| je pouvais | j'avais pu | je pourrai | j'aurai pu |

### CONDITIONNEL

### PARTICIPE PRÉSENT

| PRESENT | PASSE | pouvant |
|---|---|---|
| je pourrais | j'aurais pu | |

### SUBJONCTIF

| PRESENT | IMPARFAIT (littéraire) |
|---|---|
| que je puisse | que je pusse |
| que tu puisses | que tu pusses |
| qu'il puisse | qu'il pût |
| que nous puissions | que nous pussions |
| que vous puissiez | que vous pussiez |
| qu'ils puissent | qu'ils pussent |

## recevoir

### INDICATIF

| PRESENT | PASSE COMPOSE | PASSE SIMPLE (littéraire) | |
|---|---|---|---|
| je reçois | j'ai reçu | je reçus | |
| tu reçois | | tu reçus | |
| il reçoit | | il reçut | |
| nous recevons | | nous reçûmes | |
| vous recevez | | vous reçûtes | |
| ils reçoivent | | ils reçurent | |

| IMPARFAIT | PLUS-QUE-PARFAIT | FUTUR | FUTUR ANTERIEUR |
|---|---|---|---|
| je recevais | j'avais reçu | je recevrai | j'aurai reçu |

### CONDITIONNEL

### IMPÉRATIF

### PARTICIPE PRÉSENT

| PRESENT | PASSE | IMPÉRATIF | recevant |
|---|---|---|---|
| je recevrais | j'aurais reçu | reçois | |
| | | recevons | |
| | | recevez | |

### SUBJONCTIF

| PRESENT | IMPARFAIT (littéraire) |
|---|---|
| que je reçoive | que je reçusse |
| que tu reçoives | que tu reçusses |
| qu'il reçoive | qu'il reçût |
| que nous recevions | que nous reçussions |
| que vous receviez | que vous reçussiez |
| qu'ils reçoivent | qu'ils reçussent |

## ▶ savoir

### INDICATIF

| PRESENT | PASSE COMPOSE | PASSE SIMPLE (littéraire) | |
|---|---|---|---|
| je sais | j'ai su | je sus | |
| tu sais | | tu sus | |
| il sait | | il sut | |
| nous savons | | nous sûmes | |
| vous savez | | vous sûtes | |
| ils savent | | ils surent | |

| IMPARFAIT | PLUS-QUE-PARFAIT | FUTUR | FUTUR ANTERIEUR |
|---|---|---|---|
| je savais | j'avais su | je saurai | j'aurai su |

### CONDITIONNEL | IMPÉRATIF | PARTICIPE PRÉSENT

| PRESENT | PASSE | | |
|---|---|---|---|
| je saurais | j'aurais su | sache | sachant |
| | | sachons | |
| | | sachez | |

### SUBJONCTIF

| PRESENT | IMPARFAIT (littéraire) |
|---|---|
| que je sache | que je susse |
| que tu saches | que tu susses |
| qu'il sache | qu'il sût |
| que nous sachions | que nous sussions |
| que vous sachiez | que vous sussiez |
| qu'ils sachent | qu'ils sussent |

## ▶ valoir

### INDICATIF

| PRESENT | PASSE COMPOSE | PASSE SIMPLE (littéraire) | |
|---|---|---|---|
| je vaux | j'ai valu | je valus | |
| tu vaux | | tu valus | |
| il vaut | | il valut | |
| nous valons | | nous valûmes | |
| vous valez | | vous valûtes | |
| ils valent | | ils valurent | |

| IMPARFAIT | PLUS-QUE-PARFAIT | FUTUR | FUTUR ANTERIEUR |
|---|---|---|---|
| je valais | j'avais valu | je vaudrai | j'aurai valu |

### CONDITIONNEL | PARTICIPE PRÉSENT

| PRESENT | PASSE | |
|---|---|---|
| je vaudrais | j'aurais valu | valant |

### SUBJONCTIF

| PRESENT | IMPARFAIT (littéraire) |
|---|---|
| que je vaille | que je valusse |
| que tu vailles | que tu valusses |
| qu'il vaille | qu'il valût |
| que nous valions | que nous valussions |
| que vous valiez | que vous valussiez |
| qu'ils vaillent | qu'ils valussent |

# voir

## INDICATIF

| PRESENT | PASSE COMPOSE | PASSE SIMPLE (littéraire) | |
|---|---|---|---|
| je vois | j'ai vu | je vis | |
| tu vois | | tu vis | |
| il voit | | il vit | |
| nous voyons | | nous vîmes | |
| vous voyez | | vous vîtes | |
| ils voient | | ils virent | |

| IMPARFAIT | PLUS-QUE-PARFAIT | FUTUR | FUTUR ANTERIEUR |
|---|---|---|---|
| je voyais | j'avais vu | je verrai | j'aurai vu |

## CONDITIONNEL / IMPÉRATIF / PARTICIPE PRÉSENT

| PRESENT | PASSE | | |
|---|---|---|---|
| je verrais | j'aurais vu | vois | voyant |
| | | voyons | |
| | | voyez | |

## SUBJONCTIF

| PRESENT | IMPARFAIT (littéraire) |
|---|---|
| que je voie | que je visse |
| que tu voies | que tu visses |
| qu'il voie | qu'il vît |
| que nous voyions | que nous vissions |
| que vous voyiez | que vous vissiez |
| qu'ils voient | qu'ils vissent |

# vouloir

## INDICATIF

| PRESENT | PASSE COMPOSE | PASSE SIMPLE (littéraire) | |
|---|---|---|---|
| je veux | j'ai voulu | je voulus | |
| tu veux | | tu voulus | |
| il veut | | il voulut | |
| nous voulons | | nous voulûmes | |
| vous voulez | | vous voulûtes | |
| ils veulent | | ils voulurent | |

| IMPARFAIT | PLUS-QUE-PARFAIT | FUTUR | FUTUR ANTERIEUR |
|---|---|---|---|
| je voulais | j'avais voulu | je voudrai | j'aurai voulu |

## CONDITIONNEL / IMPÉRATIF / PARTICIPE PRÉSENT

| PRESENT | PASSE | | |
|---|---|---|---|
| je voudrais | j'aurais voulu | veuille | voulant |
| | | veuillons | |
| | | veuillez | |

## SUBJONCTIF

| PRESENT | IMPARFAIT (littéraire) |
|---|---|
| que je veuille | que je voulusse |
| que tu veuilles | que tu voulusses |
| qu'il veuille | qu'il voulût |
| que nous voulions | que nous voulussions |
| que vous vouliez | que vous voulussiez |
| qu'ils veuillent | qu'ils voulussent |

# Stem-Changing Verbs

## ▶ acheter

| PRESENT | SUBJONCTIF PRESENT | FUTUR |
|---|---|---|
| j'achète | que j'achète | j'achèterai |
| tu achètes | que tu achètes | tu achèteras |
| il achète | qu'il achète | il achètera |
| nous achetons | que nous achetions | nous achèterons |
| vous achetez | que vous achetiez | vous achèterez |
| ils achètent | qu'ils achètent | ils achèteront |

## ▶ appeler

| PRESENT | SUBJONCTIF PRESENT | FUTUR |
|---|---|---|
| j'appelle | que j'appelle | j'appellerai |
| tu appelles | que tu appelles | tu appelleras |
| il appelle | qu'il appelle | il appellera |
| nous appelons | que nous appelions | nous apellerons |
| vous appelez | que vous appeliez | vous appellerez |
| ils appellent | qu'ils appellent | ils appelleront |

## ▶ commencer (verbs ending in -cer)

| PRESENT | IMPARFAIT | PASSE SIMPLE (littéraire) |
|---|---|---|
| je commence | je commençais | je commençai |
| tu commences | tu commençais | tu commenças |
| il commence | il commençait | il commença |
| nous commençons | nous commencions | nous commençâmes |
| vous commencez | vous commenciez | vous commençâtes |
| ils commencent | ils commençaient | ils commencèrent |

## ▶ espérer (préférer, répéter, protéger, etc.)

| PRESENT | SUBJONCTIF PRESENT | FUTUR |
|---|---|---|
| j'espère | que j'espère | j'espérerai |
| tu espères | que tu espères | tu espéreras |
| il espère | qu'il espère | il espérera |
| nous espérons | que nous espérions | nous espérerons |
| vous espérez | que vous espériez | vous espérerez |
| ils espèrent | qu'ils espèrent | ils espéreront |

## ▶ essayer (verbs ending in -ayer, -oyer, -uyer)

| PRESENT | SUBJONCTIF PRESENT | FUTUR |
|---|---|---|
| j'essaie | que j'essaie | j'essaierai |
| tu essaies | que tu essaies | tu essaieras |
| il essaie | qu'il essaie | il essaiera |
| nous essayons | que nous essayions | nous essaierons |
| vous essayez | que vous essayiez | vous essaierez |
| ils essaient | qu'ils essaient | ils essaieront |

## jeter

| PRESENT | SUBJONCTIF PRESENT | FUTUR |
|---------|--------------------|----|
| je jette | que je jette | je jetterai |
| tu jettes | que tu jettes | tu jetteras |
| il jette | qu'il jette | il jettera |
| nous jetons | que nous jetions | nous jetterons |
| vous jetez | que vous jetiez | vous jetterez |
| ils jettent | qu'ils jettent | ils jetteront |

## lever (mener, emmener, geler, etc.)

| PRESENT | SUBJONCTIF PRESENT | FUTUR |
|---------|--------------------|----|
| je lève | que je lève | je lèverai |
| tu lèves | que tu lèves | tu lèveras |
| il lève | qu'il lève | il lèvera |
| nous levons | que nous levions | nous lèverons |
| vous levez | que vous leviez | vous lèverez |
| ils lèvent | qu'ils lèvent | ils lèveront |

# Lexique français–anglais

Included in the French–English vocabulary are all terms that are not cognates or that would not be immediately recognizable to a student at the intermediate level. The gender of all nouns is indicated by the notation *m* or *f* and the feminine endings of adjectives are given in parentheses. When feminine endings of adjectives require a change in ending or consist of a separate form, these changes are noted. Expressions consisting of more than one word are listed under their principal part of speech. For all expressions that are considered to be slang or popular, the notation is indicated in parentheses following such entries. Grammatical terms and impersonal expressions are also listed.

## A

**abandonner** to give up
**abondant(e)** abundant
**abonné(e)** *m, f* subscriber
**abonnement** *m* subscription
**abonner: s'—** (à) to subscribe (to)
**abord: d'—** at first
**abricot** *m* apricot
**absolu(e)** absolute
**absolument** absolutely
**abstrait(e)** abstract
**accent** *m* accent
    **— aigu** acute accent
    **— circonflexe** circumflex accent
    **— grave** grave accent
**accentué(e)** stressed
**accompagner** to go with
**accomplissement** *m* accomplishment
**accord** *m* agreement
    **d'—** OK
    **être d'—** to agree
    **se mettre d'—** to come to an agreement
**accorder** to grant
    **s'—** to agree
**accueil: page d'—** *f* home page
**accueillir** to welcome
**achat** *m* purchase
**acheter** to buy
**achever** to complete
**acompte** *m* deposit
**acquérir** to acquire
**acquis(e)** acquired
**acrobaties** *f pl* acrobatics
**acteur / actrice** *m, f* actor / actress
**actif(-ive)** active
**actualités** *f pl* news
**actuellement** presently
**addition** *f* bill, check
**admettre** to admit
**admis(e)** accepted
**adresser: s'— à** to speak to
**adversaire** *m, f* adversary, opponent
**aérien(ne)** air, aerial
**aéroport** *m* airport
**affaires** *f pl* business; belongings
    **régler des —** to take care of business
**affiche** *f* movie poster
**affiché(e)** posted
**afficher** to post

**affirmativement** affirmatively
**affirmer** to affirm
**affreux(-euse)** awful
**afin de** in order to, in order that
**afin que** in order to, in order that
**africain(e)** African
**âgé(e)** old
**agence** *f* agency
    **— de voyages** travel agency
**agglomération** *f* populated area
**agir: s'— de** to be a question of
**agréable** agreeable, pleasant
**aide** *f* help
    **à l'— de** by means of
**aide-mémoire** *m* reminder
**aider** to aid, to help
**aile** *m* wing
**ailleurs** elsewhere
    **d'—** furthermore
**aimable** pleasant, nice
**aimer** to like, to love
    **— bien** to like
**air** *m* manner, appearance
    **avoir l'—** to seem
**aise** *f* ease, convenience
    **à leur —** at their leisure
**ait** *pres. subj. of* **avoir**
**ajouter** to add
**album** *m* album
    **— de coupures de journaux** scrapbook
**alcool** *m* alcohol
**Algérie** *f* Algeria
**alimentaire** nutritive
**aliments** *m pl* food
**allée** *f* aisle
**allemand** *m* German language
**aller** to go
    **s'en —** to go away
**aller-retour** *m* round-trip ticket
**aller simple** *m* one-way ticket
**allumer** to turn on
**allusion** *f* allusion, hint
    **faire — à** to allude to
**alors** then, in that case
**Alpes-Maritimes** *f pl* region in southeastern France
**amateur** *m* fan
**ambitieux(-euse)** ambitious
**aménager** to oversee
**amende** *f* fine

**amener** to bring along
**américain(e)** American
**Américain(e)** *m, f* American
**Amérique du Sud** *f* South America
**ami(e)** *m, f* friend
    **petit(e) —** boyfriend / girlfriend
**amical(e)** friendly
**amitié** *f* friendship
**amphithéâtre (amphi)** *m* lecture hall
**amusant(e)** amusing, entertaining
**amuser** to amuse, to entertain
    **s'—** to have a good time
**an** *m* year
    **avoir —s** to be . . . years old
**analytique** analytical
**ancien(ne)** old, former
**anglais** *m* English language
**Angleterre** *f* England
**anglophone** *m, f* English-speaking person
**année** *f* year
    **— lumière** *f* light year
    **— scolaire** school year
**anniversaire** *m* birthday
**annonce** *f* announcement, advertisement
**annoncer** to announce
**antenne** *f* antenna
    **— parabolique** satellite dish
**antérieur(e)** anterior, preceding
**antonyme** *m* antonym
**août** *m* August
**apercevoir: s'—** to notice
**aperçu** *past part. of* **apercevoir**
**apparaître** to appear
**appareil** *m* device
**appartement** *m* apartment
**appartenir** to belong
**appeler** to call
    **s'—** to be named
**appendice** *m* appendix
**appliquer: s'—** to apply oneself
**apporter** to bring
**apprécier** to enjoy
**apprendre** to learn
    **— par cœur** to memorize
**apprentissage** *m* apprenticeship
**approcher: s'—** to approach
**appuyer** press
    **— sur le bouton** to push the button

**après** after
   **— que** after
**après-midi** *m* afternoon
**arbre** *m* tree
**argent** *m* money
   **— de poche** spending money, allowance
**armée** *f* army
**arrêt** *m* stop
**arrêté(e)** definite
**arrêter: s'—** to stop
**arrière** *m* back, rear
**arrivée** *f* arrival
**arriver** to arrive; to happen
**article de fond** *m* in-depth article
**artisanat** *m* crafts
**as** *m* ace
**Asie** *f* Asia
**aspiré(e)** aspirated
**asseoir** to seat
   **s'—** to sit down
**assez** quite, rather
   **— de** enough
**assiette** *f* plate
**assimiler** to assimilate
**assis(e)** seated
   **être —** to be seated
**assister à** to attend
**assurer** to assure, to guarantee
**astronomique** astronomical
**atelier de réparation** *m* repair shop
**attacher** to fasten
**attaque** *f* attack
**attendre** to wait for
   **s'— à** to expect
**attentif(-ive)** attentive
**attention!** watch out!
   **faire — à** to pay attention to
**atterrir** to land
**attirer** to attract
**aubergine** *f* eggplant
**aucun(e)** not any; not a single
**au-dessus de** above
**au fur et à mesure** bit by bit
**augmenter** to raise; to grow
**aujourd'hui** today
**aussi** also
   **— bien que** as well as
**aussitôt que** as soon as
**autant (de)** as many
**auteur** *m* author
**authentique** authentic
**automne** *m* autumn
**autonomie** *f* autonomy; self-government
**autorité** *f* authority
**autoroute** *f* superhighway
**autour** about
   **— de** around
**autre** other
**autrement** otherwise
**avance** *f* advance
   **d'—** in advance
**avancer: s'—** to advance, to move forward
**avant** *m* front
**avant de** before
**avant que** before
**avantage** *m* advantage

**avec** with
**avenir** *m* future
   **à l'—** in the future
**aventure** *f* adventure
**aventureux(-euse)** adventurous
**aventurier** *m* adventurer
**aviateur / aviatrice** *m, f* aviator
**avion** *m* airplane
   **— à réaction** jet
   **en —** by plane
   **par —** by plane
**avis** *m* opinion
**avocat(e)** *m, f* lawyer
**avoir** to have
   **— à** to need to, to have to
   **— envie de** to feel like
   **— le trac** to be afraid
   **en — assez** to be fed up
**avril** *m* April
**ayant** *pres. part. of* **avoir** having

## B

**bac** *m abbrev. for* **baccalauréat**
**baccalauréat** *m* diploma based on an exam taken at the end of secondary education
**bachelier / bachelière** *m, f* baccalaureate holder
**bachot** *m slang for* **baccalauréat**
**bachoter** to prepare for an exam
**baguette** *f* loaf of French bread
**baigner: se —** to swim
**bain** *m* bath
**bal** *m* ball, dance
**balader: se —** to stroll
**baladeur** *m* portable cassette player
**banal(e)** dull
**bancaire: carte** *f* **—** cash card
**bande** *f* gang
**banlieue** *f* suburbs
**banque de données** *f* data bank
**bar** *m* snack bar
**barbant(e)** boring *(colloquial)*
**bas(se)** low
**baser** to base
**basket** *m* basketball *(the sport)*
   **—s** *f pl* tennis shoes
**bateau** *m* boat
   **en —** by boat
**bâtiment** *m* building
**bâtir** to build
**batterie** *f* battery
**battre: se —** to fight
**bavard(e)** outgoing, talkative
**bavarder** to chat
**beau / belle** beautiful
   **faire beau** to be nice weather
**beaucoup** much, many
   **— de** a lot of
**beau-frère** *m* brother-in-law
**beauté** *f* beauty
**bébé** *m* baby
**beignet** *m* doughnut
**belge** Belgian
**Belge** *m, f* Belgian
**Belgique** *f* Belgium
**belle-mère** *f* mother-in-law; stepmother

**bénéficier de** to benefit from
**besoin** *m* need, want
   **avoir — de** to need (to)
**bêtise** *f* stupidity
**béton** *m* cement
**beurre** *m* butter
**bibliothèque** *f* library
**bien** well
   **— des** many
   **— que** although
   **faire du —** to be beneficial
**bientôt** soon, shortly
**bière** *f* beer
**bijou** *m* jewel
**billet** *m* ticket
**biscuit** *m* cookie
   **— salé** cracker
**bizarre** strange
**bizutage** *m* hazing
**blanc(he)** white
**blesser** to hurt
   **se —** to get hurt
**bleu** *m* blue cheese
**blouson** *m* jacket
**bœuf** *m* beef
**boire** to drink
   **— un verre** to have a drink
**boisson** *f* drink, beverage
**boîte** *f* can; night club
   **— de réception** in-box
**bon(ne)** kind, good
**bonbon** *m* piece of candy
**bondé(e)** crowded
**bonheur** *m* happiness
**bonhomme** *m* good-natured man
**bonté** *f* kindness
**bord, à — de** on board
**bouche de métro** *f* subway entrance
**boucher / bouchère** *m, f* butcher
**boucherie** *f* butcher shop
**bouger** to stir; to budge
**boulanger / boulangère** *m, f* baker
**boulangerie** *f* bakery
**bouleversement** *m* upheaval
**boulot** *m* work *(colloquial)*
**boum** *f* party
**bouquin** *m* book *(colloquial)*
**bouquiner** to read *(colloquial)*
**Bourgogne** *f* Burgundy, region of France
**bouteille** *f* bottle
**bouton** *m* button
**boxe** *f* boxing
   **match de —** boxing match
**branché(e)** plugged in; with it *(slang)*
**bras** *m* arm
**brave** courageous, nice
**bref(-ève)** short
**en bref** in short
**brevet de technicien supérieur** *m* technical degree obtained at secondary level
**brillamment** brilliantly
**bronzer, se faire** to get a tan
**brosser: se —** to brush
**bruit** *m* sound
**brûler** to burn
**Bruxelles** Brussels

**BTS** *m abbrev. for* **brevet de technicien supérieur**
**bûcher** to cram *(slang)*
**bureau de renseignements** *m* information counter

# C

**ça** that
   **— ne fait rien** it doesn't matter
   **— y est** that's it, it's done
**cabas** *m* tote bag
**cadavre** *m* corpse
**cadeau** *m* gift, present
**cadre** *m* setting
**café** *m* coffee
   **— instantané** instant coffee
**caisse** *f* cash register
**caissier / caissière** *m, f* cashier
**calculer** to calculate
**calmement** calmly
**calmer** to calm, to quiet
   **se —** to calm down
**camarade** *m, f* friend, chum
   **— de chambre** roommate
   **— de classe** classmate
**cambriolage** *m* breaking and entering
**cambrioleur** *m* thief
**camion** *m* truck
**campagnard(e)** country dweller
**campagne** *f* campaign; countryside
   **à la —** in the country
**canadien(ne)** Canadian
**candidat(e)** *m, f* candidate
**candidature** *f*: **présenter sa —** to be a candidate
**capitale** *f* capital
**capturer** to capture
**car** because
**car** *m* intercity bus
   **— scolaire** school bus
**carnaval** *m* winter festival
**carnet (de tickets)** *m* book of tickets
**carré(e)** square
**carrefour** *m* intersection
**carrière** *f* career
**carte** *f* card, map
   **— bancaire** cash card
   **— (postale)** postcard
   **— d'étudiant** student card
**cartouche** *f* carton
**cas** *m* case
   **au — où** in case
**casanier(-ère)** stay-at-home
**cathédrale** *f* cathedral
**cause: à — de** because of
**ceci** this, this thing
**ceinture** *f* belt, seat belt
**cela** that, that thing
**célèbre** celebrated, famous
**censure** *f* censorship
**centaine** *f* about a hundred
**centre commercial** *m* shopping center
**cependant** nevertheless, however
**cercle** *m* circle
**cérémonie** *f* ceremony
**cerise** *f* cherry

**certain(e)** definite, particular
   **être —** to be certain
   **il est —** it is certain
**certainement** certainly
**C.E.S. (collège d'enseignement secondaire)** *m* first level of secondary school (ages 11–14)
**cesser** to stop
**chacun(e)** each one
**chaîne** *f* channel
   **changer de —** to change channels
   **— stéréo** *f* stereo system
**chambre** *f* room
**champignon** *m* mushroom
**chance** *f* chance, luck
   **avoir de la —** to be lucky
**changement** *m* change
**chanson** *f* song
**chanter** to sing
**chanteur(-euse)** *m, f* singer
**chaque** each
**charcuterie** *f* delicatessen
**charcutier / charcutière** *m, f* delicatessen owner
**charger** to load
**chariot** *m* shopping cart
**charmant(e)** charming
**chasser** to chase
**chat** *m* cat
**château** *m* castle
**chaud(e)** hot
**chaud: avoir —** to be hot
   **faire —** to be hot weather
**chauffeur** *m* driver
**chef-d'œuvre** *m* masterpiece
**chemin de fer** *m* railroad
**chèque** *m* check
   **toucher un —** to cash a check
**cher(-ère)** expensive; dear
**chercher** to look for, to seek
**chéri(e)** *m, f* darling, dearest
**cheval** *m* horse
**cheveux** *m pl* hair
**chèvre** *m* goat cheese
**chez** at, to, in, with, among, in the works of
**chien / chienne** *m, f* dog
**chiffre** *m* number
**Chinois** *m* Chinese
**choc** *m* shock
**choisir** to choose
**choix** *m* choice
**chômage** *m* unemployment
**chose** *f* thing
**chouette** neat, nice *(slang)*
**chou-fleur** *m* cauliflower
**cible** *f* target
**ci-dessous** below
**ci-dessus** above
**ciel** *m* sky
**cinéaste** *m, f* producer
**ciné-club** *m, f* film club
**cinéma** *m* movies, cinema
**cinéphile** *m, f* movie buff
**cinoche** *m* flicks *(slang)*
**circonstanciel(le)** circumstantial
   **complément circonstanciel** adverbial phrase

**circuler** to circulate, move around
**cité-dortoir** *f* bedroom community
**cité universitaire** *f* residence hall complex
**citer** to quote
**citoyen / citoyenne** *m, f* citizen
**classe** *f* class
   **— économique** economy class
   **— préparatoire** preparatory class (for the entry exam to the **grandes écoles**)
   **— touriste** second class
   **en —** in class
**classement** *m* ordering, classification
**classer** to classify
**classique** classical
**clé** *f* key
   **fermer à —** to lock
**climat** *m* climate
**clip** *m* music video
**club** *m* night club
**cocher** *m* coachman
**code indicatif de zone** *m* telephone area code
**coiffer: se —** to comb one's hair
**coin** *m* corner
**collectif(-ive)** collective
**collège d'enseignement secondaire (C.E.S.)** *m* first level of secondary school (ages 11–14)
**colocataire** *m, f* roommate
**colon** *m* colonist
**colonie de vacances** *f* summer camp
**colonne** *f* column
**combattre** to fight
**combien** how much
   **— de** how many
**commander** to order
**comme** as, like, such as
   **— d'habitude** as usual
   **— il faut** as it should be
**commencement** *m* beginning
**commencer** to begin
**comment** how
**commentaire** *m* comment
**commerçant(e)** *m, f* shopkeeper
**commerce** *m* business
   **— de détail** retail business
   **— de proximité** neighborhood store
**commettre** to commit
**commissaire** *m* commissioner
**commissariat** *m* police station
**commode** convenient, comfortable
**commun(e)** common, ordinary
   **en commun** in common
   **communautés** *f pl* communities
**communiquer** to communicate
**compagnie** *f* company
   **— aérienne** airline
**compagnon / compagne** *m, f* companion
**compartiment** *m* compartment
   **— non-réservé** unreserved compartment
**complément** *m* object *(grammatical)*
   **— d'agent** agent
   **— d'objet direct** direct object

**— d'objet indirect** indirect object
**— circonstanciel** adverbial phrase
**— déterminatif** adjectival phrase
**complet(-ète)** complete, full
**compléter** to complete
**compliqué(e)** complicated
**comportement** *m* behavior
**composer** to compose; to compound
**composter** to punch (a ticket); to validate
**comprendre** to understand; to include
**compris(e)** included
  **y compris** including
**compter** to count
  **— sur** to count on
**comptoir** *m* ticket counter
**concentrer** to concentrate
  **se — sur** to focus on
**concordance** *f* agreement
**conditionnel** *m* conditional *(verb tense)*
  **— présent** present conditional *(verb tense)*
  **— passé** past conditional *(verb tense)*
**conducteur / conductrice** *m, f* driver
**conduire** to drive
**conférence** *f* lecture
**confondre** to confuse
**congé** *m*: **jour de —** day off
**congelé(e)** frozen
**conjugaison** *f* conjugation
**conjuguer** to conjugate
**connaissance** *f* acquaintance
  **faire la — de** to meet
**connaître** to know; to understand; to be acquainted with; to experience
**conquérir** to conquer
**conquête** *f* conquest
**consacrer, se — à** to devote oneself to
**conscience politique** *f* political awareness
**conseil** *m* piece of advice
  **— s** advice
**conseiller / conseillère** *m, f* adviser
**conseiller** to advise
**conservateur(-trice)** conservative
**conserver** to preserve
**considérer** to consider
**consommateur / consommatrice** *m, f* consumer
**consommation** *f* consumption; beverage
**consommer** to use
**consonne** *f* consonant
**constamment** constantly
**constater** to observe
**constituer** to constitute
**construire** to build
**construit** *past part. of* **construire**
**consulter** to look up something
  **se —** to confer
**conte** *m* story
  **— de fées** fairy tale
**contenir** to contain
**content(e)** happy
**contraire** *m* opposite
  **au —** on the contrary
**contre** against
**contre** *m* con

**contribuer** to contribute
**contrôle continu des connaissances** *m* periodic testing
**contrôler** to verify, to check
**contrôleur / contrôleuse** *m, f* conductor
**convaincre** to convince
**convenable** suitable, appropriate
**convenir à** to be suitable to
**copain / copine** *m, f* friend, pal
**copie** *f* exam paper
**corps** *m* body
**correcteur / correctrice** *m, f* grader
**correspondance** *f* connection, transfer point
**correspondre** to correspond; to agree
**corriger** to correct
**côte** *f* chop; coast
  **— de porc** pork chop
**Côte (d'Azur)** *f* Riviera
**côté** *m* side
  **à — de** by, near
  **de mon —** for my part
  **de tous les —s** from all sides
  **du — de** in the direction of
**coton** *m* cotton
  **robe de (en) —** cotton dress
**côtoyer: se —** to be next to each other
**coucher** to put to bed
  **se —** to go to bed
**couchette** *f* bunk
**couleur** *f* color
**couloir** *m* corridor
**couper** to cut, to isolate from
**courant(e)** current, usual
**coureur** *m* runner
**courgette** *f* zucchini
**courrier électronique** *m* e-mail
**courir** to run
  **— des risques** to take chances
**cours** *m* course
  **— magistral** *m* lecture by the professor
**course** *f* race
**courses** *f pl* errands
  **faire les —** to run errands
**court(e)** short
**court métrage** *m* short feature
**couteau** *m* knife
**coûter** to cost
**couvrir** to cover
**craindre** to fear
**crainte** *f* fear
  **avoir — de** to be afraid (of, to)
  **de — (de, que)** for fear (of, that)
**créateur(-trice)** creative
**créature** *f* creature
**créer** to create
**crémerie** *f* dairy
**créole** *m* Creole language; native language spoken in many Francophone countries
**crever** to die *(slang)*
**crise** *f* crisis
  **— de nerfs** nervous breakdown
**critique** *f* criticism
**critiquer** to criticize
**croire** to believe

**crypté(e)** scrambled
**cuire** to cook
**cuisine** *f* cooking; food
  **faire la —** to cook
**curiosité** *f* point of interest
**cursus** *m* course of study

# D

**dame** *f* lady
**dangereux(-euse)** dangerous
**danseur(-euse)** *m, f* dancer
**de plus en plus** more and more
**de retour à** back at
**débat** *m* debate
**débouché** *m* outlet; prospect
**debout** standing
**débrouiller** to straighten out
  **se —** to manage
**début** *m* beginning
  **au — de** at the beginning of
**décembre** *m* December
**décider** to decide
**décision** *f* decision
  **prendre une —** make a decision
**déclaration** *f* statement
**décoller** to take off
**décor** *m* set, scenery
**découvert** *past part. of* **découvrir**
**découverte** *f* discovery
**découvrir** to discover
**décrire** to describe
**déçu(e)** disappointed
**dedans** in
**défaut** *m* fault
**défendre** to prohibit; to defend
**défendu** *past part. of* **défendre**
**défense** *f* prohibition
**définitif(-ive)** definitive
**dehors** outside
  **en — de** outside of
**déjà** already
**déjeuner** *m* noon meal
**déjeuner** to eat lunch
**délicat(e)** delicate, nice
**délicieux(-euse)** delicious
**délinquance** *f* delinquency
**demain** tomorrow
  **à —** see you tomorrow
**demander** to ask (for)
  **se —** to ask oneself; to wonder
**démarrer** to start
**déménager** to move
**demi-frère** *m* step-brother
**démodé(e)** old-fashioned
**demoiselle** *f* young woman
**démontrer** to demonstrate
**dent** *f* tooth
**dentelle** *f* lace
**dépannage** *m* repairing
  **atelier de —** repair shop
**départ** *m* departure
**département** *m* administrative division of France
**dépasser** to exceed
**dépêcher** to send quickly
  **se —** to hurry
**dépendre (de)** to depend (on)
**dépenser** to spend

**dépenses** *f pl* expenses
**déplacement** *m* movement
**déplacer, se** to get around
**déplaire** to displease
**dépliant** *m* brochure, folder
**déplu** *past part. of* **déplaire**
**depuis** since; for
**dernier(-ière)** preceding, final
**dernièrement** lately
**derrière** behind
**désagréable** disagreeable, unpleasant
**désastre** *m* disaster
**descendre** to get off; to go down
    **— à une destination** to travel to
    **— quelque chose** to take down
        something
**désert** *m* desert
**désigner** to indicate
**désir** *m* desire
**désirer** to want, to desire
**désolé(e)** sorry
**désordre** *m* disorder, confusion
**dès que** as soon as
**dessin animé** *m* cartoon
**destination** *f* destination
    **à — de** bound for
**destiné(e) (à)** intended (for)
**destinée** *f* destiny
**détendre: se —** to relax
**déterminer** to determine; to modify
**détruire** to destroy
**Deux chevaux** *f* small Citroën
**deuxième cycle** *m* second level of
    higher education
**devant** in front of
**devanture** *f* storefront
**développé(e)** developed
    **sous-—** underdeveloped
**développement** *m* development
**devenir** to become
**déviation** *f* detour
**deviner** to guess
**devoir** *m* written assignment
**devoir** to have to; to owe
**dévoué(e)** devoted
**dictionnaire** *m* dictionary
**différent(e)** different, various
**difficulté** *f* difficulty
    **sans —** without difficulty
**diffuser** to broadcast
**dimanche** *m* Sunday
**dîner** *m* dinner
**dîner** to eat dinner
**diplomate** *m* diplomat
**diplôme** *m* diploma, degree
    **— d'études universitaires**
        **générales** degree obtained after
        two years of university study
    **— universitaire de technologie**
        technical degree obtained at
        university level
**dire** to say, to tell
**direct** non-stop
    **en —** live
**directeur / directrice** *m, f* director;
    principal
**discipliné(e)** disciplined
**discothèque** *f* discotheque

**discours** *m* discourse
    **— direct** direct discourse
    **— indirect** indirect discourse
**discret(-ète)** discreet
**discuter** to discuss
**disjoint(e)** disjunctive
**disparaître** to disappear
**disponible** available
**disque** *m* record
**disséminé(e)** spread
**distinctement** distinctly, clearly
**distinguer** to distinguish
**distraction** *f* amusement
**distraire** to amuse
**distribuer** to distribute, to circulate
**distributeur** *m* ticket dispenser
**divertissement** *m* pastime;
    entertainment
**diviser** to divide
**documentaire** *m* documentary
**dommage** *m* damage; loss
    **c'est —** it's a pity
**donc** then, therefore
**donner** to give
    **— un film** to show a film
    **se —** to give each other
    **se — rendez-vous** to arrange
        to meet
**dont** of which; of whom; whose
**dormir** to sleep
**dossier** *m* record, file
**douane** *f* customs
**doublé(e)** dubbed
    **version doublée** *f* dubbed version
        of a movie
**doubler** to dub
**douceur de vivre** *f* pleasant lifestyle
**doute** *m* doubt
**douter** to doubt
**douteux(-euse)** doubtful
**d'outre-mer** overseas
**doux(-ce)** sweet; soft
**dramatique** dramatic
**drogue** *f* drugs
**droit(e)** right
**droite** *f* political right wing
**drôle de** strange
**dû** *past part. of* **devoir**
**dur(e)** harsh; hard
**durée** *f* duration
**durer** to last
**DUT** *m abbrev. for* **diplôme**
    **universitaire de technologie**

**E**

**eau** *f* water
    **— minérale** mineral water
**échange** *m* change
**échouer** to fail
**éclater** to break out; to begin
**école** *f* school
**économie** *f* saving
    **faire des —s** to save money
**économique** economical
**économiser** to save (money)
**écouter** to listen to
**écran** *m* screen
    **petit —** TV

**écrémé(e)** skimmed
**écrire** to write
    **s'—** to write to each other
**écrit** *past part. of* **écrire**
    **à l'—** in written form
**écrivain** *m* writer
**effectuer** to make; to bring about
**égal(e)** equal
    **être égal à** not to matter, to be all
        the same
**également** equally
**église** *f* church
**égoïste** egotistic; selfish
**élargir** to broaden
**électrique** electrical
**électronique** *f* electronics
**élégamment** elegantly
**élevé(e)** high
**élève** *m, f* student
**élire** to elect
**élitiste** elitist
**éloigné(e)** distant
**éloignement** *m* distance
**élu** *past part. of* **élire**
**embarras du choix** *m* large selection
**émerveiller** to amaze; to dazzle
**émission** *f* TV program
**emmener** to take along (people)
**empêcher** to prevent
**emploi** *m* employment, job; use
    **— du temps** schedule
    **— temporaire** temporary job
**employé(e)** *m, f* employee
**employer** to use
**emporter** to carry away
    **à —** carry out
**encore** still
    **pas —** not yet
    **— que** although
**en dehors (de)** outside (of)
**endormir, s'** to go to sleep
**endroit** *m* place
**énergique** energetic
**enfance** *f* childhood
**enfant** *m, f* child
**enfer** *m* hell
**enfin** at last, finally
**enfuir: s'—** to escape
**ennemi** *m* enemy
**ennuyer** to bore; to bother
    **s'—** to be bored
**ennuyeux(-euse)** boring
**énorme** enormous
**énormément** enormously
**enquête** *f* inquiry, investigation
**enregistrer** to check (baggage)
**enseignement** *m* education
    **— général** general education
    **— supérieur** higher education
**enseigner** to teach
**ensemble** together
**ensemble** *m* whole, mass
**ensuite** then
**entendre** to hear
    **— parler de** to hear about
**entendu(e)** understood
    **bien entendu** of course
**entier** *m* whole

**entièrement** entirely
**entracte** *m* intermission
**entraîner** to bring about; to entail
**entre** between
**entrée** *f* entrance
    — **libre** free access
**entrer** to enter
**enveloppe** *f* envelope
**envie** *f* desire, longing
    **avoir** — **de** to feel like
**environ** approximately
**environnement** *m* environment
**environs** *m pl* surrounding area
**envoyer** to send
**épais(se)** thick
**épicerie** *f* grocery store
**épicier / épicière** *m, f* grocer
**épisode** *m* episode
**époque** *f* era
**épouser** to marry
**époux / épouse** *m, f* spouse
**épreuve** *f* test
**équilibre** *m* balance
**équipe** *f* team
**erreur** *f* error
**escale** *f* stopover
    **faire une** — to stop over
**escalier** *m* stairs
**escargot** *m* snail
**espace** *m* space
**Espagne** *f* Spain
**espagnol** *m* Spanish language
**espèce** *f* type, sort
    **en** —s in cash
**espérer** to hope for
**esprit** *m* spirit, mind, wit
**essayer** to try
**essence** *f* gasoline
**essentiel** *m* the most important thing
**essentiel(le)** essential
    **il est essentiel** it is essential
**essuyer** to wipe; to dry
**établir** to work out; to establish
**établissement** *m* establishment
**étage** *m* floor (of a building)
**étape** *f* stage; step
**état** *m* state
**Etats-Unis** *m pl* United States
**été** *m* summer
**éteindre** to turn off; to extinguish
**étendre** to extend
    **s'**— to lie down
**étiquette** *f* label
**étonnant(e)** startling
    **il est étonnant** it is startling
**étonné(e)** amazed
**étonner: s'**— to be amazed
**étrange** strange
**étranger / étrangère** *m, f* stranger
    **à l'**— abroad
**étranger(-ère)** foreign, strange
**être** to be
**être en train de** to be in the process of
**étroit(e)** tight; narrow
**étroitement** closely
**études** *f pl* studies
    — **secondaires** high school studies
    — **supérieures** graduate school

**faire des** — **(de)** to study, to major in
    **programme d'**—s course of study
**étudiant(e)** *m, f* student
    **maison d'étudiants** residence hall
**étudier** to study (a subject)
**euro** *m* European currency
**événement** *m* event
**évidemment** evidently
**éviter** to avoid
**évoluer** to evolve
**évoquer** to evoke
**examen** *m* examination
**examinateur / examinatrice** *m, f*
    examiner
**examiner** to examine
**exécution** *f* execution
**exemplaire** *m* copy
**exemple** *m* example
    **par** — for instance
**exiger** to require
**exister** to exist
**explétif(-ive)** superfluous (*grammatical*)
**explication** *f* explanation
    — **de texte** literary analysis
**expliquer** to explain
**exploité(e)** managed
**explorateur / exploratrice** *m, f* explorer
**exposé** *m* classroom presentation
**exprimer** to express
**extrêmement** extremely

**F**

**fabriquer** to manufacture; to make
**fac** *f abbrev. for* **faculté**
**fâché(e)** angry
    **être** — to be angry
**fâcher: se** — to get angry
**facile** easy, quick
**facilement** easily
**façon** *f* manner
**facultatif(-ive)** optional
**faculté** *f* university division
**faible** weak
**faim: avoir** — to be hungry
**faire** to do; to make
    — **de l'escalade** to go rock
      climbing
    — **du jogging** to go jogging
    — **son possible** to do one's best
    — **une promenade** to take a walk
    — **une promenade en bateau** to
      take a boat ride
    **se** — to be done, to be made
    **s'en** — to worry
**fait** *m* fact
**fait** *past part. of* **faire**
**falloir** to be necessary (*impersonal*)
**fameux(-euse)** famous; infamous
**familial(e)** pertaining to family
**familiarité** *f* familiarity
**famille** *f* family
    **en** — in the family
**fana** *m, f* fan
**farine** *f* flour
**fatigant(e)** tiring
**fatigué(e)** tired
**faut** *See* **falloir**
**faute** *f* error

**fauteuil** *m* armchair
**faux(-sse)** false
**favori(te)** favorite
**fax** *m* fax machine
**femme** *f* wife, woman
**fenêtre** *f* window
**fer** *m* iron
    — **forgé** wrought iron
**fermer** to close
    — **à clé** to lock
**fermeture** *f* closing
**féroce** ferocious
**festival** *m* (film) festival
**fête** *f* festival; party
**fêter** to celebrate
**feu** *m* fire
    — **rouge** stoplight
**feuilleton** *m* serial
**février** *m* February
**fiche** *f* form
**fichier** *m* file
**fier(-ère)** proud
**filet** *m* mesh bag
**filiale** *f* branch store
**fille** *f* girl
**film** *m* film
    — **d'épouvante** horror movie
    **le grand** — main feature
    — **policier** detective movie
**fils** *m* son
**fin** *f* end
    **à la** — at the end
    **de** — final
    **en** — **de** at the end of
**fin(e)** fine
**finalement** finally
**finir** to finish
**fixe** fixed
**flâner** to loaf around
**fleur** *f* flower
**flocon** *m* flake
**fois** *f* time
    **une** — once
**fonctionner** to work; to operate
**fonder** to found
**football** *m* soccer
**forfaitaire** all-inclusive
**formalité** *f* form
**formation** *f* education, academic
    preparation
**forme** *f* form, shape
**former: se** — to form, to compose, to
    educate
**formidable** fantastic
**formule** *f* construction
**formuler** to formulate; to express
**fort(e)** strong
**fou / folle** crazy
**foule** *f* crowd
**fournir** to furnish
**foyer** *m* home
**frais / fraîche** fresh
**frais d'inscription** *m pl* tuition,
    registration fees
**fraise** *f* strawberry
**franc** *m* franc, former French currency
**franc / franche** frank
**français(e)** French

**Français(e)** *m, f* French person
**F2 (France 2)** TV network
**F3 (France 3)** TV network
**francophone** *m, f* French-speaking person
**francophonie** *f* French-speaking world
**frapper** to hit, to strike
**freins** *m pl* brakes
**fréquemment** frequently
**fréquenter** to see often
**frère** *m* brother
**frigo** *m* refrigerator *(colloquial)*
**fringues** *f pl* clothes *(slang)*
**frites** *f pl* french fries
**froid(e)** cold
**froid** avoir **—** to be cold
    **faire —** to be cold weather
**fromage** *m* cheese
**frustré(e)** frustrated
**fuir** to flee
**fumer** to smoke
**furieux(-euse)** furious
**furtivement** furtively
**futur** *m* future *(grammatical)*
    **— antérieur** future perfect
    **— proche** immediate future

## G

**gagner** to earn
**gamin** *m* boy *(colloquial)*
**garagiste** *m, f* garage operator
**garantir** to guarantee
**garçon** *m* boy
**garder** to keep; to maintain
**gardien(ne)** *m, f* guardian
**gare** *f* station
**gars** *m* guy, boy *(slang)*
**gâteau** *m* cake
**gauche** *f* political left wing
**gauche** left
**gazeux(-euse)** carbonated
**gendarme** *m* policeman
**gêne** *f* difficulty, embarrassment
**généreux(-euse)** generous
**génial** neat, cool
**génie** *m* genius
**genre** *m* type, gender
**gens** *m pl* people
**gentil(le)** nice, gentle
**gentilhomme** *m* gentleman
**géographie** *f* geography
**gérondif** *m* **en** + present participle *(grammatical)*
**gestion** *f* management
**gîtes** *m pl* hostels
**glace** *f* ice cream
**glissant(e)** slick, slippery
**gloire** *f* glory
**gorille** *m* gorilla
**gosse** *m, f* kid *(slang)*
**gourmand(e)** gluttonous
**goûter** to taste
**goutte** *f* drop
**gouvernement** *m* government
**graissage** *m* greasing, lubrication
    **faire le —** to lubricate(a vehicle)
**gramme** *m* gram
    **deux cents —s de** seven ounces

**grand(e)** main; big
**grand ensemble** *m* apartment complex
**grande surface** *f* very large surburban store
**grandeur** *f* grandeur; size
**grand film** *m* main feature
**grandir** to grow up
**grand-mère** *f* grandmother
**grand-père** *m* grandfather
**gratuit(e)** free
**grenouille** *f* frog
**grève** *f* strike
**griffe** *f* designer's label
**gris(e)** gray
**gros(se)** big, large
**groupe** *m* group
    **en —** in a group
**gruyère** *m* Swiss cheese
**guère** hardly
**guerre** *f* war
    **faire la —** to fight a war
    **Première Guerre mondiale** First World War
**guichet** *m* ticket window
*Guide Michelin m* popular French travel guide
**guillemets** *m pl* quotation marks

## H

**habiller** to dress
    **s' —** to get dressed
**habitant(e)** *m, f* inhabitant
**habiter** to live (in)
**habitude** *f* habit
    **d' —** usually
    **comme d' —** as usual
**habituellement** habitually
**habituer: s' — à** to get used to
**haricot** *m* bean
**hâte** *f* haste
    **à la —** hastily, hurriedly
**hausse** *f* rise
**haut(e)** high; loud
**haut-parleur** *m* loudspeaker
**Le Havre** port city in northern France
**hebdomadaire** *m* weekly
**hébergement** *m* housing
**HEC** *abbrev. for* **Ecole des hautes études commerciales** prestigious business school
**héritier** *m* heir
**héros / héroïne** *m, f* hero
**hésiter** to hesitate
**heure** *f* hour
    **à l' —** on time
    **à quelle —** at what time
    **à tout à l' —** see you later
    **de bonne —** early
    **demi-—** half hour
    **—s de pointe** rush hour
**heureusement** happily, fortunately
**heureux(-euse)** happy
**Hexagone** *m* the Hexagon (term for France stemming from its six-sided shape)
**hier** yesterday
**histoire** *f* story, history
**historique** historic

**hiver** *m* winter
    **en —** in the winter
**HLM** *f* subsidized housing
**homard** *m* lobster
**homme** *m* man
**honnête** honest
**honorer** to honor
**honte** *f* shame
    **avoir — de** to be ashamed of
**horaire** *m* schedule
**hors de** beyond, outside of
**hostilité** *f* hostility
**hôtelier / hôtelière** *m, f* hotel manager
**hôtesse** *f* flight attendant
**huile** *f* oil
    **— végétale** vegetable oil
**humour** *m* humor
**hyperchoix** *m* huge selection
**hypermarché** *m* large supermarket-discount store
**hypothèse** *f* hypothesis

## I

**ici** here
    **d' — (à)** from now until
**idée** *f* idea
**identifier** to identify
**idiotisme** *m* idiom
**il y a** there is, there are; ago
**île** *f* island
**imaginaire** imaginary
**imaginer: s' —** to imagine
**immeuble collectif** *m* multifamily housing
**immobiliser** to immobilize
**imparfait** *m* imperfect *(verb tense)*
**impératif(-ive)** imperative
**imprimé(e)** printed
**imprimerie** *f* printing
**imprimeur** *m* printer
**inconvénient** *m* inconvenience; drawback
**indéfini(e)** indefinite
**indépendance** *f* independence
**indéterminé(e)** unmodified, indefinite
**indicateur** *m* train schedule
**indicatif** *m* indicative *(mood of a verb)*
**indigène** native
**indiquer** to indicate, to point out
**individu** *m* individual
**individualiste** individualistic
**infiniment** infinitely, exceedingly
**inflexion** *f* modulation
**informations** *f pl* news (report)
**informatique** *f* data processing, computer science
**informer** to inform, to acquaint
    **s' —** to inquire; to investigate
**inquiet(-ète)** anxious; restless; worried
**inquiéter: s' —** to worry
**inscriptions** *f pl* registration
**inscrire, s'** to enroll, to register
**inscrit(e)** enrolled
**insécurité** *f* lack of safety
**insertion** *f* insertion
    **— professionnelle** employment
**insister** to stress, to draw attention (to)
**installer, s'** to settle down

**instant** *m* instant, moment
   **un —** just a minute
**instantané(e)** instant
**Institut universitaire de technologie**
   *m* technical college
**instituteur / institutrice** *m, f*
   elementary school teacher
**instruction** *f* education
**instrument** *m* instrument
   **— de musique** musical instrument
**insupportable** unbearable
**intégrer: s'—** to become part of
**intempéries** *f pl* bad weather
**intensément** intensely
**interactif(-ive)** interactive
**interdit(e)** forbidden
**intéressant(e)** interesting,
   advantageous
**intéresser: s'— à** to be interested in
**intérêt** *m* interest
**interprétation** *f* acting
**interrogatif(-ive)** interrogative
**interrompre** to interrupt
**interrompu** *past part. of*
   **interrompre**
**intransitif(-ive)** intransitive
**intrépide** intrepid, bold
**intrigue** *f* plot
**introduire** to insert
**invité(e)** *m, f* guest
**inviter** to invite
**irrégulier(-ière)** irregular
**italien(ne)** Italian
**itinéraire** *m* itinerary
**IUT** *m abbrev. for* **Institut**
   **universitaire de technologie**

## J

**jamais** never
**jambe** *f* leg
**jambon** *m* ham
**janvier** *m* January
**japonais(e)** Japanese
**jeter par la fenêtre** to waste
**jeton** *m* token; coin
**jeu** *m* game
**jeudi** *m* Thursday
**jeune** young
   **— fille** *f* girl
**jeunesse** *f* youth
**joie** *f* joy
**joli(e)** pretty
**jouer** to play
   **— au bridge** to play bridge
   **— un rôle** to play a part
**jour** *m* day
   **— de l'an** New Year's Day
   **tous les —s** every day
**journal** *m* newspaper
   **— télévisé** TV news
**journée** *f* day
**juillet** *m* July
**juin** *m* June
**jurer** to swear
**jusqu'à** to
   **— ce que** until
**jusque** until
   **— là** that far

**justement** justly, precisely
**justifier** to justify

## K

**kilo** *m* 2.2 pounds
   **au —** by the kilogram
**kilométrage** *m* distance in kilometers
**kiosque** *m* newspaper / magazine stand

## L

**là** there
**là-bas** there, over there
**laboratoire** *m* laboratory
   **matériel de —** laboratory
     supplies
**La Fontaine** seventeenth-century
   French author
**laid(e)** ugly
**laine** *f* wool
**laisser** to leave
**lait** *m* milk
**laitier / laitière** *m, f* milk vendor
**lancement** *m* launching
**lancer** to fling, to throw, to launch
**lanceur** *m* rocket
**langage** *m* language
**langue** *f* language
**laver** to wash
   **se —** to wash oneself
**lèche-vitrines: faire du —** to go
   window shopping
**leçon** *f* lesson
**lecteur / lectrice** *m, f* reader
   **lecteur de disques compacts** *m*
     CD player
   **lecteur MP3** MP3 player
**lecture** *f* reading
**légende** *f* legend
**léger(-ère)** light
**légume** *m* vegetable
**lendemain** *m* the following day
**lent(e)** slow
**lentement** slowly
**lequel / laquelle** which one
**lever** to raise
   **se —** to get up
**lexique** *m* vocabulary list
**librairie** *f* bookstore
**libre** free
**Licence** *f* first diploma after the **bac**
   (**bac** + 3 years of university study)
**lien** *m* link
**lieu** *m* place, spot
   **au — de** instead of
   **avoir —** to take place
**ligne** *f* line
   **en —** online
**linguistique** linguistic
**lire** to read
**lit** *m* bed
   **au —** in bed
**litre** *m* liter
**littéraire** literary
**livraison** *f* delivery
   **— à domicile** home delivery
**livre** *m* book
**LMD (licence master doctorat)** *m*
   European university system

**localisation** *f* situating, localizing
**locataire** *m, f* renter
**location** *f* rental
   **de —** rental
**locution** *f* phrase
**logement social** *m* public housing
**loger** to lodge, to live
**logiciel** *m* software
**logique** logical
**logiquement** logically
**loi** *f* law
**loin** far
**loisir** *m* leisure
   **—s** *m pl* leisure time activities
**Londres** London
**long métrage** *m* feature film
**longtemps** a long while
**lorsque** when
**louer** to rent
**loup / louve** *m, f* wolf
**lu** *past part. of* **lire**
**lundi** *m* Monday
**lune** *f* moon
**luxe** *m* luxury
   **de —** luxury
**lycée** *m* last three years of secondary
   school
**lycéen / lycéenne** *m, f* student
   at **lycée**

## M

**machin** *m* thing *(slang)*
**machiniste** *m* driver
**magasin** *m* store
   **— d'habillement** clothes store
**magazine** *m* magazine
**Maghreb** *m* Arab term for North
   African countries
**magnétoscope** *m* VCR
**mai** *m* May
**main** *f* hand
**maintenant** now
**maintenir: se —** to keep up
**Maison des jeunes** *f* youth center
**maison individuelle** *f* single family
   house
**maître / maîtresse** *m, f* elementary
   school teacher
**majestueux(-euse)** majestic
**majeure** *f* major
**majorité** *f* majority
**majuscule** *f* capital letter
**mal** *m* pain, ache
   **avoir — à** to have an ache
   **faire — à** to hurt
**malade** sick
**maladroit(e)** clumsy
**mal élevé(e)** *m, f* ill-mannered person
**malentendu** *m* misunderstanding
**mal entretenu(e)** messy
**malgré** in spite of
**malheureusement** unfortunately
**malheureux(-euse)** unfortunate;
   unhappy
**malhonnête** dishonest
**maman** *f* mama
**mamie** *f* grandma, granny
**manger sur le pouce** to eat on the run

**manière** *f* manner
    **bonnes —s** good breeding
**manifestant** *m* demonstrator
**manifestation** *f* demonstration
**manifester** to demonstrate
    **se —** to appear
**manquer** to neglect
**manuel** *m* manual
    **— de cours** textbook
**maquillage** *m* makeup
**maquilleur / maquilleuse** *m, f*
    make-up artist
**marchandage** *m* haggling
**marchand(e)** *m, f* merchant
**marchandise** *f* merchandise
**marché** *m* open-air market
    **faire le —** to go grocery shopping
    **— du travail** labor market
**marcher** to work; to function; to walk
**mardi** *m* Tuesday
**Mardi gras** Mardi Gras
**mari** *m* husband
**mariage** *m* marriage, wedding
**marié(e)** married
**marier: se —** to get married
**marin** *m* sailor
**Maroc** *m* Morocco
**marque** *f* brand
**marquer** to characterize
**marre: en avoir — de** to have had
    enough *(slang)*
**mars** *m* March
**masse** *f* mass
**massif(-ive)** massive
**Massif central** *m* Massif Central
    (plateau in central France)
**Master** *m* second diploma after the **bac**
    (two years beyond the **Licence**)
**matériel** *m* hardware
**maternel(le)** native (language)
**mathématiques** *f pl* mathematics
**maths** *f pl abbrev.* for **mathématiques**
**matière** *f* subject
**matin** *m* morning
**matinée** *f* morning
**mauvais(e)** bad
    **faire mauvais** to be bad weather
**maxidiscompte** *m* superdiscount
**méchant(e)** wicked, mean
**mécontent(e)** displeased, dissatisfied
**médecin** *m* doctor
**médias** *m pl* media
**médicament** *m* medicine
**meilleur(e)** better
**mêler** to mix
    **se — à** to have a hand in
    **se — de ses affaires** to mind one's
    business
**même** -self, same
**menacer** to threaten
**mener** to take; to lead
**mensuel** *m* monthly newspaper or
    magazine
**menteur(-euse)** lying
**mention** *f* honors on an exam; degree
    concentration
**mentionner** to mention
**mépris** *m* disdain

**mer** *f* sea
    **— des Antilles** Caribbean Sea
    **— des Caraïbes** Caribbean Sea
**mercredi** *m* Wednesday
**mère** *f* mother
**mériter** to deserve
**messagerie** *f* email account
**métier** *m* line of work
**mètre** *m* meter
**métropole** *f* mainland France
**métropolitain(e)** of / from continental
    France
**metteur en scène** *m* film director
**mettre** to put
    **— au point** to finalize
    **— en valeur** highlight
    **se —** to put or place oneself
    **se — à** to begin to
    **se — d'accord** to get to an
    agreement
**meuble** *m* piece of furniture
**meublé(e)** furnished
**mi-chemin: à —** halfway
**micro-ordinateur** *m* personal
    computer
**midi** *m* noon
**mieux** better
    **faire de son —** to do one's best
**milieu** *m* middle
**mineure** *f* minor
**Ministère de l'Education nationale**
    Department of Education
**ministre** *m* minister, clergy
**minuit** *m* midnight
**mi-octobre** *f* mid-October
**mise au point** *f* tune-up
**mise en réseau** *f* networking
**misère** *f* misery, poverty
**mistral** *m* strong, cold wind in
    Mediterranean area
**mobylette** *f* moped
**mode** *m* style; mood *(grammatical)*
    **— de vie** lifestyle
    **— de transport** means of
    transportation
**modique** modest
**module** *m* course unit
**moindre** least
**moins (de)** less, fewer
    **à — de (que)** unless
    **au —** at least
**mois** *m* month
**moitié** *f* half
**moment** *m* moment, instant
    **au — de** at the moment of
    **à un — donné** at a given
    moment
**monde** *m* world
    **Nouveau —** New World
    **Tiers —** Third World
**mondialisation** *f* globalization
**monnaie** *f* change
**monsieur** *m* gentleman, sir
**mont** *m* mountain
**montagne** *f* mountain
    **en —** in the mountains
**monter** to go up, to climb; to board
    **— en** to get into, to board

**montre** *f* watch
    **— en or** gold watch
**montrer** to show
    **se —** to reveal itself
**moquer: se — de** to make fun of
**morceau** *m* piece
**moto** *f abbrev.* for **motocyclette**
**motocyclette** *f* motorcycle
**mot-clé** *m* key word
**mot de passe** *m* password
**moteur de recherche** *m* search engine
**mots croisés** *m pl* crossword puzzle
**mourir** to die
**mouvement** *m* motion
**moyen** *m* means
    **—s** (financial) means
**moyenne** *f* average
**Moyen-Orient** *m* Middle East
**muet(te)** mute, silent
**mur** *m* wall
**musée** *m* museum

## N

**nager** to swim
**naissance** *f* birth
**natal(e)** native
**naître** to be born
**nationalité** *f* citizenship, nationality
**nature** plain
**navet** *m* "bomb", unsuccessful movie
    *(slang)*
**navette** *f* shuttle
**navigateur** *m* Web browser
**naviguer** to sail
**ne... jamais** never
**ne... que** only
**né(e)** born
**néanmoins** nevertheless
**nécessaire** necessary
**négliger** to neglect
**neige** *f* snow
**neiger** to snow *(impersonal)*
**nerveux(-euse)** nervous
**net(te)** clear, neat
**nettoyer** to clean
**neuf(-ve)** brand-new
**nez** *m* nose
**ni... ni** neither . . . nor
**Nil** *m* Nile
**niveau** *m* level
**Noël** *m* Christmas
**noir** black
    **en — et blanc** in black and white
**nom** *m* name
**nombre** *m* number
    **— cardinal** cardinal number
    **— collectif** collective number
    **— ordinal** ordinal number
**nombreux(-euse)** numerous; large
**non-accentué(e)** unaccentuated,
    unstressed
**non-réservé(e)** not reserved
**Normand** *m* Norman
**note** *f* grade
**nourrir** to feed, to nourish
**nourriture** *f* food
**nouveau / nouvelle** new
**La Nouvelle-Orléans** *f* New Orleans

**nouvelles** *f pl* news
**novembre** *m* November
**noyau** *m* (nut) pit
**nuage** *m* cloud
**nuit** *f* night
**numérique** digitized
**numéroter** to number

## O

**obéir à** to obey
**objet** *m* object
**obligatoire** compulsory
   **matière —** required subject
**obligé(e)** obliged
**oblitérer** to cancel
**obscurcir** to obscure, to darken
**obtenir** to obtain
**occasion** *f* event
   **avoir l'— de** to have the
     opportunity to
**occidental(e)** western
**occuper: s'— de** to take care of, to
   look after
**octobre** *m* October
**odeur** *f* odor
**œil** *m (pl* **yeux**) eye
**œuf** *m* egg
**œuvre** *m* works
**offrir** to offer
   **s'—** to treat oneself
**oignon** *m* onion
**omettre** to omit
**optimiste** optimistic
**or** *m* gold
**ordinateur** *m* computer
**ordonner** to order
**ordre** *m* command
**orgueilleux(-euse)** proud
**orientation** *f* direction
**orienter** to direct
   **s'—** to choose a course of study
**original(e)** original
   **version originale** *f* movie in its
     original language
**orthographique** spelling
**où** where
**oublier** to forget
**ouest** *m* west
**outre-Atlantique** across the Atlantic
**outre-mer** *m* overseas
**ouvertement** openly
**ouverture** *f* opening
**ouvrage** *m* work
**ouvreuse** *f* usherette
**ouvrier / ouvrière** *m, f* worker
**ouvrir** to open

## P

**page d'accueil** *f* home page
**pain** *m* bread
**palais** *m* palace
**pâlir** to become pale
**palmier** *m* palm tree
**panier** *m* basket
**panne** *f* breakdown
   **en —** not working, out of order
**par** by, through
   **— câble** cable TV

**— contre** on the other hand
**paradis terrestre** *m* paradise on earth
**paraître** to appear
**parapluie** *m* umbrella
**parc d'attractions** *m* amusement park
**parce que** because
**pardon** excuse me
**pareil(le)** similar
**parenthèses** *f pl* parentheses
   **entre —** in parentheses
**paresseux(-euse)** lazy
**parfait(e)** perfect
**parfois** sometimes
**parfumé(e)** flavored
**parisien(ne)** Parisian
**parking** *m* parking lot
**parler** to speak
   **se —** to speak to each other
**parmi** among
**parole** *f* word; spoken word
**part** *f* behalf
   **de la — de** from, on behalf of
**partager** to share
**partance** *f* departure
   **en — pour** departing
**participe** *m* participle
**particulier(-ière)** special
**partie** *f* part
   **faire — de** to be part of
**partiel(le)** incomplete
**partir** to depart, to leave
   **à — de** from, beginning with
**partout** everywhere
**paru** *past part. of* **paraître**
**pas mal de** a good many
**passager / passagère** *m, f* passenger
**passé** *m* past
   **— composé** passé composé *(verb
     tense)*
**passer** to spend (time); to show (a film)
   **— à** to go into
   **— à la télé** to appear on TV
   **— à table** to go to the table
   **— un bon moment** to have a good
     time
   **— un examen** to take an exam
   **— un film** to show a film
   **se —** to happen, to be done, to
     take place
   **se — de** to do without
**passionné(e) (de)** wild (about)
**pâtes** *f pl* pasta
**patiemment** patiently
**patinage** *m* ice skating
**patinoire** *f* skating rink
**pâtisserie** *f* pastry
**pâtissier / pâtissière** *m, f* pastry chef
**patois** *m* regional dialect, speech
**patrie** *f* homeland
**patron(ne)** *m, f* boss
**pauvre** poor; unfortunate
**payer** to pay for
**pays** *m* country
**paysage** *m* landscape, scenery
**peau** *f* skin
**pêche** *f* peach
**pêche** *f* fishing,
   **aller à la —** to go fishing

**pédale** *f* pedal
**peigner: se —** to comb one's hair
**peindre** to paint
**peine** *f* trouble
   **ce n'est pas la —** it's not worth it
**peintre** *m* painter
**peinture** *f* painting
**pendant que** while
**pendule** *f* clock
**pensée** *f* thought
**penser** to think
   **— à** to think about (have in mind)
   **— de** to think about (have an
     opinion)
**percevoir** to perceive
**perdre** to lose
   **— son chemin** to get lost
   **se —** to get lost
**père** *m* father
**perfectionner** to perfect
**période** *f* period
   **— creuse** non-peak (slack) period
**périphérie** *f* lands outside the mother
   country
**permettre** to permit
**permis de conduire** *m* driver's license
**permis(e)** allowed
**perruche** *f* parakeet
**personnage** *m* character
**petit** *m* little boy
   **—s** children
**petit commerçant** *m* small shopkeeper
**petit écran** *m* TV
**petit(e) ami(e)** *m, f* boyfriend,
   girlfriend
**petits pois** *m pl* peas
**peu** little
   **— de** few
   **un — de** a little
**peuple** *m* people; nation
**peur** *f* fear
   **avoir — de** to be afraid of
   **de — (de, que)** for fear (of, that)
**peut: il se —** it's possible
**peut-être** perhaps, maybe
**phénomène** *m* phenomenon
**phrase** *f* sentence
**pièce** *f* play; piece; coin
   **la —** each
   **— de rechange** spare part
**pied** *m* foot
**piège** *m* trap
**pierre** *f* stone
**piscine** *f* swimming pool
**piste** *f* runway
**place** *f* seat
   **sur —** on the spot
**plage** *f* beach
**plaindre, se** to complain, to grumble
**plaire** to please
   **se —** to enjoy oneself
**plaisant(e)** pleasant, amusing
**plaisir** *m* pleasure
   **faire — à** to give pleasure to
**plan** *m* map
**planche** *f* board
   **— à voile** windsurfing board
   **faire de la — à voile** to windsurf

**plancher** *m* floor
**plat(e)** flat
**plateau** *m* movie set
**plâtre** *m* plaster, stucco; plaster cast
**plein** *m* full
    **faire le —** to fill the gas tank
**plein(e)** full
**pleurer** to cry
**pleuvoir** to rain *(impersonal)*
**plu** *past part. of* **plaire** *and* **pleuvoir**
**pluie** *f* rain
**plupart** *f* most
    **la — des** the majority of
**pluriel** *m* plural
**plus** more
    **en — de** in addition to
    **—... —...** the more . . . the . . .
    **un peu —** a little more
**plus-que-parfait** *m* pluperfect *(verb tense)*
**plusieurs** several
**plutôt** rather
**pluvieux(-ieuse)** rainy
**pneu** *m* tire
**poche** *f* pocket
    **argent de — ** *m* spending money
**poème** *m* poem
**poésie** *f* poetry
**poète** *m* poet
**point** *m* period
**poire** *f* pear
**poisson** *m* fish
**Poitou** *m* region of France
**poivron** *m* sweet pepper
**poli(e)** polite
**politesse** *f* politeness
**politique** *f* politics
**politique** political
**politisé(e)** having a political aspect
**polycopié** *m* reproduced set of lecture notes
**pomme** *f* apple
**pomme de terre** *f* potato
**pompiste** *m, f* gas station attendant
**porte** *f* gate
**portefeuille** *m* wallet
**porte-parole** *m* spokesperson
**porter** to carry; to wear
**portillon** *m* automatic gate
**portugais** *m* Portuguese language
**poser** to put
    **— une question** to ask a question
**posséder** to own, to possess
**possesseur** *m* possessor
**possessif(-ive)** possessive
**possibilité** *f* possibility
**poste** *f* post office
    **mettre à la —** to mail
**poste** *m* post, position; set
    **— de radio** radio receiver
    **— de télévision** television set
**poster** to mail
**postériorité** *f* subsequence
**poulet** *m* chicken
**pour** for
    **— (que)** in order to (that)

**pour** *m* pro
**pourboire** *m* tip
**pour cent** percent
**pourquoi** why
**poursuivi** *past part. of* **poursuivre**
**poursuivre** to pursue
**pourtant** however
**pourvu que** provided that
**pousser** to push
**pouvoir** *m* power
**pouvoir** to be able
    **il se peut** it is possible
**pratique** useful
    **travaux —s** drill or discussion sections
**précédent(e)** preceding
**précéder** to precede
**précis(e)** specific
**préciser** to state precisely, to specify
**précision** *f* detail
**précoce** precocious
**prédire** to predict
**préférer** to prefer
**préinscrire** to preregister
**premier(-ière)** first
**première** *f* premiere, opening night; second year of **lycée**
**prendre** to take
    **— au sérieux** to take seriously
    **— sa retraite** to retire
    **— quelque chose** to get something to eat or drink
    **— rendez-vous** to make an appointment
    **— une décision** to make a decision
    **— un pot** to have a drink *(colloquial)*
    **— un verre** to have a drink
**préoccupé(e)** worried
**prépositionnel(le)** prepositional
    **complément prépositionnel** object of the preposition
**près** close
    **de —** closely
    **— de** near
**présence** *f* presence, attendance
**présent(e)** present
    **à présent** now
**présentateur / présentatrice** *m, f* announcer
**présentatif(-ive)** introductory
**présenter** to present, to introduce
    **— sa candidature** to be a candidate
    **se —** to introduce oneself, to appear
    **se — à** to be a candidate for
**presque** almost
**presse** *f* press
**presser: se —** to hurry
**pression** *f* pressure
**prêt(e)** ready
**prévoir** to plan
**prévu** *past part. of* **prévoir**
**principe** *m* principle
**printemps** *m* spring
**pris** *past part. of* **prendre**
**privatisé(e)** denationalized
**prix** *m* price
**problème** *m* problem

**prochain(e)** next, following
**produire** to produce
**produit** *m* product
**profiter de** to take advantage of
**programme** *m* schedule of TV programs
    **— d'études** course of study
    **— de variétés** variety show
**progrès** *m* progress
    **faire des —** to make progress
**projeter** to project, to plan
**projets** *m pl* plans
**promener: se —** to walk; to travel
    **se — en voiture** to take a drive
**promettre** to promise
**promotion** *f* special offer
**pronom** *m* pronoun
**prononcer** to pronounce
**propos: à —** by the way
    **à — de** concerning
**proposer** to propose, to set up
**proposition** *f* clause
    **— principale** main clause
    **— subordonnée** subordinate clause
**propre** own, clean
**propriétaire** *m, f* landlord, landlady
**provenance** *f* origin
    **en — de** arriving from
**Provence** *f* region of France
**provisions** *f pl* groceries
**provisoire** temporary
**provoquer** to provoke
**publicité** *f* advertising commercials, advertisement
**pseudo** *m* user name
**pubs** *f pl* commercials *(slang)*
**puis** then
**puisque** since
**puisse** *pres. subj. of* **pouvoir**
**punir** to punish

## Q

**quai** *m* platform
**quand** when
**quant à** as for
**quart** *m* quarter
**quartier** *m* neighborhood
**que** that, which
**Québécois(e)** *m, f* person from Quebec
**quel(le)** what, which
**quelque** some
    **—s** a few
**quelque chose** something
    **avoir —** to have something wrong
**quelquefois** sometimes
**quelque part** somewhere
**quelques-un(e)s** some
**quelqu'un** someone
**qu'est-ce que** what
**qu'est-ce que c'est?** what is it?
**qu'est-ce qui** what
**question** *f* question
    **en —** in question
**queue** *f* waiting line
    **faire la —** to stand in line
**qui** who, whom
**quitter** to leave

**quoi** which, what
**que** whatever
**quoique** although
**quotidien** *m* daily newspaper
**quotidien(ne)** daily

# R

**rabais** *m* discount
**raconter** to relate, to tell
**radical** *m* stem *(grammatical)*
   **à — irrégulier** stem-changing
**rafraîchissement** *m* refreshment
**raison** *f* reason
   **avoir —** to be right
**raisonnable** reasonable
**ralentir** to slow down
**rame** *f* subway train
**randonnée** *f* hike
**rang** *m* rank
**ranger** to put away, to arrange, to put
   in order
**rapide** *m* express train
**rapide** rapid
**rappel** *m* reminder
**rappeler: se —** to remember
**rapport** *m* relationship
   **par — à** in relation to
**rapporter** to bring back
   **se — à** to refer to
**rapprocher** to approach
   **se — (de)** to get close (to)
**raquette de tennis** *f* tennis raquet
**raser: se —** to shave
**rassemblement** *m* gathering
**rater** to miss; to fail (an exam)
**RATP** *f* (**Régie Autonome des
   Transports Parisiens**) Paris bus
   and subway agency
**rattraper: se —** to make up
**raviser: se —** to change one's mind
**rayon** *m* department
**réalisateur / réalisatrice** *m, f*
   producer
**réaliste** realistic
**récemment** recently
**récepteur** *m* television set
   **— en couleurs** color TV set
**recevoir** to receive
   **— un diplôme** to finish a course
   of study; to graduate
**recherche** *f* research
**réciproque** reciprocal
**récit** *m* story
   **faire le —** to tell the story
**réclame** *f* advertisement
**réclamer** to claim
**recommencer** to start over
**reconnaître** to acknowledge
**reçu(e)** received, admitted; successful
   **être —** to pass (an exam)
**récupérer** to pick up
**rédaction** *f* editing
**redoubler** to repeat (a year)
**réduction** *f* discount
**réduit(e)** reduced
**réel(le)** real
**refaire** to do again
**réfléchi(e)** reflexive

**réfléchir à** to think about
**refléter** to reflect
**réforme** *f* reform
**refuser** to refuse
**regarder** to look at
**règle** *f* rule
**réglementé(e)** regulated
**régler** to adjust; to settle; to pay
**regretter** to regret, to be sorry
**régulièrement** regularly
**reine** *f* queen
**rejeter** to reject
**relation** *f* relationship
   **— amicale** friendship
**remarque** *f* remark
**remarquer** to notice
**remercier** to thank
**remettre: se — à** to get back to
**remonter** to go back (in time)
**remplacer** to replace
**remplir** to fill out
**rencontrer** to meet by chance
**rendez-vous** *m* appointment,
   engagement
   **avoir un —** to have a date
   **prendre —** to make an
   appointment
   **se donner —** to arrange to meet
**rendre** to return, to give back
   **— un service** to do a favor
   **se — à** to go to
   **se — compte de** to realize
**renforcer** to reinforce, to strengthen
**renseignement** *m* information
   **bureau de —s** information
   counter
**renseigner** to inform
   **se —** to obtain information
**rentrée** *f* opening of school
**rentrer** to come home
**renvoyer** to send back
**réparer** to repair
**reparler** to speak again
**repas** *m* meal
**repêchage** *m* second chance
**répéter** to repeat
**réplique** *f* reply
**répondeur** *m* answering machine
**répondre** to answer
**réponse** *f* answer, reply
**reportage** *m* account
**reposer: se —** to rest
**reprise** *f* time, occasion
   **à plusieurs —s** on several
   occasions
**requin** *m* shark
**RER** *m* (**Réseau Express Régional**)
   Parisian suburban rapid transit line
**réseau** *m* network; **— communautaire**
   social networking site
**résidence** *f* residence, dwelling
   **— secondaire** vacation home
**résoudre** to solve
**ressembler** to resemble
**ressentir** to feel (an emotion)
**ressusciter** to resuscitate, to revive
**rester** to remain; to stay
   **— à** to be left

**Resto U (RU)** *m abbrev. for* **restaurant
   universitaire** university restaurant
**résultat** *m* result
**résumer** to summarize
**retard: être en —** to be late
**retenir** to retain
**retirer** to obtain; to withdraw
**retour** *m* return
   **de — à** back at, having returned to
   **être de —** to be back
**retourner** to go back to
**retrouver: se —** to meet by design
**réunion** *f* meeting; reconciliation
**réunir** to bring together again
**réussir** to succeed; to pass (an exam)
**réussite** *f* success
**rêve** *m* dream
**réveiller: se — à** to wake up
**revenir** to come again, to come back
**rêver** to dream
**révision** *f* revision
**revoir** to see again
**révolutionnaire** revolutionary
**revue** *f* magazine
**rez-de-chaussée** *m* ground floor
**rhum** *m* rum
**rien** nothing
**rigoler** to laugh *(slang)*
**rire** to laugh
**risque** *m* risk
   **courir des —s** to take chances
**risquer: se —** to risk, to venture
**riz** *m* rice
**robe** *f* dress
   **— de (en) coton** cotton dress
**roi** *m* king
**rôle** *m* part
**roman** *m* novel
**romancier** *m* novelist
**rompre** to break
**rose** pink
**rôti(e)** roasted
**rouge** red
**rougir** to blush
**rouler** to drive
**route** *f* road
**rue** *f* street
**ruine** *f* ruin
**ruse** *f* trick
**russe** Russian

# S

**SDF** *m* (**sans domicile fixe**) homeless
**SNCF** *f* (**Société Nationale des
   Chemins de fer Français**)
   French national railroad system
**sable** *m* sand
**sac** *m* sack
   **— à dos** backpack
**sache** *pres. subj. of* **savoir**
**sage** wise, good
**saigner** to bleed
**sain et sauf** safe and sound
**saisir** to seize
**saison** *f* season
**saisonnier(-ière)** seasonal
**salade** *f* lettuce
**sale** dirty; sordid

**salle** f room

    **— de bains** bathroom

    **— de cinéma** movie house

    **— de classe** classroom

    **— de théâtre** theater

**salon** m living room

    **— de chat** chat room

**saluer** to greet

**salut** hi *(colloquial)*

**samedi** m Saturday

**sans (que)** without

**sauf** except

**sauvegarder** to save (a document)

**sauver: se —** to run off

**savoir** to know, to know how

**savourer** to enjoy

**science** f science

    **—s humaines** social sciences

**scolaire** school-related

    **année —** school year

**séance** f showing

**sécher** to cut (a class) *(colloquial)*

**secondaire** secondary

**seconde** f first year of **lycée**

**secrétaire** m, f secretary

**séduire** to attract

**séjour** m stay

**sel** m salt

**sélectif(-ive)** selective

**selon** according to

**semaine** f week

**sembler** to seem

**Sénégal** m Senegal

**sens** m meaning

    **— figuré** figurative meaning

    **— propre** literal meaning

**sensation** f: **à —** sensational

**sentiment** m emotion

**sentir** to feel

**séparer** to separate

**septembre** m September

**série** f series, succession

**sérieux** m seriousness

**sérieux(-euse)** responsible; serious

**service** m service

    **à votre —** at your service

    **être en —** to be in use

**serviette** f napkin; towel; briefcase

**servir** to serve

    **se —** to help oneself

    **se — de** to use

**seul(e)** alone

**sévère** strict

**si** if; yes

**sida** m AIDS

**siècle** m century

**siège** m seat

**sieste** f nap

**signaler** to indicate; to signal

**signe: faire —** to signal

**simultanément** simultaneously

**singulier** m singular

**ski** m ski

    **faire du —** to go skiing

**société** f company

**socio-économique** socioeconomic

**sœur** f sister

**soi** oneself

**soif** f thirst

    **avoir —** to be thirsty

**soir** m evening

**soirée** f evening, party

**soit** *pres. subj. of* **être**

**soldat** m soldier

**soleil** m sun

    **faire du —** to be sunny

**somme** f sum

**sommeil** m sleep

    **avoir —** to be sleepy

**sondage** m poll

**sonner** to sound, to strike

**sorte** f sort, kind

    **de — (que)** so (as, that)

**sortie** f exit; release

**sortir** to go out

**soudain** suddenly

**souffrir** to suffer

**souhaiter** to desire, to wish

**soulier** m shoe, slipper

**sourd-muet** m deaf-mute

**sourire** to smile

**souris** f mouse

**sous** m pl money *(colloquial)*

**sous-sol** m basement

**sous-titres** m pl subtitles

**souvenir** m memory

**souvenir: se — de** to remember

**souvent** often

**speakerine** f announcer

**spécialisation** f major field

**spécialisé(e)** specialized

**spectacle** m show

**sportif(-ive)** athletic

**sport d'hiver** m winter sport

**station balnéaire** f seaside resort

**stimuler** to stimulate

**strophe** f verse

**structure** f construction *(grammatical)*

**subir** to undergo

**subjectivité** f subjectivity

**subjonctif** m subjunctive *(mood of a verb)*

**succéder** to follow

**successif(-ive)** successive

**sucre** m sugar

**sud** m south

**sud-ouest** m southwest

**suffire** to suffice

**suggérer** to suggest

**suite** f following

    **à la — de** after

**suivant(e)** following

**suivre** to follow

    **— un cours** to take a course

**sujet** m subject

    **au — de** about

**super** neat, cool

**supérieur(e)** superior

    **enseignement supérieur** m higher education

**supermarché** m supermarket

**supplément** m supplementary fee

**supplémentaire** further

**supporter** to endure, to bear

**supprimer** to cancel; to eliminate

**sûr(e)** sure

    **bien sûr** of course

**surgelé(e)** frozen (produce)

**surpeuplé(e)** crowded

**surprenant(e)** surprising

**surprendre** to surprise

**surpris(e)** surprised

**surtout** chiefly

**sympathique** pleasant

**système: — d'exploitation** m operating system

**T**

**tableau** m picture

    **— des verbes** verb chart

**taire: se —** to be quiet

**tant (de)** so much, so many

**taper** to type

**tard** late

    **plus —** later

**tarif** m rate

    **— réduit** reduced rate

**tasse** f cup

**taux** m rate

**taxi** m **en —** by taxi

**teint** m tone (color of skin)

**tel(le)** such

    **— ou —** this or that

**télé** f television

    **— par câble** cable television

    **— 7 jours** French *TV Guide*

**téléachat** m home shopping

**télécommande** f remote control

**télématique** f view data processing

**téléphone** m telephone

    **au —** on the telephone

    **— portable** cellular phone

**téléphoner** to telephone

**télétravail** m telecommuting

**téléviseur** m television set

**télévision** f television

    **à la —** on television

    **poste de — **m television set

**tempête** f storm

    **— de neige** snowstorm

**temple** m Protestant church

**temporel(le)** having to do with time

**temps** m time; weather; tense

    **de — en —** from time to time

    **en même — que** at the same time (as)

    **il est —** it is time

    **— libre** free time

    **— verbal** tense

**tenez!** here!

**tenir** to hold

    **se — au courant** to keep oneself well-informed

**tennis** m tennis

    **faire du —** to play tennis

    **raquette de —** f tennis raquet

**terminaison** f ending

**terminale** f last year of **lycée**

**terrasse** f terrace

    **à la —** on the terrace

**terre** f earth

**terrifier** to terrify

**territoire** m territory

**tête** f head

**TF 1 Télévision Française 1**
(TV network)
**thé** *m* tea
**théâtre** *m* theater
    **pièce de —** *f* play
**thon** *m* tuna
**Tiers monde** *m* Third World
**timide** shy
**tiret** *m* dash
**titre** *m* title
**tomber sur** to come upon, to encounter
**tonnerre** *m* thunder
**tort** *m* wrong, injustice
    **avoir —** to be wrong
**tôt** early
    **plus —** earlier
**totalité** *f* entirety
**toucher** to touch
    **— un chèque** to cash a check
**toujours** still
**tourisme** *m* touring, tourism
**tournage** *m* shooting (of a film)
**tourner** to turn
    **— un film** to make a film
**tous** all
    **— les jours** every day
**tout(e)** all
    **en tout** in all
    **tout à coup** suddenly
    **tout de même** all the same
    **tout de suite** immediately
    **— le, la…** all the . . . , the whole . . .
    **tout le monde** everyone
    **tout à l'heure** a while ago, in a while
**trac: avoir le —** to be afraid
**traduire** to translate
**train** *m* train
    **monter en —** to board a train
    **par le —** by train
**traité** *m* treaty
    **— de paix** peace treaty
**traiter** to treat; to deal with
**traiteur** *m* caterer, delicatessen
**traître** *m* villain
**trajet** *m* trip
**tranche** *f* slice
**tranquille** quiet, peaceful
**tranquillement** peacefully, quietly
**transformer** to change
    **se —** to turn into
**transitif(-ive)** transitive
**transports en commun** *m pl* mass transport
**travail** *m* work
    **langue de —** working language
    **marché du —** job market
    **— bénévole** volunteer work
**travailler** to work
**travailleur(-euse)** industrious, hard-working
**travaux pratiques** *m pl* drill or discussion sections
**travers: à —** through
**traverser** to cross
**trimestre** *m* quarter
**triste** sad
    **il est —** it is sad
**tristesse** *f* sadness

**tromper** to deceive
    **se —** to be wrong
**trompeur(-euse)** deceitful
**trop (de)** too much, too many
    **de —** too many, excessive
**trou** *m* hole
**trouble** *m* disturbance
**trouille** *f* fear *(colloquial)*
    **avoir la —** to be afraid *(colloquial)*
**trouver** to find
    **se —** to be found, to find oneself; to be located
**truc** *m* thing *(colloquial)*
**type** *m* guy, fellow *(colloquial)*

**U**

**uniquement** solely
**unité de valeur** *f* credit
**universitaire** university
    **cité —** residence hall complex
**utile** useful
    **être —** to be of service (help)
**utiliser** to use

**V**

**vacances** *f pl* vacation
    **en —** on vacation
    **grandes —** summer vacation
    **forfait —** *m* vacation package deal
    **— vertes** eco-tourism
**valable** valid
**valeur** *f* value, worth
    **—s** values
    **unité de —** *f* credit
**valider** to validate
**valise** *f* suitcase
**vallée** *f* valley
**valoir** to be worth
    **— la peine** to be worth the trouble
    **— mieux** to be better *(impersonal)*
**vaniteux(-euse)** vain
**varier** to vary
**variété** *f* variety
    **—s** variety show
**vedette** *f* male or female star
**veille** *f* preceding day
**vélo** *m* bicycle
    **faire du —** to go biking
**vendeur / vendeuse** *m, f* salesperson
**vendre** to sell
**vendredi** *m* Friday
**venir** to come
**vent** *m* wind
    **faire du —** to be windy
**venu** *past part. of* **venir**
**vérifier** to check
**véritable** real
**vérité** *f* truth
**verre** *m* glass
    **— à vin** wineglass
**vers** *m* line (of poetry)
**vers** toward, to
**version** *f* version
    **— doublée dubbed** version of a movie
    **— originale** film in its original language

**vestimentaire** clothing-related
**vêtements** *m pl* clothes
**veuf / veuve** *m, f* widower / widow
**veuille** *pres. subj. of* **vouloir**
**veuillez** please be so kind
**viande** *f* meat
**vidange** *f* emptying; draining off
    **faire la —** to change the oil
**vide** empty
**vie** *f* life
    **style de —** lifestyle
    **— active** working life
**vieux / vieille** old
**vieux** *m* old person
    **mon —** old buddy *(colloquial)*
**ville** *f* town
    **en —** downtown
**vin** *m* wine
**virgule** *f* comma; decimal point
**visage** *m* face
**vite** fast, quick, quickly
    **pas si —** not so fast
**vitesse** *f* speed
**vivant(e)** lively, living
**vivre** to live
    **la douceur de —** pleasant lifestyle
**voici** here is, here are
**voie** *f* track
**voilà** there is, there are
**voir** to see
**voisin(e)** *m, f* neighbor
**voiture** *f* car; subway or railway car
**voix** *f* voice
**vol** *m* flight
**volant** *m* steering wheel
**voler** to steal
**voleur / voleuse** *m, f* thief
**volley** *m* volleyball
**volontaire** *m, f* volunteer
**volonté** *f* will
**volontiers** willingly
**vols-vacances** *m pl* reduced airfares for vacation travel
**Vosges** *f pl* Vosges Mountains in northeast France
**vouloir** to want
**voulu** *past part. of* **vouloir**
**voyage** *m* trip, travel
    **— à forfait** vacation package deal
**voyager** to travel
**voyageur / voyageuse** *m, f* traveler, passenger
**voyelle** *f* vowel
**vrai(e)** true
**vraiment** really
**vu** *past part. of* **voir**

**W**

**Web** *m* www
**western** *m* western (movie)

**Y**

**yaourt** *m* yogurt

**Z**

**zapping** *m* channel surfing
**zut!** darn it!

# Index

# Photo Credits

1: Palomba/AgenceImages/Jupiter Images; 2: photos.com; 3: Christoiphe Ena/AP Photo; 9: travelib africa/Alamy; 10: Cengage Learning/Heinle Image Resource Bank; 13: Image copyright Soundsnaps 2009/Used under license from Shutterstock.com; 15: top: Beth Dixson/Alamy, bottom: Ray Stott/The Image Works; 20: Sergio Pitamitz/Alamy; 24: BIOS Bios – Auteurs (droits gérés) Montford Thierry/Peter Arnold Inc.; 26: Kindra Clineff Photography; 28: Brand X Pictures/Burke/Triolo Productions/Getty Images; 35: Laurent Rebours/AP Photo; 37: Directphoto.org/Alamy; 38: Directphoto.org/Alamy; 39: ICONE/The Image Works; 44: Cengage Learning/Heinle Image Resource Bank; 47: Stockbyte/SuperStock; 52: Michel Delacroix "Vieux Paris" 2005 Axelle Fine Arts Ltd. All Rights Reserved.; 53: StockAbcd/Alamy; 57: age fotostock/SuperStock; 59: Cengage Learning/Heinle Image Resource Bank; 65: Ozimages/Alamy; 67: Cengage Learning/Heinle Image Resource Bank; 73: eddie linssen/Alamy; 74: FogStock LLC/Index Open; 75: Associated Sports Photography/Alamy; 81: Cengage Learning/Heinle Image Resource Bank; 87: Burstein Collection/CORBIS; 89: Francis G. Mayer/CORBIS; 92: E.J. Baumeister Jr./Alamy; 93: Image copyright Steve Cukrov 2009/Used under license from Shutterstock.com; 95: Vince Streano/CORBIS; 99: Cengage Learning/Heinle Image Resource Bank; 100: Cengage Learning/Heinle Image Resource Bank; 103: Cengage Learning/Heinle Image Resource Bank; 106: Comstock/SuperStock 114: The Art Archive/Musée d'Orsay Paris/Gianni Dagli Orti/Picture Desk; 117: Directphoto.org/Alamy; 124: Cengage Learning/Heinle Image Resource Bank; 132: Hulton-Deutsch Collection/CORBIS; 133: right: Bettmann/CORBIS, left: ERIC FEFERBERG/AFP/Getty Images; 134: Adrian Wyld CP/AP Photo; 150: BARIL PASCAL/CORBIS KIPA; 151: center: DesignPics Inc./Index Open, bottom: Fogstock LLC/Index Open; 155: Image copyright Ljupco Smokovski 2009/Used under license from Shutterstock.com; 157: ICP/Alamy; 160: FogStock LLC/Index Open; 161: Jeopardy/HO/REUTERS/Landov; 173: The Granger Collection New York; 185: STOCK MONTAGE/Index Stock Imagery/Photo Library; 186: Paul Almasy/CORBIS; 189: Bettmann/CORBIS; 193: Jacques Brinon/AP Photo; 194: Eric Gaillard/Reuters/CORBIS; 195: FILMS TERRE AFRICAINE LES/THE KOBAL COLLECTION/Picture Desk; 205: right: Paris Claude/Sygma/CORBIS, left: Bettmann/CORBIS; 206: HACHETTE/CAMERA 1/FILMS A2/DD PROD/UGC/The Kobal Collection/Picture Desk; 221: NANA PRODUCTIONS/SIPA; 225: Bettmann/CORBIS; 227: Julian Wasser/Liaison/Getty Images; 229: isifa Image Service s.r.o./Alamy; 230: left: Francois Mori/AP Photo, right: Reuters/CORBIS, top: Vaisse/ICONE/The Image Works; 243: Cengage Learning/Heinle Image Resource Bank; 245: top: The Granger Collection New York, bottom: Franck IREN/Authors Image/Alamy; 246: Art Resource NY; 253: Olaf Protze/Alamy; 256: EGS Media/Magazine des Services Mobiles; 262: Roger Holden/Index Stock Imagery/Photo Library; 264: Bettmann/CORBIS; 266: Bettmann/CORBIS; 269: David R. Frazier Photolibrary Inc./Alamy; 270: left: Muriel Dovic/Sygma/CORBIS, right: Nogues Alain/Sygma/CORBIS; 271: Perry Joseph 2005/Photographers Direct; 272: The Thomson Corporation/Heinle Image Resource Bank/Cengage Learning; 273: The Thomson Corporation/Heinle Image Resource Bank/Cengage Learning; 290: ICONE/The Image Works; 291: Leonard de Selva/CORBIS; 295: walespix/Alamy; 300: Jim West/

# Text/Realia Credits

**2:** From http://europa.eu.int; **14:** Source: Insee – [Un an de nourriture]; **28:** Isabelle Monnin © 25/05/2005, *Le Nouvel Observateur*; **31:** G. Mermet, *Francoscopie 2007* © Larousse 2006; **32–33:** Doan Bui © 8 au 14 mai 2008, *Le Nouvel Observateur*; **34–35:** Philippe Delerm, «Le croissant du trottoir» in *La première gorgée de bière et autres plaisirs minuscules* © Éditions Gallimard; www.gallimard.fr; **45:** Ministère Délégué à la Recherche et aux Nouvelles Technologies, France; **68–69:** G. Mermet, *Francoscopie 2007* © Larousse 2006; **70–71:** Annie Ernaux, *Les armoires vides* © Éditions Gallimard; www.gallimard.fr; **80:** Source: Mairie de Paris, France; **88:** From Paul Verlaine, «Il pleure dans mon coeur» in *Romances sans paroles*, 1874; **105:** G. Mermet, *Francoscopie 2003* © Larousse 2002; **107:** Natacha Tatu © 10 au 16 avril 2008, *Le Nouvel Observateur*; **111:** G. Mermet, *Francoscopie 2003* © Larousse 2002; **112–113:** Natacha Tatu © 10 au 16 avril 2008, *Le Nouvel Observateur*; **114–115:** From Arthur Rimbaud, «Roman» in *Poésies*, 1870; **129:** G. Mermet, *Francoscopie 2007* © Larousse 2006; **152–153:** Anne-Laure Walter © 9 au 15 septembre 2004, *Le Nouvel Observateur*; **154:** *La Télévision*, de Jean-Philippe Toussaint, © 1997, Les Éditions de Minuit.; **158:** From Éditions Dargaud; Nicolas Delort/Éditions Petit à Petit (France), www.petitapetit.fr; **168:** © *Directsoir*, 13 juin 2008; **169:** *Le Monde*, 3 avril 2002; **187:** AEPM, 2007 © AudiPresse; **188–189:** *Le Monde*, 29 février au 1er mars 2004, pp. 22–23; **190:** Albert Camus, *La Peste* © Editions Gallimard; www.gallimard.fr; **211** and **218:** *Magazine Première*, No. 376, Juin 2008; **222–223:** Pascal Mérigeau © 8 au 14 mai 2008, *Le Nouvel Observateur*; **226–227:** François Truffaut, «Donner du plaisir ou le plaisir du cinéma» in *Le plaisir des yeux* © Les Cahiers du Cinéma; **244:** SNCF, France; **256:** EGS Media/Magazine des Services Mobiles; **261:** Thalys International; **262–263:** Fabien Gruhier © 9 juin 2005, *Le Nouvel Observateur*; **265–267:** Pierre Boulle, *La planète des singes* © Éditions Julliard, 2001; **295:** *L'Étudiant*, Hors série, Le guide de l'alternance et des formations rémunérées, Édition 2004–2005, p. 33; **305:** *L'Étudiant*, Hors série, Le guide de l'alternance et des formations rémunérées, Édition 2004–2005, pp. 24–25; **306–307:** *L'Étudiant*, Hors série, Le guide de l'alternance et des formations rémunérées, Édition 2004–2005, pp. 86–87; **308–309:** Guy Tirolien, «Prière d'un petit enfant nègre» in Léopold Sédar Senghor, *Anthologie de la nouvelle poésie nègre et malgache*, © PUF, coll. «Quadrige» 6ème éd. 2002; **314:** From Flag of La Francophonie; **315:** http://www.tv5monde.com; **343–344:** Jean-Claude Redonnet, *Le Canada* © PUF, 1996, pp. 62–7; **346–347:** *Le Journal Français*, 1996; **348–349:** Tahar Ben Jelloun, *L'Enfant de sable* © Éditions du Seuil, 1985, coll. Points, 1995; **355:** www.thegreenfamilytour.eu/fr; **367** and **376:** *Vacances pas cher*, no 18, juin-juillet 2004, pp. 5, 10, 19, 24 (prix indicatif par personne et selon disponibilités et en fonction des indications contractuelles); **382–383:** Sylvain Courage © 2008, *Le Nouvel Observateur*; **385:** Charles Baudelaire, «L'invitation au voyage» in *Les Fleurs du mal*, 1861; **386–387:** Charles Baudelaire, «L'invitation au voyage» in *Petits poèmes en prose*, 1869

**Huitième édition**

# INTERACTION

## LANGUE ET CULTURE

### Susan St. Onge · Ronald St. Onge

Join the *Interaction* for success in intermediate French!

*Interaction: Langue et culture*, **Eighth Edition**, is a complete program offering unparalleled support to help you hon your speaking, listening, reading, and writing skills. This proven program contains a broad range of cultural and lite content and concise, yet thorough, grammar explanations in a convenient, one-book format. Expanding its horizon reflect the ever-changing needs of today's students, the Eighth Edition boasts new features designed to help you ach success as you progress in French, including new readings, enhanced cultural coverage, and unsurpassed technolog integration.

## New multimedia tools enhance learning and help you get the most out of your cours

### iLrn™: Heinle Learning Center

 The dynamic online learning environment includes an audio-enhanced eBook with integrated activities, companion videos, an interactive voiceboard, an online Student Activities Manual with audio, access to a variety of online tutoring resources, and more! *Turn to the inside cover for more information.*

### Student Activities Manual (SAM)

ISBN: 978-1-4282-6319-2
This essential study partner provides oral and written activities that help you progress from comprehension to expression. Also available: **SAM Audio Program**, ISBN: 978-1-4282-6323-9 and **QUIA™ eSAM**.

### Personal Tutor

 **Personal Tutor** is your ticket to live, one-on-one tutoring with an online subject area expert who

has a copy of your textbook. In Personal Tutor's virtual classroom, you'll also interact with the tutor and other students using two-way audio, an interactive whiteboa for illustrating the problem, and instant messaging.

### Companion Website

**www.cengage.com/french/interaction**
This outstanding site features web activities related to the cultural and thematic focus of each unit the text as well as the in-text audio program.

### Premium Website

The text's new **Premium Website** makes it easy for you to access all of the resources from the **Book Companion Website** PLUS premium password-protected content that includes the SAM audio progran Heinle playlists, grammar podcasts, the complete vide program with accompanying activities, as well as audio-enhanced flash cards.

If a printed access card is not packaged with this text, check your local college store, or go to www.ichapters.com, preferred online store, to purchase instant access to the resources listed above.

**HEINLE**
**CENGAGE Learning™**

To learn more about Heinle, visit **www.cengage.com/heinle**

Purchase any of our products at your local college store or at our preferred online store **www.ichapters.com**

ISBN-13: 978-1-4282-3133-7
ISBN-10: 1-4282-3133-1

90000

9 781428 231337

# Additional Readings

# from

# Graded French Reader

# Brief Contents

*Dantès*

ALEXANDRE DUMAS

1. M. L'inspecteur fait ses visites

Le 30 juillet 1816, M. l'inspecteur général des prisons de Sa Majesté Louis XVIII[1] visite, l'une après l'autre, les chambres du Château d'If.[2] Il demande aux prisonniers si la nourriture[3] est bonne, et s'il y a quelque chose qu'ils désirent.

L'un après l'autre, les prisonniers lui répondent que la nourriture est détestable et qu'ils désirent leur liberté.

L'inspecteur général leur demande s'ils n'ont pas autre chose à lui dire.

Ils ne répondent pas. Quand on est prisonnier, peut-on désirer autre chose que la liberté?

L'inspecteur se tourne et dit au gouverneur de la prison qui l'accompagne:

—Je ne sais pas pourquoi je fais ces visites, ni pourquoi je demande aux prisonniers s'il y a quelque chose qu'ils désirent. C'est toujours la même chose. La nourriture est toujours détestable, et les prisonniers sont toujours innocents. Ce qu'ils désirent, c'est toujours la liberté. En avez-vous d'autres?

—Oui, nous avons des prisonniers qui sont dangereux ou fous,[4] que nous gardons dans les cachots.[5]

—Eh bien, descendons dans les cachots.

—Mais on ne descend pas dans les cachots du Château d'If sans gardiens. Ces prisonniers-là sont très dangereux.

—Eh bien, prenez des gardiens.

—Comme vous voulez, dit le gouveneur.

2. Les Cachots

Au bout de[6] quelques moments, deux gardiens arrivent, tenant des torches. Ils commencent à descendre un escalier humide et sans lumière. Une odeur désagréable fait hésiter l'inspecteur. C'est comme une odeur de mort.

—Oh! dit-il, qui peut vivre là?

—Un prisonnier des plus dangereux, Edmond Dantès. C'est un homme capable de tout. Il a voulu tuer le porte-clefs[7] qui lui apporte sa nourriture.

—Il a voulu tuer le porte-clefs?

—Oui, monsieur, celui qui nous accompagne. Le désespoir a rendu[8] ce prisonnier presque fou. Voilà[9] pourquoi on le garde dans ce cachot.

—Il est préférable d'être complètement fou. . . on ne souffre plus. . . on ne désire plus la mort.

—Sans doute,[10] dit le gouverneur. Nous avons dans un autre cachot, dans lequel on descend par un autre escalier, un vieil[11] abbé,[12] un Italien. L'abbé est ici depuis[13] 1811. En 1813, le désespoir l'a rendu complètement fou. À présent, il désire vivre, il prend sa nourriture, il est content. Lequel de ces prisonniers voulez-vous voir?

—Tous les deux. Commençons par Dantès.

—Très bien, répond le gouverneur, et il fait signe au porte-clefs d'ouvrir la porte du cachot.

3. Le Prisonnier dangereux. . .

La porte massive s'ouvre lentement.

À la lumière des torches, on voit dans un coin[14] du cachot une forme indistincte. La forme fait un mouvement, se tournant vers la lumière. C'est un homme. C'est Dantès.

Il s'approche lentement du gouverneur. Quand il voit l'inspecteur, accompagné par deux gardiens, et auquel le gouverneur parle avec respect, il n'hésite plus. Cet homme doit être une autorité supérieure. . . on peut l'implorer. . . on peut lui parler de ses injustices. . . Avec une éloquence touchante, il implore son visiteur d'avoir pitié de lui.

—Que demandez-vous? dit l'inspecteur.

—Je demande quel crime j'ai commis.[15] Je demande qu'on me donne des juges. Je demande qu'on me tue, si je ne suis pas innocent. Mais, si je suis innocent, je demande ma liberté.

—Votre nourriture est-elle bonne?

—Oui, je le crois. . . je n'en sais rien. . . cela n'a pas d'importance. Un homme innocent meurt[16] dans un cachot, victime d'une injustice. . . Voilà ce qui est important. . . à moi, prisonnier. . . à tous les juges qui rendent la justice. . . au roi[17] qui nous gouverne. . .

—Vous êtes très humble, à présent, dit le gouverneur. Vous n'êtes pas toujours comme cela. Vous n'avez pas parlé de cette manière le jour où vous avez voulu tuer votre porte-clefs. . .

—Oui, je le sais, monsieur, et je demande pardon à cet homme qui m'apporte ma nourriture et qui est toujours bon pour moi. . . Mais que voulez-vous?[18] Le désespoir m'a rendu furieux.

—Et vous ne l'êtes plus?

—Non, monsieur. La captivité m'a rendu humble. . . je suis ici depuis si longtemps!

—Si longtemps? demande l'inspecteur.

—Oui, monsieur. Je suis ici depuis le 28 février 1815.

—Nous sommes le 30 juillet 1816. Cela fait dix-sept mois que vous êtes prisonnier au Château d'If. . . ce n'est pas long.

—Ah! monsieur, dix-sept mois de prison! Mais vous ne savez pas ce que c'est que d'être prisonnier[19] dans un cachot du Château d'If! Dix-sept mois, c'est dix-sept années! . . . et quand on meurt lentement pour un crime qu'on n'a pas commis! Ayez pitié de moi, monsieur! Je demande des juges, monsieur. . . on ne peut pas refuser des juges à un homme accusé.

—C'est bien, dit l'inspecteur. On va voir.

La porte du cachot se referme.

### 4. On passe au n° 27

L'inspecteur général se tourne vers le gouverneur:

—De quels crimes cet homme est-il accusé? demande-t-il.

—De terribles crimes, je crois. . . Vous allez voir les notes dans le registre des prisonniers, en remontant. . . mais, à présent, voulez-vous passer au cachot de l'abbé?

—Je préfère remonter. . . mais, après tout, il est nécessaire de continuer ma mission.

—Ah! le vieil abbé n'est pas un prisonnier comme l'autre. Sa folie[20] n'est pas désagréable.

—Et quelle est sa folie?

—Oh! une folie étrange: il se croit possesseur d'un trésor[21] immense. La première année de sa captivité, il a voulu offrir au roi un million, en lui demandant sa liberté. La seconde année, deux millions; la troisième année, trois millions, etc., etc. L'abbé est à sa cinquième année de captivité; il va vous demander de vous parler en secret, et il va vous offrir cinq millions.

—Ah! ah! c'est curieux. . . et qui est ce millionnaire?

—Un Italien, l'abbé Faria.

—N° 27!

—C'est ici. Ouvrez, Antoine.

Le porte-clefs ouvre la porte du N° 27, et l'inspecteur regarde avec curiosité dans le cachot de *l'abbé fou.*

### 5. Le Prisonnier fou

L'abbé Faria se tourne et regarde avec surprise ces hommes qui viennent de descendre[22] dans son cachot.

—Que demandez-vous? dit l'inspecteur.

—Moi, monsieur? dit l'abbé. Je ne demande rien.

—Vous ne comprenez pas. Je suis agent du gouvernement. J'ai mission de descendre dans les prisons et de demander aux prisonniers si leur nourriture est bonne et s'il y a quelque chose qu'ils désirent.

—Je comprends, monsieur. La nourriture est la même que dans toutes les prisons; elle est mauvaise. Mon cachot est humide. . . l'air ici est mauvais. . . mais que voulez-vous? C'est une prison. Mais tout cela n'est pas important. J'ai des révélations de la plus grande importance à faire au gouvernement. . . voilà ce qui est important, monsieur. Pouvez-vous me parler en secret?

—Monsieur, ce que vous me demandez est impossible.

—Mais, monsieur, s'il est question d'offrir au gouvernement une somme immense? . . . une somme de cinq millions? . . .

—Mon cher monsieur, dit le gouverneur, vous parlez de votre trésor, n'est-ce pas?

Faria regarde le gouverneur un moment en silence.

—Sans doute, dit-il. De quoi voulez-vous que je parle?

—Mon cher monsieur, dit l'inspecteur, le gouvernement est riche. Il n'a pas besoin de[23] votre argent: Gardez-le pour le jour où vous sortirez de prison.

—Mais si je ne sors pas de prison? Si on me garde dans ce cachot, et si j'y meurs sans avoir dit mon secret? . . . Ah! monsieur, un secret comme celui-là ne doit pas être perdu![24] J'offre six millions, monsieur; oui, j'offre six millions, si l'on[25] veut me rendre la liberté.

—Je vous ai demandé si votre nourriture est bonne.

—Monsieur, vous ne me comprenez pas. Je ne suis pas fou. Je vous dis la vérité. Ce trésor dont je vous parle, existe. Voulez-vous me rendre[26] la liberté, si je vous dis où l'on peut trouver le trésor?

—Vous ne répondez pas à ma question, dit l'inspecteur avec impatience.

—Ni vous à ma demande![27] Vous êtes comme les autres qui n'ont pas voulu me croire! Vous croyez tous que je ne dis pas la vérité! Je vous maudis![28] Vous ne voulez pas accepter mon argent? Je le garde! Vous me refusez la liberté? Dieu me la donnera! Allez! . . . je n'ai plus rien à dire.[29]

Les hommes sortent. Le porte-clefs referme la porte.

6. Le Registre des prisonniers

—Je crois que l'abbé est possesseur de quelque trésor, dit l'inspecteur, en remontant l'escalier.

—Ou il s'imagine qu'il en est possesseur, répond le gouverneur. Moi, je crois qu'il est fou.

Arrivé dans la chambre du gouverneur, l'inspecteur examine le registre des prisonniers.

Il y trouve cette note concernant Dantès:

EDMOND DANTES: *Bonapartiste*[30] *fanatique. A pris une part active au retour de l'île*[31] *d'Elbe. À tenir sous la plus stricte surveillance.*

L'accusation est très positive. Il n'y a pas de doute.

L'inspecteur général n'hésite plus. Il écrit ces trois mots sur la page du registre:

*Rien à faire.*[32]

Il écrit les trois mots sans hésiter, et il referme le livre.

*Rien à faire.* . . rien à faire. . . trois mots qui signifient la même chose que *perdu!* Mais dans le cachot de Dantès, un homme prend un morceau[33] de plâtre[34] et écrit sur le mur une date:

30 JUILLET 1816

et après la date, chaque jour, il fait une marque.

7. Le N° 34

3

Les jours passent, et les mois. . .

On change de gouverneur. . . on change de porte-clefs. Pour le nouveau gouverneur, un prisonnier n'est plus un homme, c'est un numéro.

On ne dit plus: Dantès. On dit: *le numéro 34.*

Dantès connaît toutes les formes du malheur.[35]

Il commence à douter de son innocence. Il prie,[36] non pas Dieu, mais les hommes.

Il prie qu'on le tire[37] de son cachot pour le mettre dans un autre. Un autre cachot, c'est une distraction[38] de quelques jours. Il prie qu'on lui accorde[39] l'air, la lumière, des livres, des instruments. . . Rien de tout cela ne lui est accordé, mais il recommence ses demandes.

Il parle à son porte-clefs. . . parler à un homme est un plaisir. Dantès parle pour le plaisir d'entendre sa propre[40] voix.[41] Mais il ne peut pas tirer un mot[42] du porte-clefs.

Un jour, il prie le porte-clefs de demander pour lui un compagnon. Le porte-clefs transmet la demande du numéro 34 au nouveau gouverneur. Mais le gouverneur s'imagine que Dantès veut trouver quelqu'un pour l'aider à s'échapper[43] de prison. Et il refuse.

Le cercle des ressources humaines est complet. Dantès se tourne vers Dieu.

## 8. La Rage

Les mois passent. . .

Toujours la même vie de prison. . . pas de lettre. . . pas de livres. . . pas de compagnon. . . pas un signe visible de Dieu en réponse à ses prières.[44] Seul[45] dans le silence profond de son cachot, Dantès n'entend que la voix de son propre cœur. Dieu n'est plus là.

Dantès passe de la prière à la rage.

Il maudit le porte-clefs, le gouverneur, le roi. Il maudit les hommes qui l'ont mis où il est. Il se dit que c'est la haine[46] des hommes, et non la vengeance de Dieu, qui est responsable de sa captivité au Château d'If. Il trouve que la mort est trop bonne pour ces hommes, car[47] la mort, c'est le repos.[48] Et lui, victime innocente de leur injustice, ne connaît pas le repos.

Efin, dans sa rage, il maudit Dieu.

Il ne veut plus vivre. S'il meurt, il peut échapper à la haine des hommes, à la vengeance de ses ennemis, à cette horrible vie de prison. C'est dans la mort seule[49] qu'il peut trouver enfin le repos qu'il désire. Mais pourquoi cette mort n'arrive-t-elle pas? Veut-elle qu'il l'aide à venir?

Cette idée de suicide le rend plus calme.

La vie de prison, le malheur dans son cœur. . . il les trouve à présent plus supportables,[50] car il sait enfin qu'il peut les laisser[51] là, quand il le veut.

La porte de sa prison s'ouvrira un jour.

## 9. La Mort par la faim

Quatre années passent lentement. . . lentement. . .

Dantès ne compte[52] plus les jours. Pour lui, le temps n'existe pas. Il n'a qu'une seule idée: *mourir.*

Il y a deux façons[53] de mourir. L'une est très simple: se pendre.[54] L'autre consiste à se laisser[55] mourir de faim.

Le premier moyen, Dantès le trouve mauvais. On pend des pirates, des criminels. Il ne veut pas adopter pour lui-même une mort si peu honorable.

Il adopte la deuxième façon, la mort par la faim.

Chaque jour, il jette son pain par la fenêtre barrée de son cachot. Les premiers jours, il le jette avec joie, puis avec réflexion,[56] enfin avec regret.

Il n'est pas facile de se laisser mourir de faim! Il n'est pas facile de refuser de vivre! Car le pain, c'est la vie!

Un jour, il prend le morceau de pain et le regarde longtemps. Il l'approche de sa bouche. Il ouvre la bouche. Puis, d'un mouvement violent, il jette le pain par la fenêtre. Mais ce n'est pas son pain qu'il jette, c'est son existence! C'est la vie qu'il refuse là.

Les derniers instincts de la vie combattent sa résolution de mourir. C'est un combat terrible, sans pitié. Enfin, un jour, il n'a plus la force de jeter par la fenêtre le pain qu'on lui apporte. Il tombe sur son lit.

### 10. Un Bruit[57] mystérieux

Le lendemain matin,[58] en ouvrant les yeux, Dantès ne voit plus, il entend avec difficulté. Quand il referme les yeux, il voit des lumières brillantes. C'est le dernier jour de son existence qui commence!

Le soir, vers neuf heures, il entend un bruit dans le mur au coin de son cachot.

Dantès croit que c'est un rat, car les rats sont ses seuls compagnons de tous les soirs. Il est indifférent au bruit qu'ils font.

Mais cette fois, ce n'est pas le bruit d'un rat. C'est comme le grattement[59] d'un instrument sur une pierre.[60]

Dantès écoute. Le grattement continue toujours. Cette idée toujours présente à l'esprit[61] de tous les prisonniers, *la liberté,* frappe[62] l'esprit de Dantès. Ce bruit qui arrive au moment où il va mourir, n'est-ce pas le signe que Dieu a enfin pris pitié de lui?

Le bruit mystérieux continue trois heures. Puis Edmond entend un autre bruit comme celui d'une pierre qui tombe. Puis, le silence.

Quelques heures après, le grattement recommence.

À ce moment, le porte-clefs entre dans le cachot.

### 11. La Joie et le doute

Tous les soirs, quand le porte-clefs apporte la nourriture au prisonnier, il lui demande de quelle maladie il souffre. Dantès ne lui répond toujours pas. Puis le porte-clefs met la nourriture sur la table et regarde son prisonnier très attentivement. Edmond se tourne toujours vers le mur.

Mais ce soir, Dantès commence à parler sur tous les sujets possibles. . . de la mauvaise qualité de la nourriture. . . du froid dont il souffre dans ce misérable cachot. . . de son lit qu'il trouve dur[63] comme une pierre. . . Il parle de tout cela comme un homme qui a la fièvre.[64]

Le porte-clefs, croyant que son prisonnier est aussi fou que l'abbé Faria, met la soupe et le morceau de pain sur la table, et sort.

Dantès est fou, mais c'est une folie causée par la joie! Le porte-clefs n'a pas entendu le grattement dans le mur. Il n'a pas donné l'alarme. Et ce bruit qui est comme le compagnon de Dantès dans ses derniers moments, va continuer. . .

Dantès écoute.

Le bruit est si distinct que l'on peut l'entendre sans effort.

—Sans doute, se dit-il, c'est quelque prisonnier comme moi qui travaille à sa délivrance. Et moi qui ne peux rien faire pour venir à son aide!

Puis une idée sombre passe dans l'esprit de Dantès: ce bruit n'est-il pas causé par le travail d'un ouvrier[65] du château réparant la chambre voisine?[66]

Comment savoir si c'est un prisonnier ou un ouvrier du gouverneur? Comment? . . .

### 12. Les Trois coups[67]

Mais, c'est très simple!

On attend l'arrivée du porte-clefs, on lui fait écouter ce bruit, et on le regarde attentivement. Mais cette solution est dangereuse, car on risque tout.

Dantès est si faible que son esprit n'est pas capable de réfléchir[68] longtemps à ce qu'il doit faire. Ses idées sont confuses et indistinctes.

Enfin, il fait un effort suprême pour redevenir[69] fort[70] et lucide: il s'approche de la table, prend l'assiette[71] de soupe, et la mange.

Au bout de quelques moments, il sent revenir la force dans son corps. Toutes ses idées reprennent leur place dans sa tête.

Il se dit:

—Si celui qui travaille dans le cachot voisin est un ouvrier du gouverneur, je n'ai qu'à frapper contre le mur, et il cessera son travail un moment pour écouter, et puis il continuera. Mais si c'est un prisonnier, il cessera son travail, car il risque tout en continuant.

Dantès s'approche d'un mur, détache une pierre, et frappe contre le mur.

Il frappe trois coups.

Au premier coup, le bruit mystérieux cesse.

## 13. La Cent-deuxième fois

Edmond écoute.

Une heure passe. . . deux heures passent. . .

Pas un bruit ne se fait entendre.[72] Rien ne vient troubler le silence de sa prison.

Trois heures. . . quatre heures. . .

Le temps passe si lentement quand on attend, seul, dans un cachot!

Edmond mange un morceau de pain et boit un peu d'eau. Il se sent plus fort et plus optimiste.

Les heures passent, le silence continue toujours.

La nuit vient enfin, mais le bruit ne recommence pas. On n'entend que des rats dans la chambre.

—C'est un prisonnier, comme moi! se dit Edmond, avec une immense joie. Et, avec l'espoir,[73] la vie lui revient active et violente.

La nuit se passe sans bruit, comme les autres. . . Mais Edmond ne ferme pas les yeux. Il écoute toujours.

Trois jours passent, soixante-douze mortelles heures comptées minute par minute.

Enfin, un soir, après la dernière visite du porte-clefs, Dantès met l'oreille contre le mur et écoute. Pour la cent-unième fois, il lui semble[74] entendre quelque chose.

D'un mouvement violent, Dantès se jette sur son lit, la tête entre les mains:

—Voilà la folie qui recommence! pense-t-il.

Quelquefois, la nuit, après des heures passées à écouter, il lui semble qu'il entend des coups indistincts. . . le grattement d'un instrument dur sur une pierre. . . une voix faible qui l'implore. . . Et il voit, écrits en lettres de lumière sur le sombre mur de son cachot: *Justice. . . Délivrance. . . Vengeance.* Puis la lumière du jour entre par la petite fenêtre barrée. . . c'est le jour qui commence, et qui va passer. . . comme tous les autres! Et l'espoir se change en désespoir.

Eh bien, cette vibration dans sa tête? l'a-t-il imaginée, aussi? A-t-elle été causée par le mouvement trop rapide de son propre cœur? Ou le travail d'un homme dans le cachot voisin?

Il s'approche du mur, met l'oreille contre la même pierre et écoute attentivement.

C'est la cent-deuxième fois.

## 14. Une Cruche[75] cassée

Il n'y a plus de doute!

De l'autre côté[76] du mur, un homme, un prisonnier comme lui, travaille. Il travaille lentement, avec précaution. On n'a plus de difficulté à l'entendre.

Edmond est presque fou de joie. Il ne veut pas attendre une minute de plus pour venir en aide au travailleur inconnu.[77]

D'abord, il déplace[78] son lit, derrière lequel il lui semble que le travail de délivrance se fait.[79] Puis il examine les pierres du mur pour voir s'il est possible d'en détacher une, en creusant[80] dans le plâtre humide.

Mais il est impossible de creuser sans un instrument tranchant.[81] Edmond n'a pas d'objet tranchant.

Les barreaux[82] de sa fenêtre sont en fer.[83] Mais Edmond sait bien qu'ils sont très solides et bien attachés.

Le lit et la table sont en bois. Le bois n'est pas tranchant.

La cruche? . . . ah! voilà pour Dantès la seule ressource: la cruche et, avec un des morceaux, creuser dans le plâtre. . .

Il laisse tomber[84] la cruche par terre.[85] La cruche se casse en cent morceaux.

Dantès prend deux ou trois morceaux tranchants, les cache[86] dans son lit, et laisse les autres par terre. Pourquoi se soucier d'une[87] cruche cassée? . . . L'accident est tout à fait[88] naturel.

Edmond a toute la nuit pour travailler, mais dans l'obscurité le travail n'avance pas vite. Finalement, il s'arrête de creuser, remet le lit à sa place et attend le jour.

Avec l'espoir, vient la patience.

[1] **Louis XVIII,** brother of Louis XVI, king of France from 1814 to 1824.

[2] **château** castle. The Château d'If was built on the little island of If, two kilometers from Marseille, and served as a state prison.

[3] **nourriture** food.

[4] **fou (fol, folle)** mad, insane.

[5] **cachot** dungeon, dark cell.

[6] **bout** end; **au bout de** after.

[7] **porte-clefs** turnkey, jailer.

[8] **rendre** to render, make.

[9] **voilà** there is (are), here = that is.

[10] **doute** doubt; **sans doute** no doubt; here = probably.

[11] **vieil (vieux, vieille)** old.

[12] **abbé** priest.

[13] **depuis** since, for; **l'abbé est ici depuis 1811** the priest has been here since 1811.

[14] **coin** corner.

[15] **commis** (*p.p.* **commettre**) committed.

[16] **meurt** (*près. ind.* **mourir**) dies.

[17] **roi** king.

[18] **Mais que voulez-vous?** But what do you expect?

[19] **ce que c'est que d'être prisonnier** what it is to be a prisoner.

[20] **folie** madness, insanity.

[21] **trésor** treasure.

[22] **qui viennent de descendre** who have just descended.

[23] **a besoin de** needs.

[24] **perdu** (*p.p.* **perdre**) lost.

[25] **l'on: on** may be preceded by **l'** after **que, si, ou, où,** etc., to prevent hiatus; it has no vocabulary value.

[26] **rendre** to return, give back.

[27] **demande** request.

[28] **maudire** to curse.

[29] **je n'ai plus rien à dire** I have nothing more to say.

[30] The Bonapartists were adherents of the imperial monarchy established by Napoleon Bonaparte in 1804.

[31] **île** island. Following his abdication in April 1814, Napoleon was sent to the island of Elba, from which he escaped to France a year later. Waterloo (June 18, 1815) ended his reign and caused his exile to St. Helena.

[32] **Rien à faire** Nothing to be done.

[33] **morceau** piece.

[34] **plâtre** plaster.

[35] **malheur** unhappiness.

[36] **prier** to pray, beseech, beg.

[37] **tirer** to take from (out of).

[38] **distraction** amusement.

[39] **accorder** to allow, grant.

[40] **propre** own.

[41] **voix** voice.

[42] **tirer un mot** get one word.

[43] **s'échapper** to escape.

[44] **prière** prayer, entreaty.

[45] **seul** alone.

[46] **haine** hatred.

[47] **car** for, because.

[48] **repos** rest, repose.

[49] **seul** only, alone.

[50] **supportables** bearable.

[51] **laisser** to leave.

[52] **compter** to count.

[53] **façons** ways.

[54] **se pendre** to hang oneself.

[55] **laisser** to let, allow.

[56] **avec réflexion** deliberately.

[57] **bruit** noise, sound.

[58] **le lendemain matin** the next morning.

[59] **grattement** scraping, grating.

[60] **pierre** stone.

[61] **esprit** mind.

[62] **frapper** to strike, knock.

[63] **dur** hard.

[64] **fièvre** fever.

[65] **ouvrier** workman.

[66] **voisin** (*adj.*) next, neighboring.

[67] **coup** blow, knock.

[68] **réfléchir** think.

[69] **redevenir** to become again.

[70] **fort** strong.

[71] **assiette** plate; here = bowl.

[72] **se faire entendre** to be heard.

[73] **espoir** hope.

[74] **sembler** to seem.

[75] **cruche** jug.

[76] **de l'autre côté** on the other side.

[77] **inconnu** unknown.

[78] **déplacer** to move, displace.

[79] **se fait** (*pres. ind.* **se faire**) is taking place.

[80] **creuser** to dig.

[81] **tranchant** sharp, cutting.

[82] **barreau** bar.

[83] **en fer** made of iron.

[84] **laisser tomber** to let fall, drop.

[85] **par terre** on the ground.

[86] **cacher** to hide.

[87] **se soucier de** to worry about.

[88] **tout à fait** quite.

**Dantès** (suite)

15. Un Travail inutile[1]

Toute la nuit, Dantès écoute le travailleur inconnu.

Le jour vient enfin, le porte-clefs entre.

Dantès lui dit qu'en buvant[2] de l'eau, il a laissé tomber la cruche et qu'elle s'est cassée en tombant par terre.

Le porte-clefs, mécontent,[3] va chercher[4] une nouvelle cruche sans se soucier de prendre les morceaux de la cruche brisée. Et il ne cherche pas à voir si tous les morceaux sont là.

Il revient un instant après, dit au prisonnier qu'il doit faire plus attention et sort.

Dantès écoute le bruit de ses pas[5] dans l'escalier. Puis, quand il ne peut plus les entendre, il déplace son lit et examine le travail de la nuit précédente.

Il voit que le plâtre entre les pierres est humide. On peut le détacher par fragments. Au bout d'une heure, Dantès en a détaché assez pour remplir[6] ses deux mains.

—Comme ça, se dit-il, un passage de deux pieds de diamètre et de vingt pieds de longueur va prendre presque deux années! Et si je trouve, un jour, du roc dans le passage? . . . Ou des barreaux de fer fixés dans le plâtre? . . .

Il pense aux heures lentes des années passées à ne rien faire dans sa prison. . . Pourquoi n'a-t-il pas rempli ces heures d'un travail lent et continu? . . . d'un travail comme celui-ci? . . .

Cette idée lui donne une nouvelle force.

En trois jours, Dantès enlève[7] tout le plâtre autour d'une des pierres du mur derrière son lit. Puis il fait des efforts pour enlever la pierre elle-même. C'est une pierre de plus de deux pieds de longueur.

Impossible de la détacher! Les morceaux de cruche se cassent quand Dantès veut les utiliser comme levier.[8]

Après une heure d'efforts inutiles, Dantès cesse le travail. Il cache les fragments de plâtre derrière son lit, replace le lit contre le mur, et réfléchit à ce qu'il faut faire.

Lui faut-il abandonner là son espoir? Lui faut-il attendre, inerte et inutile, que cet homme inconnu, de l'autre côté du mur, travaille pour sa délivrance? Y a-t-il un autre moyen?[9] . . .

Une nouvelle idée lui vient à l'esprit.

16. Et un manche[10] de casserole[11]

Le porte-clefs apporte tous les jours la soupe de Dantés dans une casserole.

Cette casserole a un manche de fer. C'est à ce manche de fer que le jeune homme pense en ce moment.

C'est toujours la même chose. Le porte-clefs entre, verse[12] la soupe de la casserole dans l'assiette de Dantés, et enlève la casserole. Le prisonnier mange la soupe, verse un peu d'eau dans son assiette pour la laver et la garde pour un autre jour.

Mais ce soir, Dantès met son assiette par terre, entre la table et la porte. Puis, il attend.

Le porte-clefs entre et, ne voyant pas bien dans l'obscurité du cachot, il met le pied sur l'assiette et la casse en vingt morceaux.

Cette fois, il n'y a rien à dire contre Dantès. Dantès a laissé son assiette par terre, mais le porte-clefs n'a pas regardé à ses pieds.

Le porte-clefs regarde autour de lui pour voir s'il y a quelque chose où il pourra verser la soupe. Il ne trouve rien.

—Laissez la casserole, dit Dantès, si vous voulez.

Le porte-clefs, ne voulant pas remonter, redescendre et remonter une seconde fois, laisse la casserole et sort.

Le cœur de Dantés se remplit de joie.

Après avoir mangé la soupe, le jeune homme attend une heure pour être certain que le porte-clefs ne va pas revenir chercher[13] sa casserole. Puis il déplace son lit et recommence son travail, en utilisant le manche de fer de la casserole comme levier.

Au bout d'une heure, la pierre est tirée du mur où elle fait un trou de plus de deux pieds de diamètre.

Dantès porte les fragments de plâtre dans le coin de sa prison, fait un trou et couvre le plâtre de terre.

Il continue à creuser toute la nuit.

## 17. L'Obstacle

Le lendemain matin, il replace la pierre dans son trou, met son lit contre le mur et se jette sur son lit.

Le porte-clefs entre et met le pain du prisonnier sur la table.

—Eh bien! vous ne m'apportez pas une nouvelle assiette? demande Dantès.

—Non, répond le porte-clefs. Vous êtes un casse-tout.[14] Vous avez cassé votre cruche et à cause de vous, j'ai cassé votre assiette. On vous laisse la casserole et on y verse votre soupe. Comme ça,[15] vous ne casserez plus rien!

Dantès sent dans son cœur une gratitude profonde et remercie[16] Dieu de ce morceau de fer, au moyen duquel[17] il compte,[18] un jour, retrouver sa liberté.

Une chose l'inquiète.[19] Le prisonnier de l'autre côté du mur ne travaille plus.

—Eh bien, se dit-il, si mon voisin ne vient pas vers moi, c'est à moi[20] d'aller vers mon voisin!

Toute la journée,[21] il travaille de toutes ses forces; le soir, il tire du trou assez de plâtre pour remplir trois fois sa casserole.

Quand l'heure de la visite du soir arrive, il remet[22] la casserole sur la table. Le porte-clefs entre et y verse la soupe. Puis, la soupe versée, le porte-clefs sort et remonte l'escalier.

Dantès s'approche du mur et écoute.

Tout est silencieux. Il est évident que son voisin n'a pas confiance[23] en lui. Mais Dantès continue de travailler toute la nuit. Il ne prend pas de repos. Vers le matin, son instrument rencontre un obstacle.

Le travail cesse.

## 18. Une Voix de dessous terre

Cet obstacle, est-ce du roc? . . . Ou du fer? . . .

Dantès le touche avec ses mains. C'est du bois! Il faut creuser dessus ou dessous, car l'objet barre complètement le passage.

Le jeune homme n'a pas pensé à cet obstacle.

—Oh! mon Dieu, mon Dieu! s'écrie-t-il,[24] je vous ai prié nuit et jour, et vous ne m'avez pas entendu! Mon Dieu! après m'avoir enlevé la liberté de la vie. . . mon Dieu! qui m'avez rendu la vie et l'espoir après m'avoir refusé le calme de la mort. . . mon Dieu! ayez pitié de moi, ne me laissez pas mourir dans le désespoir!

—Qui parle ici de Dieu et de désespoir en même temps? dit une voix qui semble venir de dessous terre.

Edmond, tremblant des pieds à la tête comme un homme qui a la fièvre, s'écrie:

—Au nom de Dieu! vous qui avez parlé, parlez encore![25] Qui êtes-vous?

—Qui êtes-vous vous-même? demande la voix.

—Un prisonnier.

—De quel pays?

—Français.

—Votre nom?

—Edmond Dantès.

—Votre profession?

—Marin.[26]

—Depuis combien de temps êtes-vous ici?

—Depuis le 28 février 1815.

—Votre crime?

—Je suis innocent.

—Mais de quoi vous accuse-t-on?

—D'avoir conspiré pour le retour de l'empereur.

—Quoi! pour le retour de l'empereur! l'empereur n'est plus sur le trône?

—Il a abdiqué à Fontainebleau[27] en 1814 et a été sur l'île d'Elbe. Mais vous-même depuis combien de temps êtes-vous ici exilé?

—Depuis 1811.

Dantès ne trouve pas de réponse. . . quatre ans de prison de plus que lui!

## 19. Une Erreur

La voix continue:

—C'est bien, ne creusez plus. Mais dites-moi à quelle hauteur[28] de la terre se trouve[29] l'excavation que vous avez faite?

—À la hauteur d'un pied, presque.

—Comment est-elle cachée?

—Derrière mon lit.

—A-t-on déplacé votre lit depuis que vous êtes entré en prison?

—Jamais.

—Sur quoi donne[30] votre chambre?

—Elle donne sur un corridor.

—Et le corridor?

—Communique avec l'intérieur du château.

—Hélas![31] murmure la voix.

—Mon Dieu! qu'y a-t-il?[32] s'écrie Dantès.

—Ah! j'ai fait une erreur sur mon plan! Je n'ai pas de compas. Une erreur sur mon plan a fait une différence de dix pieds en réalité. J'ai pris le mur que vous creusez pour le mur extérieur du château. . .

—Mais en creusant de l'autre côté, vous risquez de tomber dans la mer!

—C'est ça.

—Mais comment échapper à la mort dans la mer?

—Je sais nager.[33] En nageant, il est possible d'arriver à une des îles qui se trouvent près du Château d'If. . .

—Mais comment pouvez-vous nager si loin?

—J'ai confiance en Dieu. . . Mais, pour le moment, tout est perdu.

—Tout est perdu?

—Oui, Refermez votre trou avec précaution, ne travaillez plus, et attendez.

—Mais qui êtes-vous? . . . dites-moi qui vous êtes?

—Je suis. . . je suis. . . le N° 27.

## 20. Ami ou traître?[34]

—Vous n'avez pas confiance en moi? demande Dantès, croyant que cet homme pense à l'abandonner. Ah! je vous assure que je ne suis pas un traître! Je préfère me tuer que de trahir[35] votre secret. Mais, au nom de Dieu! ne m'enlevez pas votre présence! . . . laissez-moi entendre encore votre voix. . . ou, je vous l'assure, je vais me briser[36] la tête contre ce mur!

—Quel âge avez-vous? Votre voix semble être celle d'un jeune homme.

—Je ne sais pas mon âge. Je ne sais pas ce qui s'est passé depuis que je suis ici. Ce que je sais, c'est que je suis entré dans cette prison à l'âge de dix-neuf ans.

—Presque vingt-six ans, murmure la voix. Eh bien! à cet âge on n'est pas encore un traître.

—Oh! non! non! je vous assure que je préfère me faire couper en morceaux que de révéler ce que vous m'avez dit.

—Vous avez bien fait de me parler, vous avez bien fait de me prier de ne pas vous abandonner, car j'ai pensé à le faire. Mais votre âge me rassure,[37] je vais revenir. . . attendez-moi.

—Quand cela?

—Il faut que je calcule nos chances; laissez-moi vous donner le signal.

—Mais vous n'allez pas m'abandonner. . . me laisser seul. Vous allez venir à moi ou me permettre d'aller à vous. Et si nous ne pouvons pas nous échapper, nous pouvons parler, vous des personnes que vous aimez, moi des personnes que j'aime. Vous devez aimer quelqu'un?

—Je suis seul. . . je n'ai pas d'amis.

—Eh bien, si vous êtes jeune, je serai votre camarade. Si vous êtes vieux, je serai votre fils. J'ai un père qui doit avoir l'âge de soixante-douze ans, s'il vit[38] encore. Je vous aimerai comme j'aime mon père.

—C'est bien, je reviendrai le matin.

## 21. Le Signal

Dantès replace la pierre dans le trou et remet son lit contre le mur.

Le soir, le porte-clefs vient; Dantès est sur son lit. De là, il lui semble qu'il peut mieux garder son secret. Sans doute il regarde son visiteur d'un œil étrange, car le porte-clefs lui dit:

—Encore la folie, hein?

Edmond ne répond pas pour ne pas trahir l'émotion de sa voix en parlant.

Le porte-clefs verse la soupe dans la casserole et sort mécontent.

Dantès croit que son voisin va profiter[39] du silence et de la nuit pour recommencer la conversation avec lui, mais la nuit se passe sans que le signal arrive.

Mais le lendemain matin, après la visite du porte-clefs, comme Dantès déplace son lit, il entend frapper trois coups. . . Il enlève la pierre et écoute.

—Est-ce vous? dit-il. Me voilà!

—Votre porte-clefs, est-il remonté? demande la voix de dessous terre.

—Oui, il ne va revenir que ce soir; nous avons douze heures de liberté.

—Je puis continuer mon travail?

—Oh! oui, oui, sans perdre de temps, je vous prie!

Immédiatement la masse de terre sur laquelle se trouvent ses deux mains s'enfonce.[40]

La masse de terre et de pierres détachées disparaît[41] dans un trou qui vient de s'ouvrir au-dessous de l'excavation que lui-même a faite.

Au fond[42] de ce trou sombre et profond, Dantès voit paraître une tête, deux bras et enfin un homme tout entier qui sort avec agilité de l'excavation.

Dantès prend dans ses bras ce nouvel ami, attendu depuis si longtemps, et l'examine au peu de lumière qui entre dans son cachot.

## 22. L'Abbé Faria

C'est un homme assez[43] petit, aux cheveux blancs, à l'œil pénétrant, à la barbe[44] noire et très longue. Les lignes de son visage révèlent un homme plus habitué[45] à exercer ses facultés intellectuelles que ses forces physiques.

Il paraît avoir soixante-cinq ans, mais une certaine vigueur dans les mouvements indique que c'est un homme beaucoup plus jeune.

Les deux hommes se regardent quelques instants avec curiosité. Puis Dantès dit avec une émotion qu'il ne peut plus cacher:

—Ah! mon ami! . . . car vous l'êtes, n'est-ce pas? . . . dites-moi qui vous êtes et de quoi on vous accuse. . .

Le visiteur sourit:

—Je suis l'abbé Faria, en 1807 secrétaire du cardinal Spada à Rome, mais depuis 1811 le numéro 27 au Château d'If. On m'accuse d'avoir des idées politiques contraires à celles de Napoléon Ier. Voilà tout!

—Mais votre vie ici?. . . les longues années passées dans la solitude?. . .

—Ma vie ici?. . . c'est très simple. J'ai passé les années à méditer sur les choses de l'esprit, à écrire un livre sur la vie politique de mon pays, à fabriquer[46] des outils[47] nécessaires à mes travaux, à faire des plans d'évasion,[48] à creuser ce passage. . . inutile!

Ce mot *inutile* révèle à Dantès la déception[49] profonde de Faria de trouver un second cachot là où il comptait retrouver la liberté.

L'abbé continue:

—Eh bien! Voyons s'il y a moyen de faire disparaître aux yeux de votre porte-clefs les traces de mon passage. Il ne faut pas que cet homme sache ce qui s'est passé,[50] ou tout est perdu pour jamais.

Il prend la pierre et la fait entrer dans le trou. Elle le ferme assez mal.

—Ah! dit l'abbé, en souriant, je vois que vous n'avez pas d'outils?

—Et vous? demande Dantès, avec surprise.

—J'ai passé quatre ans à en fabriquer de toutes sortes, répond l'abbé. Voulez-vous les examiner?

Dantès accepte l'invitation cordiale de son voisin et les deux hommes disparaissent dans le passage.

Pour ces deux prisonniers c'est une nouvelle vie qui commence.

23. Le Plan

Les jours qui suivent sont remplis de visites, de conversations, de plans.

Dantès ne cesse pas d'admirer l'énergie, la patience et la haute intelligence de son nouvel ami, et de son côté,[51] Faria admire la résolution et le courage du jeune homme. Il trouve en Edmond un fils, comme celui-ci trouve en lui un père.

Un jour, l'abbé dit à Dantès:

—Vous avez retrouvé vos forces; nous pouvons recommencer notre travail. Voici mon plan: c'est de creuser un passage au-dessous de la galerie où se trouve la sentinelle. Une fois là, on fait une grande excavation au-dessous d'une des pierres qui forment le plancher[52] de la galerie. À un moment donné, quand la sentinelle marchera sur la pierre, celle-ci s'enfoncera dans l'excavation, et l'homme aussi. On se jette sur lui, on le lie[53] et on le bâillonne.[54] Puis on passe par une des fenêtres de la galerie, on descend le long du[55] mur extérieur au moyen d'une corde fabriquée par moi et on s'échappe de l'île, en nageant dans la mer.

—Admirable! s'écrie Dantès. Et combien nous faut-il de temps pour exécuter ce plan?

—Un an.

—Quand pouvons-nous commencer?

—Immédiatement.

Le même jour, les deux hommes commencent à creuser le nouveau passage.

24. Hélas!

Après quinze mois d'efforts nuit et jour, les deux travailleurs arrivent sous la galerie. Au-dessus de leur tête, ils entendent les pas de la sentinelle sur les pierres du plancher.

Dantès est occupé à placer un support de bois sous une des pierres quand il entend l'abbé Faria qui l'appelle avec un accent de détresse.[56]

Il revient auprès de[57] lui. Faria n'a que le temps de donner quelques instructions, avant de tomber mourant dans les bras de son ami.

Dantès le porte dans sa chambre, où il lui fait boire une potion indiquée dans ses instructions. Faria est sauvé, mais son côté droit est paralysé. Il lui est impossible de s'échapper du château.

Cette attaque est la seconde. La troisième fois il sera complètement paralysé ou il mourra.

L'abbé appelle Dantès auprès de son lit:

—Partez! lui dit-il. Ne restez pas ici! Vous êtes jeune, ne vous inquiétez pas à mon sujet.[58] Je vais attendre la mort ici. . . seul!

—C'est bien, dit Dantès. Moi, aussi, je reste!

Faria regarde attentivement ce jeune homme si noble, si simple, et voit sur son visage la sincérité de son affection.

—Eh bien! dit-il, j'accepte!

Puis, lui prenant la main:

—Comme je ne puis et que[59] vous ne voulez pas partir, il faut remplir le passage sous la galerie. La sentinelle peut le découvrir et donner l'alarme. Allez faire ce travail, dans lequel je ne puis plus vous aider. Employez-y toute la nuit et ne revenez que demain matin après la visite du porte-clefs. J'ai quelque chose d'important à vous dire.

Dantès prend la main de l'abbé, qui lui sourit, et sort avec ce respect qu'il a toujours accordé à son vieil ami.

## 25. Le Testament[60]

Le lendemain matin, en revenant dans la chambre de son compagnon de captivité, Dantès trouve Faria assis sur son lit, le visage calme. L'abbé tient un morceau de papier dans la main gauche.

Sans rien dire, il donne le papier à Dantès.

—Qu'est-ce que c'est? demande celui-ci.[61]

—Regardez bien, lui dit l'abbé en souriant. Ce papier, c'est mon trésor.

Dantès prend le morceau de papier sur lequel sont tracés des caractères étranges. C'est un vieux testament, portant la date du 25 avril 1498, dans lequel un certain César Spada donne à un membre de sa famille des instructions pour trouver un trésor fabuleux qu'il dit caché dans les grottes de la petite île de Monte-Cristo.[62]

Par un curieux hasard[63] l'abbé Faria a découvert le secret du vieux manuscrit qu'il a trouvé entre les pages d'un livre donné à lui par le dernier descendant de la famille Spada. Il est le seul possesseur légitime de ce trésor.

—Eh bien! mon ami, dit Faria, vous savez mon secret. Si jamais nous nous échappons de cette prison, la moitié de ce trésor est à vous. Mais si je meurs ici, et si vous vous échappez seul, je vous laisse cette fortune entière.

—Et vous dites que cette fortune se compose. . .

—D'environ[64] treize millions de notre monnaie.[65]

—Impossible! C'est une somme énorme!

—Impossible! . . . et pourquoi? La famille Spada est une des plus vieilles d'Italie, une des plus riches autrefois![66]

—Eh bien, je ne dois accepter ni la moitié de la fortune, ni la fortune entière; je ne suis pas votre descendant légitime.

—Vous êtes mon fils, Dantès! s'écrie le vieil abbé. Vous êtes l'enfant de ma captivité. Dieu vous a donné à moi pour consoler l'homme qui ne peut pas être père et le prisonnier qui ne peut pas être libre.

## 26. Adieu!

Faria ne connaît pas l'île de Monte-Cristo, mais Dantès la connaît. Il a passé quelques heures sur cette petite île qui se trouve entre la Corse[67] et l'île d'Elbe. Elle est complètement déserte. Dantès trace le plan de l'île, et Faria lui indique ce qu'il faut faire pour retrouver le trésor.

Les jours passent. . .

Une nuit, Edmond croit entendre une voix plaintive qui l'appelle.

Sans perdre un instant, il déplace son lit, enlève la pierre, entre dans le passage et arrive dans la chambre de l'abbé.

Faria est assis sur sont lit, le visage pâle, les mains tremblantes:

—Eh bien, mon ami, dit-il, c'est la troisième attaque qui commence. . . la dernière, vous comprenez, n'est-ce pas? Ne criez[68] pas, ou vous êtes perdu! . . . vous et celui qui viendra prendre ma place ici. . . car un autre prisonnier va venir, après ma mort. . . et il faut que vous restiez près de lui pour l'aider. Je ne suis qu'une moitié de cadavre liée à vous pour vous paralyser dans tous vos mouvements. . .

—Oh! pas encore! J'ai sauvé votre vie une fois; je la sauverai une seconde fois! Il reste[69] encore un peu de votre potion. Dites-moi ce qu'il faut que je fasse cette fois; y a-t-il des instructions nouvelles? Parlez, mon ami, j'écoute.

—Il n'y a pas d'espoir. Mais. . . si vous voulez. . . faites comme la première fois. Si après avoir versé douze gouttes[70] dans ma bouche, vous voyez que je ne reviens pas à moi,[71] vous pouvez verser le reste. C'est tout. Maintenant, approchez-vous, j'ai encore deux choses à vous dire. La première, c'est que je prie Dieu de vous accorder le bonheur[72] et la prospérité que vous méritez. La seconde, c'est que le trésor des Spada existe. . . le vieil abbé qu'on croit fou ne l'est pas. . . mon trésor existe! Partez! Allez à Monte-Cristo. . . profitez de notre fortune. . . vous avez assez souffert.

Une convulsion violente secoue[73] son corps. Ses yeux ne voient plus. Il presse la main d'Edmond:

—Adieu! adieu! murmure-t-il. N'appelez personne! Je ne souffre pas comme la première fois. . . je n'ai plus assez de forces pour souffrir. C'est le privilège des jeunes de croire. . . de garder de l'espoir. . . mais les vieux voient plus clairement la mort. Oh! la voilà! . . . Elle vient. . . Libre, enfin! . . . Votre main, Dantès! . . . adieu! . . . adieu! . . .

Puis, avec un dernier effort il s'écrie «Monte-Cristo! Monte-Cristo!», et sa tête retombe[74] sur le lit.

## 27. La Mort passe au n° 27

Dantès, suivant les instructions, verse le reste de la potion dans la bouche de son ami.

Une heure, deux heures passent. . .

Edmond, assis auprès du lit, tient la main pressée sur le cœur de Faria. Il sent le froid qui pénètre dans le corps inerte. Les yeux de l'abbé restent ouverts et fixes. Enfin Dantès comprend qu'il est en présence d'un mort. Saisi[75] d'une terreur profonde et invincible, il retourne vite dans le passage et remet la pierre à sa place.

Il est bien temps.[76] Le porte-clefs va venir.

Sa visite faite, le porte-clefs passe dans le cachot de Faria.

Dantès est impatient de savoir ce qui va se passer dans le cachot de son ami quand le porte-clefs verra que le prisonnier est mort. Il rentre dans le passage et arrive à temps pour entendre les exclamations du porte-clefs, qui appelle à l'aide.

Les autres porte-clefs arrivent. Puis le gouverneur.

Edmond entend des voix qui disent:

—Inutile de jeter de l'eau au visage; il est bien mort.[77]

—Eh bien! le vieux fou est allé chercher son trésor!

—Avec tous ses millions, il n'est pas assez riche pour payer sa place dans un cimetière.[78]

—Oh! il n'est pas nécessaire de payer sa place dans le cimetière du Château d'If!

Le cimetière du Château d'If!

—On va lui faire les honneurs du sac![79]

Puis on n'entend plus les voix.

Dantès écoute toujours. Au bout d'une heure, il entend des pas qui reviennent, au-dessus de sa tête.

—Ce sont les hommes, pense-t-il, qui viennent chercher le cadavre.

Il y a des mouvements rapides, des bruits indistincts, le choc d'un objet lourd[80] qu'on laisse tomber sur le lit. . .

—A quelle heure, ce soir? demande une voix.

—Vers dix ou onze heures, répond une autre.

—Faut-il laisser un garde dans le cachot? demande la première.

17

—Pourquoi faire?[81] répond l'autre gardien. On va fermer le cachot comme toujours, voilà tout.

Les voix cessent. Les pas remontent le corridor.

Le silence de la mort descend sur le numéro 27 et pénètre dans le cœur de Dantès.

## 28. Les Honneurs du sac

Edmond sort du passage et regarde autour de lui.

La chambre du mort est vide.[82]

Sur le lit, le long du mur, il voit un sac, dans lequel il peut distinguer[83] la forme d'un corps humain.

—Voilà, pense Dantès, tout ce qui reste de Faria, l'ami, le bon compagnon. Il n'existe plus. Je suis seul. . . seul dans le silence de la prison. . . seul dans mon malheur. Je n'ai plus qu'à mourir!

Mais cette idée de suicide passe:

—Mourir! Oh non! s'écrie-t-il. J'ai trop souffert pour mourir maintenant. Non! je veux vivre. . . je veux retrouver le bonheur qu'on m'a enlevé. Avant de mourir, il faut me venger de[84] mes ennemis. J'ai des amis à récompenser[85] . . . Mais à présent on va me laisser ici. . . je ne sortirai de ce cachot que mort comme Faria.

Comme Faria? . . . comme Faria? . . .

Dantès reste là, les yeux fixes, comme un homme frappé d'une idée horrible:

—Oh! murmure-t-il, de qui me vient cette idée? . . . est-ce de vous, mon Dieu? . . . s'il n'y a que les morts qui sortent d'ici, pourquoi ne prend-on pas la place des morts?

Il se jette sur le sac hideux, le coupe avec le couteau[86] de Faria, sort le cadavre du sac et le porte dans sa propre chambre.

Il met le cadavre sur son lit, le couvre, presse une dernière fois cette main froide, et tourne la tête le long du mur.

Puis il rentre dans le passage, remet le lit contre le mur, et passe dans l'autre chambre. Là, il prend une aiguille[87] et du fil,[88] cache ses vêtements sous le lit de Faria, se met dans le sac ouvert, se remet dans la même situation où il a trouvé le cadavre, et referme le sac au moyen de l'aiguille et du fil qu'il a pris.

C'est le travail d'une heure.

## 29. Le Cimetière du Château d'If

Vers onze heures, des pas se font entendre[89] dans le corridor.

Edmond comprend que l'heure de partir est venue.

La porte s'ouvre et trois hommes entrent dans la chambre. Le premier porte une torche, les deux autres portent une civière.[90]

Ils mettent la civière par terre. Puis ils s'approchent du lit, prennent le sac par les deux bouts et le transportent du lit à la civière.

Le cortège,[91] précédé par l'homme à la torche, remonte l'escalier. Ils sortent dans l'air de la nuit.

Au bout de quelques pas, les porteurs[92] s'arrêtent et mettent la civière par terre.

Ils vont chercher quelque chose; puis ils reviennent avec un objet lourd, qu'ils placent sur la civière auprès d'Edmond et qu'ils attachent avec une corde à ses pieds.

—Eh bien! c'est fait? demande l'un des porteurs.

—Oui, dit l'autre, et bien fait!

—Allons-y![93]

Ils font cinquante pas,[94] puis s'arrêtent pour ouvrir une porte. Dantès peut entendre le bruit de la mer qui vient se briser[95] contre les murs du château.

Encore quatre ou cinq pas,[96] en montant toujours. . .

Dantès sent qu'on le prend par la tête et par les pieds et qu'on le balance.[97]

—Une! disent les porteurs.

—Deux!

—Trois!

En même temps, Dantès se sent jeté dans un espace énorme, tombant, tombant toujours. . . tiré en bas[98] par un objet lourd. . .

Puis, avec un bruit terrible, il entre dans une eau froide et s'enfonce.

On l'a jeté dans la mer, avec un boulet[99] lourd attaché à ses pieds.

La mer est le cimetière du Château d'If.

[1] **inutile** useless.

[2] **buvant** (*pres. part.* **boire**) drinking.

[3] **mécontent** displeased, annoyed.

[4] **chercher** to search, look for; **aller chercher** to go for.

[5] **pas** step.

[6] **remplir** to fill.

[7] **enlever** to remove, take away (out).

[8] **levier** lever.

[9] **moyen** way, means.

[10] **manche** handle.

[11] **casserole** saucepan.

[12] **verser** to pour.

[13] **revenir chercher** to come back for.

[14] **casse-tout** a person who breaks everything.

[15] **comme ça** in that way.

[16] **remercier de** to thank for.

[17] **au moyen duquel** by means of which.

[18] **compter** to expect.

[19] **inquiéter** to worry, disturb.

[20] **c'est à moi** it is for (up to) me.

[21] **toute la journée** all day long.

[22] **remet** (*pres. ind.* **remettre**) replaces, puts back.

[23] **confiance** trust, confidence, faith.

[24] **s'écrier** to cry (out), exclaim.

[25] **encore** again; *also:* still, yet.

[26] **marin** sailor.

[27] **Fontainebleau** Napoleon signed his abdication April 4, 1814, at his favorite château, Fontainebleau, some 35 miles southeast of Paris.

[28] **hauteur** height.

[29] **se trouver** to be, be located.

[30] **donner sur** to look out (open, face) upon.

[31] **hélas!** alas!

[32] **qu'y a-t-il?** what is the matter?

[33] **nager** to swim.

[34] **traître** traitor.

[35] **trahir** to betray.

[36] **briser** to break, smash.

[37] **rassurer** to reassure.

[38] **vit** (*pres. ind.* **vivre**) lives.

[39] **profiter** to take advantage.

[40] **s'enfoncer** to sink in.

[41] **disparaît** (*pres. ind.* **disparaître**) disappears.

[42] **fond** bottom.

[43] **assez** rather, quite.

[44] **barbe** beard.

[45] **habitué** accustomed.

[46] **fabriquer** to make, manufacture.

[47] **outil** tool.

[48] **évasion** escape.

[49] **déception** disappointment.

[50] **se passer** to happen, take place.

[51] **côté** side.

[52] **plancher** floor.

[53] **lier** to bind, tie.

[54] **bâillonner** to gag.

[55] **le long de** along, the length of.

[56] **accent de détresse** tone of distress.

[57] **auprès de** beside.

[58] **ne vous inquiétez pas à mon sujet** don't worry about me.

[59] **que** here = comme.

[60] **testament** will.

[61] **celui-ci** the latter.

[62] **île de Monte-Cristo** The little island of Monte-Cristo is south of Elba, off the coast of Tuscany, Italy.

[63] **hasard** accident, chance.

[64] **environ** about.

[65] **monnaie** currency.

[66] **autrefois** formerly.

[67] **Corse** Corsica.

[68] **crier** to cry out, shout.

[69] **il reste** here = there remains.

[70] **goutte** drop.

[71] **que je ne reviens pas à moi** that I do not regain consciousness.

[72] **bonheur** happiness.

[73] **secouer** to shake.

[74] **retomber** to fall back.

[75] **saisir** to seize.

[76] **Il est bien temps** It is just in time.

[77] **bien mort** quite dead.

[78] **cimetiere** cemetery.

[79] **sac** bag, sack.

[80] **lourd** heavy.

[81] **Pourquoi faire?** What for?

[82] **vide** empty.

[83] **distinguer** to make out, distinguish.

[84] **se venger de** to avenge oneself (upon).

[85] **récompenser** to reward.

[86] **couteau** knife.

[87] **aiguille** needle.

[88] **fil** thread.

[89] **se font entendre** are heard.

[90] **civière** litter, stretcher.

[91] **cortège** procession.

[92] **porteur** bearer, porter.

[93] **Allons-y!** Let's go!

[94] **Ils font cinquante pas** They take fifty steps.

[95] **vient se briser** is breaking.

[96] **encore quatre ou cinq pas** four or five more steps.

[97] **balancer** to swing.

[98] **en bas** down below.

[99] **boulet** cannon ball.

*Les Chandeliers de l'évêque*

**VICTOR HUGO**

### 1. La Faim

Un dimanche soir, en décembre 1795, un jeune homme de vingt-cinq ans était assis devant une table dans une petite maison du village de Faverolles en Brie.[1]

C'était Jean Valjean. Quand il était tout petit enfant, il avait perdu son père et sa mère. De sa famille, il ne restait que lui et sa sœur, et les sept enfants de sa sœur, qui avait perdu son mari. Le premier de ses enfants avait huit ans, le dernier un an. Jean Valjean avait pris la place du père et par un travail dur[2] et mal payé, il gagnait sa vie pauvrement, mais honnêtement.[3]

Il faisait ce qu'il pouvait. Certains jours, il gagnait dix-huit sous;[4] d'autres, il ne gagnait rien. La famille passait de nombreux jours sans pain ni viande. Sa sœur travaillait aussi, mais que faire[5] avec sept petits enfants?

En ce mois de décembre, 1795, il faisait très froid.[6] Jean n'avait pas de travail. La famille n'avait pas de pain. Pas de pain! et sept petits enfants!

Assis seul devant la table vide, il pensait à la situation, cherchant une solution. Dans la chambre voisine, il pouvait entendre pleurer de faim les sept petits enfants. Comme la vie était dure et triste!

À dix heures du soir, un boulanger[7] de la place[8] de l'Église[9] a entendu un grand bruit dans sa boulangerie. Il est vite descendu et il est arrivé à temps pour voir un bras passé par un trou dans la fenêtre. Le bras a saisi un pain et l'a emporté.[10] Le boulanger est vite sorti et a vu le voleur[11] qui courait sur la place. Le boulanger a couru après lui et l'a arrêté. C'était Jean Valjean.

### 2. Au Tribunal[12]

On a conduit[13] Jean Valjean devant le tribunal. La grande salle[14] du tribunal était pleine; tous les gens du village qui connaissaient Jean Valjean, s'y trouvaient.

Jean Valjean écoutait la voix du juge:

«Jean Valjean, vous êtes accusé d'avoir volé[15] un pain au boulanger. Vous n'avez pas pu prouver que vous êtes innocent, vous êtes donc coupable.[16] Aux yeux de la justice, vous êtes un voleur. Vous avez quelque chose à déclarer?»

Jean Valjean a compris qu'il devait se défendre, mais les mots ne pouvaient pas sortir d'entre ses lèvres. Enfin, il a répondu au juge:

«Je n'avais pas l'intention de voler. Je ne suis pas un voleur. Je suis honnête, comme tout le monde pourrait vous le dire. Vous ne savez pas ce que c'est que[17] d'avoir faim! Vous ne savez pas ce que c'est que d'être sans travail, sans argent, sans pain! J'ai cherché dans tous les villages voisins; j'ai fait des kilomètres[18] pour trouver du travail, mais rien! Pas de travail, pas de pain. Je ne voulais pas faire quelque chose de malhonnête.[19] Tout le monde le sait, je n'avais pas l'intention de voler; j'avais seulement faim, et les petits avaient faim. Vous comprenez, faim, faim!»

«Il n'y a rien à faire,» dit le juge du tribunal. «Il faut que la justice se fasse. Vous êtes condamné à cinq ans de galères.»[20]

«Vous ne pouvez pas m'envoyer aux galères pour avoir volé un pain!» s'est écrié Jean Valjean. Il ne pouvait pas croire ce qu'il avait entendu. Cinq ans de galères pour un pain!

Mais les gendarmes[21] l'ont saisi et l'ont emmené. Sa voix s'est perdue dans le bruit de la salle.

### 3. Numéro 24601

Comme pour tous les autres prisonniers condamnés aux galères, à Toulon,[22] on ne l'a plus appelé par son nom. Il n'était plus Jean Valjean; il était le numéro 24601.

Vers la fin de la quatrième année, ses camarades l'ont aidé à s'évader.[23] Pendant deux jours il a été en liberté, dans les champs, si c'est être libre que d'avoir peur de tout, d'un homme qui passe sur la route, d'un cheval qui court le long du chemin, d'une bête qui sort de son trou, d'un chien, des enfants, du jour parce qu'on voit, de la nuit parce qu'on ne voit pas. Le soir du deuxième jour, les gendarmes l'ont repris. Il n'avait ni mangé ni dormi depuis trente-six heures.

Le tribunal l'a condamné à trois ans de prison en plus des cinq premiers.

La sixième année, il a essayé de s'évader une deuxième fois. Il s'est caché la nuit dans un vieux bateau, au bord de l'eau. Mais il a été repris. Et il a été condamné à cinq ans de prison de plus, dont deux ans de double chaîne.[24] Treize ans, en tout.

La dixième année, il a essayé pour la troisième fois de s'évader. Il n'a pas mieux réussi.[25] Trois ans de plus. Ça fait seize ans de prison.

Enfin, pendant la treizième année, il a essayé une dernière fois et n'a réussi qu'à se faire reprendre après quatre heures de liberté. Trois ans pour ces quatre heures. Dix-neuf ans. . .

Dix-neuf ans, c'est long! L'homme qui était entré en prison en 1796 pour avoir volé un pain, et qui pleurait à la pensée des sept petits enfants qui souffraient de la faim et du froid. En 1815, cet homme-là n'était plus. C'est cette année-là, 1815, que le numéro 24601 est sorti de prison.

Jean Valjean ne pleurait plus, il ne montrait plus ses émotions, il parlait peu, ne riait jamais. Pour lui, la vie était devenue sombre, dure, sans espoir. Depuis longtemps, il était sans nouvelles[26] de sa famille; il n'allait plus revoir personne. Il était seul, tout seul, contre la société cruelle.

## 4. Liberté

En octobre 1815, la porte de la prison s'est ouverte. Jean Valjean était libre. Libre! Mais il entendait toujours ce qu'on lui avait dit en sortant:

«Il faudra aller te présenter à Pontarlier.[27] Tu connais les règlements.[28] Tu te présenteras au bureau de police, deux fois par semaine, pendant la première année; tous les mois pendant la deuxième année; tous les trois mois pendant la troisième année, et le premier de l'an, tous les ans, pendant les dix années qui suivront. Si tu oublies de suivre les règlements une seule fois, tu risques de te faire arrêter. Voici ton passeport et ton argent. Passe ton chemin!»[29]

«J'ai un passeport jaune?»

«Oui, il est jaune! Tu as essayé de t'évader plusieurs fois. On ne donne pas de passeport blanc à des gens comme toi!»

Jean Valjean s'en est allé sur la route de Digne.[30]

En traversant les petits villages sur son chemin, il essayait de trouver du travail. Il était très fort et pouvait faire le travail de quatre hommes, sans se fatiguer. Mais il n'y avait pas de travail pour un homme à passeport jaune, un galérien![31]

Un soir, il est arrivé dans la petite ville de Digne, dans les Alpes.

Il y avait peu de gens dans les rues. Ceux qui regardaient cet homme misérable, sombre et fatigué, avec un sac sur le dos et un bâton fort à la main, passaient leur chemin sans lui parler.

Jean Valjean est entré dans la mairie,[32] puis est sorti peu après. Un gendarme, assis près de la porte, l'a regardé, l'a suivi quelque temps des yeux, puis est rentré dans la mairie.

Jean Valjean avait faim. Il est entré dans la meilleure auberge[33] et a demandé un lit pour la nuit et quelque chose à manger. Mais pendant qu'il attendait, l'aubergiste[34] avait envoyé un enfant au bureau de police pour savoir qui était cet homme qui se présentait à l'auberge.

«Monsieur,» dit l'aubergiste, «nous n'avons pas de chambre.»

«Mais je peux dormir avec les chevaux.»

«Il n'y a pas de place.»

«Alors, donnez-moi quelque chose à manger. J'ai de l'argent.»

«Je ne puis pas vous donner à manger.»

Jean Valjean se leva.

«Je meurs de faim. Je marche depuis ce matin. J'ai fait seize kilomètres. Je paye. Je veux manger.»

«Je n'ai rien,» dit l'aubergiste.

«Je suis à l'auberge; j'ai faim et je reste.»

L'aubergiste l'a regardé un moment; puis, il lui a dit:

«Allez-vous-en.[35] Voulez-vous que je vous dise votre nom? Vous vous appelez Jean Valjean. Maintenant, voulez-vous que je vous dise qui vous êtes? Vous êtes un galérien. Allez-vous-en!»

Jean Valjean a baissé[36] la tête, a repris son sac et son bâton, et s'en est allé.

## 5. Va-t'en!

Il faisait froid.

Dans les Alpes, on ne peut pas passer la nuit dans la rue. Alors Jean Valjean est entré dans une autre auberge, a pris une place devant le feu, et a demandé quelque chose à manger. L'aubergiste a mis une main sur l'épaule de l'étranger, et lui a dit:

«Tu vas t'en aller d'ici.»

«Ah! vous savez? . . .»

«Oui.»

«Où voulez-vous que j'aille?»

«N'importe où;[37] mais pas ici!»

Jean Valjean a pris son bâton, a mis son sac sur le dos et s'en est allé.

Il est passé devant la prison. Il a frappé à la porte. La porte s'est ouverte.

«Monsieur, voudriez-vous m'ouvrir et me donner une place pour cette nuit?»

«Une prison n'est pas une auberge. Faites-vous arrêter,[38] on vous ouvrira.»

La porte s'est refermée.

En passant devant une petite maison, Jean Valjean a vu une lumière. Il a regardé par la fenêtre. C'était une famille de paysans.[39] Au milieu de la chambre, il y avait une table, sur laquelle se trouvaient du pain et du vin. Il a frappé à la fenêtre un petit coup, très faible. . . Il a frappé un second coup. . . un troisième coup.

Le paysan s'est levé pour aller ouvrir la porte.

«Pardon, monsieur» dit l'étranger. «En payant, pourriez-vous me donner une place pour dormir? Dites, pourriez-vous? en payant?»

«Pourquoi n'allez-vous pas à l'auberge?»

«Il n'y pas de place chez Labarre.»

«Et à l'autre auberge?»

«Non plus.»

Le paysan a regardé le nouveau venu[40] de la tête aux pieds, puis il s'est écrié.

«Est-ce que vous seriez l'homme? . . . Va-t'en! Va-t'en!»

Puis il a refermé la porte.

Au bord de la rue, dans un jardin, Jean Valjean a vu une sorte de petite hutte. Il souffrait du froid et de la fatigue. Alors, il s'est glissé[41] dans la hutte.

Il y faisait chaud. L'homme y est resté un moment sans pouvoir faire un mouvement. Puis il a essayé de mettre son sac à terre. En ce moment, un bruit lui a fait lever les yeux. Il a vu la tête d'un chien énorme derrière lui. Jean Valjean s'est armé de son bâton, a mis son sac entre lui et le chien et est sorti de la hutte comme il a pu.

Une fois dans la rue, il a marché vers la place de la ville, et s'est couché sur un banc[42] de pierre[43] devant l'église, en se disant:

«Je ne suis pas même un chien!»

## 6. Un Juste[44]

Une vieille femme sortait de l'église en ce moment.

«Que faites-vous là, mon ami?» lui a-t-elle dit.

«Vous le voyez, bonne femme, je me couche,» a-t-il répondu, durement.

«Sur ce banc?»

«Oui, sur ce banc; un lit de pierre, ça n'a pas d'importance!»

«Mais vous ne pouvez pas passer ainsi la nuit.»

«J'ai frappé à toutes les portes. . . on m'a chassé.»

La bonne femme lui a montré une petite maison, tout près de l'église.

«Vous avez frappé à toutes les portes?» lui a-t-elle dit.

«Oui.»

«Avez-vous frappé à celle-là?»

«Non.»

«Frappez-y.»

Jean a regardé la maison, s'est levé et s'est approché lentement de la porte.

C'était la maison de Mgr[45] Bienvenu, évêque[46] de Digne, un vieil homme de soixante-dix ans, qui y vivait seul avec sa sœur, Mlle Baptistine, et une vieille servante, appelée madame Ma-gloire.

Entendant quelqu'un frapper à sa porte, le bon évêque a crié: «Entrez.»

La porte s'est ouverte. Un homme est entré, un sac au dos, un bâton à la main. Son air sombre et sauvage a fait peur à la petite servante, qui n'a même pas eu la force de jeter un cri.[47] Mlle Baptistine a regardé son frère, restant calme.

L'évêque a regardé l'homme d'un œil tranquille.

«Entrez,» a-t-il dit. «Que voulez-vous ici?»

«On m'a dit de venir ici. Êtes-vous aubergiste? J'ai de l'argent. Puis-je rester pour la nuit?»

Au lieu de répondre à cette question, l'évêque a dit à madame Magloire:

«Mettez un couvert[48] de plus à la table.»

Puis, il a dit à l'étranger:

«Vous avez faim? Entrez donc!»

Jean l'a regardé un moment. Il ne pouvait pas comprendre cet homme-là. Pourquoi ne lui avait-il pas dit: «Va-t'en!»? Il s'est approché de l'évêque et l'a regardé dans les yeux; puis, il lui a dit, lentement, lentement:

«Attendez! Il faut que je vous dise. . . Je m'appelle Jean Valjean. Je suis un galérien. J'ai passé dix-neuf ans en prison. Je suis libre depuis quatre jours[49] et en route pour Pontarlier. Ce soir, en arrivant dans cette ville, j'ai été dans une auberge, on m'a dit de m'en aller à cause de mon passeport jaune. J'ai été à une autre auberge. On m'a dit: Va-t'en! Personne n'a voulu de moi. J'ai été dans la hutte d'un chien. Ce chien m'a chassé comme s'il avait été un homme. Alors je me suis couché sur un banc de pierre, sur la place. Mais une bonne femme m'a montré votre maison et m'a dit: Frappe là. . . J'ai frappé. Qu'est-ce que c'est ici? est-ce une auberge? J'ai de l'argent; cent neuf francs quinze sous que j'ai gagnés aux galères par mon travail en dix-neuf ans. Je payerai. Voulez-vous que je reste?»

«Madame Magloire, vous mettrez un couvert de plus,» a dit l'évêque.

L'homme s'est approché de plus près:

«Avez-vous bien compris? Je suis un galérien! un galérien! Je viens des galères.»

Il a tiré[50] de sa poche son passeport et l'a montré à Mgr Bienvenu.

«Voilà mon passeport,» lui a-t-il dit. «Jaune, comme vous le voyez. Tenez, voilà ce qu'on a mis sur le passeport: Jean Valjean, galérien libéré[51]. . . est resté dix-neuf ans an prison. Cinq ans pour vol.[52] Quatorze ans pour avoir essayé de s'évader quatre fois. Cet homme est très dangereux.»

«Madame Magloire,» dit l'évêque, «vous mettrez des draps[53] blancs au lit dans la chambre voisine.»

L'évêque s'est tourné vers l'homme:

«Monsieur,» lui a-t-il dit, «vous êtes le bienvenu. Asseyez-vous devant le feu. Nous allons souper[54] dans un moment, et l'on fera votre lit pendant que vous souperez.»

Enfin, Jean Valjean a compris. On ne le chassait pas. Il s'est mis à parler, en cherchant ses mots:

«Vrai? Quoi? vous me gardez? Vous ne me chassez pas? Vous m'appelez «monsieur», moi, un galérien! Je vais souper! J'ai un lit! Je payerai tout ce que vous voudrez. Pardon, monsieur l'aubergiste, comment vous appelez-vous? Vous êtes aubergiste, n'est-ce pas?»

«Je suis,» a dit l'évêque, «un prêtre[55] qui demeure[56] ici.»

«Un prêtre!» a répondu l'homme. «Oh! un brave homme de prêtre![57] C'est bien bon un bon prêtre. Alors vous n'avez pas besoin que je paye?»

«Non,» a dit l'évêque, «gardez votre argent.»

### 7. Les Chandeliers[58] d'argent

Madame Magloire est rentrée. Elle apportait un couvert qu'elle a mis sur la table.

«Madame Magloire,» a dit l'évêque, «mettez ce couvert un peu plus près du feu. Il fait froid dans les Alpes, et monsieur doit avoir froid.»

Chaque fois qu'il disait ce mot *monsieur,* avec sa voix sérieuse et bonne, Jean Valjean sentait quelque chose remuer[59] dans son cœur.

«Voici,» a continué l'évêque, «une lampe qui ne donne pas beaucoup de lumière.»

Madame Magloire a compris et elle est allée chercher dans la chambre à coucher de monseigneur les deux chandeliers d'argent qu'elle a mis sur la table tout allumés.[60]

«Monsieur,» a dit Jean, «vous êtes bon, vous me respectez. Vous me recevez chez vous et vous allumez vos beaux chandeliers d'argent pour moi. Ne vous ai-je pas dit d'où je viens, et que je suis un homme dangereux?»

L'évêque a mis sa main doucement sur celle de Jean Valjean, et a dit:

«Vous n'aviez pas besoin de me dire votre nom. Je vous connais. Cette porte ne demande pas à un homme qui y entre, s'il a un nom, mais s'il a une douleur. Vous avez faim et soif, vous souffrez, ainsi vous êtes le bienvenu. Et il ne faut pas me remercier, parce que vous êtes chez vous. Tout ce qui est ici est à vous. Alors je n'ai pas besoin de vous demander ce que je savais déjà.»

«Vous me connaissez, donc?»

«Oui, vous êtes mon frère. Vous comprenez? mon frère. Et vous avez beaucoup souffert, n'est-ce pas?»

«Oh! la blouse rouge, les chaînes aux pieds, une planche[61] pour dormir, le chaud, le froid, le travail, les gardiens, les coups de bâton, la double chaîne pour rien, même malade au lit, la chaîne. Les chiens sont plus heureux! Dix-neuf ans! j'en ai quarante-six. Et maintenant le passeport jaune. Voilà!»

«Oui, vous sortez d'un lieu de tristesse.[62] Écoutez. Il y aura plus de joie au ciel pour un homme qui a fait le mal et qui le regrette que pour la robe blanche de cent justes. Si vous sortez de ce lieu douloureux avec des pensées de colère[63] contre les hommes, vous êtes digne[64] de pitié; si vous en sortez avec des pensées de bonté et de douceur,[65] vous valez mieux[66] que n'importe lequel d'entre nous.[67] Si c'est comme ça que vous sortez, alors, il y a de l'espoir pour vous en ce monde, et après.»

Madame Magloire avait servi le souper. On s'est mis à table.[68] Comme il faisait toujours quand quelque étranger soupait chez lui, l'évêque a fait asseoir Jean Valjean à sa droite, entre sa sœur et lui.

Jean n'a pas levé la tête. Il a mangé comme une bête sauvage qui souffre de la faim.

Après le souper, Mgr Bienvenu a pris sur la table un des deux chandeliers d'argent, a donné l'autre à Jean Valjean, et lui a dit:

«Monsieur, je vais vous conduire à votre chambre.»

### 8. On pense à tout

Pour passer dans la chambre où Jean Valjean allait coucher, il fallait traverser la chambre à coucher de l'évêque.

Au moment où ils la traversaient, madame Magloire mettait l'argenterie[69] dans un placard[70] dans le mur, près du lit de l'évêque. C'était la dernière chose qu'elle faisait chaque soir avant d'aller se coucher. Elle sentait les yeux de l'étranger qui suivaient tous ses mouvements, et, ayant peur de lui, elle a fermé le placard à clef et elle est vite sortie de la chambre. Mais, dans son émotion elle a oublié de prendre la clef avec elle.

Entrant dans la petite chambre voisine, l'évêque a fait signe à Jean Valjean de le suivre.

«Voilà votre lit, monsieur,» a-t-il dit. «Faites une bonne nuit. Demain matin, avant de partir, vous boirez une tasse de lait[71] chaud.»

Jean Valjean l'a remercié. Puis, tout à coup,[72] il a eu un étrange mouvement du cœur. Il s'est tourné vers le vieillard,[73] a levé son bâton, et, regardant l'évêque avec des yeux de bête sauvage, il s'est écrié:

«Comment! Vous me donnez un lit chez vous, près de vous comme cela! Avez-vous bien pensé à tout? Qui est-ce qui vous dit que je n'ai pas tué un homme?»

L'évêque a répondu:

«Cela regarde[74] le bon Dieu.»

Puis, gravement et remuant les lèvres[75] comme quelqu'un qui prie ou qui se parle à lui-même, il a levé la main droite et a béni[76] Jean Valjean, qui n'a pas baissé la tête. Sans regarder derrière lui, il est rentré dans sa chambre.

Il était si fatigué qu'il n'a pas profité des bons draps blancs et il a éteint[77] la lumière d'un coup de sa main et s'est laissé tomber sur le lit. Il s'est endormi tout de suite.

[1] **Brie** province to the south of Paris.

[2] **dur** hard.

[3] **honnêtement** honestly, respectably.

[4] **dix-huit sous** (a sou is worth five centimes), i.e., very little money.

[5] **que faire.º.º.º?** what can be done?

[6] **il faisait très froid** the weather was bitterly cold.

[7] **boulanger** baker.

[8] **place** square.

[9] **Église** Church.

[10] **emporter** to carry off.

[11] **voleur** thief.

[12] **tribunal** court.

[13] **conduire** to lead, bring.

[14] **salle** hall, room.

[15] **voler quelque chose à quelqu'un** to steal something from someone.

[16] **coupable** guilty.

[17] **que:** here, disregard.

[18] **kilomètre** kilometer ( = approximately 5/8 mile); **faire des kilomètres** to travel, walk miles.

[19] **malhonnête** dishonest.

[20] **galeres** *fpl.* galleys, prison (with hard labor).

[21] **gendarme** gendarme (state police officer).

[22] **Toulon** seaport on the Mediterranean coast.

[23] **s'evader** to escape.

[24] **dont deux ans en double chaîne** two (years) of those in double chains.

[25] **reussir** to succeed.

[26] **était sans nouvelles** had not heard.

[27] **Pontarlier** a small town in Eastern France where Jean Valjean hoped to find work.

[28] **règlements** régulations.

[29] **Passe ton chemin!** Go (be on) your way!

[30] **Digne** city of southeastern France, north of Toulon, where Valjean had been imprisoned.

[31] **galérien** convict.

[32] **mairie** townhall (where the police station was located).

[33] **auberge** inn.

[34] **aubergiste** innkeeper.

[35] **s'en aller** to go away.

[36] **baisser** to lower.

[37] **n'importe où** anywhere.

[38] **Faites-vous arrêter** Get yourself arrested.

[39] **paysan** peasant, farmer.

[40] **nouveau venu** newcomer.

[41] **se glisser** to slip, slide.

[42] **banc** bench.

[43] **pierre** stone.

[44] **juste** just or upright person.

[45] **Mgr** (*abbreviation for* **monseigneur**) his (your) Grace (= title of church dignitary).

[46] **évêque** bishop.

[47] **jeter un cri** to utter a cry.

[48] **couvert** place setting.

[49] **je suis libre depuis quatre jours** I have been free for four days.

[50] **tirer** to draw, pull.

[51] **libéré** freed, released.

[52] **vol** theft.

[53] **drap** sheet.

[54] **souper** to have supper.

[55] **prêtre** priest.

[56] **demeurer** to live, dwell.

[57] **un brave homme de prêtre** a really decent priest.

[58] **chandelier** candlestick.

[59] **remuer** to stir.

[60] **allumé** lighted.

[61] **planche** board.

[62] **tristesse** sadness.

[63] **colère** anger.

[64] **digne** worthy.

[65] **des pensées de bonté et de douceur** good and gentle thoughts.

[66] **valez mieux** (*pres. ind.* **valoir**) are worth more.

[67] **n'importe lequel d'entre nous** any one of us, no matter which.

[68] **se mettre à table** to sit down to table.

[69] **argenterie** silverware.

[70] **placard** cupboard.

[71] **une tasse de lait** a cup of milk.

[72] **tout à coup** suddenly.

[73] **vieillard** old man.

[74] **regarder** here = to concern.

[75] **remuant les lèvres** moving his lips.

[76] **bénir** to bless.

[77] **éteint** (*p.p.* **éteindre**) extinguished, put out.

**Les Chandeliers de l'évêque** (suite)

9. Un Voleur dans la nuit

À deux heures du matin, Jean Valjean s'est réveillé.

Il avait dormi plus de quatre heures. Sa fatigue était passée. Il n'a pas pu se rendormir,[1] et il s'est mis[2] à réfléchir. Beaucoup de pensées lui venaient, mais il y en avait une qui chassait toutes les autres: celle de l'argenterie.

Les quatre couverts d'argent que madame Magloire avait mis sur la table étaient là. Tout près de lui. Ils étaient en argent massif.[3] Ils valaient au moins[4] deux cents francs. Le double de ce qu'il avait gagné en dix-neuf ans. . . Dans ce placard, dans la chambre voisine. . .

Trois heures ont sonné.[5]

Jean Valjean a rouvert les yeux. Il s'est brusquement levé. Il a écouté; pas un seul bruit dans la maison. Alors, il a marché droit[6] vers la fenêtre. Elle n'était pas fermée; elle donnait sur le jardin. Il a regardé: le mur du jardin n'était pas haut, on pourrait monter dessus très facilement.

Ce coup d'œil jeté,[7] il a pris son bâton dans sa main droite et, marchant très doucement, il s'est approché de la porte de la chambre voisine, celle de l'évêque. Arrivé à cette porte, il l'a trouvée entr'ouverte.[8] Jean Valjean a écouté. Pas de bruit. . . Personne ne remuait dans la maison.

Il a poussé la porte. Elle s'est ouverte un peu. Il a attendu un moment, puis a poussé la porte une seconde fois, avec plus de force.

Cette fois, la porte s'est ouverte toute grande.[9] Mais, en s'ouvrant elle a fait un bruit aigu,[10] comme le cri d'une bête dans la forêt, la nuit.

Ce bruit est entré dans le cœur de Jean Valjean comme une épée.[11] Il était terrible, ce bruit, comme le cri d'un homme condamné à mort.

Jean Valjean s'est cru perdu. Il s'est imaginé que toute la maison allait se réveiller. Il voyait déjà les gendarmes et. . . la double chaîne. . . pour la vie. . .

Il est resté où il était, ne faisant pas de mouvement. Quelques minutes ont passé. La porte restait toujours grande ouverte. Il pouvait regarder dans la chambre. Rien ne remuait dans la chambre de l'évêque. Il y est entré.

Comme la chambre était tranquille! Sans faire de bruit, l'homme a avancé vers le lit. Il s'est arrêté tout à coup. Il était près du lit.

Depuis une heure un sombre nuage couvrait le ciel. Au moment où Jean Valjean s'est arrêté près du lit, le nuage est passé et la lune, comme une lumière qu'on avait éteinte et puis vite rallumée, est apparue tout à coup au-dessus des arbres du jardin. Un rayon de lune[12] a traversé la longue fenêtre étroite de la chambre et a éclairé la figure[13] pâle et les cheveux blancs de l'évêque.

Il dormait comme un enfant, comme un juste qui avait passé sa vie à faire le bien pour les autres, ses frères. Sa figure était si noble et si pleine de bonté et de douceur que Jean Valjean s'est senti le cœur remué par une émotion profonde et étrange. Son œil n'a pas quitté la figure du vieux. Dans sa main droite, il tenait toujours son gros bâton. Mais il ne savait plus ce qu'il devait faire.

D'abord, il a eu l'idée de frapper. . . de prendre. . . de sauter; puis, il a voulu baiser[14] la main de celui qui avait dit: «Oui, vous êtes mon frère. . . vous avez souffert. . . de l'espoir. . . demain matin, du lait chaud. . . faites une bonne nuit. . . »

Il est resté là, les yeux fixés sur la figure de l'évêque. Au bout de quelques minutes, il a laissé tomber lentement son bras droit; puis, il a levé son bras gauche et a ôté[15] sa casquette.[16] Il est resté longtemps immobile.

Tout à coup, il a remis sa casquette et a vite marché le long du lit, sans regarder l'évêque, vers le placard qu'il voyait dans le mur. Il a saisi la clef, l'a tournée et a ouvert le placard. La première chose qu'il a vue, c'était l'argenterie; il l'a saisie, a traversé la chambre, est rentré dans la chambre voisine, a ouvert la fenêtre, a mis l'argenterie dans son sac, a traversé le jardin en courant, a sauté par-dessus le mur comme un tigre et s'est enfui.

## 10. L'Évêque achète une âme[17]

Le lendemain matin, vers six heures, pendant que monseigneur Bienvenu faisait sa promenade[18] habituelle au jardin, madame Magloire est tout à coup sortie de la maison et a couru vers lui, en criant:

«Monseigneur, monseigneur, l'argenterie n'est plus dans le placard! Grand bon Dieu! elle est volée! c'est cet homme. . . je vous l'avais bien dit! Il est parti sans rien dire et a emporté l'argenterie. Maintenant nous n'aurons plus de couverts en argent!»

L'évêque venait de remarquer une plante que Jean Valjean avait brisée[19] en sautant de la fenêtre. Il est resté un moment sans rien dire, puis a levé son œil sérieux et a dit à madame Magloire avec douceur:

«Et cette argenterie était-elle à nous?»

Madame Magloire n'a pas su que dire. Il y a eu encore un moment de silence, puis l'évêque a continué:

«J'avais depuis longtemps cette argenterie. Elle était aux pauvres. Qui était cet homme? Un pauvre, c'est évident. Il devait en avoir besoin,[20] et il l'a prise. C'est juste.»

Quelques minutes après, il déjeunait[21] à cette même table où Jean Valjean s'était assis la veille.[22] Sa sœur ne disait rien, mais madame Magloire parlait toujours de la perte[23] de l'argenterie. Enfin, l'évêque lui a dit:

«Madame Magloire, à quoi bon regretter cette argenterie? On n'en a pas besoin pour manger son pain et boire son lait.»

Le frère et la sœur allaient se lever de table quand on a frappé à la porte.

«Entrez,» dit l'évêque.

La porte s'est ouverte. Un groupe étrange et violent est apparu. Trois hommes en tenaient un quatrième par les deux bras. Les trois hommes étaient des gendarmes; le quatrième était Jean Valjean.

Le brigadier[24] s'est avancé vers l'évêque.

Mais monseigneur Bienvenu s'était approché de Jean Valjean, en s'écriant:

«Ah! vous voilà, mon ami! Je suis heureux de vous revoir. Eh bien, mais! je vous avais donné les chandeliers aussi, qui sont en argent comme le reste et pour lesquels on vous donnera certainement deux cents francs. Pourquoi ne les avez-vous pas emportés avec vos couverts?»

Jean Valjean a ouvert les yeux et a regardé le vénérable évêque. Avec une émotion étrange, il n'a pu rien dire.

«Monseigneur,» a dit le brigadier, «ce que cet homme nous disait était donc[25] vrai? Nous l'avons rencontré il y a une heure; il courait dans les champs. Il avait cette argenterie dans son sac, la vôtre, et nous avons cru qu'il l'avait volée. Mais. . . »

«Il vous a dit,» a vite répondu l'évêque, «qu'elle lui avait été donnée par un vieux prêtre chez lequel il avait passé la nuit, n'est-ce pas? Je vois la chose. Et vous l'avez ramené ici? Vous avez fait votre devoir.[26] Mais, c'est une erreur, monsieur.»

«Ainsi,» a répondu le gendarme, «nous pouvons le laisser aller?»

«Oui,» a dit l'évêque.

Les gendarmes ont lâché[27] Jean Valjean, qui a laissé retomber ses bras sans lever la tête:

«Est-ce que c'est vrai qu'on me laisse aller?» a-t-il dit d'une voix inarticulée.

«Oui, on te laisse, tu n'entends donc pas?» a dit le brigadier.

«Mon ami,» dit l'évêque, «avant de vous en aller, voici vos chandeliers. Prenez-les.»

Il est rentré dans la chambre, a pris les deux chandeliers d'argent et les a apportés à Jean Valjean, qui tremblait d'émotion.

Jean Valjean a pris les deux chandeliers. Il ne paraissait pas comprendre ce qu'il faisait.

«Maintenant,» a dit l'évêque, «allez en paix.»

Puis, se tournant vers les gendarmes:

«Messieurs, vous pouvez partir. Je vous remercie de vos bons services.»

Les gendarmes s'en sont allés, lentement.

L'évêque s'est approché de Jean Valjean, l'a regardé un moment dans les yeux, et lui a dit d'une voix douce et pleine de bonté:

«N'oubliez pas, n'oubliez jamais que vous m'avez promis d'employer cet argent à devenir honnête homme.»

Jean Valjean, qui ne se souvenait pas[28] d'avoir fait cette promesse, n'a rien dit.

La voix sérieuse de l'évêque a continué:

«Jean Valjean, mon frère, votre âme n'appartient plus au mal,[29] mais au bien. Le mal est derrière vous. C'est votre âme que je vous achète et je la rends à Dieu. Allez en paix.»

Jean Valjean, tenant toujours les deux chandeliers dans ses mains, n'a rien pu trouver à dire. Il était incapable de parler. Il est brusquement parti. L'évêque a suivi l'homme des yeux et ses lèvres répétaient ces mots: «C'est votre âme que je vous achète. . . et je la rends à Dieu.»

## 11. Petit-Gervais

Jean Valjean est sorti de la ville comme s'il s'échappait.[30] Il s'est mis à marcher dans les champs, sans faire attention où il allait. Deux fois, quatre fois, il repassait sur le même chemin sans le reconnaître.

Il se sentait remué de sensations nouvelles, étranges, il avait peur. . . Il se fâchait,[31] mais il ne savait pas contre qui il se fâchait. De temps en temps, une douceur étrange remuait son cœur; puis, tout à coup, les vingt terribles années aux galères s'élevaient comme un mur entre elle et lui. Il voyait qu'il n'était plus calme, que sa main tremblait, sa main dure de galérien!

Il entendait toujours: «Vous m'avez promis de devenir honnête homme. . . vous n'appartenez plus au mal. . . c'est votre âme que j'achète. . . je la rends à Dieu.»

Vers cinq heures du soir, Jean Valjean était assis sous un arbre dans une grande plaine absolument déserte, à douze kilomètres de Digne. Au loin, on ne voyait que les Alpes. Pas de maison, pas de village. Il était seul, tout seul, avec ses pensées.

Tout à coup, il a entendu un bruit joyeux.

Il a tourné la tête et a vu venir dans le chemin un garçon de dix ou douze ans qui chantait, en jouant en même temps avec des sous et des pièces[32] d'argent qu'il avait dans la main. Il les jetait en l'air et les rattrapait[33] sur le dos de sa main. C'était toute sa fortune.

Le garçon s'est arrêté près de l'arbre sans voir Jean Valjean et a fait sauter son argent en l'air. Mais, cette fois, une pièce de quarante sous lui a échappé, est venue rouler[34] aux pieds de Jean Valjean.

Jean Valjean a mis le pied dessus. Mais l'enfant avait suivi sa pièce des yeux, et l'avait vu. Il n'a pas eu peur; il a marché droit à l'homme et a dit:

«Monsieur, ma pièce.»

«Ton nom?» a dit Jean Valjean.

«Petit-Gervais, monsieur.»

«Va-t'en,» a dit Jean Valjean.

«Ma pièce, monsieur, s'il vous plaît, rendez-moi ma pièce.»

Jean Valjean a baissé la tête et n'a pas répondu.

«Ma pièce de quarante sous, monsieur.»

L'œil de Jean Valjean est resté fixé par terre.

«Ma pièce!» a crié l'enfant, «ma pièce blanche[35]!»

Le garçon l'a pris par le bras et a essayé de lui faire ôter le pied de dessus la pièce. Jean Valjean restait immobile, ne paraissant rien entendre.

«Ôtez votre pied, monsieur, s'il vous plaît! Je veux ma pièce, ma pièce de quarante sous!»

L'enfant pleurait. Jean Valjean a relevé la tête. Il a regardé autour de lui, comme s'il ne pouvait pas bien voir et cherchait d'où venait ce bruit. Quand il a vu l'enfant tout près de lui, il a mis la main sur son bâton, et a crié d'une voix terrible:

«Qui est là?»

«Moi, monsieur,» a répondu l'enfant. «Petit-Gervais! moi! Rendez-moi mes quarante sous, s'il vous plaît! Ôtez votre pied, monsieur, s'il vous plaît.»

«Ah! c'est encore toi!» a dit Jean Valjean, se levant brusquement, mais sans ôter le pied de dessus la pièce d'argent. «Va-t'en! va-t'en! ou je te frappe!»

L'enfant l'a regardé. Après quelques secondes de stupeur, il a commencé à trembler de la tête aux pieds. Puis il s'est enfui en courant de toutes ses forces, sans tourner la tête ni jeter un cri.

Le jour finissait. . .

## 12. Un Misérable[36]

Le garçon avait disparu.[37] Le soleil s'était couché. Jean Valjean n'avait pas mangé depuis la veille; il sentait le froid de la nuit qui tombait.

Avant de se mettre en route, il s'est baissé pour reprendre son bâton par terre. En ce moment, il a vu la pièce de quarante sous qu'il avait sous son pied. Il a eu une commotion.

«Qu'est-ce que c'est que cela?» s'est-il dit entre ses dents.

Il a fait quelques pas, puis s'est arrêté. La pièce d'argent brillait[38] et l'attirait comme si elle était un œil ouvert fixé sur lui.

Au bout de quelques minutes, il a saisi convulsivement la pièce d'argent et s'est mis à regarder au loin dans la plaine, cherchant des yeux tous les points de l'horizon. Il n'a rien vu. La nuit tombait, la plaine était froide, le ciel était sombre et sans étoiles.

Il a dit: «Ah!» et s'est mis à marcher rapidement dans la direction où l'enfant avait disparu. Après trente pas, il s'est arrêté, a regardé et n'a rien vu. Alors, il a crié de toutes ses forces:

«Petit-Gervais! Petit-Gervais!»

Personne n'a répondu. Personne.

Jean Valjean a recommencé à courir dans la direction qu'il avait prise avant de s'être arrêté. De temps en temps, il s'arrêtait pour jeter dans la solitude son cri: «Petit-Gervais! Petit-Gervais!»

Si le garçon l'avait entendu, il aurait eu peur et ne lui aurait pas répondu; mais l'enfant était déjà loin.

L'homme a rencontré un prêtre à cheval. Il s'est approché de lui, en disant:

«Monsieur, avez-vous vu passer un garçon?»

«Non,» a répondu le prêtre.

«Un garçon s'appelant Petit-Gervais?»

«Je n'ai vu personne.»

Jean Valjean a pris deux pièces de cinq francs dans son sac et les a données au prêtre.

«Voilà, monsieur, pour vos pauvres,» lui a-t-il dit. «C'était un garçon d'environ dix ans, je crois. Un pauvre, vous savez.»

«Je ne l'ai pas vu.»

«Alors, pouvez-vous me dire s'il y a quelqu'un qui s'appelle Petit-Gervais dans les villages voisins?»

«Si c'est comme vous dites, mon ami, c'est un petit enfant étranger. Il y en a qui passent par ici. On ne les connaît pas.»

Jean Valjean a cherché dans son sac, a pris violemment deux autres pièces de cinq francs qu'il a données au prêtre.

«Pour vos pauvres!» a-t-il dit. Puis, d'une voix qui tremblait d'émotion: «Faites-moi arrêter, monsieur; je suis un voleur. . . un voleur? vous comprenez!»

Le prêtre s'est enfui sans répondre, croyant que Jean Valjean avait perdu la raison.[39]

Jean Valjean s'est remis en route. Il a marché longtemps, cherchant des yeux dans la nuit, jetant toujours son cri vers tous les points de l'horizon, cherchant à entendre la réponse qui ne lui arrivait jamais.

Deux fois il a couru dans la plaine vers quelque chose qui lui paraissait être une personne couchée par terre, mais ce n'était qu'une grosse pierre ou le tronc d'un arbre mort.

Enfin, à un endroit d'où partaient trois chemins, il s'est arrêté. La lune s'était levée. Il a regardé autour de lui et a appelé une dernière fois: «Petit-Gervais! Petit-Gervais!»

Son cri s'est éteint dans la nuit et le silence, sans écho.

C'était là son dernier effort. Brusquement, ses jambes ont faibli;[40] il est tombé sur une grosse pierre, la tête entre les mains, et a crié; «Je suis un misérable. . . un misérable!»

Alors, il s'est mis à pleurer. C'était la première fois qu'il pleurait depuis dix-neuf ans. . .

A-t-il pleuré longtemps? Qu'a-t-il fait après avoir pleuré? Où est-il allé? On ne l'a jamais su.

Mais, cette même nuit, un paysan qui arrivait à Digne vers trois heures du matin, a vu en traversant la place de l'église un homme qui priait devant la porte de monseigneur Bienvenu.

## 13. Le Père[41] Madeleine

Vers la fin de l'année 1815, un homme, un inconnu, était venu demeurer dans la petite ville de Montreuil-sur-Mer.[42]

Il avait eu l'idée de faire quelques changements dans la fabrication du jais,[43] l'industrie spéciale de la ville.

En moins de trois ans, cet homme était devenu très riche, ce qui est bien, et avait enrichi tous ceux qui étaient autour de lui, ce qui est mieux. Il était étranger à Montreuil. De son origine, on ne savait rien.

Il paraît que, le jour de son arrivée, cet inconnu s'était jeté dans une maison en feu, et avait sauvé la vie à deux enfants qui se trouvaient être[44] ceux du capitaine de gendarmerie; voilà pourquoi on n'avait pas pensé à lui demander son passeport. Depuis ce jour-là, on avait su son nom. Il s'appelait *le père Madeleine,* c'était un homme de cinquante ans, et il était bon. Voilà tout ce qu'on en pouvait dire.

Les changements qu'il avait apportés dans la fabrication du jais ont enrichi toute la ville. Si un homme avait faim et pouvait se présenter à la fabrique[45] il y trouvait du travail et du pain. Le père Madeleine employait tout le monde. Il ne demandait qu'une seule chose: Soyez honnête homme! Soyez honnête fille!

Ainsi le père Madeleine faisait sa fortune; mais ce n'est pas à cela qu'il pensait. Il pensait beaucoup aux autres, et peu à lui. En cinq ans, il avait donné plus d'un million de francs à la ville de Montreuil-sur-Mer, et aux pauvres.

En 1819, le roi l'a nommé maire[46] de la ville. Il a refusé. En 1820, il a d'abord voulu refuser une seconde fois. Mais un jour, il a entendu une vieille femme qui criait: «Un bon maire, c'est utile.» Est-ce qu'on recule[47] devant du bien qu'on peut faire? Alors il a accepté.

Ainsi, le père Madeleine était devenu monsieur Madeleine, et monsieur Madeleine est devenu monsieur le maire.

Mais il était demeuré aussi simple que le premier jour. Il vivait seul. Il soupait seul, avec un livre ouvert devant lui où il lisait. Il aimait beaucoup lire, il disait que les livres sont nos meilleurs amis. Il parlait à peu de gens; il ne riait pas. Le dimanche, il faisait une promenade dans les champs.

Il n'était plus jeune mais il était d'une force énorme. Il aidait ceux qui en avaient besoin, relevait un cheval qui tombait dans la rue, poussait une voiture.

Les enfants l'aimaient, et couraient après lui quand il passait dans un village.

Il faisait secrètement beaucoup de bonnes actions. Un pauvre homme rentrait chez lui le soir et trouvait la porte de sa chambre entr'ouverte; il croyait qu'on l'avait volé. Il entrait, et la première chose qu'il voyait, c'était quelques pièces d'argent oubliées sur la table. C'était le père Madeleine qui avait passé par là.

On disait dans la ville que personne n'entrait jamais dans la chambre à coucher de monsieur Madeleine. Un jour, deux dames sont venues chez lui et lui ont dit:

«Monsieur le maire, voulez-vous bien nous faire voir votre chambre? On dit que vous seul savez ce qu'il y a dans cette chambre.»

Monsieur Madeleine les y a fait entrer, sans rien dire.

Ce n'était qu'une chambre à coucher, très simple, avec un lit à draps blancs, une chaise et une table sur laquelle il y avait quelques livres et deux vieux chandeliers d'argent. C'était tout.

Le matin du 15 janvier 1821, monsieur Madeleine lisait comme d'habitude[48] le journal de Montreuil-sur-Mer, en déjeunant.

Tout à coup, il a laissé tomber le journal, a jeté un cri de douleur, et s'est caché la figure dans les mains.

Il venait de lire dans le journal que monseigneur Bienvenu, évêque de Digne, était mort.

## 14. Un Accident

Un matin, monsieur Madeleine passait dans une rue étroite et mauvaise[49] de Montreuil-sur-Mer. Il a entendu du bruit et a vu un groupe de personnes à quelque distance. Il s'est approché.

Un vieil homme, appelé le père Fauchelevent, venait de tomber sous sa voiture. Le cheval s'était blessé[50] en tombant. Il avait les deux jambes de derrière cassées et ne pouvait se relever. L'homme se trouvait pris entre les roues[51] de la voiture, qui pesait[52] sur son corps. On avait essayé de le tirer de dessous la voiture, mais on n'avait pas pu la soulever.[53] On ne savait plus que faire.

«Écoutez,» a dit M. Madeleine, «il y a encore assez de place sous la voiture pour qu'un homme s'y glisse et la soulève avec son dos. Y a-t-il ici quelqu'un qui ait du courage et des forces? Cent francs à gagner!»

Personne n'a remué dans le groupe.

«Deux cents francs,» a dit M. Madeleine.

Tous les hommes baissaient les yeux.

«Allons,»[54] a dit M. Madeleine, «quatre cents francs!»

Même silence.

«Ce n'est pas que nous ne le voulons pas,» a dit une voix, «mais c'est que nous n'en avons pas la force.»

M. Madeleine s'est retourné[55] et a reconnu Javert, inspecteur de police de la ville.

Javert était le seul homme à Montreuil-sur-Mer qui n'aimait pas M. Madeleine. Chaque fois qu'ils se rencontraient dans une rue, Javert se retournait derrière lui et le suivait des yeux, en se disant: «Mais qu'est-ce que c'est que[56] cet homme-là? . . . Il est certain que je l'ai vu quelque part!»[57] M. Madeleine ne faisait pas attention à cet œil toujours fixé sur lui. Enfin, il s'en est aperçu,[58] mais il traitait Javert comme tout le monde, avec bonté.

«Monsieur Madeleine,» a continué Javert, «je n'ai connu qu'un seul homme capable de faire ce que vous demandez là.»

M. Madeleine a fait un mouvement qui n'a pas échappé aux yeux froids de l'inspecteur.

«C'était un galérien.»

«Ah!» a dit M. Madeleine.

«Oui, un galérien de la prison de Toulon.»

M. Madeleine est devenu pâle.

Le père Fauchelevent, sur qui la voiture pesait de plus en plus[59] et qui souffrait beaucoup criait: «Je ne peux plus respirer![60] Ça m'écrase![61] Vite! quelqu'un! Ah!»

M. Madeleine a regardé autour de lui:

«Il n'y a donc personne qui veuille gagner quatre cents francs et sauver la vie à ce misérable?»

Personne n'a remué. Javert a continué:

«Je n'ai jamais connu qu'un homme capable de faire cela; c'était un galérien.»

«Vite!» criait le vieux.

Madeleine a levé la tête, a rencontré l'œil cruel de Javert toujours fixé sur lui, a regardé les paysans et a souri tristement. Puis, sans dire un mot, il s'est glissé sous la voiture.

Il y a eu un moment de silence. La voiture s'enfonçait de plus en plus.

Tout à coup on a vu l'énorme masse de la voiture se soulever un peu. On a entendu une voix qui criait: «Vite! vite! aidez!» C'était M. Madeleine qui faisait un dernier effort.

Tout le monde a mis la main à la voiture. Le courage d'un seul avait donné de la force et du courage à tous. La voiture a été soulevée par vingt bras. Le vieux Fauchelevent était sauvé.

Le lendemain matin, le vieil homme a trouvé mille francs sur la table près de son lit, avec ce mot de la main de M. Madeleine: «Je vous achète votre voiture et votre cheval.»

La voiture ne valait plus rien, et le cheval était mort.

## 15. Javert

Un jour, pendant que M. Madeleine écrivait une lettre dans son bureau, on est venu lui dire que l'inspecteur de police Javert demandait à lui parler.

Javert avait arrêté une jeune femme, Fantine, qui travaillait dans la fabrique de M. Madeleine. Jugeant que Javert avait été trop sévère, M. Madeleine, comme maire de la ville, avait mis Fantine en liberté. Depuis cet incident au bureau de police, M. Madeleine n'avait pas revu l'inspecteur.

«Faites entrer,»[62] a-t-il dit.

Javert est entré.

M. Madeleine était resté assis à sa table, sans lever la tête. Il ne pouvait pas oublier la douleur de la pauvre Fantine. Alors, il n'a pas regardé Javert et a continué d'écrire.

Javert a fait deux ou trois pas dans le bureau et s'est arrêté. Monsieur le maire écrivait toujours. Enfin, il a levé la tête, a regardé l'inspecteur dans les yeux, et a dit:

«Eh bien! qu'est-ce que c'est, Javert?»

«C'est, monsieur le maire, qu'un acte coupable a été commis.»

«Quel acte?»

«Un agent a manqué[63] de respect à un magistrat. Je viens, comme c'est mon devoir, vous le dire.»

«Qui est cet agent?» a demandé M. Madeleine.

«Moi,» a dit Javert.

«Et qui est le magistrat auquel on a manqué de respect?»

«Vous, monsieur le maire. Voilà pourquoi je viens vous demander de me chasser.[64] J'ai commis un acte coupable; il faut que je sois chassé. Monsieur le maire, il y a six semaines, après l'incident au bureau de police, j'étais furieux et je vous ai dénoncé à la Préfecture de Police,[65] à Paris.»

M. Madeleine, qui ne riait pas plus souvent que Javert, s'est mis à rire.

«Comme maire ayant fait obstacle à la police?»

«Comme ancien[66] galérien!»

Le maire est devenu pâle.

«Je le croyais,» a continué Javert. «Depuis longtemps, j'avais des idées: une ressemblance, votre force, l'accident du vieux Fauchelevent, votre façon de marcher, enfin,[67] je vous prenais pour un certain Jean Valjean.»

«Un certain? . . . Comment dites-vous ce nom-là?»

«Jean Valjean. C'est un galérien que j'avais vu il y a vingt ans quand j'étais à Toulon. En sortant de prison, ce Jean Valjean avait volé chez un évêque, puis il avait commis un autre vol, dans un chemin public, sur un petit garçon. Depuis huit ans il s'était caché, on ne sait comment, et on le cherchait. Moi, j'ai cru. . . Alors, j'ai fait cette chose! Je vous ai dénoncé à la Préfecture de Police de Paris.»

M. Madeleine a répondu d'une voix qui ne trahissait pas son émotion:

«Et que vous a-t-on répondu?»

«Que j'étais fou. . . »

«Eh bien?»

«Eh bien, on avait raison.»

«C'est heureux que vous le reconnaissiez!»[68]

«Il faut bien, puisque[69] le vrai Jean Valjean est trouvé.»

La lettre que tenait M. Madeleine, lui a échappé des mains. Il a regardé Javert et a dit: «Ah!»

«Voici l'histoire, monsieur le maire,» a continué Javert. «Il paraît qu'il y avait dans la région un misérable qu'on appelait le père Champmathieu. On ne faisait pas attention à lui. Il y a quelques semaines, le père Champmathieu a été arrêté pour un vol de pommes. On met l'homme en prison, à Arras.[70] Dans cette prison d'Arras, il y a un ancien galérien nommé[71] Brevet. Monsieur le maire, au moment où ce Brevet voit le père Champmathieu, il s'écrie: <Eh! mais! je connais cet homme-là. Regardez-moi donc, mon vieux![72] Vous êtes Jean Valjean!> <Qui ça, Jean Valjean?> Le père Champmathieu ne veut pas comprendre. <Ah! tu comprends bien,> dit Brevet, <tu es Jean Valjean. Tu as été à la prison de Toulon, il y a vingt ans. Nous y étions, tous les deux.> On va à Toulon. Avec Brevet, il n'y a plus que deux galériens qui aient vu Jean Valjean. Ce sont les condamnés à vie Cochepaille et Chenildieu. On les fait venir à Arras et on leur fait voir le nommé Champmathieu. Ils le reconnaissent tout de suite, c'est Jean Valjean. Même âge, même air, même façon de marcher, même homme, enfin, c'est lui. C'est à ce moment-là que je vous ai denounce comme étant Jean Valjean. On me répond que je suis fou et que Jean Valjean est à Arras au pouvoir de la justice. On me fait venir à Arras. . . »

«Eh bien?» a dit M. Madeleine.

«Monsieur le maire, la vérité[73] est la vérité. Je regrette, mais cet homme-là, c'est Jean Valjean. Moi, aussi, je l'ai reconnu.»

«Vous êtes certain?»

«Oui, certain! Et même, maintenant que je vois le vrai Jean Valjean, je ne comprends pas comment j'ai pu croire autre chose. Je vous demande pardon, monsieur le maire.»

«Assez, Javert,» a dit M. Madeleine. «Nous perdons notre temps. Et quand est-ce qu'on va juger cet homme?»

«Demain, dans la nuit.»

«Bon,» a dit M. Madeleine, et il a fait signe à Javert de partir. Javert ne s'en est pas allé.

«Qu'est-ce encore?» a demandé M. Madeleine.

«C'est qu'on doit me chasser.»

«Javert, vous êtes un homme d'honneur. Votre erreur n'est pas si grande. Vous êtes digne de monter et non de descendre. Je veux que vous gardiez votre place.»

Mais Javert a continué:

«Monsieur le maire, dans un moment de colère, je vous ai dénoncé comme ancien galérien, vous, un homme aimé de tous, un maire, un magistrat! Ceci est sérieux, très sérieux. Monsieur, pour le bien du service, il faut me chasser!»

«Nous verrons,» a dit M. Madeleine. Et il lui a tendu[74] la main. Mais Javert ne l'a pas prise. Il a avancé vers la porte, puis s'est retourné et a dit, les yeux toujours baissés:

«Monsieur le maire, je continuerai le service en attendant d'être remplacé.»[75]

Il est sorti.

M. Madeleine est resté pensif, écoutant le pas de l'inspecteur qui s'en allait dans la rue.

## 16. La Voix

Pour M. Madeleine, ce nom de Jean Valjean, prononcé par l'inspecteur, avait réveillé tout un monde d'idées sombres et d'émotions douloureuses. Ce Jean Valjean, c'était lui.

En écoutant parler Javert, il avait eu une première pensée, celle d'aller se dénoncer,[76] de tirer ce Champmathieu de prison et de s'y mettre.

Puis cela a passé, et il s'est dit: «Voyons! voyons!»[77] Il avait oublié ce premier mouvement de bonté et de justice, et n'a voulu que se sauver.[78]

Ce soir-là, M. Madeleine n'a pas soupe.

Il est rentré dans sa chambre et s'est assis, seul avec ses pensées.

Un bruit dans la rue l'a fait se lever, aller à la porte, et la fermer à clef, comme s'il avait peur. Un moment après il a éteint les chandeliers. Il pensait qu'on pouvait le voir.

Qui?

Hélas! ce qu'il ne voulait pas y laisser entrer, était déjà entré: sa conscience.

Seul, dans la chambre sans lumière, il s'est mis à examiner la situation.

«Est-ce que je ne rêve pas? Que m'a-t-on dit? Est-il bien vrai que j'aie vu ce Javert et qu'il m'ait parlé ainsi? Que peut être ce Champmathieu? Il me ressemble donc? Est-ce possible? Hier, j'étais si tranquille! Qu'est-ce que je faisais donc hier, à cette heure?»

Il est allé à la fenêtre et l'a ouverte. Il n'y avait pas d'étoiles au ciel. Il est revenu s'asseoir près de la table.

La première heure a passé ainsi.

Puis, brusquement, il a compris qu'il était seul maître de la situation; que ce terrible nom de Jean Valjean allait disparaître à jamais[79]; et que, de cette aventure, le digne monsieur Madeleine sortirait plus respecté que jamais. Tout ce qu'il fallait faire, c'était de laisser aller aux galères cet inconnu, ce misérable, ce voleur de pommes, sous le nom de Jean Valjean. Comme ça, ce serait fini. Fini! Ah! fini à jamais!

À cette pensée, la conscience a commencé à remuer dans son cœur. Il a rallumé les chandeliers.

«Eh bien!» s'est-il dit, «de quoi est-ce que j'ai peur? Je ne suis pas coupable. Tout est fini. Ce chien de Javert qui me chasse toujours, le voilà content! Il me laissera tranquille, il tient son Jean Valjean! Moi, je ne fais rien. Rien! C'est Dieu qui a fait ceci, ce n'est pas moi! Comment! je n'en suis pas content? Mais qu'est-ce qu'il me faut,[80] donc? Qu'est-ce que je demande? C'est Dieu qui le veut. Et pourquoi? Pour que je continue ce que j'ai commencé, pour que je fasse le bien. . . alors, laissons faire le bon Dieu!»[81]

Il se parlait ainsi dans sa conscience.

Il s'est levé de sa chaise et s'est mis à marcher dans la chambre.

«Eh bien, n'y pensons plus. C'est décidé!»

Mais il ne sentait aucune joie. La pensée revenait toujours à sa première idée.

Que voulait-il sauver, son corps ou son âme? Redevenir honnête et bon, être un juste, est-ce que ce n'était pas ce qu'il avait toujours voulu, ce que l'évêque avait voulu qu'il soit? Fermer la porte à son passé? Mais, il ne la fermait pas, il la rouvrait, en faisant une mauvaise action! Il redevenait un voleur, parce qu'il volait à un autre sa vie, sa paix, sa place au soleil! il tuait! il tuait un homme misérable, innocent. Aller au tribunal, sauver cet homme, reprendre son nom de Jean Valjean, redevenir par devoir un galérien, c'était vraiment fermer pour jamais l'enfer d'où il sortait! Il fallait faire cela!

Il a pris ses livres, et les a mis en ordre. Il a écrit une lettre, l'a mise dans sa poche, et a commencé à marcher. Il voyait son devoir écrit en lettres de feu: *Va! nomme-toi! dénonce-toi!*

Deux heures ont sonné.

Il avait froid. Il a allumé un peu de feu. Tout à coup, l'idée de se sauver l'a saisi. Et il a recommencé son dialogue avec lui-même.

«Eh bien, cet homme va aux galères, c'est vrai, mais il a volé. Il est coupable. Moi, je reste ici, et je continue. Dans dix ans j'aurai gagné dix millions, je les mets au service de la ville, je ne garde rien pour moi. Ce n'est pas pour moi ce que je fais! C'est le bien de tous, de cent familles, de mille familles; elles sont heureuses, la misère disparaît, et avec la misère, le vol, les crimes! Il faut faire attention![82] Qu'est-ce que je sauve? un vieux voleur de pommes, un misérable, un homme qui ne vaut rien!»

Il s'est levé et s'est mis à marcher. Cette fois, il lui paraissait qu'il était content.

«Oui,» a-t-il pensé, «c'est cela. Ce que je fais, c'est pour le bien de tous. Je suis Madeleine, je reste Madeleine.»

Il a fait encore quelques pas, puis il s'est arrêté.

«Mais,» s'est-il dit, «il y a ici, dans cette chambre, des objets qui pourraient me nuire[83]; il faut qu'elles disparaissent.»

Il a cherché dans sa poche et y a pris une petite clef. Avec cette clef, il a ouvert un placard dans le mur, près de son lit.

Il n'y avait dans ce placard que de vieux habits, un vieux sac, et un gros bâton. Ceux qui avaient vu Jean Valjean, une nuit d'octobre, à Digne, auraient reconnu tous ces objets. Il les avait gardés, comme il avait gardé les chandeliers de l'évêque.

Il a regardé vers la porte; puis, d'un mouvement vif[84] il a tout pris, a tout jeté au feu et a refermé le placard.

Tout brûlait. La chambre était tout éclairée.

Dans le feu, près du bâton qui brûlait comme une vieille branche, il y avait quelque chose qui brillait comme un œil. C'était une pièce de quarante sous! La pièce de Petit-Gervais.

M. Madeleine ne l'a pas vue. Tout à coup ses yeux sont tombés sur les deux chandeliers d'argent.

«Ah!» a-t-il pensé, «tout Jean Valjean est encore là! Il faut tout détruire!»[85]

Il a pris les deux chandeliers et a remué le feu. Une minute de plus,[86] et ils étaient dans le feu.

En ce moment, il a cru entendre une voix qui criait:

«Jean Valjean! Jean Valjean!»

M. Madeleine a écouté ces mots terribles.

«Oui! c'est cela,» disait la voix. «Finis ce que tu fais! Détruis ces chandeliers! oublie l'évêque! oublie tout! va! va, c'est bien! Voilà un homme qui sait ce qu'il veut! Détruis ce Champmathieu, qui n'a rien fait, sur qui ton nom pèse comme un crime, qui va être pris pour toi, qui va être condamné, qui va finir ses jours dans les galères! C'est bien. Sois honnête homme, toi. Reste monsieur le maire, vis heureux et aimé! Pendant ce temps-là, pendant que tu seras ici dans la joie et la lumière, il y aura quelqu'un qui aura ton uniforme rouge, qui portera tes chaînes et ton nom en prison! Ah! misérable que tu es!»

Cette voix était devenue terrible.

M. Madeleine a regardé dans la chambre:

«Y a-t-il quelqu'un ici?» a-t-il demandé. Puis il a continué, en riant comme un fou: «Comme je suis bête![87] Il n'y a personne ici.»

Il a mis les chandeliers sur la table.

Puis, il s'est remis à marcher, mais il marchait comme un petit enfant qu'on laisse aller seul.

Trois heures ont sonné. Le combat entre Jean Valjean et M. Madeleine continuait.

À quatre heures, une voiture dans laquelle il n'y avait qu'une seule personne, un homme tout en noir, est partie de Montreuil-sur-Mer et a pris la route d'Arras.

[1] **se rendormir** to go back to sleep.

[2] **se mettre à** to begin to, start.

[3] **en argent massif** made of solid silver.

[4] **au moins** at least.

[5] **sonner** to sound, strike (a bell).

[6] **droit** straight.

[7] **ce coup d'œil jeté** this survey made.

[8] **entr'ouvert** half-open, partly open.-

[9] **s'est ouverte toute grande** opened wide.

[10] **aigu** sharp, piercing.

[11] **épée** sword.

[12] **rayon de lune** moonbeam.

[13] **figure** face.

[14] **baiser** to kiss.

[15] **ôter** to take off, remove.

[16] **casquette** cap.

[17] **âme** soul.

[18] **faisait sa promenade** was taking his walk.

[19] **briser** to break.

[20] **Il devait en avoir besoin** He must have needed it.

<sup>21</sup> **déjeuner** to breakfast.

<sup>22</sup> **veille** evening or day before.

<sup>23</sup> **perte** loss.

<sup>24</sup> **brigadier** sergeant.

<sup>25</sup> **donc** therefore; here, used for emphasis: it *was* true.

<sup>26</sup> **devoir** duty.

<sup>27</sup> **lâcher** to let go.

<sup>28</sup> **ne se souvenait pas** did not remember.

<sup>29</sup> **n'appartient plus au mal** no longer belongs to evil.

<sup>30</sup> **s'échapper** to flee, escape.

<sup>31</sup> **se fâcher** to get angry.

<sup>32</sup> **pièce** coin.

<sup>33</sup> **rattraper** to catch again.

<sup>34</sup> **est venue rouler** came rolling.

<sup>35</sup> **pièce blanche** silver coin.

<sup>36</sup> **misérable** *n.* scoundrel, wretch.

<sup>37</sup> **disparu** (*p.p.* **disparaître**) disappeared.

<sup>38</sup> **briller** to shine, gleam

<sup>39</sup> **avait perdu la raison** had lost his mind.

<sup>40</sup> **faiblir** to weaken.

<sup>41</sup> **père** familiar way of calling older men.

<sup>42</sup> **Montreuil-sur-Mer** industrial city of northwestern France, south of Boulogne-sur-Mer.

<sup>43</sup> **jais** jet (for bead making).

<sup>44</sup> **se trouver être** to turn out to be.

<sup>45</sup> **fabrique** factory.

<sup>46</sup> **nommer maire** to appoint mayor (under the monarchy, mayors were appointed, not elected).

<sup>47</sup> **reculer** to back away.

<sup>48</sup> **comme d'habitude** as usual.

<sup>49</sup> **étroite et mauvaise** narrow and wretched.

<sup>50</sup> **se blesser** to hurt oneself, injure oneself.

<sup>51</sup> **roue** wheel.

[52] **peser** to weigh, rest heavily.

[53] **soulever** to raise up, lift.

[54] **Allons!** Come now!

[55] **se retourner** to turn around.

[56] **que:** here, disregard.

[57] **quelque part** somewhere.

[58] **s'en est aperçu** noticed.

[59] **de plus en plus** more and more.

[60] **respirer** to breathe.

[61] **écraser** to crush.

[62] **Faites entrer** *(imp.)* Show him in.

[63] **manquer** to lack, be wanting; fail.

[64] **chasser** to discharge.

[65] **Préfecture de Police** police headquarters.

[66] **ancien** former.

[67] **enfin** in a word, in short *(in this context)*.

[68] **reconnaissiez** (subj. **reconnaître**) admit.

[69] **Il faut bien, puisque** I have to, since.°.°.

[70] **Arras** large industrial city, north of Paris and east of Montreuil.

[71] **nommé** named, called.

[72] **mon vieux** pal.

[73] **vérité** truth.

[74] **tendu** (p.p. **tendre**) stretched out; **tendre la main** to hold out one's hand.

[75] **remplacé** replaced.

[76] **se dénoncer** to give oneself up.

[77] **Voyons!** Come!

[78] **se sauver** to flee.

[79] **à jamais** forever.

[80] **il me faut** I need.

[81] **laissons faire le bon Dieu!** let God's will be done!

[82] **Il faut faire attention** Let's be careful.

[83] **nuire** to be harmful.

[84] **vif (vive)** quick.

[85] **détruire** to destroy.

[86] **de plus** more.

[87] **bête** stupid.

*La Belle et la Bête*

MADAME LEPRINCE DE BEAUMONT

1

Il y avait une fois[1] un marchand qui était extrêmement riche. Il avait six enfants, trois garçons et trois filles, et comme ce marchand était bon père, il leur donna toutes sortes de maîtres pour faire leur éducation.

Ses filles étaient très belles; mais la cadette[2] surtout se faisait admirer, et on ne l'appelait, quand elle était petite, que la Belle Enfant; en sorte que[3] le nom lui resta, ce qui donna beaucoup de jalousie à ses sœurs. Cette cadette, qui était plus belle que ses sœurs, était aussi meilleure qu'elles. Les deux aînées[4] avaient beaucoup d'orgueil,[5] parce qu'elles étaient riches: elles faisaient les dames[6] et ne voulaient pas recevoir les visites des autres filles de marchands; il leur fallait[7] des gens de qualité pour leur compagnie. Elles allaient tous les jours au bal, à la comédie,[8] à la promenade, et se moquaient de leur cadette, qui employait la plus grande partie de son temps à lire de bons livres.

Comme on savait que ces filles étaient très riches, plusieurs gros marchands[9] les demandèrent en mariage; mais les deux aînées répondirent qu'elles ne se marieraient jamais, sauf avec un duc ou, au moins, avec un comte. La Belle remercia ceux qui voulaient l'épouser; mais elle leur dit qu'elle était trop jeune, et qu'elle souhaitait tenir compagnie à son père pendant quelques années.

Un jour, le marchand perdit sa fortune, et il ne lui resta qu'une petite maison de campagne[10] bien loin de la ville.

Il dit en pleurant à ses enfants qu'il fallait aller demeurer dans cette maison et y travailler comme des paysans.[11] Les amis des deux filles aînées ne voulurent plus les regarder quand elles furent pauvres. Personne ne les aimait à cause de leur orgueil et on disait:

«Elles ne méritent pas qu'on les plaigne;[12] elles n'ont qu'à faire les dames en gardant les moutons.»

Mais en même temps tout le monde disait:

«Pour la Belle, nous regrettons beaucoup son malheur: c'est une si bonne fille! Elle parlait aux pauvres gens avec tant de bonté! Elle était si douce, si gentille!»

Il y eut même plusieurs gentilshommes qui voulurent l'épouser; mais elle leur dit qu'elle ne pouvait abandonner son pauvre père dans son malheur, et qu'elle le suivrait à la campagne pour le consoler et l'aider à travailler.

2

La pauvre Belle avait été bien malheureuse de perdre sa fortune; mais elle s'était dit à elle-même:

«Même si je pleurais, mes larmes ne me rendront pas mon bien,[13] il faut essayer d'être heureuse sans fortune.»

Quand ils furent arrivés à la maison de campagne, le marchand et ses trois fils cultivèrent la terre. La Belle se levait à quatre heures du matin, nettoyait[14] la maison et préparait les repas de la famille. Elle eut d'abord beaucoup de peine,[15] car elle n'était pas habituée à travailler comme une servante; mais au bout de deux mois elle devint plus forte, et la fatigue lui donna une santé[16] parfaite. Quand elle avait fait son travail, elle lisait, elle jouait du clavecin,[17] ou bien elle chantait. Ses deux sœurs, au contraire, s'ennuyaient à la mort;[18] elles se levaient à dix heures du matin, se promenaient toute la journée, regrettant leurs beaux habits[19] et les compagnies:

«Voyez notre cadette, elle a l'âme si basse et si stupide qu'elle est contente de sa malheureuse situation.»

Le bon marchand ne pensait pas comme ses filles. Il admirait la vertu de cette jeune fille, surtout sa patience; car ses sœurs, non contentes de lui laisser faire tout le travail, l'insultaient à tout moment.

Il y avait un an que cette famille vivait dans la solitude lorsque le marchand reçut une lettre lui annonçant l'arrivée d'un navire chargé de marchandises qui lui appartenaient. Folles de joie,[20] les deux aînées le prièrent de leur apporter toutes sortes de vêtements et de bijoux.[21] La Belle ne demandait rien; car elle pensait en elle-même que tout l'argent des marchandises ne suffirait pas pour acheter ce que ses sœurs souhaitaient.

«Tu ne me pries pas de t'acheter quelque chose? lui demanda son père.

—Puisque[22] vous avez la bonté de penser à moi, lui dit-elle, je vous prie de m'apporter une rose, car il n'y en a pas ici.»

3

Le marchand partit; mais quand il fut arrivé, il perdit toutes ses marchandises dans un procès,[23] et il revint aussi pauvre qu'avant.

Il n'avait plus que trente milles à faire[24] pour arriver à sa maison; mais, comme il fallait traverser une grande forêt, il se perdit.

Il neigeait horriblement, le vent était si fort qu'il le jeta deux fois à bas[25] de son cheval; et, la nuit étant venue, il pensa qu'il mourrait de faim ou de froid,[26] ou qu'il serait mangé par des loups[27] qu'il entendait hurler[28] autour de lui. Tout à coup, il vit une grande lumière qui sortait d'un palais qui était tout illuminé. Arrivé à ce château, il fut bien surpris de ne trouver personne. Son cheval qui le suivait, voyant une grande écurie[29] ouverte, entra dedans. Le marchand l'attacha, et marcha vers la maison où il ne trouva personne; mais étant entré dans une grande salle, il y trouva un grand feu et une table chargée de mets,[30] où il n'y avait qu'un couvert.

Comme la pluie et la neige l'avaient mouillé jusqu'aux os,[31] il s'approcha du feu pour se sécher,[32] et attendit le maître de la maison. Personne ne vint. Onze heures ayant sonné[33] il ne put résister à la faim et prit un poulet[34] qu'il mangea en deux bouchées[35] et en tremblant; et, devenu plus hardi,[36] il sortit de la salle et traversa plusieurs grands appartements[37] magnifiquement meublés.[38] À la fin, il trouva une chambre où il y avait un bon lit; et comme il était minuit passé et qu'il était fatigué, il se coucha et s'endormit.

4

Il était dix heures du matin quand il s'éveilla, et il fut bien surpris de trouver un habit propre[39] à la place du sien qui était sale.[40] Il regarda par la fenêtre et ne vit plus de neige, mais des fleurs admirables.

Il rentra dans la grande salle où il avait soupe et vit une petite table où il y avait du chocolat.

«Je vous remercie, madame la fée, dit-il tout haut,[41] d'avoir eu la bonté de penser à mon déjeuner.»[42]

Après avoir pris son chocolat, il sortit pour aller chercher son cheval; en passant sous des rosés, il se souvint que la Belle lui en avait demandé et cueillit[43] une branche où il y en avait plusieurs. En même temps, il entendit un grand bruit et vit venir à lui une bête horrible.

«Vous êtes bien ingrat,[44] lui dit la Bête d'une voix terrible; je vous ai sauvé la vie en vous recevant dans mon château, et puis vous me volez mes rosés que j'aime mieux que toutes choses au monde. Il faut mourir pour réparer cette faute; je ne vous donne qu'un quart d'heure pour demander pardon à Dieu.»

Le marchand se jeta à genoux[45] et dit à la Bête:

«Monseigneur, pardonnez-moi; je ne croyais pas vous offenser en cueillant une rose pour une de mes filles qui m'en avait demandé.

—Je ne m'appelle pas Monseigneur, répondit le monstre, mais la Bête. Je n'aime pas les compliments, moi; je veux qu'on dise ce qu'on pense; ne croyez donc pas me toucher avec des flatteries. Mais vous m'avez dit que vous aviez des filles; je veux vous pardonner, à condition qu'une de vos filles meure à votre place. Partez. Et si vos filles refusent de mourir pour vous, jurez[46] que vous reviendrez dans trois mois.»

Le marchand n'avait pas l'intention de sacrifier une de ses filles mais il pensa:

«Au moins, j'aurai le plaisir de les embrasser encore une fois.»

Il jura donc de revenir et la Bête lui dit qu'il pouvait partir quand il voudrait.

«Mais, ajouta-t-elle, je ne veux pas que tu t'en ailles les mains vides.[47] Retourne dans la chambre où tu as couché, tu y trouveras un grand coffre[48] vide; tu peux y mettre tout ce que tu voudras, je le ferai porter chez toi.»

Ayant trouvé une grande quantité de pièces d'or,[49] le marchand remplit le grand coffre, le ferma. Puis, il prit son cheval et en peu d'heures il arriva dans sa petite maison.

En revoyant ses enfants, le marchand se mit à pleurer. Il tenait à la main la branche de rosés qu'il apportait à la Belle: il la lui donna et lui dit:

«La Belle, prenez ces rosés, elles coûteront bien cher à votre malheureux père.»

Et il leur raconta l'aventure qui lui était arrivée.

**La Belle et la Bête** (suite)

5

Les deux aînées insultèrent alors la Belle, qui ne pleurait pas.

«Voyez ce que produit l'orgueil de cette petite créature! disaient-elles. Pourquoi ne demandait-elle pas des vêtements comme nous? Mais non, mademoiselle voulait se distinguer. Elle va causer la mort de notre père et elle ne pleure pas!

—Pourquoi pleurerais-je la mort de notre père? Il ne périra pas. Si le monstre veut bien accepter une de ses filles, en mourant j'aurai la joie de sauver mon père et de lui montrer ma tendresse.

—Non, ma sœur, lui dirent ses trois frères, vous ne mourrez pas; nous irons trouver ce monstre et nous périrons sous ses coups[50] si nous ne pouvons pas le tuer.

—Ne l'espérez pas, mes enfants, leur dit le marchand; la force de la Bête est trop grande. Je ne veux pas expose la Belle à la mort. Je suis vieux, il ne me reste que quelque temps à vivre.

—Je vous assure, mon père, lui dit la Belle, que vous n'irez pas à ce palais sans moi; vous ne pouvez pas m'empêcher[51] de vous suivre.»

Ses sœurs en étaient contentes parce que les vertus de cette cadette leur avaient inspiré beaucoup de jalousie. Le marchand était si occupé de la douleur de perdre sa fille qu'il ne pensait pas au coffre qu'il avait rempli d'or. Aussitôt qu'il fut dans sa chambre, il fut étonné de le trouver à côté de son lit. D'abord il ne voulut pas distribuer cet or à ses deux aînées; mais la Belle l'encouragea à le faire parce que deux gentilshommes voulaient les épouser. Elle pria son père de les marier; car elle était si bonne qu'elle les aimait et leur pardonnait de tout son cœur le mal qu'elles lui avaient fait.

Les deux méchantes filles se frottèrent les yeux avec un oignon pour pleurer lorsque la Belle partit avec son père; mais ses frères pleuraient sincèrement, aussi bien que le marchand: il n'y avait que la Belle qui ne pleurait pas, parce qu'elle ne voulait pas augmenter leur douleur.

Le cheval prit la route du palais et, en arrivant le soir, il alla tout seul à l'écurie. Le marchand entra avec sa fille dans la grande salle où ils trouvèrent une table magnifiquement servie avec deux couverts.

Le marchand n'avait pas le cœur de manger; mais la Belle, essayant de paraître tranquille, se mit à table et le servit.

6

Quand ils eurent soupe, ils entendirent un grand bruit, et le marchand dit adieu à sa fille en pleurant, car il pensait que c'était la Bête. La Belle trembla en voyant cette horrible figure; puis elle resta calme. Le monstre lui ayant demandé si elle était venue volontairement, elle lui dit que oui.

«Vous êtes bien bonne, lui dit la Bête, et je vous suis bien obligé. Votre père doit partir demain matin et ne plus revenir. Adieu, la Belle.

—Adieu, la Bête,» répondit-elle, et tout de suite le monstre se retira.

Pendant son sommeil,[52] la Belle vit une dame qui lui dit:

«Je suis contente de votre bon cœur, la Belle; la bonne action que vous faites, en donnant votre vie pour sauver celle de votre père, sera recompensée.»

La Belle, en s'éveillant, raconta ce rêve à son père; cela le consola un peu mais quand il dut se séparer de sa chère fille, il pleura à grands cris. Lorsqu'il fut parti, la Belle s'assit dans la grande salle, et se mit à pleurer aussi; mais comme elle avait beaucoup de courage, elle se recommanda à Dieu, pensant que la Bête la mangerait le soir. Elle voulut se promener en attendant, et visiter ce beau château. Elle fut très surprise de trouver une porte sur laquelle il y avait écrit: *Appartement de la Belle*. Elle ouvrit cette porte et elle fut éblouie[53] par la magnificence qui y régnait; mais ce qui frappa le plus sa vue[54] fut une grande bibliothèque,[55] un clavecin et plusieurs livres de musique.

«On ne veut pas que je m'ennuie, dit-elle tout bas,[56] si je n'avais qu'un jour à rester ici, on ne m'aurait pas préparé tout cela.»

Elle ouvrit la bibliothèque et vit un livre où il y avait écrit en lettres d'or:

*Souhaitez, commandez, vous êtes ici la reine et la maîtresse.*

«Hélas! dit-elle, je ne souhaite rien que de revoir mon pauvre père et de savoir ce qu'il fait en ce moment.» Elle avait dit cela en elle même.

Quelle fut sa surprise, en jetant les yeux sur[57] un grand miroir, d'y voir sa maison où son père arrivait avec un visage extrêmement triste; ses sœurs faisaient des grimaces pour paraître tristes, mais il était évident que la mort de la Belle leur donnait de la joie. Un moment après, tout cela disparut. La Belle pensa que la Bête était bien bonne et qu'elle n'avait rien à craindre d'elle.

À midi, elle trouva la table mise, et elle entendit un excellent concert, mais aucun musicien n'était visible.

Le soir, comme elle allait se mettre à table, elle entendit le bruit que faisait la Bête et elle trembla.

«La Belle, lui dit ce monstre, voulez-vous bien que je vous regarde manger?

—Vous êtes le maître, répondit la Belle.

—Non, continua la Bête, il n'y a ici de maîtresse que vous; vous n'avez qu'à me dire de m'en aller si je vous ennuie;[58] je sortirai tout de suite. Dites-moi: n'est ce pas que vous me trouvez laid?[59]

—Cela est vrai, dit la Belle, car je ne sais pas mentir; mais je crois que vous êtes très bon.

—Vous avez raison, dit le monstre, et en plus, je n'ai pas d'esprit[60] car je ne suis qu'une bête.

—On n'est pas bête quand on croit ne pas avoir d'esprit: un sot[61] n'a jamais su cela.

—Mangez donc, la Belle, lui dit le monstre, et assayez de ne pas vous ennuyer dans votre maison; car tout ceci est à vous. J'aurais du chagrin si vous n'étiez pas contente.

—Je suis très contente de votre bon cœur: quand j'y pense, vous ne me paraissez plus si laid.

—Oh! oui, répondit la Bête, j'ai le cœur bon, mais je suis un monstre.

—Il y a bien des hommes qui sont plus monstres que vous, dit la Belle; et je vous aime mieux avec votre figure que ceux qui, avec la figure d'homme, cachent un cœur faux,[62] corrompu, ingrat.

—Si j'avais de l'esprit, continua la Bête, je vous ferais un grand compliment pour vous remercier, mais je suis un stupide, et tout ce que je peux vous dire, c'est que je vous suis bien obligé.»

La Belle mangea de bon appétit. Elle n'avait presque plus peur du monstre; mais elle trembla de nouveau[63] quand il lui dit:

«La Belle, voulez-vous être ma femme?»

Elle ne répondit pas tout de suite: elle avait peur d'exciter la colère[64] du monstre en le refusant; elle lui dit en tremblant:

«Non, la Bête.»

Il fit alors un sifflement épouvantable[65] et lui dit adieu. Il sortit de la chambre en se retournant de temps en temps pour la regarder encore.

La Belle, se voyant seule, sentit une grande compassion pour cette pauvre bête.

«Hélas! disait-elle, c'est bien dommage[66] qu'elle soit laide, elle est si bonne!»

7

La Belle passa trois mois dans ce palais avec assez de tranquillité. Tous les soirs, la Bête lui rendait visite. Chaque fois, la Belle découvrait de nouvelles bontés dans ce monstre; l'habitude[67] de le voir l'avait accoutumée[68] à sa laideur et elle regardait souvent sa montre[69] pour voir s'il était bientôt neuf heures, s'il allait bientôt venir.

Il n'y avait qu'une chose que faisait de la peine[70] à la Belle, c'est que le monstre, avant de se coucher, lui demandait toujours si elle voulait être sa femme, et paraissait pleine de douleur lorsqu'elle lui disait que non. Elle lui dit un jour:

«Vous me faites du chagrin, la Bête; je voudrais pouvoir vous épouser, mais je suis trop sincère pour vous faire croire que cela arrivera un jour; je serai toujours votre amie, essayez de vous contenter de[71] cela.

—Il le faut bien,[72] continua la Bête. Je sais que je suis bien horrible; mais je vous aime beaucoup. Promettez-moi que vous ne me quitterez jamais.»

La Belle rougit[73] en l'entendant; elle avait vu que son père était malade du chagrin de l'avoir perdue, et elle souhaitait le revoir.

«J'ai tant envie de revoir mon père, dit-elle, que je mourrai de douleur si vous me refusez ce plaisir.

—J'aime mieux mourir moi-même, dit le monstre, que de vous donner du chagrin; je vous enverrai chez votre père, vous y resterez, et votre pauvre Bête en mourra de douleur.

—Non, lui dit la Belle en pleurant; je vous aime trop pour vouloir causer votre mort: je vous promets de revenir dans une semaine. Vous m'avez fait voir que mes sœurs sont mariées et que mes frères sont partis pour l'armée; mon père est tout seul, permettez-moi de rester chez lui une semaine.

—Vous y serez demain matin, lui dit la Bête; mais souvenez-vous de votre promesse. Vous n'aurez qu'à mettre votre bague[74] sur une table en vous couchant quand vous voudrez revenir. Adieu, la Belle.»

Quand elle se réveilla le matin, elle se trouva dans la maison de son père. Le marchand et sa fille se tinrent embrassés plus d'un quart d'heure, tellement leur joie était grande.

La servante lui dit qu'elle venait de trouver dans la chambre un grand coffre plein de robes d'or, avec des diamants. La Belle remercia la Bête de ses attentions; elle prit la moins riche de ces robes, voulant donner les autres à ses sœurs. Le coffre disparut alors et son père lui dit que la Bête voulait que la Belle garde tout pour elle; et aussitôt les robes revinrent à la même place.

La Belle s'habilla[75] et, pendant ce temps, ses sœurs arrivèrent avec leurs maris. L'aînée avait épousé un jeune gentilhomme beau comme l'amour;[76] mais il était si amoureux de sa propre figure qu'il se regardait dans le miroir du matin au soir. La seconde avait épousé un homme qui avait beaucoup d'esprit; mais il s'en servait[77] pour critiquer tout le monde, à commencer par sa femme.

Elles furent pleines de jalousie en voyant leur sœur habillée comme une princesse et en apprenant qu'elle était heureuse au palais du monstre.

Pour se venger d'elle, elles décidèrent de la faire rester plus d'une semaine. Elles lui firent tant de caresses que la Belle promit de rester encore une semaine. La dixième nuit qu'elle passa chez son père, elle rêva qu'elle était dans le jardin du palais, et qu'elle voyait la Bête couchée sur l'herbe, et près de mourir, qui lui reprochait son ingratitude.

La Belle se réveilla en pleurant.

«Ne suis-je pas bien méchante, disait-elle, de donner du chagrin à une bête qui a pour moi tant de bontés?[78] Est-ce sa faute si elle est laide et si elle a peu d'esprit? Elle est bonne, cela vaut mieux[79] que tout le reste. Pourquoi n'ai-je pas voulu l'épouser? Je serais plus heureuse avec elle que mes sœurs avec leurs maris. Ce n'est ni la beauté ni l'esprit d'un mari qui rendent une femme contente; c'est la bonté du caractère.»

À ces mots, la Belle se leva, mit la bague sur la table, et se coucha. Quand elle se réveilla le matin, elle vit avec joie qu'elle était dans le palais de la Bête. Elle s'habilla magnifiquement pour lui plaire et attendit neuf heures du soir avec impatience; la Bête ne parut pas.

Craignant d'avoir causé sa mort, elle courut partout, pleine de désespoir. Dans le jardin, elle trouva la pauvre Bête couchée dans l'herbe, inanimée. Elle prit de l'eau dans un canal à côté et lui en jeta sur la tête.

La Bête ouvrit les yeux et dit à la Belle:

«Vous avez oublié votre promesse et j'ai voulu me laisser mourir de faim; mais je meurs content, puisque j'ai le plaisir de vous revoir encore une fois.»

—Non, ma chère Bête, vous ne mourrez pas, lui dit la Belle; vous vivrez pour devenir mon époux:[80] je vous donne ma main; je ne pourrais pas vivre sans vous voir.»

Après avoir dit cela, la Belle vit le château brillant de lumière, tout lui annonçait une fête. Elle se retourna vers sa chère Bête, dont le danger la faisait trembler. Quelle fut sa surprise! La Bête avait disparu, et elle ne vit plus à ses pieds qu'un prince plus beau que l'amour, qui la remerciait d'avoir fini son enchantement.[81]

«Une méchante fée m'avait condamné à rester sous la figure d'une bête, expliqua-t-il, jusqu'à ce qu'une belle fille consente à m'épouser. Il n'y avait que vous dans le monde assez bonne pour vous laisser toucher par la bonté de mon caractère. En vous offrant ma couronne, je ne peux m'acquitter des obligations que je vous ai.»[82]

La Belle donna la main à ce beau prince et ils allèrent ensemble au château. Elle y retrouva son père et toute sa famille que la belle dame qui lui était apparue dans les rêves avait transportés au château.

«La Belle, lui dit cette dame qui était une grande fée, venez recevoir la récompense de votre bon choix: vous avez préféré la vertu à la beauté et à l'esprit, vous méritez de trouver toutes ces qualités réunies en une même personne. Vous allez devenir une grande reine: j'espère que le trône ne détruira pas vos vertus. Pour vous, dit la fée aux deux sœurs de la Belle, je connais votre cœur et votre malice. Devenez des statues; mais conservez toute votre raison sous la pierre qui vous enveloppera. Vous resterez à la porte du palais de votre sœur et vous verrez son bonheur.»

Dans le moment, la fée donna un coup de baguette[83] qui transporta tous ceux qui étaient dans cette salle dans le royaume du prince. Ses sujets le virent avec joie et il épousa la Belle, qui vécut avec lui très longtemps et dans un bonheur parfait, parce qu'il était fondé sur la vertu.

[1] **Il y avait une fois** Once upon a time there was.

[2] **cadette** younger sister.

[3] **en sorte que** so that.

[4] **aînée** *n.* elder sister.

[5] **beaucoup d'orgueil** excessive pride.

[6] **faisaient les dames** put on airs.

[7] **il leur fallait** they had to have.

[8] **à la comédie** to the theater.

[9] **gros marchands** big (wealthy) merchants.

[10] **maison de campagne** house in the country.

[11] **paysan** peasant.

[12] **Elles ne.°.°. plaigne** they don't deserve any pity.

[13] **ne me rendront pas mon bien** will not bring back my wealth.

[14] **nettoyer** to clean.

[15] **peine** trouble.

[16] **santé** health.

[17] **clavecin** harpsichord.

[18] **s'ennuyaient à la mort** were bored to death.

[19] **habits** clothes.

[20] **fou (folle) de joie** overjoyed.

[21] **bijoux** jewels.

[22] **puisque** since.

[23] **procès** lawsuit.

[24] **il n'avait plus.°.°. à faire** he had only thirty miles to go.

[25] **jeta à bas** threw off.

[26] **mourrait de faim ou de froid** would starve or freeze to death.

[27] **loups** wolves.

[28] **hurler** to howl.

[29] **écurie** stable.

[30] **chargée de mets** covered with dishes of food

[31] **mouillé jusqu'aux os** drenched to the bone.

[32] **se sécher** to dry oneself.

[33] **onze heures ayant sonné** when the clock struck eleven.

[34] **poulet** chicken.

[35] **manger en deux bouchées** to eat up in two bites.

[36] **devenu plus hardi** getting bolder.

[37] **appartement** here: room.

[38] **meublé** furnished.

[39] **propre** clean.

[40] **sale** dirty.

[41] **tout haut** in a loud voice.

[42] **déjeuner** here: breakfast.

[43] **cueillir** to pick.

[44] **ingrat** ungrateful.

[45] **se jeta à genoux** fell down on his knees.

[46] **jurer** to swear.

[47] **vide** empty.

[48] **coffre** chest.

[49] **pièce d'or** gold coin.

[50] **coup** blow.

[51] **empêcher** to prevent.

[52] **sommeil** sleep.

[53] **ébloui** dazzled.

[54] **frappa sa vue** struck her eye.

[55] **bibliothèque** bookcase.

[56] **tout bas** softly.

[57] **jetant les yeux** glancing at.

[58] **ennuyer** to bother.

[59] **laid** ugly.

[60] **esprit** mind.

[61] **sot** idiot.

[62] **faux (fausse)** false.

[63] **de nouveau** again.

[64] **colère** anger.

[65] **il fit.°.°. épouvantable** he then uttered a frightful hiss.

[66] **c'est bien dommage** what a pity indeed.

[67] **habitude** habit.

[68] **accoutumer** to accustom.

[69] **montre** watch.

[70] **faisait de la peine** grieved.

[71] **se contenter de** to be happy with.

[72] **il le faut bien** I have no choice.

[73] **rougit** blushed.

[74] **bague** ring.

[75] **s'habiller** to get dressed.

[76] **beau comme l'amour** as handsome as can be.

[77] **s'en servait de** used it.

[78] **a des bontés** is good.

[79] **cela vaut mieux** it is worth more.

[80] **époux** husband.

[81] **enchantement** bewitchment.

[82] **En vous offrant ma couronne.°.°.** By offering you my crown, I cannot really repay you for what I owe you.

[83] **donna un coup de baguette** waved her wand.